GRANDES NOVELISTAS

Richard North Patterson

NO HAY LUGAR SEGURO

Traducción de Daniel Zadunaisky

DEL MISMO AUTOR
por nuestro sello editorial

■

EL JUICIO FINAL
OJOS DE NIÑO
TESTIGO SILENCIOSO

Richard North Patterson

NO HAY LUGAR SEGURO

EMECÉ EDITORES

820-3(73) Patterson, Richard North
PAT No hay lugar seguro. - 1a ed. - Buenos Aires : Emecé, 1999.
512 p. ; 23x15 cm. - (Grandes novelistas)

Traducción de: Daniel Zadunaisky.

ISBN 950-04-1991-2

I. Título - 1. Narrativa Estadounidense

Emecé Editores S.A.
Alsina 2062 - Buenos Aires, Argentina
E-mail: editorial@emece.com.ar
http: // www.emece.com.ar

Título original: *No Safe Place*

Diseño de tapa: *Eduardo Ruiz*
Fotocromía de tapa: *Moon Patrol S.R.L.*
Primera edición: 8.000 ejemplares
Impreso en Imprenta de los Buenos Ayres S.A.I.yC.,
Carlos Berg 3449, Buenos Aires, mayo de 1999

IMPRESO EN LA ARGENTINA / PRINTED IN ARGENTINA
Queda hecho el depósito que previene la ley 11.723
I.S.B.N.: 950-04-1991-2
9.045

Para Chase
Nuestro hijo menor

PRÓLOGO

LA CAMPAÑA

abril, año 2000

UNO

A las 8 de la mañana del último día que debía pasar en Boston, Sean Burke se paseaba en círculos en la esquina de la Plaza Kenmore a la espera del abortista, con una pistola semiautomática de nueve milímetros oculta en el bolsillo interior de su chaqueta militar.

Sean conocía a su enemigo por haberlo visto en las manifestaciones: era un hombre menudo de cabello pardo, ralo y pómulos demacrados, impávidos ojos grises que no prestaban atención a los que protestaban, ni siquiera cuando chillaban con voces fingidas de feto, *"Mami, papi, por favor no me maten"*. Por un lado, Sean rogaba que viniera; por el otro, asustado y vacilante, esperaba que no lo hiciera. Para darse ánimos imaginó las caras de los niños a los que salvaría.

Así pasaron cuarenta minutos. La angustia de Sean crecía sin cesar.

Entonces apareció el hombre en la salida del metro.

El abortista llevaba las manos en los bolsillos. Sus ojos estaban clavados en la acera y al respirar echaba finas bocanadas de humo en una mañana primaveral pero sorpresivamente fresca. No advirtió la presencia de Sean.

Éste tragó. Tenía la garganta reseca, un sabor agrio en la boca, un nudo crispado en el estómago. Su mano enguantada hurgó torpemente en el fondo del bolsillo hasta encontrar el comprimido antiácido y lo llevó a su boca, donde sus dientes lo trituraron, lo redujeron a tiza.

El doctor Bowe desapareció en el interior del edificio.

Era un antiguo hotel de ladrillo a la vista, reciclado para alojar consultorios médicos y odontológicos, pequeñas mercerías y joyerías baratas; una mujer embarazada que abría la doble puerta de vidrio tal vez quería comprar un collar, no buscar un cómplice para el homicidio de su bebé nonato. Sean sólo sabía que el consultorio estaba en el primer piso: debido a una orden judicial, los piquetes no podían entrar en el edificio ni obstaculizar el ingreso. La alfombra roja, lo llamaba su dirigente Paul Terris. Pero ni las exhortaciones de Paul ni las protestas habían detenido el derramamiento de sangre.

A pesar de todo, Sean vacilaba, temeroso. La tiza dejó un sabor amargo en su boca.

Si pasaba a la acción, debería dejar atrás el mundo que conocía: la iglesia acogedora donde trabajaba de portero; el cuarto encima de la oficina parroquial, su hogar durante los últimos tres años; la compasión del padre Brian Shaw, quien elogiaba su trabajo y con su voz benigna expresaba preocupación por la "intensidad" de Sean. Los diarios y la televisión, en las calles y los bares de Charlestown, lo llamarían asesino.

Pues bien, que Dios lo juzgara. Dios y los niños.

Pero permaneció inmóvil, un hombre delgado de pelo negro lacio y ojos celestes. Solo, como casi toda la vida, Sean miraba pasar el desfile azaroso de la ciudad: trabajadores retrasados que corrían desde la salida del metro; bocinas de autos; estudiantes camino de la universidad; una niñera asiática, el cuello envuelto en una bufanda de lana a cuadros, empujando un bebé en su cochecito azul. No reparaban en él, pero aunque lo hicieran no comprenderían.

Entonces la vio: una joven con saco de lana, gorra tejida que cubría sus rizos rojos, cara más irlandesa incluso que la de Sean. Podía imaginarla sentada a su lado en la escuela.

Se detuvo en la acera y contempló la doble puerta de vidrio bajo las letras que decían "Edificio Kenmore". Sean percibía su renuencia tan intensamente como la propia.

Venía al consultorio del abortista: no le cabía la menor duda. Estaba de espaldas a Sean y casi inmóvil. En su mente, unió los dos hechos: si ella no entraba, él le daría una tregua a la clínica. Por un solo día.

Por favor, murmuró, *salva a tu bebé.* Rogó que no fuera una de ésas.

Con un encogimiento de hombros tan imperceptible que acaso sólo existió en la imaginación de Sean, la joven se dirigió hacia la puerta.

En ese momento lo embargó la furia. Si ella no era digna de la vida que llevaba, *él* debía mostrarse digno de la suya.

Cruzó la calle sin prestar atención al tránsito. Al palparla, la pistola que llevaba en el bolsillo le dio ánimos.

Dos sábados antes había comprado el arma en un negocio de Nueva Hampshire: el mismo modelo, le aseguró el vendedor, que el turco ése había usado para atentar contra el Papa: pequeña, liviana, fácil de ocultar. Sean disimuló su disgusto:

—Dios bendiga al Santo Padre —se limitó a decir.

Había practicado en un bosque cercano.

Al apuntar la pistola había visualizado la cara de su víctima, que borraba todas las dudas, todos los temores. Tenía buena puntería: árboles, piedras, una ardilla despreocupada que cayó destrozada por un solo disparo. Pero ahora su mano temblaba.

Estaba a un metro y medio de la puerta, luego a un metro. Llevaba plomo en los zapatos.

Debía recordar las lecciones de la historia, pensó Sean. Si hubiera asesinado a Hitler, los nazis lo hubieran llamado criminal, hubieran abominado del nombre de Sean Burke. Tal vez Goering y los demás lo hubieran colgado de un gancho de carnicero. Y millones hubieran vivido: judíos y eslavos, gitanos y niños...

Empapado de sudor, Sean hizo una pausa frente a la puerta para aspirar una última bocanada de aire fresco de la mañana.

En el vestíbulo sombrío echó una mirada hacia ambos lados. Vio una agencia de turismo y la oficina de un contador. Entonces encontró lo que buscaba.

Una puerta enchapada de verde con un letrero metálico: "Clínica de Mujeres de Boston". Después del fracaso de las manifestaciones, los arrogantes abortistas habían retirado la guardia de la puerta.

Sean sacó una gorra de lana de su bolsillo y se cubrió la cabeza.

Puso la mano izquierda sobre el picaporte y vaciló un instante más. Se obligó a pensar en la muchacha pelirroja, que esperaba nerviosa al abortista que introduciría un tubo de plástico entre sus piernas para succionar la vida de su matriz.

Sean musitó una última oración y abrió la puerta.

La muchacha estaba ahí. Alzó los ojos de la revista como si estuviera sorprendida. Sin la gorra, su cabeza estaba coronada por un revoltijo de rizos rojos.

—¿Qué desea? —preguntó la recepcionista.

Sean se volvió hacia ella: era una mujer mayor de cara lobuna, pelo teñido de negro aterrador, labios pintados de rojo sangre.

—Busco al doctor Bowe —dijo suavemente.

Su tez era lívida como el pergamino. Lo miró desde su silla giratoria y sólo movió su mano izquierda. Sean sabía del timbre de alarma bajo el escritorio; el día que los otros asaltaron el consultorio, ella lo había oprimido para llamar a seguridad.

—No lo haga —dijo Sean con voz ronca. La muchacha pelirroja dejó caer la revista.

La recepcionista tragó convulsivamente, sus palabras salieron entrecortadas.

—¿Qué quiere?

Sean sacó la pistola: —Detenerlos —dijo, y disparó.

Fue un acto mágico. La cabeza de la mujer se dobló hacia atrás, un agujero apareció en su frente. El grito de la muchacha pelirroja no alcanzó a ocultar del todo el choque sordo, semejante al de un melón al caer sobre el pavimento.

Atónito, Sean contempló a la moribunda, el hilillo de sangre que chorreaba de su frente. Cuando el cuerpo cayó sobre la alfombra, se volvió hacia la muchacha:

—No te muevas. —Su voz sonó demasiado chillona, asustada. Se tambaleó por el pasillo con el arma en la mano.

El abortista estaba en la sala donde realizaba su trabajo, inclinado sobre un gabinete metálico en un rincón. Sean lo miró, su vista fue a la mesa cubierta de papel blanco, el altar donde las mujeres sacrificaban a los inocentes. Su mano tembló al alzar la pistola.

El doctor Bowe apenas tuvo tiempo para mirarlo de reojo cuando Sean le disparó a la sien.

Apareció la mancha roja. Ante su mirada atónita, el abortista cayó de rodillas y su cara se hundió entre los legajos de sus víctimas. Sólo entonces Sean registró el ruido del melón.

En un rapto de furia, alzó el cuerpo aún tibio y tembloroso de Bowe sobre la mesa y le separó las piernas en la misma posición de las mujeres cuyos hijos había asesinado. Los ojos del abortista estaban vidriosos, su boca abierta de par en par, en protesta por esta última vejación.

Sean escuchó un jadeo a su espalda.

Parada en la puerta, el estetoscopio colgado del cuello, la enfermera trataba de pronunciar las palabras que se negaban a salir. Sean no quería matarla; era una herramienta, como la recepcionista. Pero no tenía alternativa.

—Perdóneme —dijo, y le disparó al pecho. La enfermera cayó al suelo y quedó inmóvil.

Sean pasó sobre su cuerpo, mirándola. Su familia, si es que la tenía, podría mirarle el rostro sin desagrado. Se fue por el pasillo, en trance.

Sentada en el sofá, paralizada por el terror, la muchacha pelirroja temblaba, miraba a la recepcionista muerta. La cara empapada de lágrimas. Sean no podía matar la vida en su seno.

Se arrodilló frente a ella para darle calor y que ella se lo diera.

—Tuve que impedirlo. Deberías pensar en tu bebé, en la vida que vine a salvar.

Sus ojos revelaron que comprendía: —No estoy embarazada —dijo.

Sean sintió que la sangre afluía a su cara. Se paró, humillado y confundido; sus sienes latían con la fuerza de un martillo. Su dedo se crispó sobre el disparador.

—*Oiga*. Sólo vine en busca de una espiral...

Sean dejó caer la pistola y salió a la carrera.

En la esquina había una estación del metro.

Sean bajó las escaleras y atravesó el molinete a la carrera. Un vestigio de disciplina le hizo buscar el baño de hombres, dejar su chaqueta, guantes y gorra de lana en uno de los retretes y salir al andén sin prisa y con aire ausente, un joven con buzo del colegio de la Santa Cruz.

Línea Verde hasta Court Street, combinación con Línea Azul. Lo repitió una y otra vez como una letanía cuando el tren entraba en la estación y hasta que abordó el coche semivacío. Nadie le prestó atención.

La muchacha mentía. Sean había salvado a su bebé y ella había mentido para salvarse, pensando que él la creería menos culpable por malograr la vida mediante un trozo de plástico. Tal vez Sean le había enseñado una lección.

Aturdido, imaginó el alarido de las sirenas de los autos que convergían sobre la Plaza Kenmore.

En la estación Court Street sisearon las puertas al abrirse. Los brazos cruzados, la cabeza gacha, Sean era un retrato de la impersonalidad urbana esperando el metro en el andén lúgubre.

Había pedido licencia al padre Brian para pasar una semana de vacaciones en Nueva Hampshire. "Por supuesto —había dicho el sacerdote con su voz benigna—, ¿pero te parece que principios de abril es una buena época? En Nueva Inglaterra lo llaman la estación barrosa."

Minutos después llegó el tren al aeropuerto Logan.

Sean había dejado su maleta en un casillero en el aeropuerto.

La retiró. Si todo marchaba de acuerdo con el plan, los últimos rastros que dejaría en Boston serían la chaqueta, la gorra y los guantes. Libre ya del peso, experimentaba una mezcla de alivio y remordimiento: ya no montaría guardia, armado tan solo con carteles y consignas, mientras morían los niños.

Su rostro lucía fatigado al pasar por seguridad en la Puerta C.

Nadie lo detuvo. Con su maleta gastada se dirigió a la salida rodeado por excursionistas, estudiantes de vacaciones de primavera, viajantes de comercio que partían de sus hogares. Pero la única persona en la cola era una mujer negra de maleta y gafas. Molesto, Sean permaneció apartado hasta que la mujer pasó.

La empleada rubia del mostrador alzó el entrecejo: —El que sigue.

Parecía desafiarlo, pensó Sean. Tal vez era fin: la pelirroja lo habría descrito y estaba seguro de que la policía tenía un legajo sobre Operativo Vida.

—El que sigue —repitió con impaciencia, mirándolo a la cara.

Sean sacó el boleto de su bolsillo trasero y lo colocó sobre el mostrador.

Ella lo abrió: —Señor Burke —dijo—. Un documento de identidad con foto, por favor.

Sean tomó su billetera. La expresión en su licencia de conductor le pareció furtiva. Durante varios segundos la mirada de la empleada se paseó una y otra vez entre Sean y la foto.

Un aviso, pensó. Policías y guardias de uniforme azul pululaban por todo el aeropuerto. Sus palmas estaban húmedas.

—¿Empacó usted mismo la maleta? —preguntó la empleada.

—Sí.

—¿Aceptó el encargo de un desconocido de transportar algo?

Sean tomó aliento: —Jamás lo haría.

La empleada vaciló, mirándolo: —Sala de espera C —dijo—. Asiento veinticinco B. Llamarán a abordar alrededor de la una y cuarto.

Sean cayó en la cuenta de que en el avión estaría atrapado. Lo abordó después de la última llamada.

Eran las dos y el avión aún no había partido.

Un problema mecánico —explicó el piloto con su voz nasal e imperiosa— una luz que no se enciende, probablemente un cortocircuito eléctrico. Sepan disimular la molestia, les mantendremos informados.

Sean agachó la cabeza. Ya lo tenían, pensó. En cualquier momento evacuarían el avión y le colocarían las esposas. Lo embargó la antigua sensación: la soledad de un niño pequeño, aterrado de su padre, desesperado por la estólida indiferencia de su madre. No había refugio para él.

Se paró bruscamente. Se tambaleó hasta el baño del fondo, pasando los pasajeros de rostros fatigados, abotagados, indiferentes.

Su propia cara en el espejo estaba lívida. Cuando vinieron las arcadas y lo estremecieron de arriba abajo, el lavatorio quedó salpicado de saliva y sangre. Se sentía encerrado como en un ropero.

Abrió la puerta en busca de aire.

Regresó lentamente a su asiento. Mantuvo los ojos apartados de la mujer sentada a su lado.

Diez minutos después, el piloto anunció la partida. El avión se elevó en el aire, vibrando de potencia, y Sean Burke partió de Boston para siempre.

DOS

El pistolero se acercó desde los bastidores, alzó la Mauser, aferró su muñeca con la zurda.

El blanco se volvió para sonreír a la mujer a su lado, compartir los aplausos con ella.

"Kil-can-non", rugía la multitud, y entonces el senador James Kilcannon vio al asesino. Su boca se abrió de par en par...

Se escuchó un grito de *"arma"*. Dos agentes del Servicio Secreto saltaron al escenario y los vítores de cinco mil personas se transformaron en alaridos.

El pistolero dio un paso más y disparó.

El pelo sobre la coronilla de James Kilcannon pareció alzarse. Se derrumbó, cayó de costado y rodó hasta quedar de espaldas. Bajo su cabeza apareció un charco de sangre.

Separó los labios como si fuera a hablar...

—Kerry...

Kerry Kilcannon se despertó bruscamente y miró a Clayton Slade.

La habitación del hotel estaba oscura.

—Kerry —repitió Clayton. Su voz era serena, pero su cara redonda y negra mostraba una expresión reconcentrada. —¿Qué pasa?

Kerry se dio cuenta de que se había sentado bruscamente, impulsado por el miedo. Pero Clayton era algo más que su director de campaña; era su mejor amigo, no había mentiras entre ellos.

—Mi hermano —respondió—. Lo de siempre.

Clayton hinchó las mejillas y soltó el aire suavemente. En medio del profundo desconcierto provocado por la pesadilla, Kerry escuchaba las voces del televisor en el cuarto contiguo. Entonces recordó dónde estaba: una suite en Portland, una más en cuatro meses de viajes y hoteles, ciudades y pueblos.

Clayton le aferró los hombros:

—Ganaste, Kerry. Creemos que Mason va a reconocerlo en cualquier momento.

Kerry se tomó unos minutos para recuperarse. Luego se levantó y fue al cuarto contiguo, vestido solo con calzoncillos.

—Abran camino —dijo sin dirigirse a los presentes— al futuro líder del nuevo orden mundial.

Eran tres mirando el televisor en la sala de estar: Kit Pace, la secretaria de prensa, cuya inteligencia y franqueza eran la expresión ideal de su campaña; Frank Wells, profesional canoso y elegante, asesor en medios de comunicación; Kevin Loughery, ayudante personal de Kerry —un joven larguirucho nacido en el casi desaparecido vecindario irlandés donde había nacido Kerry—, aún un poco desconcertado por su papel de testigo ocular de sucesos históricos. Kit se volvió, echó una mirada sardónica al cuerpo esbelto de Kerry.

—No está mal para un tipo de cuarenta y dos —dijo—. Camino de California, Dick Mason te aventaja en gordura.

Kerry alzó los brazos como un campeón de boxeo: —¿Qué tenemos? —preguntó.

—La CNN ya te da ganador —dijo Clayton a su espalda—. NBC, CBS y ABC ya lo hicieron. Sólo resta que Dick se arroje sobre su espada.

La pantalla mostraba a una periodista vivaracha en el centro de un gran salón atestado por los seguidores de Kerry, que trataba de hacerse oír por encima de los vítores, la vocinglería, las risas.

—No es una victoria más —dijo—. Doce años después del asesinato de James Kilcannon en víspera de las primarias de California, esos mismos comicios parecen ser el último obstáculo que se interpone entre el senador Kerry Kilcannon y la meta buscada por su hermano difunto: la candidatura demócrata a presidente de Estados Unidos...

Frank Wells se volvió hacia él: —Felicitaciones, Kerry.

Éste meneó la cabeza: —Siete días más —murmuró, y se volvió hacia el televisor.

—Ha sido una campaña notable de un advenedizo —decía la periodista—. Unas semanas atrás, los analistas coincidían en que Kerry Kilcannon no podría aventajar a un vicepresidente en funciones. Pero Kilcannon ha logrado convencer a números crecientes de votantes de que Dick Mason es el responsable de las desventuras del presidente: la economía al borde de la recesión; el fracaso de la reforma de la seguridad social; la caída de la Bolsa de Nueva York; acusaciones recurrentes de amores adúlteros, uno de los cuales implicó a la principal asesora económica del presidente y causó el derrumbe de su matrimonio; y una serie de revelaciones sobre aportes presuntamente ilegales a las arcas del Partido Demócrata durante el último año, que han reforzado el ataque de Kilcannon al sistema actual de financiamiento de las campañas.

"Dick Mason es vicepresidente desde hace ocho años, dice Kilcannon en todos sus discursos, y en ese lapso el partido 'perdió su mayoría, después su identidad y por último su alma...'"

—¿Y debemos perder también la Casa Blanca? —musitó Kit.

En el televisor apareció una nueva voz, la del periodista del noticiario en estudios centrales:

—¿Qué nos deparará California, Kate?

—Siete días más de campaña sin cortapisas —respondió la periodista—. Hasta ahora Kerry Kilcannon no ha perdido una sola oportunidad. Recordarás que hace una semana se reveló que Dick Mason maniobró entre bastidores para enmendar la ley de presupuesto del año pasado con el fin de proteger los intereses de los tabacaleros de Connecticut, su Estado natal. Horas después, el senador Kilcannon propuso un nuevo impuesto sobre el tabaco para financiar un programa que "ayude a nuestros niños a leer en lugar de morir".

Frank Wells soltó una carcajada: —Ojalá se me hubiera ocurrido a mí —dijo. El hombre nuevo del equipo halagaba al candidato.

Kerry advirtió su necesidad y sonrió: —Espero que fuera lo bastante sintética.

—La base reunida por Kerry Kilcannon —prosiguió la reportera— incluye elementos de la antigua coalición de su partido, sobre todo las minorías étnicas, además de una evidente mayoría de las mujeres, atraídas por sus proyectos sobre educación, guarderías, capacitación laboral y criminalidad...

"No —pensó Clayton— Incluye mucho más."

De pie a la derecha de Kerry, lo miraba a la tenue luz del televisor. Después de quince años de amistad su perfil le era tan familiar como el de su esposa y sus hijas, como el recuerdo doloroso del hijo que él y su esposa Carlie habían perdido. El delgado rostro irlandés de Kerry, a la vez juvenil y anguloso, le recordaban al joven abogado que había conocido cuando era poco más que un muchacho impulsivo. El rizado pelo castaño casi no había cambiado y, como siempre, sus ojos azul-verdosos reflejaban sus estados de ánimo mercuriales: a veces fríos, en ocasiones remotos y casi ausentes, en otras profundamente comprensivos, fruncidos por una sonrisa o por la risa franca y estentórea. Pero el hombre que había emergido triunfante de la ordalía de las primarias a o largo y ancho de todo el país cambiaba a la vista de Clayton.

Lo menos sorprendente de todo era su espíritu hipercompetitivo: su aptitud asombrosa para despertarse por la mañana en una ciudad desconocida; pronunciar el mismo discurso seis o siete veces como si fuera la primera, hasta derrumbarse en la cama por la noche; conceder audiencias en su limusina a decenas de caudillos políticos locales; combatir la fatiga física y mental provocada por la implacable campaña presidencial; descartar la menor duda de que sería capaz de derrotar a Dick Mason. Clayton había visto rasgos de esa obstinación —a veces implacable y rayana en la furia— en el primer caso importante en que actuó como fiscal. Para Clayton era todavía el rasgo menos atractivo, más perturbador y ahora acaso el más necesario de la personalidad de su amigo.

Pero no, la clave consistía en que Kerry sabía seducir a las personas en formas que Clayton jamás había visto en otros... ni siquiera anteriormente en el mismo Kerry.

Lo advirtió por primera vez al cabo de una larga jornada en Nueva Hampshire. Kerry hablaba ante unas pocas personas en un centro para la tercera edad. Estaba ronco, vacilaba un poco al hablar; se dio cuenta rápidamente, interrumpió su discurso y pidió al auditorio que le hiciera preguntas. Clayton sabía que esa sensación de contacto siempre renovaba sus fuerzas.

Se paró una anciana, de piernas como zancos, tan flacas que daba pena mirarla. Era pobre, dijo con voz temblorosa de desesperación y vergüenza. A fin de mes debía elegir entre la comida y los medicamentos.

Su voz se quebró, estalló en llanto y no pudo continuar. El único sonido en medio del silencio mortal era su lamento, asordinado por las manos que cubrían su cara.

Un asistente fue hacia ella. Pero Kerry salió de atrás de la tarima. Abrazó a la mujer, cerró los ojos, aparentemente olvidado de dónde se encontraba, y susurró palabras que sólo ella pudo escuchar. No sabía o no le importaba que su discurso había terminado.

Posteriormente se negó a repetir lo que había dicho. Pero la anciana se lo dijo a un periodista de la ABC: "No permitiré que vuelva a sucederle —había murmurado Kerry—. Se lo prometo".

Clayton no tenía dudas: a los cuarenta y dos años, Kerry había adquirido el instinto de bucear en su pasado, en los miedos de su infancia, para ponerse en el lugar de otro. Pero la promesa que había hecho quitaba el aliento por lo audaz; la escena de Kerry abrazando a una anciana había aparecido en las tres cadenas nacionales...

—El mensaje casi tácito de Kilcannon —decía en su síntesis la periodista de CNN— es que Dick Mason es demasiado débil, está comprometido, está demasiado sujeto a ciertos intereses y eso le impide mejorar las vidas de los más necesitados. Ni siquiera un lapsus como el de ayer, cuando el senador Kilcannon sostuvo que un feto nonato era una "vida", parece haberle restado apoyo entre las mujeres de Oregón...

Kerry se acomodó contra el respaldo y cerró los ojos.

Era consciente de su cansancio. La de ayer había sido una de esas mañanas, cada vez más frecuentes, cuando le dolían los huesos y una especie de fatiga se apoderaba de su cuerpo y le provocaba náuseas. Su mano derecha estaba inflamada y despellejada por haber estrechado otras mil diestras. Al hacerlo por encima de la soga que lo separaba del público, se había crispado de dolor varias veces.

Acorralado por un activista contrario al aborto frente a un auditorio y las cámaras de televisión, Kerry había dicho su verdad: como legislador, apoyaba sin vueltas el derecho a optar por el aborto. Pero personalmente, como católico romano, creía que el estado fetal era el comienzo de la vida y que discutir si ésta se iniciaba a los tres meses o a los seis era buscar la quinta pata del gato en materia de moral.

—No se puede decir eso —murmuró Frank Wells sin apartar los ojos de la pantalla—. Asusta a las mujeres.

Kerry abrió los ojos. Por un instante se descuidó y dejó que el fastidio asomara a su mirada. Con sus canas bien peinadas, su cara y sus modales de diplomático, Frank parecía haber ingresado a la campaña directamente desde los salones más aristocráticos de Washington. Pero había prestado servicios destacados a casi todos los demócratas prominentes de los últimos veinte años, entre ellos James Kilcannon. Kerry advirtió que Clayton lo miraba.

—Estaba cansado —dijo suavemente—. Decir la verdad es mi manera humorística de distraer a Dick.

Kit Pace se inclinó hacia él; toda ella, desde el pelo recortado y las facciones bruscas hasta el cuerpo rechoncho irradiaba preocupación.

—En general no estuvo tan mal, Kerry. Pero por favor, elimina la palabra "vida" de tu vocabulario, así la historia se acaba hoy. La idea de que la mujer quita una "vida" va a enfurecer a los abortistas acérrimos y le va a dar pasto a la prensa... pero eso lo sabes bien. Sobre todo después de lo que sucedió en Boston esta mañana.

Kerry asintió lentamente: —Qué locura —murmuró—. Tres muertos... sus familias. ¿Quién haría una cosa así?

—Dios lo sabe. —Kit hizo una pausa, volvía a ser la profesional de siempre—. Emití un comunicado al instante: solidaridad con las familias, la medida exacta de incredulidad e indignación. Eso ayudará. —Su tono se volvió irónico: —Estuviste de lo más elocuente.

Kerry le dedicó una sonrisa burlona: —¿Usé la palabra "vida"? —preguntó, y en ese momento Dick Mason apareció en la pantalla.

Flanqueaban al vicepresidente Jeannie Mason y sus tres hijos: una niña y dos varones, adultos jóvenes, rostros limpios y simpáticos como los de su padre. Pero los jóvenes carecían de la astucia o las dotes actorales de Dick Mason. Sus sonrisas parecían heridas abiertas de tan falsas, en tanto la de Mason era amplia y su mentón se alzaba en un gesto altivo de confianza y audacia. Al imaginar el vacío en su estómago ante la perspectiva terrible, casi inconcebible, de que los arduos esfuerzos de toda una vida acabarían en la nada, Kerry vio en la sonrisa de su adversario una fuerza de voluntad casi heroica. Se preguntó si no lo sostenía una persistente incredulidad sobre...

—No puedes ganar —había dicho el presidente a Kerry—. Dick no lo permitirá.

Había sucedido menos de cinco meses atrás, un día de frío intenso en diciembre. El presidente le había obligado a hacer antesala en la recepción del ala occidental de la Casa Blanca. Kerry había pasado ese tiempo contemplando los óleos de escenas históricas, un reloj con marco dorado, una araña de bronce recargada de adornos. Le obligaban a perder el tiempo entre cotizantes y lobbistas, pensaba Kerry con humor. Mientras tanto, los hijos de un hombre regordete que seguramente aportaba fondos a la campaña del presidente o de Dick imploraban a una recepcionista algo estirada que les dieran caramelos presidenciales. El hecho de que nadie pareciera reconocerlo también le parecía divertido.

Al cabo, la secretaria del presidente, Georgia Heckler, vino a conducirlo a la Oficina Oval.

El presidente lucía demacrado, cansado como Kerry jamás lo había visto, el pelo canoso aún más ralo que un mes antes. Si los rumores sobre su salud eran ciertos, Kerry imaginaba que Dick Mason debía vigilarlo en busca de señales. Todos decían que era un puesto de lo más solitario.

Georgia cerró la puerta a sus espaldas.

El presidente lo recibió con una sonrisa fría: —Así que crees que quieres ocupar este sillón —dijo sin preámbulos.

Kerry apreció el gesto; ambos desdeñaban esa falsa cortesía política que el presidente llamaba "la danza de las grullas y las palomas".

—Voy a postularme —replicó con la misma franqueza—. Sé que usted apoya a Dick. Pero espero que se abstenga de darle su respaldo oficial hasta que veamos cómo resultan las primarias.

—¿Quieres que permanezca neutral? Tal como hiciste tú cuando la prensa me acusó falsamente de destruir un matrimonio que llevaba años de muerto y Dick pasó al frente para defenderme. —El presidente se tomó las manos y suavizó el tono. —En un sentido, Kerry, harás campaña contra mí. No puede ser de otra manera si Dick es tu adversario. Y Dick ha sido un colaborador eficaz *además* de leal.

Kerry lo miró a la cara: —Leal, de acuerdo. ¿Y el precio de la lealtad ha de ser entregar el Congreso *y* la presidencia a los republicanos?

—Bueno, no creo que las cosas estén tan mal. —A pesar de su sonrisa, su mirada era escrutadora. —Veo que te infectó el virus. Miraste a tu alrededor y decidiste que era el mejor de todos. Incluso que Dick y yo.

Kerry se encogió de hombros y sonrió a la espera de lo que vendría; de niño había aprendido las ventajas del silencio atento.

—Es apenas el primer paso —dijo el presidente tras una larga pausa—. El más fácil y engañoso. Luego descubres que las exigencias de la campaña presidencial son mucho mayores de lo que habías soñado, que la pecera en la que te metiste es más humillante, que la sola magnitud de lo que se requiere para ser candidato presidencial, ni qué hablar de ganar, amenaza con hacerte perder la vertical.

"Los pocos hombres que llegan a la presidencia se niegan a reconocer las realidades que detendrían a cualquier otro: que ceden todo su derecho a la vida privada; que su vida está en manos de extraños y amigos a medias que quieren lo que sólo un presidente puede darles; que ni su temperamento, intelecto y pura fuerza de voluntad probablemente *no* los habilitan para el puesto. —El presidente hizo una pausa y prosiguió con tono más suave: —No basta que Jamie lo quisiera. Por primera vez, Kerry, te toca a ti poner todo.

Kerry sintió que le subía la sangre al rostro: —Tal vez pueda pedirlo prestado, lo que sea que debo poner.

El presidente alzó la mano: —No lo tomes como un insulto. Quise decir que aún debes enfrentar la humillación absoluta de iniciar una campaña desde cero y en desventaja. No sólo deberás mendigar dinero a personas que detestas y hacerlo con cara feliz. Una vez en Nueva Hampshire me pasé una tarde entera buscando un perrito de cerámica de mierda porque una delegada de Iowa los coleccionaba y no sabía si darme su voto a mí o a otros tres tipos que me aventajaban en las encuestas.

Kerry se obligó a sonreír, aunque había un matiz de insolencia en su voz al responder: —Señor presidente, acaba de regalarme una consigna de campaña. "A la mierda los perritos de cerámica."

El presidente no le devolvió la sonrisa.

—Dick Mason entiende porque ha sido presidente durante ocho años. Tú no. Porque no puedes. Y entre todos ustedes, Dick es el único que sobrevivió a las radiografías morales que nuestros amigos de la prensa reservan para los candidatos nacionales. Si quieres ingresar al club, será por tu cuenta y riesgo, Kerry. —Nuevamente hizo una pausa para morigerar el tono. —No me pediste consejos sino neutralidad. Pero sólo puedo dar consejos, senador. Y un viejo dicho: "Cuidado con lo que pides...".

La víspera de la primera elección interna del país, la de Nueva Hampshire, con sentido perfecto de la oportunidad, el presidente había dado su respaldo oficial a Dick Mason.

Kerry había perdido esa primaria. Escasa de fondos y de personal, su campaña estaba al borde del derrumbe.

Pero Kerry y Clayton se negaron a reconocer la derrota. Luego empezaron las sorpresas: derrotas por escaso margen en el sur, un triunfo sorpresivo en Florida, empates en Illinois y Ohio, un torrente de aportes pequeños tras la promesa de Kerry de que no aceptaría sumas mayores de doscientos dólares. Luego vino la seguidilla de triunfos en Michigan, Pennsylvania, Nebraska y ahora Oregón. Ayudados por una serie de acontecimientos que Dick Mason no podía controlar, se habían batido contra sus adversarios —un vicepresidente en funciones respaldado por el presidente y los innumerables dirigentes partidarios que se hartaban de halagos y favores y las prebendas que sólo el presidente y Dick podían otorgarles— hasta lograr un empate.

Dick Mason quería que California, la última parada, fuese su cortafuego. Había visitado el Estado treinta y tres veces en menos de cuatro años; no había un recorte de diario que no lo mostrara distribuyendo ordenadores en las escuelas o fondos a los afectados por los terremotos. California era decisiva; en las últimas encuestas, Dick Mason llevaba una ventaja del tres por ciento.

Pero había un hecho histórico que Dick no podía soslayar y que nadie olvidaría: allí había muerto el hermano de Kerry.

Ah, Jamie, pensó Kerry. Estaba seguro de que James Kilcannon hubiera saboreado esa ironía, mucho más profunda de lo que Dick Mason podía imaginar. Pero Jamie ya no reía, ni las pesadillas lo despertaban de noche.

Mientras abrochaba su camisa, Kerry miraba a Dick Mason serenar a sus partidarios.

—¿Cuando miras a Dick Mason ves un presidente? —le preguntó a Clayton.

Éste, que miraba la pantalla, lo escrutó con su mirada profunda y lúcida: —Cuando miro a Dick —dijo por fin—, veo un androide. Pero *él* ve un presidente; nunca piensa en otra cosa y nadie lo ha deseado tanto como él. No empieces a subestimarlo justamente ahora, que está acorralado.

Kerry sabía que era verdad. Dick Mason cometía pocos errores, jamás provocaba una polémica que no favoreciera a sus intereses y se aferraba a los problemas elementales —bienestar social, estabilidad laboral, salud pública— con la tenacidad de un dogo de pelea. Era el vecino estimado por todos: cordial, gordito, siempre dispuesto a dar una mano, de risa fácil y mirada totalmente sincera. Dick andaba de campaña durante horas y su mirada jamás vacilaba, su apretón de manos jamás flaqueaba y su voz jamás se enronquecía: como el ratoncito de Energizer, decía Kerry. Pero ese mote desdeñoso no tenía en cuenta su destreza asombrosa para provocar en un instante el sentimiento justo: aprobación sonriente, indignación serena o los ojos húmedos del hombre tocado en su fibra íntima. No tenía igual en los entierros.

Ahora miraba a la cámara con ojos solemnes.

—Antes de felicitar al senador Kilcannon —alzó la mano para acallar un coro de abucheos— o decir una palabra más sobre esta campaña, pido que hagamos todos un minuto de silencio por las tres víctimas del brutal ataque terrorista de esta mañana en la Clínica de Mujeres de Boston.

Hubo un murmullo afirmativo, y cuando el vicepresidente bajó la cabeza se hizo silencio. Luego la alzó, con los labios apretados en un rictus resuelto.

—Aseguro a las familias de las víctimas que no descansaremos hasta llevar al autor de este acto cobarde ante la justicia. Y aseguro a todos, tanto partidarios como adversarios, que defendemos inequívocamente el derecho de las mujeres a elegir, sin presiones ni miedo. El tiempo de la ambigüedad ha quedado atrás...

Frank Wells frunció el entrecejo: —Entonces, por qué no estás a favor de controlar las armas, carajo.

Clayton se volvió hacia él: —Quiero agregar una pregunta a

la encuesta de mañana. Digamos, "¿Cuál candidato protegerá mejor a las mujeres que hacen uso del derecho al aborto?"

Frank fue a un rincón de la sala y tomó el teléfono. Kerry casi no lo advirtió; sin terminar de anudar la corbata, contemplaba a Dick Mason en la pantalla.

—Esos asesinatos en Boston le vienen a pedir de boca —murmuró.

—En esta competencia —decía el vicepresidente— se enfrentan dos formas muy distintas de conducción del Partido Demócrata. Una se basa en la experiencia, el liderazgo probado y una visión, sin limitaciones extremistas, de que todo norteamericano debe acceder a las enormes oportunidades que brindará un nuevo siglo....

—Magnífico —dijo Kit Pace con admiración—. Casi revolucionario.

—La otra... —Dick Mason hizo una pausa para subrayar sus palabras—. La otra se basa en la impulsividad, la inexperiencia, la afición por las medidas extremas y caras.

—¿Pero cuál de ellas se refiere a mí? —preguntó Kerry.

Clayton rió sin dejar de mirar al vicepresidente. En la pantalla, Mason levantó su cabeza, coronada por una melena platinada bajo las luces de la televisión.

—Al senador Kilcannon —prosiguió— quiero decirle dos cosas.

"La primera es, Kerry, lo felicito por su victoria en esta batalla ardua.

"La segunda, lo desafío a un debate final en California acerca del futuro de nuestro partido y nuestra nación... cuando quiera y donde quiera. —Hizo una pausa y gritó para hacerse oír por encima de los aplausos de sus partidarios: —Estás en carrera, Kerry, pero no puedes ocultarte.

—Qué mierda está diciendo —exclamó Kit Pace—. Aceptó un solo debate, lo perdió y desde entonces evita el encuentro.

Frank Wells había colocado el auricular en la horquilla: —Es el *Avemaría* en la versión de Dick —dijo. Pero Kerry sólo tenía ojos para Clayton, sumido en un silencio pensativo.

Se sentó junto a su amigo, que miraba cómo Dick, Jeannie y sus hijos agitaban los brazos a la multitud mientras el periodista de la CNN hablaba sobre sus cabezas. Pero Clayton sólo parecía interesado en la imagen.

—Míralos —dijo a Kerry—. Cuando todos sus compañeros de secundaria se preocupaban por conocer una muchacha para la salida del sábado a la noche, Dick se preocupaba por elegir a quién sería su Primera Dama. Seguirá haciendo campaña desde el otro mundo.

Kerry miraba fijamente. Sabía que el hombrecillo mezquino que todos llevamos adentro quería creer que un monomaníaco como Dick Mason merecía tener hijos odiosos que lo detestaran y nariguetearan pegamento sintético en los conciertos de rock. Pero estos jóvenes parecían desenvolverse bien en la vida, eran buena gente, colaboraban con su padre a quien parecían amar y respetar. En cuanto a Jeannie Mason, era una mujer extraordinaria.

Había en ella algo más que belleza, aunque sin duda era bonita, con esa figura esbelta, melena rubia recortada y vivaces ojos celestes. Tenía sentido del humor, reconocía lo absurdo de todo el carnaval político: incluso su expresión maquinal de admiración, propia de la cónyuge de un político, estaba teñida de ironía. Jeannie cuidaba el frente interno con animosa eficiencia, y cuando podía participaba incansablemente de las actividades de campaña; cualquiera que fuese su destino, era evidente que Jeannie Mason estaba resuelta a sacarle el mayor provecho. Kerry sentía por ella una gran estima.

Se habían conocido durante una cena en la casa de una decana de la política de Washington, viuda de un rico estadista que había empleado los millones heredados para amasar una gran influencia como recolectora de fondos. La invitación no significaba necesariamente que Patricia Hartman le brindaba sus favores, pero sí que su arribo en Washington era un hecho de gran interés; que éste derivara del asesinato de su hermano y del hecho de que él mismo era un desconocido hubiera incomodado a Kerry aun cuando no estuviera desacostumbrado a semejantes muestras de opulencia.

—Es un Matisse —había dicho Hartman al advertir su interés por un óleo, con una voz que trasuntaba tanto satisfacción como la seguridad de que Kerry necesitaba una explicación. Pero él se había limitado a asentir: cualquier observación sobre el cuadro hubiera parecido tonta, y además le angustiaba el temor de equivocarse de cubierto durante la cena.

—¿Su esposa se mudará próximamente? —preguntó la anfitriona—. Me muero por conocerla.

Era evidente que lo sondeaba; el objeto del interrogatorio era sacar a la luz sus debilidades. Pero se hubiera sentido torpe al mentir.

—Próximamente, no —respondió—. Tal vez nunca.

Pareció sorprendida por la respuesta tan franca y desprovista de cualquier explicación; a pesar de su brillante pelo rojo, había pasado los setenta y su piel estaba tan estirada por la cirugía plástica que alzar el entrecejo producía un efecto dramático.

—Ah, no —dijo con firmeza—. *Debe* venir. Una carrera política seria exige entrega total. —Se acercó y su voz adquirió un tono íntimo. —Yo adoraba a Jamie, que en paz descanse. Pero siempre pensé que su soltería lo perjudicaba.

No tanto como un tiro en la cabeza, estuvo a punto de responder Kerry, molesto por ese tono condescendiente que empleaba para hablar de su hermano. Pero se limitó a decir: —Probablemente Jamie pensaba que tenía tiempo para remediarlo.

La respuesta aparentemente le dio que pensar. Se volvió hacia la mesa:

—Se sentará al lado de Jeannie Mason, la esposa del gobernador Mason. Pídale consejo... ella le ha sido muy útil a su esposo. Vivieron varios años aquí, cuando Dick era representante.

Dos horas más de condescendencia, pensó Kerry. Fue hacia la mesa arrastrando los pies, con el paso desganado de un preso condenado a muerte.

La rubia de cara alegre y animados ojos celestes sentada a su lado dijo que era Jeannie Mason. Con una sonrisa añadió:

—Vi que Patricia orientó sus primeros pasos. ¿Ya conoce las reglas?

—Una sola —dijo, sorprendido por su ironía—. Que Meg debe renunciar a su trabajo y mudarse aquí. Patricia me dijo que usted podría aconsejarme.

Los ojos celestes se entrecerraron: —¿Porque hago honor a mi género? —Volvió la sonrisa por un instante. —Espero que no le haya dicho que beneficio a mi marido. Es como si el matrimonio fuera parte del haber en su contabilidad personal.

"Parece sentirse a sus anchas en este salón de espejos pero sin dejar de ser una observadora objetiva", pensó Kerry.

—Creo que ése el temor de Meg —respondió—. Pero no tanto el de ser un beneficio como una subsidiaria totalmente dependiente.

Jeannie le echó una mirada escrutadora: —Y con toda razón. —Hizo una pausa como si estudiara a Kerry y meditara sus palabras. —Yo siempre tomé mis propias decisiones —dijo por fin—, sobre la base de lo que me parecía mejor para los dos. Pero a veces no es fácil. Cuánto más difícil sería si uno escogiera su pareja por conveniencia política. —Sonrió otra vez: —Mientras consigna la reelección, Patricia sabrá perdonar a su esposa. Siempre hace falta un hombre solo para una cena.

Kerry se sentía más cómodo por momentos. La mujer a su lado trasuntaba comprensión e integridad; tal vez por eso no sentía la necesidad de protegerse de ella. La otra razón le vino a la mente al final de la cena: Jeannie Mason no se sentía obligada a mencionar a su hermano, o acaso era demasiado lúcida para hacerlo.

Se volvió hacia ella en el momento de las despedidas: —Disfruté muchísimo de la velada —dijo—. A veces me siento como Dorothy en *El mago de Oz*: "Ya no estamos en Kansas".

A pesar de su intención ligera, Kerry temió que la frase delatara el desconcierto que lo asaltaba con frecuencia. Jeannie lo advirtió y le tomó la mano con afecto fraternal: —Bienvenido a la Ciudad Esmeralda —dijo—. Sepa que tiene dos amigos aquí. Quiero decir, cuando vengamos mi esposo y yo.

Si su esposa era prueba de algo, había pensado Kerry, Dick Mason era un hombre al que valía la pena conocer...

Doce años después, al mirar a Jeannie y sus hijos, aún pensaba que Dick debía de ser mejor persona de lo que aparentaba. Y muy a su pesar debía reconocer otro sentimiento: envidiaba a Mason, y no sólo por el beneficio electoral que significaba su familia, tan distinta del matrimonio destrozado del presidente, un reflejo del ideal deseado por casi todos.

—Jeannie Mason es una mujer extraordinaria —murmuró.

—Concéntrate en ganar California —gruñó Clayton—y después podrás ofrecerle el puesto actual de Dick.

Kerry comprendió: su amigo aludía con renuencia a la desventaja identificada antes que nadie por Patricia Hartman y que ningún jefe de campaña podía remediar: la falta de hijos o siquiera de una esposa que fingiera adorarlo. Antes del divorcio, Meg había considerado la postulación de Kerry para el Senado una traición afín al adulterio. Jamás lo hubiera seguido de buen grado.

Clayton se paró bruscamente:

—Arriba, joven caballero andante —dijo—. Es hora de hacer campaña.

TRES

Bajaron en el montacargas al gran salón de fiestas acompañados por los dos agentes del Servicio Secreto asignados a Kerry: Joe Morton y Dan Biasi. Le encantaba conversar con ellos. A pesar del egoísmo y las anteojeras que requería la campaña presidencial, y de las que estaba bien dotado, pensaba Clayton, Kerry nunca dejaba de observar a las personas que lo rodeaban. No necesitaba ayuda para recordar nombres de cónyuges e hijos, pasatiempos, motivos de orgullo ni favores recibidos.

Uno de los secretos de Kerry era que realmente quería a la gente... salvo a aquellos a quienes *no* quería, pensó Clayton con una sonrisa irónica para sus adentros. Eso y el hecho de que jamás mentía le había granjeado el apoyo de muchos colegas del Senado a pesar de los riesgos políticos. Y era un indicio sobre la clase de presidente que sería Kerry Kilcannon.

—Sigues haciendo gimnasia? —preguntó a Joe Morton.

Éste asintió: —Tengo que seguirle el paso, senador.

—Bien. —Kerry sonrió. —Qué te parece mañana en San Diego, alrededor de las cinco. No creo que el hotel tenga problemas en habilitar su gimnasio para nuestra gran cruzada.

Joe le devolvió la sonrisa: quería muchísimo a Kerry desde el día que éste, en una alusión burlona a su atuendo demasiado formal, incluso para un agente secreto, había enviado a Kevin Loughery a comprar para Joe un collar de cuentas y una chaqueta Nehru de colores tan chillones que ni siquiera un hippie la hubiera usado.

—Si usted está tan loco —dijo Joe al aspirante a la presidencia de los Estados Unidos—, por qué yo no.

—¿No te hace falta dormir? —preguntó Clayton a Kerry.

Éste lo miró, y ya no sonreía: —Me hacen falta muchas cosas, compañero. Pero por ahora prefiero la adrenalina al sueño.

Clayton vio la mirada de los ojos celestes-verdosos de Kerry, la muda alusión que ningún otro hubiera comprendido. ¿Y qué papel le tocaría a ella, se preguntó, si el mundo fuera como Kerry Kilcannon lo deseaba?

El salón estaba atestado. Clayton echó una mirada en derredor para asegurarse de que todo estuviera en orden: carteles en las dos paredes laterales para que los tomaran las cámaras; en la tribuna, más jóvenes que funcionarios locales para destacar que Kerry representaba el mañana; otros dos agentes al pie de la tribuna, entre los periodistas y las cámaras. Era un hábito que había adquirido en las últimas semanas. "Por allá ronda algún chiflado —había dicho a Peter Lake, el jefe de seguridad—, aceitando su arma para el segundo tanto."

Kerry subió a la tribuna. Cuando la multitud hizo silencio, agradeció el apoyo recibido de las personalidades locales, a las que nombró, e hizo un par de bromas a costa de Dick Mason. Luego inició el tramo del discurso en el que se mostraba como lo que era: el *outsider*, el héroe a pesar suyo, convocado para explicar a sus conciudadanos cómo eran y cómo debían ser las cosas.

Kerry no usaba apuntes. Doce años antes, en sus primeros discursos, leía torpemente los apuntes que le preparaban otros y se sentía como un impostor. Pero había aprendido. El mar de rostros frente a él —jóvenes universitarios, profesores, ancianos, minorías que generalmente no aparecían en Oregon— le infundía fuerzas, una euforia serena.

"Kerry...", repetían a coro.

Kerry sonrió: —¿Me llamaban?

Risas, aplausos, hasta que alzó la mano: —Tenemos mucho que hacer —dijo, y el auditorio hizo silencio.

"Queda mucho por hacer —prosiguió— cuando la gente cree que su gobierno responde a ciertos intereses espurios, cuando ven a los candidatos vender su integridad al mejor postor, dólar por dólar, donación por donación, fiesta tras fiesta, en un sistema de sobornos cuasi legales...

El auditorio aplaudió; la alusión a los problemas recientes de Dick Mason con el *lobby* del tabaco no había pasado inadvertida. Como siempre, Kerry hizo una pausa para estudiar algunos rostros —una joven de origen asiático, un hombre cuarentón con chaqueta de sindicalista— hasta el punto de identificarse con ellos.

—Tenemos mucho que hacer —repitió—, y lo haremos juntos.

"Capacitaremos a madres y padres para trabajos gratificantes, los ayudaremos a educar sus niños en lugar de mirar en silencio mientras su futuro se hace humo.

"Protegeremos nuestro derecho a elegir en el sentido más amplio y profundo. El derecho a elegir no pertenece solamente a las mujeres, sino a todos los que aspiran a un trabajo mejor y un futuro venturoso...

Cuidado, se dijo Kerry. Pero el auditorio enloquecía.

Hizo una pausa y encontró la frase que buscaba: —A toda madre, padre, hija o hijo que se niega a perder un ser querido porque un cobarde armado...

Estalló la ovación.

Minutos después, Kerry pudo terminar el discurso con su consigna: —Ayúdenme con sus votos y juntos haremos una democracia nueva.

Clayton Slade observaba desde el costado de la tribuna. *No lo hagas,* ordenó en silencio. Desde luego, Kerry desobedeció: bajó de la tribuna para mezclarse con el auditorio. La falange de agentes secretos lo rodeó, sus caras tensas, sus labios apretados.

Por qué no te vas a la... musitó Clayton.

La energía de mil personas podía más que la fatiga. Kerry se tomaba su tiempo para cada rostro, cada mano, para mirar a los ojos de cada persona frente a él. "Gracias", repetía una y otra vez. "Gracias." A la joven asiática: "Creo que podemos ganar." Al sindicalista, tomándolo del brazo: "Gracias por el aguante." A su lado, los agentes y camarógrafos y Kevin Loughery trataban de conservar sus posiciones.

—*Senador* —exclamó un joven corresponsal de la NBC, al introducir un micrófono entre dos que pugnaban por abrazar a Kerry—. ¿Cree que la nueva posición de Dick Mason a favor del derecho de aborto le causará problemas a usted en California?

Kerry siguió estrechando manos, sin prestar atención.

—*Senador* —insistió el periodista. Torció su cuerpo para acercar el micrófono a Kerry, y bruscamente cayó al suelo.

Kerry sintió que lo embargaba el miedo. La multitud se agitó, desconcertada; instintivamente, Dan Biasi lo apartó, protegiéndolo con su propio cuerpo.

—Es Mike Devore, de la NBC —dijo Kerry en medio de la confusión—. Creo que le pasó algo.

Joe Morton se colocó a su espalda. Kerry vio al periodista tendido en el suelo, agitando la cabeza, la cara crispada de dolor. Vio a los agentes que lo rodeaban, miraban a su alrededor, sin apartarse jamás de su tarea de protegerlo. Escuchó el murmullo de Joe: "No escuché disparos."

Dan Biasi apartó a los mirones y se inclinó sobre el hombre caído. Palpó la pierna y el pie, miró a Joe y Kerry:

—Parece que tropezó. No se cómo, pero creo que se fracturó el tobillo.

—Traigan un médico —dijo Kerry—. Usen la ambulancia. —No tuvo que agregar el resto: *la que tienen para mí.*

Dan meneó la cabeza: —Perdone, senador, pero ésa no. —Sacó su teléfono celular y marcó el número de emergencias.

Diez minutos después llegaron los paramédicos con una camilla y se llevaron al periodista. Kerry reanudó la tarea de estrechar manos, pero se sentía exhausto y desganado.

Clayton Slade apareció a su espalda: —Listos para salir —dijo brevemente, y los agentes los llevaron a la limusina. Clayton no habló del incidente.

Entre luces que horadaban la oscuridad, la caravana de limusinas negras enfiló hacia el aeropuerto. Policías en moto flanqueaban el vehículo de Kerry. Dos agentes secretos ocupaban las butacas delanteras; desde el asiento trasero, Clayton y Kerry contemplaban la noche informe de una ciudad que podía ser cualquiera.

Otra vez en la burbuja, pensó Kerry. Por enésima vez se maravilló del torbellino que había creado, cuyo símbolo era la caravana: una fuerza que arrastraba a miles —políticos, voluntarios, periodistas, innumerables desconocidos que creían amarlo— con la esperanza de que sirviera a sus sueños, sus aspiraciones, sus frías ambiciones. Era un mundo en sí mismo, aislado de toda otra realidad. Kerry se había hundido en la multitud, no sólo para demostrarse así mismo algo que jamás podría demostrar —que no tenía miedo—, sino sobre todo porque sentía la necesidad de comunicarse con individuos, como en Iowa y Nueva Hampshire, donde a muy pocos parecía importarle. La edad de la inocencia, pensó.

Se volvió de la ventanilla.

—El debate —dijo—. ¿Qué pretende Dick?

Las gafas con marco de oro de Clayton reflejaban las luces giratorias rojas. Con su índice se acariciaba el bigote entrecano.

—Es lo que estoy tratando de desentrañar —respondió. No dijo más: uno de los rasgos comunes que habían adquirido era el de no decir una palabra más de lo necesario.

Kerry se sumió en el silencio.

—Ellen Penn llamó hoy —dijo Clayton después de una pausa.

—¿Qué quería?

—Saber si te has vuelto totalmente loco.

Las explicaciones eran innecesarias. Ellen Penn, animosa senadora joven por California, dirigía la campaña de Kerry en el Estado. Su apoyo al derecho de aborto era tan fervoroso como su casi indisimulada aversión por la senadora Betsy Shapiro, una política prominente que apoyaba a Mason. Ellen Penn había puesto en juego su carrera al apoyar a Kerry, impulsada por una mezcla compleja de motivos: idealismo, el deseo de vencer a la senadora Shapiro, la esperanza de acompañar a Kerry como candidata a vicepresidente. En el nuevo clima que se creaba —fortalecimiento del sector antiaborto en el Congreso, la guerra interminable y desgastante en torno del aborto espontáneo, una nueva mayoría en la Corte Suprema que amenazaba con eliminar esos derechos y colocar el tema en primer plano de la campaña— las declaraciones eran algo peor que un desaire para Ellen Penn. Y ahora, lo de Boston.

Kerry se recostó contra el respaldo de cuero. Era casi medianoche y le aguardaban tres horas de vuelo a San Diego. Tal vez podría dormir.

En el ómnibus de la prensa que encabezaba la caravana, Nate Cutler se concedió unos minutos para pensar en su propia vida.

Seguía la campaña de Kilcannon desde enero. En los tres meses de viajes constantes había pasado apenas dos noches en su apartamento en Washington; camino de la tibia California, aun llevaba la ropa de abrigo de Iowa y Nueva Hampshire, hacía seis semanas que no se cortaba el cabello y le quedaba un solo juego de ropa interior limpia. Kerry Kilcannon era un hiperactivo, aun para los criterios de una campaña presidencial; Nate pensaba que su mayor aptitud consistía en encontrar lavaderos automáticos en villorrios tan pequeños que el hotel carecía de ese servicio.

Nate miró a su alrededor. A los treinta y nueve años, era menudo, moreno, enjuto y resistente, y esto último era muy bueno; sus colegas en la prensa nacional eran gente vigorosa, mujeres en su mayoría, algunas diez años menor. Generalmente eran locuaces, intercambiaban chismes o información. Ahora, sumidos en la oscuridad al cabo de una jornada larga, parecían exhaustos luego de enviar la última nota del día. Eran hileras de cabezas borrosas: algunos conversaban en susurros; otros trataban de dormir; otros contemplaban la oscuridad.

—Kilcannon estuvo *inspirado* esta noche —dijo alguien a su espalda; creyó reconocer la voz de Ann Rush, del *Times*.

—Se inspira cuando cree en lo que dice. —La segunda voz era la de Ed Foster, del *Globe*—. Estaba furioso con Mason por eso del aborto. Kilcannon cree que es una puta.

Ann rió: —A Mason le importan mis derechos como reproductora.

—Como a *todos* nosotros —replicó Ed—. Pero a Kilcannon le importa tu alma.

Y a eso dedicaba últimamente su vida, pensó Nate: a seguir al único político interesante de la campaña.

Para Nate y sus colegas, Kerry Kilcannon era un soplo de aire fresco. El final de la década del 90 no había sido una época heroica, para los políticos ni para la prensa. La política era de bajo calibre: hombres estrechos de miras que corrían pequeños riesgos por motivos egoístas y trataban de manipular a un público cínico para conservar sus puestos. Lo deprimente era que los periodistas también habían perdido importancia; cubrían la política como si fuera una carrera de caballos y sus sesudos análisis, desterrados de la primera plana, ocupaban mucho menos lugar que el juicio por homicidio de un personaje de la farándula. Era igualmente perjudicial para todos la competencia para informar sobre escándalos personales, calentada al rojo vivo por la prensa amarilla y las columnas de chismes en el Internet. Así se rebajaban tanto las normas del buen periodismo como la estatura moral de los políticos en general. Así, reporteros y reporteados aparecían como objetos de sus ambiciones... salvo, quizá, Kerry Kilcannon.

Nate opinaba que la declaración del día anterior no era en absoluto un "lapsus"; era algo que Kilcannon se había sentido obligado a decir, un acto de rebeldía contra los discursos prefabricados, un golpe a favor de su verdad. Ese factor de sorpresa lo mantenía despierto y lúcido en medio de la rutina embrutecedora y a pesar de la sensación de ser arrastrado por un proceso destinado a arruinar su vida y volverlo loco. Tal vez se podría escribir un libro sobre la campaña de Kerry Kilcannon, y si ganaba, Nate Cutler sería el próximo corresponsal de *Newsworld* en la Casa Blanca.

Como la mayoría de sus colegas, sentía estima personal por Kerry Kilcannon, sin perder su objetividad periodística. En su trato con la prensa —el adversario profesional del político—, Kilcannon se mostraba sincero, accesible y dotado de sentido del humor; creaba la impresión de que los estimaba y respetaba su función. Y a diferencia de la mayoría de los políticos, pensaba Nate, parecía sincero en sus convicciones y dispuesto a jugarse por ellas.

Desde luego que no se jactaba de *conocer* al hombre; Clayton

Slade era tal vez único en ese sentido. Kerry Kilcannon dejaba entrever una vida interior compleja, cosa rara en un político. Esta sensación se acentuaba debido a su negativa a hacer revelaciones artificiosas sobre sus traumas personales y sus tragedias familiares; el peor error que podía cometer un periodista era insistir en hacerle preguntas sobre su hermano. La motivación íntima del hombre seguía siendo un enigma.

Nate se sobresaltó al sentir una vibración en el interior de su chaqueta. Estaba fatigado y demoró varios segundos en recordar que había guardado su bíper en ese bolsillo.

Tomó su teléfono celular y llamó al centro de mensajes. Era conciso: llamar a Katherine Jones lo antes posible. El teléfono era de San Diego.

Estaba perplejo. La única Katherine Jones que conocía era una dirigente de la Legión de Anthony, un grupo dedicado a recaudar fondos para candidatas partidarias del aborto, llamado así en honor de la famosa sufragista Susan B. Anthony. Nate no la conocía personalmente; sin duda, quería conversar sobre la campaña.

Echó una mirada rápida a sus colegas y decidió que la llamaría desde el aeropuerto.

El avión charter de Kilcannon era una sombra plateada sobre la pista. El ómnibus los dejó cerca de la cola; un agente al pie de la escalerilla metálica inspeccionaba las credenciales que los periodistas llevaban colgando del cuello y verificaba los nombres en su lista. Nate sabía por experiencia que el trámite le daría tiempo suficiente para llamar.

Se alejó por la pista para que nadie escuchara la conversación y marcó el número indicado.

Era el Hotel Meridian en La Jolla. Pidió la habitación de Katherine Jones; una áspera voz femenina respondió casi al instante.

—Habla Nate Cutler —dijo.

—Bien. Quiero reunirme con usted mañana a primera hora. Un encuentro reservado.

Tal vez era culpa del cansancio, pero Nate se sintió molesto por esos modales tan bruscos.

—¿De qué se trata? —preguntó.

Se produjo una brevísima pausa antes de que respondiera:
—Kerry Kilcannon.

Kerry Kilcannon alzó la voz.

—Protegeremos nuestro derecho a elegir en el sentido más profundo y más amplio. Porque la elección no es sólo el derecho de la *mujer* sino el de cualquiera que aspira a un trabajo mejor, un futuro más próspero...

Sean Burke se paró del borde de la cama para elevar el volumen con dedos torpes.

Kilcannon parecía tener los ojos clavados en él: —Es el derecho de cualquier madre, padre, hijo, hija que se niega a perder un ser querido porque así lo decidió un cobarde armado con una pistola...

Las manos de Sean empezaron a temblar. Bruscamente, Kilcannon desapareció de la pantalla, desplazado por la imagen de una periodista.

—En su discurso —dijo—, el senador Kilcannon trató de diferenciarse del vicepresidente y colocar el problema del derecho al aborto en un segundo plano. Pero Kilcannon es criticado por sacerdotes prominentes de su misma fe por defender el derecho al aborto, y ahora también por defensores del aborto que rechazan sus declaraciones de ayer, sobre el momento en que comienza la "vida". Esto supone un dilema molesto para Kerry Kilcannon cuando se dirige a California, donde en las primarias de su partido hace cuatro años las mujeres emitieron el 58 por ciento de los votos.

"A medida que se eleva el tono de la campaña, que ha virado bruscamente al tema del aborto debido al violento atentado en Boston, parte del voto femenino podría cambiar de dirección...

Sean se dijo que no era un sujeto violento. Antes de hoy, jamás había matado a nadie; no había querido dispararle a la enfermera ni a la recepcionista. Pero la historia enseñaba que los soldados debían matar a los agresores y sus agentes para que los inocentes vivieran...

Las paredes del motel parecían estrecharse a su alrededor, y no había para Sean algo más aterrador que sentirse atrapado y sofocado. Se paró, encendió los dos veladores, la luz del techo, la lámpara fluorescente del baño. El dolor de estómago había regresado.

Se volvió nuevamente hacia la pantalla, ocupada por la imagen de una camilla.

Se crispó. Los paramédicos que transportaban el cadáver cruzaban la misma puerta de vidrio que él había abierto esa mañana a 4.500 kilómetros de donde se encontraba ahora. Fijó la vista en la camilla y se preguntó si transportaba a la recepcionista, la enfermera o el abortista; bajo la sábana blanca eran todos iguales.

Hablaba otra periodista: —La única testigo, una mujer de veintidós años que realizaba una consulta sobre métodos anticonceptivos, dijo a la policía que el asesino aún no identificado era un hombre delgado, de un metro ochenta de estatura, cabello oscuro y ojos celestes.

Sean cerró los ojos y rogó que no lo hallaran.

"La policía de Boston pide a quienes puedan aportar información sobre el caso que se comuniquen con el teléfono..."

Sean volvió al baño, escupió sangre y tragó dos píldoras para la acidez.

Comprendió que la televisión minaba su fuerza de voluntad. Apagó el aparato con renuencia.

Sentado en el borde de la cama, aguzó el oído.

Lo hacía de niño, con la cabeza bajo las cobijas, a la espera de los ruidos provocados por la furia de su padre: un rugido, un portazo, el llanto de su madre. Ahora sólo escuchaba el zumbido de neumáticos, el rugir de los motores de poderosos camiones, el silbido sobrenatural del climatizador en un motel barato: ruidos extraños en una ciudad que no era la suya. Sean se sentía asustado y furioso, un pigmeo empeñado en una tarea colosal.

No podía seguir en ese cuarto.

Abrió la puerta y salió a la playa de estacionamiento frente a la calle Lombard. Aspiró profundamente y trató de situarse en el nuevo entorno: el moroso tránsito nocturno, el aire frío, la niebla que se arremolinaba y empañaba el cartel de neón de la estación de servicio al otro lado de la calle. Nunca había estado en San Francisco: no sabía que hacía tanto frío.

Tiritando, Sean juró que comenzaría al día siguiente. Siete días no era demasiado tiempo.

CUATRO

A las cuatro de la mañana, cuando la llamó el jefe de la corresponsalía en Washington, hacía por lo menos cinco horas que Lara Costello estaba despierta.

Tres semanas antes había regresado de África, al cabo de casi dos años en el Medio Oriente, Bosnia, Ruanda, dondequiera que hubiese una elección, una conferencia, hambre, guerra. Tres semanas era un lapso más que suficiente para readaptarse a los horarios del sueño. No era ése el problema.

Tampoco estaba agotada, pensaba Lara; su problema era que no lograba realizar la transición. La acosaban recuerdos indelebles: orgías de alcohol en Sarajevo mientras llovía obuses a su alrededor; cadáveres con los genitales mutilados; Mira, su intérprete, muerta entre los escombros de su apartamento al reanudarse los combates; niños moribundos con el estómago hinchado; prisioneros torturados. No podía aceptar que hubiesen desaparecido tan bruscamente de su vida, de su trabajo.

Después de varias horas de angustia se había acercado a la ventana del dormitorio de su casa alquilada para contemplar la calle del barrio residencial de Georgetown. Imaginaba que sus vecinos disfrutaban del reposo, en preparación para las batallas burocráticas del día siguiente: una reunión en el Congreso, una ofensiva valerosa para salvar a un cliente de los sabuesos de la Hacienda. Washington era una de esas ciudades cuya vida dependía de una empresa, en este caso el gobierno: todos trabajaban para él, o dependían de él en alguna medida, y la firma mantenía contentos a todos, al menos en Georgetown. Lara sabía que debería aprender a vivir esa realidad, así como había aprendido a vivir la realidad de un buen restorán en Londres cada vez que podía alejarse por una noche de África y el hambre. Sólo era cuestión de tiempo.

Tiempo. En las tres semanas desde su regreso, Lara había

aprendido que dos años es mucho tiempo cuando uno ha cumplido los treinta y uno. Durante su estada en el exterior había absorbido nuevas formas de vida, hecho amigos, adquirido destrezas y medios de defensa: en una palabra, había aprendido a sobrevivir. Esos dos años habían colmado un vacío; le dolía dejarlos atrás, aunque fuera para aceptar un ascenso importante. Era como arrancarse un anzuelo del estómago, pensó, melodramática. Todos los recuerdos, aún los peores, eran parte de ella.

No sabía cómo explicarlo. Para sus amigos y parientes, esas experiencias tan intensas eran remotas y abstractas, Bosnia y África eran nombres en un mapa, un titular casi olvidado. Pero para ella eran personas que se habían beneficiado con sus despachos, acaso al forzar a un bando en guerra a permitir el paso de un camión con alimentos o al presionar a su propio gobierno para que enviara ayuda o impidiera una masacre. En ocasiones, desde su puesto había ejercido una influencia marginal sobre algún aspecto de la política exterior. Era duro abandonar algo por lo que había trabajado tanto, y con tanto amor. Pero se había convertido en una figura pública, y la cadena de TV la quería en Estados Unidos.

Era comprensible: la imagen de una joven que transmitía en vivo desde el teatro de sucesos tan dramáticos era atractiva, y allá no había tanta competencia. Y además, como había dicho con ironía el director de la división noticias, tenía una cualidad tan importante como su sexo o su madre latina: pómulos altos. Lara tenía cabellos negros, profundos ojos oscuros, rasgos finamente tallados, una tez blanca sin mácula. Era una mujer bonita, cosa que a ella no le importaba, pero a la televisión sí. Sobre todo si su nueva tarea la colocaba en lo que un colega llamaba "el camino del estrellato": la conducción del noticiario dominical y de un programa periodístico en horario central.

Volvió la espalda a la ventana y contempló su habitación. Iba a reconstruir su vida en la ciudad de la que había huido con desesperación. Tendría que soportar el peso de la fama, se dijo con sorna: un millón de dólares al año, un puesto por el que la mayoría de sus colegas serían capaces de matar. Nadie le regalaría nada. Dos años antes, cuando ganaba un sueldo exiguo del *New York Times*, era uno de esos reporteros semianónimos que fatigan los pasillos del Congreso en busca de bocadillos y primicias. Los únicos que comprenderían su actual desasosiego estaban en otros países: eran periodistas en el África subsahariana, diplomáticos, voluntarios de la ayuda exterior, activistas de los derechos humanos.

Y él lo comprendería, se dijo bruscamente; a veces pensaba que él era capaz de comprender qué significaba ser una anciana o un niño. El recuerdo acentuó la sensación de soledad.

—Atravesamos la vida en soledad —le había dicho una vez—. Y después morimos.

Lo dijo con una sonrisa irónica, como si no hablara en serio; era su manera de mofarse de quienes exageraban sus propias dificultades. Lo recordaría en las semanas siguientes.

Pensaba en eso cuando sonó el teléfono.

El jefe de la corresponsalía, Hal Leavitt, no se disculpó por llamar a semejante hora.

—Tenemos un problema —dijo sin vueltas—. Mike Devore se fracturó el tobillo. No tenemos a nadie para cubrir a Kilcannon en California.

Atónita, Lara se sentó en el borde de la cama y trató de poner orden en sus pensamientos.

—¿Estás ahí? —preguntó Hal.

—Sí. Espera que me despierte.

—Mira, yo sé que aún tienes una semana de vacaciones, pero eres la más indicada. Esta elección es la que decide, eres de California, iniciaste tu carrera en San Francisco y conoces a Kilcannon desde que estabas acreditada en el Congreso.

Lara tomó aliento: —Y por si esto fuera poco, he pasado los últimos dos años en el extranjero, no he seguido las internas, no sé qué se discute y podrían acusarme de falta de objetividad: casi no ha pasado un mes sin que el presidente o Mason me acusaran de criticarlos injustamente. No me digas que lo olvidaste. —Hizo una pausa. —¿Qué pasa, Hal, pasaste la noche bebiendo con tus amigos? Es la peor idea que escuché en mi vida.

—Son apenas siete días, Lara —replicó Hal sin alterarse—. Yo me haré cargo de las quejas de Mason, si es que las hay.

—Pero eso no es todo. Siempre pensé que la ignorancia era una desventaja en el trabajo periodístico. A mí no me gusta trabajar así.

Por primera vez, Hal pareció enfadado: —Te prepararemos una carpeta con recortes para que leas en el avión. Cuando llegues a Los Angeles, llama a Mike Devore desde la limusina. Te pondrá al tanto. —Adoptó un tono práctico: —Tendrás todas las comodidades: limusina, pasajes ya pagados, lo que quieras. Pasarán a buscarte a las nueve.

Desesperada, Lara trató de dominar su voz al apelar a los últimos pretextos: —Hay algo más.

—¿Qué cosa?

—Mis inclinaciones. —Hizo una pausa para escoger sus palabras. —Cuando vine al Congreso por primera vez, Kerry Kilcannon me ayudó a orientarme, me dio credibilidad. Me gustaba, y aprendí a respetarlo como senador. A Dick Mason *no* lo admiro: es uno de esos políticos que enfocan todo, hasta los bebés muertos de hambre, desde la óptica de sus intereses. Si Kilcannon no ha cambiado por completo, tendría mi voto. Lo que me preocupa es mi propio profesionalismo.

Se hizo una pausa, hasta que Hal respondió en el tono de quien trata de conservar la paciencia:

—*Todos* los periodistas tienen su corazoncito, Lara. Todos votamos por alguien.

Se sintió angustiada. Podría recurrir directamente al presidente de la división noticias, ¿pero qué le diría? La única manera de salvarse de la misión era decir la verdad. Pero la verdad pondría fin a su carrera. Y a la de él.

—Siete días —dijo por fin.

—Así es.

Aturdida, fue a su escritorio y tomó un bolígrafo: —Dame nombres —dijo—. Director de campaña, jefe de prensa, encargado de acreditaciones.

Hal lo hizo. Lara abrió los ojos al escuchar el nombre de Clayton Slade.

—¿Tienes la agenda para mañana? ¿Dónde empiezan y por dónde habrán pasado cuando los alcance?

—Por supuesto. Te enviaré un fax.

Lara se despidió y cortó.

Estaba sentada sobre el escritorio, con las manos sobre la cara, cuando llegó el fax.

Lo tomó. Kilcannon y su gente pernoctaban en el Hyatt del centro de San Diego. Dada la diferencia horaria, era aproximadamente la una y media.

Aguardó hasta las nueve menos cuarto, poco antes del arribo de la limusina, para hacer la llamada.

A las seis, cuando los agentes escoltaron a Kerry a su habitación, Clayton lo esperaba. Ya había preparado el café provisto por el hotel.

Kerry se secó el sudor de la frente.

—¿Disfrutaste de la gimnasia? —preguntó Clayton.

Kerry lo miró. Si Clayton tenía alguna debilidad, era el desagrado que le producía tener que tratar asuntos personales. Su mirada lo delataba: los ojos entrecerrados, doloridos, como si se recuperara de una borrachera. Su cuerpo robusto estaba encorvado.

—Dilo de una vez —dijo Kerry.

Clayton se irguió y lo miró a los ojos: —Lara Costello acaba de llamarme.

Kerry sintió que su cuerpo se paralizaba.

—Reemplaza a Mike Devore. —La voz de Clayton era suave, triste. —Es evidente que no sabe si estoy enterado, pero lo sospecha.

Kerry tuvo que tragar varias veces para responder: —Dime exactamente qué dijo.

—Fue muy discreta, muy profesional. Nos alcanzará en Los Angeles y se quedará hasta el martes. No había otra persona disponible para reemplazar a Devore. —Clayton se tomó las manos. —Lo que dijo entre líneas es que no pudo evitarlo. Creo que quería advertirte, pero le parecía incorrecto comunicarse directamente contigo. La verdad es que estoy de acuerdo.

Kerry trató de asimilar la noticia: —¿Cómo era su tono?

—Como te dije, muy profesional. —Clayton suavizó la voz. —No la conozco Kerry, aunque parezca que sí.

Kerry cruzó los brazos y agachó la cabeza.

—Lo siento. Es tan inoportuno. Unas pocas horas no alcanzan para asimilarlo.

Kerry se frotó la nariz. —Me sobrepondré —murmuró.

—Tienes que hacerlo. —Clayton se paró. —Aquí corresponde un sermón, y yo soy el desgraciado que tiene que predicarlo. ¿Recuerdas que en la oficina del fiscal siempre sabíamos quién se encamaba con quién? Los únicos que no se daban cuenta de nada eran los propios amantes: creían que eran invisibles.

"Eres candidato a presidente de los Estados Unidos. Los periodistas que te siguen son observadores altamente capacitados, los mejores en su oficio, desesperados porque tienen poco en qué pensar. Bastará un par de miradas tuyas a Lara Costello en el aeropuerto para que alguien empiece a sospechar.

Kerry lo miró con fastidio: —No soy tarado, Clayton. Y a ella no le interesa.

Clayton no se inmutó: —Hay mucha gente que ha invertido mucho en esta campaña, Kerry. Gente que ha sacrificado su carrera, su dinero y hasta su familia. Un director de campaña que no fuera amigo tuyo diría, "Debes elegir entre la mujer y la candidatura. Si la eliges a ella, me parece bien, pero me voy. Si prefieres la presidencia, no te acerques a ella".

Kerry paseó su mirada por la habitación estéril.

—Nadie está enterado —dijo por fin.

Clayton frunció el entrecejo: —Por lo menos *tres* están enterados: ella, tú y yo, porque me contaste todo.

—Estaba destrozado.

—¿Y *ella* no?

Kerry meneó la cabeza: —Hacia el final se negaba a verme. Sólo puedo adivinar.

Sintió la mano de Clayton sobre su hombro:

—Lo siento por ti, viejo. De veras. Comprendo cómo te sientes. —Esperó un instante. —Pero te conozco, eres el mejor candidato en esta campaña. No pierdas esto también.

Kerry lo miró fijamente: —¿Qué recomiendas, en concreto? Aparte de que yo haga de cuenta que ella no existe.

—Tal vez deba hablar con ella, Kerry. No sabemos si alguien más está enterado. Y ahora que viene a seguir la campaña...

—Si alguien habla con ella —lo interrumpió Kerry—, seré yo. Lo que sucedió fue entre ella y yo, tú no tuviste nada que ver.

—Así que eso piensas —dijo Clayton con dureza—. Si te ven con ella y algún periodista averigua la verdad, no sólo arrojarás a la basura nuestra campaña y tu futuro. También la arrastrarás a ella.

Kerry sintió que su furia se disipaba.

Volvió la espalda a Clayton y fue a la ventana. Contempló el puerto de San Diego, el agua gris a la primera luz del amanecer.

¿Cómo es que vine a parar aquí?, se preguntó. Eran cuarenta y dos años de vida: los treinta antes de la muerte de Jamie, luego otros doce muy distintos de aquéllos, en los que había participado Lara. Pero la trama de las circunstancias era tan compleja que no había respuestas fáciles.

NEWARK

1964-1976

UNO

El recuerdo de infancia más claro que tenía Kerry Kilcannon era de su padre cubierto de sangre.

Todo había comenzado como en tantas otras noches: con el ruido de un portazo, cuando Michael Kilcannon regresaba borracho a su casa. Se tambaleaba por la escalera hasta el segundo piso, hablaba solo o farfullaba insultos, se detenía a recuperar el equilibrio o el resuello. En su cama, Kerry trataba de no hacer el menor ruido. Hasta esa noche, Michael nunca se detenía en su dormitorio ni en el de Jamie sino que seguía hasta el final del pasillo y entonces empezaban las palizas. A través de sus lágrimas, Kerry visualizaba el rostro de su madre a la mañana: un ojo morado, los labios hinchados. Nadie hablaba de ello.

Pero esa noche la puerta de Kerry se abrió con violencia.

Michael Kilcannon encendió la luz. Kerry, que tenía seis años, parpadeó varias veces. No se atrevía a abrir la boca.

Su padre se acercó hasta el pie de la cama. La sangre manaba de uno de sus antebrazos.

Aterrado, Kerry miró las gotas de sangre sobre sus sábanas.

Michael lo miró furioso; su rostro guapo, aunque algo hinchado, estaba deformado por el alcohol y la furia.

—Mira —rugió—. Mira lo que hiciste.

Kerry lo miró, pasmado.

—Tu *carrito*, estúpido. Dejaste ese carrito de mierda en el paso.

Kerry meneó la cabeza lentamente: —Perdona, pa. —Muy a pesar suyo estalló en llanto.

Mary Kilcannon apareció en la puerta.

Su larga cabellera negra estaba revuelta, su piel muy pálida bajo la luz. Kerry estaba demasiado asustado para correr hacia ella.

Lo miró con ternura y colocó una mano temblorosa sobre el hombro de su esposo:

—¿Qué pasó, Michael? —preguntó suavemente.

Kerry tragó saliva y miró la cara furiosa de su padre.

—El carro. —Michael miró las sábanas como si no terminara de creerlo. —Bordes filosos...

Sin dejar de mirar a su hijo, la madre besó a Michael en la mejilla.

—Hay que atender esa herida, Michael. —Temblando aún, Kerry miró a su madre que tomaba la mano del padre. —Vamos al hospital.

Lentamente, el padre se dejó llevar por Mary Kilcannon.

Kerry sentía que le faltaba el aliento. Mary Kilcannon se volvió para mirarlo: —No te preocupes por tu padre...

Kerry comprendió lo que quería decirle: que esa noche estaba a salvo. Pero no se levantó hasta que escuchó cerrar la puerta de calle.

Jamie, su hermano de dieciocho años, alto y apuesto, la joya de la familia, estaba en la puerta de su dormitorio.

—Qué pareja, ¿no? —murmuró a nadie en particular.

Kerry lo detestó por ello.

Fue para esa época que comenzó: esa relación tan especial entre Kerry y su padre.

Dos días más tarde, cuando aún no le habían quitado los puntos de la sutura, Michael Kilcannon obtuvo dos entradas a un partido de béisbol de un camarada suyo y lo llevó a Kerry. Michael no conocía el juego: había llegado del condado de Roscommon en Irlanda cuando ya era un adolescente. Pero era un hombre vigoroso y apuesto con su pelo rojo y sus maneras alegres, y cuando estaba sobrio Kerry lo amaba con desesperación: un policía, una especie de héroe, siempre risueño y célebre por su coraje temerario. Michael le compró rosetas de maíz y un *hot dog*, y disfrutó el encuentro con entusiasmo no exento de cohibición. Kerry comprendió que se disculpaba por algo de lo que jamás se hablaría. Cuando el equipo local ganó, Michael lo tomó entre sus brazos. Su abrazo era fuerte y cálido.

—Te quiero, pa —murmuró Kerry.

Esa noche, Michael Kilcannon fue al bar del vecindario. Pero Kerry se sentía a salvo, aún envuelto en la tibieza de su gran día.

Se despertó al abrirse la puerta de su cuarto.

Se frotó los ojos y miró a su padre, feliz y a la vez temeroso.

Michael se tambaleó hacia él y se sentó en el borde de la cama. Kerry no abrió la boca; su padre respiraba con dificultad.

—Hijos de puta. —La voz de Michael era hosca, amenazante.

El corazón de Kerry latía con fuerza. Pensó que si decía algo, si le demostraba afecto...

—¿Qué pasa, pa?

El padre meneó la cabeza como si hablara para sus adentros: —Mulroy...

Kerry no comprendía. Sólo podía esperar.

—Soy tan bueno como... soy mejor —gruñó Michael—. Pero a él lo ascienden a sargento y a mí no. El ascenso es sólo para los lameculos...

Mary Kilcannon apareció en la puerta, como dos noches antes: —Michael —dijo con la misma voz suave.

El padre no la miró: —Déjanos en paz —dijo bruscamente—. Estamos hablando.

Temeroso, Kerry miró a su madre. El tono de su voz adquirió un matiz amenazador que jamás había escuchado.

—Deja en paz al muchacho.

Michael Kilcannon encogió sus hombros anchos y se paró. Giró el brazo con un movimiento perezoso y a la vez tan poderoso que parecía un gran felino y golpeó a Mary Kilcannon en la boca.

Ella se tambaleó; de su labio manaba un hilo de sangre; al ver cómo se cubría la cara, Kerry sintió que se le revolvía el estómago de miedo e impotencia.

—Estamos *hablando* —dijo en el tono de un hombre racional al límite de su paciencia—. Vete a la cama.

Ella salió sin apartar los ojos de Kerry.

Michael le volvió la espalda y se sentó en el borde de la cama. Aparentemente, no advirtió el llanto de Kerry.

—Mulroy —repitió.

No supo cuánto tiempo permaneció allí su padre, farfullando insultos. Pero no se atrevió a dormir.

A partir de entonces, Kerry nunca sabía cuándo sucedería aquello. Algunas noches, volvía a la casa y golpeaba a la madre. En otras, abría la puerta de Kerry y se desahogaba de sus heridas y sus iras. Kerry aprendió a responder con algún gesto o palabra que indicara que estaba atento, a rechazar el sueño y cualquier indicio de desatención que pudiera enfurecer al padre. Michael jamás lo tocaba.

Y Kerry sabía que mientras él lo escuchara, Mary Kilcannon estaba a salvo de sus golpes.

Tan profundo como el terror que le inspiraba Michael Kilcannon era el amor de Kerry por su madre.

Ella también era oriunda de Roscommon. A los veintiuno había dado a luz a James Joseph; a los treinta y tres a Kerry Francis.

Entre uno y otro sufrió una serie de abortos espontáneos.

Conservaba una cierta belleza marchita, como una rosa entre las hojas de un libro. Kerry amaba esos ojos verdes, risueños como medias lunas. Parecían sonreír con sólo ver a Kerry.

Vivían en Newark, en el barrio de Vailsburg, poblado por irlandeses y algunos italianos. El vecindario comenzaba en el parque Vailsburg, un enorme terreno con árboles y varios campos para jugar a la pelota; terminaba en el parque Ivy Hill y las casas finas de South Orange, donde vivían los ricachones. Eran calles arboladas y serenas, con casas de madera de dos plantas habitadas por las familias de policías y bomberos, empleados del gobierno y pequeños comerciantes, algún que otro abogado o contador. Los niños crecían en libertad y jugaban en las calles, protegidos por madres como Mary, que increpaban a los conductores que no reducían la velocidad. Había varios campos de baloncesto y en invierno los bomberos inundaban una depresión del parque Ivy Hill para hacer una pista de patinaje sobre hielo.

Allí es donde Mary Kilcannon enseñó a Kerry a patinar: reía al verlo agitar los brazos, aplaudía con entusiasmo a medida que cobraba fuerza y estabilidad. Así le permitía olvidar lo que ya estaba claro para todos: que jamás sería alto como Jamie, ni tan veloz o ágil en los deportes. En nadie sino ella podía confiar que lo quería tal como era.

Sin decir una sola palabra, se convirtieron en conspiradores.

La vida que Michael Kilcannon les obligaba a llevar por las noches era un secreto ignominioso del que jamás se debía hablar. Kerry sabía que su madre no podía pedir ayuda a la policía. Su padre *era* la policía; la divulgación del secreto sería humillante para él, tal vez lo volvería aún más brutal. En el vecindario discreto de Vailsburg, donde bastaba la palabra de un agente para abortar cualquier mal, Michael era celoso de su reputación.

Cada mañana, Mary Kilcannon rezaba en el Sagrado Corazón.

En la inmensa penumbra de la iglesia, Kerry contemplaba su perfil absorto. Él también se sentía en paz en ese silencio bajo los altísimos techos, entre los bellos vitrales, frente al altar de mármol con el fresco de Jesús ascendiendo al cielo. A veces pasaban una hora allí.

Una mañana nevada de invierno, volvieron a casa caminando. Lo convirtieron en un juego: Kerry trataba de pisar en las huellas de su madre para no dejar un rastro propio.

El premio fue una taza de chocolate caliente. Sentado a la mesa de la cocina, con su madre que sonreía, Kerry sintió que estallaría de amor. Pero fue ella quien dijo:

—Te quiero más de lo que se puede decir con palabras, Kerry Francis.

Sus ojos se llenaron de lágrimas. Ella comprendió: —Tu padre es un buen hombre cuando está sobrio. Nos cuida mucho. Pero se siente frustrado, tiene miedo de no ascender como merece.

Quería reconfortarlo, pero Kerry comprendió que estaban atrapados. Después de largas veladas con su padre había intuido que el fracaso de Michael en su trabajo y los malos tratos a los que sometía a su familia obedecían a la misma razón, y que la situación se prolongaría hasta que alguien le pusiera fin.

Kerry apretó la mano de su madre.

Pero Kerry sabía que de la puerta de calle hacia fuera, Mary Kilcannon era la madre de James.

Ante todo, Jamie era la imagen viva de su madre, a punto tal que sólo su masculinidad lo hacía apuesto en lugar de hermoso. A los diecisiete años, medía un metro con ochenta, su porte era elegante y despreocupado, sus ojos castaños no perdían detalle del mundo que lo rodeaba. Era el orgullo del vecindario: presidente del centro de estudiantes de la secundaria Seton Hall, capitán del equipo de fútbol norteamericano, segundo en calificaciones de su clase. Su ropa siempre estaba limpia, planchada, ni un detalle fuera de lugar. Las muchachas lo adoraban. Recibía las muestras evidentes de afecto con una sonrisa divertida, que no alcanzaba a disimular del todo su desconcierto.

Ése era su secreto: la aptitud para mostrarse distante. Kerry veía en su hermano el desprecio por los padres, la necesidad de diferenciarse totalmente de ellos. Desde la juventud sus logros lo protegían del desdén de su padre. Así, debido a la estatura y los lauros de Jamie, el padre aceptó una suerte de tregua renuente con su hijo mayor: recibía elogios en público que en la intimidad le recordaban sus propias deficiencias. Pero Jamie jamás alzó la voz o la mano para proteger a su madre.

El día que se fue a la Universidad de Princeton con una beca, no permitió que sus padres lo llevaran en el auto.

Jamie obtenía buenas calificaciones en la universidad, era defensor en el equipo de fútbol, militaba en una agrupación política. Sus compañeros en la universidad pensarían que todo le resultaba fácil, o al menos eso imaginaba vagamente el hermanito. Pero en las noches de terror mientras aguardaba los pasos del padre en la escalera, solía escuchar la voz de su hermano a través de la pared delgada que separaba sus dormitorios, practicando discursos, ensayando frases, pausas...

Kerry jamás pudo olvidar lo que sucedió en las Fiestas durante el segundo año de universidad de su hermano.

Jamie era candidato a algo. Ensayaba sus discursos hasta altas horas de la noche; Kerry, insomne, escuchaba la voz asordinada.

Llegó Michael Kilcannon.

Al escuchar los pasos, Kerry se preguntó si abriría su puerta o iría derecho al dormitorio de su madre. Se sentó, expectante.

Momentos después, escuchó el grito de dolor de Mary Kilcannon.

La única señal de que Jamie también lo había escuchado fue un silencio momentáneo al otro lado de la pared. Las lágrimas corrieron por su cara.

No, jamás sería como su hermano James.

DOS

No tenía por qué preocuparse: en la escuela del Sagrado Corazón nadie lo confundía con Jamie.

Kerry era menudo, delgado y mal alumno. Se sometió con renuencia a normas disciplinarias elementales como caminar en fila, guardar silencio en clase y volver al aula cuando sonaba la campana que ponía fin al recreo. Una vez mató una abeja con su regla; a continuación, la hermana Mary Catherine le dio una palmada en la cabeza: —Era una criatura de Dios indefensa —lo regañó.

Yo también, estuvo a punto de decir Kerry mientras le silbaban los oídos. Pero no olvidó las palabras de la monja. Aunque peleaba con frecuencia, jamás lo hacía con muchachos más débiles.

Su furia parecía suicida; Kerry Kilcannon desafiaba a muchachos mayores, más altos, brutales. Bastaba una pequeña ofensa, a él o a un niño menor, para hacerle lanzar el primer puñetazo. Generalmente sufría palizas que terminaban cuando intervenía un tercero: Kerry era torpe, desmañado y prefería morir antes que rendirse. Cuando tenía doce años las peleas eran tan frecuentes y violentas que poco faltaba para que lo expulsaran.

Un día peleó con un muchacho abusador llamado Johnny Quinn.

Johnny había tomado "prestada" la bicicleta flamante de Timmy Scanlon, un niño de nueve a quien Kerry apreciaba. La devolvió sucia de barro.

Cuando Timmy empezó a llorar, Kerry rompió la nariz de Johnny Quinn de un puñetazo.

La pelea duró una hora, alentada por muchachos ávidos. Kerry recibió una paliza feroz. Ciego de dolor, sangrando por la nariz y la boca, abierta una ceja, finalmente se desmayó.

Lo primero que vio al despertar fue la cara de su madre que

lloraba. "¿Por qué?", repetía una y otra vez. "¿Por qué?" Aunque hubiera podido responder, no había nada que decir.

Le quedó un diente partido, la nariz rota y una cicatriz en la comisura del ojo izquierdo cuando le retiraron los puntos de sutura.

Michael Kilcannon sentía orgullo brutal por la combatividad de su hijo; Kerry no se destacaba por otra cosa.

Desesperada, Mary acudió al padrino del muchacho.

Cuando el padre Roarke, director de la escuela, llamó a Kerry a su oficina, allí lo esperaba Liam Dunn.

Los dos hombres se miraron, volvieron la vista al muchacho.

—Hola, Kerry —dijo Liam.

Kerry estaba sorprendido. Aunque Liam siempre preguntaba por él y jamás olvidaba su cumpleaños ni su santo, le habían pedido que fuera su padrino porque era una señal de prestigio. Hacía mucho que Liam había dejado de salir de patrulla con Michael. Era concejal del distrito y amigo íntimo de monseñor Conroy, del Sagrado Corazón. A los doce años, Kerry ya sabía que la línea verde que señalaba la ruta del desfile del Día de San Patricio terminaba en la taberna de Dunn porque así lo deseaba Liam; que un inmigrante en busca de trabajo podía contar con la ayuda de Liam Dunn, que tenía amigos en los sindicatos, la policía, los bomberos; que la Asociación Dunn era generosa con las buenas causas del vecindario; que cuando Frankie Burns, el hijo retardado de padres pobres, murió atropellado por un auto, Liam pagó el funeral. Él nunca hablaba de estas cosas; otros lo hacían.

Liam se dirigió al padre Roarke con tono deferente: —¿Me permite llevarlo a pasear, padre?

El sacerdote asintió: —Por supuesto.

Liam Dunn lo tomó suavemente del codo y juntos salieron de la oficina.

Era un día fresco de otoño. Kerry llevaba una chaqueta con forro, Liam un saco de lana y bufanda. Al respirar salía vapor de sus bocas.

Liam no le dijo adónde irían. Caminaron cuadras y cuadras por Vailsburg, en ocasiones cambiaban algunas frases sobre bueyes perdidos, en otras la mirada de Liam se perdía en la distancia. Para su propia sorpresa, Kerry no se sentía nervioso; el silencio parecía no molestar a Liam.

Llegaron al parque Ivy Hill.

—Sentémonos, ¿quieres? —dijo Liam.

Encontraron un banco de madera pintado de verde. Liam contemplaba el parque en silencio. Kerry lo miraba de reojo. Suponía que era cuarentón como su padre e igualmente alto. Pero aunque era más gordo que Michael, no lucía mal por ello. Llevaba el pelo rojo cortado al ras; su cara curtida sólo mostraba un poco de gordura en el mentón; su nariz aguileña era más española que irlandesa; sus párpados eran tan pesados que parecía tener los ojos entrecerrados. Pero la mirada que clavó en Kerry era lúcida y penetrante.

—Dicen que eres un peleador, Kerry.

Asintió sin poder hablar; llevaba las pruebas impresas en la cara.

—Me parece que no está bien —murmuró Liam—. Dime, ¿sabes *por qué* peleas?

Kerry no quería responder. Pero uno no se negaba a Liam Dunn.

—Odio a los abusivos.

Sintió dolor al decirlo. Algo se agitó en la mirada de Liam: —Tu madre...

El estómago de Kerry se crispó como un puño.

—Tu madre —repitió Liam— teme por ti. ¿Eso es lo que quieres?

No podía mirarlo. Sintió la manaza sobre su hombro: —Si quieres pelear, Kerry, debes aprender a hacerlo. Hay un lugar para ello y un hombre que puede enseñarte a boxear.

Se volvió lentamente. Liam lo miró a los ojos: —¿Qué me dices?

Kerry asintió. Sentía que Liam Dunn lo dominaba.

—Pero hay una condición.

Kerry se enderezó: —¿Cuál es?

—Que no habrá peleas hasta que aprendas. Por el bien de tu madre. —Liam sonrió: —Y por el tuyo, ni hablar. —Le tendió la mano. Kerry la estrechó. —Muy bien —dijo Liam—. Estamos de acuerdo.

Se paró.

Kerry comprendió que era una señal: Liam Dunn era un hombre ocupado. Volvieron a la escuela en silencio. Liam parecía preocupado.

Se detuvo en el patio de los recreos: —Estaba pensando —dijo—. Podrías hacerme un favor.

—¿Cuál? —preguntó Kerry, sorprendido.

—Los domingos después de misa recorro los bares para ver a la gente que quiere hablar conmigo. Necesito ayuda porque suelo olvidarme de algunas cosas.

Kerry lo dudaba, y además, si necesitaba ayuda, Liam Dunn tenía cuatro hijos.

—¿Qué dirá mi papá?

Liam entrecerró los ojos: —Michael no tendrá objeciones —dijo—. Estoy seguro.

Todos los martes y viernes a la tarde, Kerry Kilcannon iba a boxear al gimnasio CYO.

Era una conejera lúgubre de cuartos con las paredes decoradas con fotos de campeones olvidados. Kerry se sentía intimidado y fuera de lugar. Cuando el entrenador Jack Burns le dijo que golpeara la bolsa, un talego de cuero de diez kilos que pendía del techo, Kerry lanzó una serie de ganchos ampulosos con la zurda. Erró totalmente el último golpe y la bolsa, que oscilaba hacia él, derribó al niño de doce años y cuarenta y cinco kilos.

—Parece que eres zurdo —dijo Jack.

El entrenador era un hombre robusto, canoso y paciente, con una tonsura que hacía juego con su plácida expresión de monje. Al cabo de tres lecciones, Kerry pensó que un hombre que jamás alzaba la voz ni perdía la paciencia no sabía pelear. Pero recordó su promesa a Liam.

Fue duro para él. Durante las primeras tres semanas, Jack trató de enseñarle a boxear como un zurdo: a abrirse paso con un recto de derecha, la mano más débil, y seguir con la zurda. Pero Kerry sólo confiaba en su mano izquierda; sólo quería lanzar un gancho a ciegas y derribar todo lo que se le pusiera en su camino.

Un día, Jack lo puso frente a otro muchacho de doce, Terrence McCaw, un poco más experimentado y mucho más disciplinado que él. La zurda jamás llegó a destino; Terrence, que era tan menudo como él, la esquivó con un paso al costado y le pegó repetidas veces con la diestra. Gracias a los enormes guantes, sólo su orgullo quedó lesionado.

Jack interrumpió el combate y lo llevó a un costado: —Parece que te dieron una paliza, ¿no? Igual que allá afuera.

Kerry clavó los ojos en la lona.

—Lo que pasa —dijo Jack—, es que podrías hacer las cosas mucho mejor, sobre todo con la zurda. Pero para eso deberías tener paciencia y aprender a pensar. Bueno, ¿qué quieres en la vida? ¿Quieres llegar a ser tan bueno como puedas o tan malo como ahora? Los únicos que conoceremos tu decisión seremos tú y yo.

Herido en su orgullo, Kerry farfulló: —Quiero mejorar.

Jack asintió: —Puedes hacerlo. Pero con paciencia.

Empezó a enseñarle a boxear como un diestro.

Esto significaba que la guardia le obligaba a usar la zurda como un ariete, no para hacer daño. Hora tras hora le obligaba a golpear la bolsa, mientras Kerry aprendía a lanzar golpes cortos de izquierda sólo para impedir que ésta lo golpeara.

—Uno —decía Jack—. Uno, dos.

El jab de izquierda de Kerry se convirtió en un pistón: más, duro, fuerte y veloz. Lanzaba cada golpe con furia. Sin saber de dónde venía esto, la convirtió en su amigo, su sirviente, era incansable.

La rutina continuó invariable durante meses. Un día Kerry descubrió que amaba el olor, la sensación de su propio sudor, la fatiga del combate. Imaginaba que golpeaba a Johnny Quinn.

—Quiero pelear —dijo al entrenador.

—Falta poco —dijo Jack—. Antes, debes aprender a usar la derecha.

No era difícil. Después de lanzar los jabs de izquierda, desplazándose hacia la derecha para evitar el golpe de su oponente imaginario, Kerry debía dar un paso adelante y lanzar la derecha a la cara. Le faltaba fuerza en la derecha, pero Jack aseguraba que vendría con el tiempo.

Por fin, Jack le permitió hacer otra vuelta con Terrence McCaw.

—Recuerda que no lo odias —dijo—. Sólo quieres vencerlo.

Ante el primer golpe de Terrence, Kerry lanzó la zurda de siempre. Recibió otro golpe que lo derribó.

Sus ojos se llenaron de lágrimas de furia. Escuchó la voz de Jack: "¿Cuál de los Kerry está peleando ahí?"

Kerry se paró.

Terrence se acercaba con la ilusión de derribarlo otra vez, pero Kerry sólo veía la bolsa.

Tres jabs de zurda a la cara.

Terrence parpadeó, desconcertado, y entonces Kerry lanzó la derecha.

Era débil como una caricia. Pero Terrence estaba tan asombrado que se enredó en sus propios pies y cayó.

Transportado por el orgullo de la victoria, Kerry quería que se parara otra vez para seguir golpeando.

Jack Burns se interpuso: —Choquen guantes, muchachos. Los dos aprendieron algo. —Miró al desconcertado Terrence: —La próxima vez, cuídate de su derecha. Está mejorando.

Su corazón ya no latía con tanta fuerza. No quería darle una paliza a Terrence McCaw. Quería practicar con la derecha.

Camino de su casa, Kerry se dio cuenta de que hacía seis meses que no peleaba fuera del gimnasio. Cumplía su promesa a Liam Dunn.

Su otra actividad consistía en acompañar a Liam a los bares los domingos.

La madre de Kerry detestaba la bebida por lo que le hacía a

Michael. Para Kerry, los bares representaban un misterio maligno: allí su padre se transformaba en un demonio, cuya furia parecía aumentar cada noche que tenía a Kerry de rehén o, mientras su hijo se consumía en rabia impotente, le pegaba a Mary Kilcannon.

—El mal irlandés —dijo Liam sobre la borrachera—. Pero las tabernas son algo más que bebida.

Tenía razón.

Los domingos a la una, después de la misa, estaban atestadas. Lo temporal desplaza a lo espiritual, decía Liam. La taberna era centro comunitario, agencia de colocaciones, red de información política y lugar de reunión de hombres y mujeres solteros. El político que no conocía las tabernas, decía Liam, era un idiota que no se conocía a sí mismo.

Entonces los dos recorrían las tabernas, a veces acompañados por uno o más de los hijos de Liam: por South Orange, la avenida principal de Vailsburg, a la Higgins' Tavern; a Lenihan & O'Grady's; a Cryan's Tavern; Malloy's Tavern; Lynch's Ark Bar, regenteado por una viuda irlandesa; Paul's Tavern; McGuinness' Bar. Liam le enseñó a Kerry a memorizar los nombres: en seis meses conoció a entre veinticinco y treinta taberneros irlandeses de Newark.

—Los irlandeses —dijo Liam a Kerry—dominaron la política en Newark desde la década del 20 hasta hace unos años, cuando los italianos eligieron al alcalde Addonizio—. Y agregó casi como al descuido: —La dominación italiana no va a durar tanto.

Pasaron varios meses antes de que Kerry entendiera lo que quiso decir.

Le gustaban las tabernas por su ambiente gregario, sus recuerdos celtas, los revestimientos de madera oscura, el olor de la cerveza, las risas de hombres y mujeres, los discos de los Makem Brothers, los grandes "salones familiares" llenos de mesas donde en ocasiones Liam u otro político pagaba por una fiesta. Kerry escuchaba y aprendía.

Liam Dunn se unía a un grupo, se apartaba a conversar con quien se lo pidiera. Muchos lo hacían para pedirle que se ocupara de un problema de cloacas, trabajo para sí o para un primo que venía de Irlanda, dinero para pagar los estudios de un muchacho que prometía o curar la leucemia de una hija. Liam jamás mentía: prometía lo que podía cumplir y generalmente cumplía con creces. No sólo recordaba los nombres y los días de guardar —para eso tenía un libro—, sino también los asuntos y detalles más entrañables de la gente y sus seres queridos, que no estaban registrados en los libros.

Kerry llegó a la conclusión de que realmente se preocupaba

por las personas que requerían ayuda: gente como él mismo. No podía imaginar que ensayara sus discursos como Jamie, aunque Liam era capaz de presentar a un orador como si fuera el Arzobispo de Nueva York y, cuando lo deseaba, quedarse con todos los aplausos. Una vez Kerry le preguntó por qué Jamie no recorría las tabernas para aprender política.

—Ese muchacho tiene mucho talento y hace las cosas a su manera —dijo Liam—. Puede llegar lejos.

—¿Pero no debería trabajar con usted?

Liam sonrió: —Eso es lo último que Jamie quiere o necesita hacer, Kerry. En más de un sentido, esto le queda *chico*, y mejor para él. Tal vez nos consiga un par de autopistas.

Kerry se preguntó qué quería decir. Pero Liam Dunn era mucho menos locuaz en la intimidad que en público, y a veces se expresaba de manera elíptica. Era como si hubiera aprendido a hacer política de a una persona por vez.

Un día, cuando salían de Lynch's Ark, trató de explicarle.

—En general, la gente se preocupa por sus propios problemas: dinero, salud, lo que fuera. Pero si se siente a salvo, buscará la manera de ayudar a los demás, como en mi caso.

"Por eso es tan bueno este vecindario, en el cual mi trabajo de concejal cumple una pequeña función. Vailsburg es una red sin costuras: familia, iglesia, escuela, clubes, deportes, todas las maneras que tenemos de conocernos y compartir. Nadie pasará hambre; las viudas recibirán lo que necesiten y sus hijos estudiarán. Tiene poco que ver conmigo o con el gobierno. Cada uno ayuda con gusto porque sabe que le pagarían con la misma moneda si le tocara el turno. —Habían llegado a la casa de madera blanca de Kerry. —Claro que es bueno que todos seamos irlandeses. O italianos.

Kerry asintió. El tono de Liam le recordó esa observación de que su dominación sería breve.

—Pues bien —dijo Liam inesperadamente—, hace meses que me acompañas. Dime, ¿cuál es la mayor preocupación de la gente?

Bruscamente comprendió: el problema sobre el cual farfullaban los bebedores después de la tercera cerveza, sobre el cual el padre vomitaba su odio al pie de la cama de Kerry... y que según Liam cambiaría todo.

—Los negros —dijo Kerry.

Liam asintió: —Así es, los negros. Y hay que ser idiota para pensar que hay un remedio. O que debería haberlo.

Kerry calló. —Pa los odia —dijo por fin.

Liam dejó pasar unos minutos.

—¿Quisieras pasar la noche con nosotros. A la señora Dunn le encanta tu compañía.

El pecho henchido de felicidad, miró el rostro rubicundo de Liam con amor. Pero pensó en su madre, sola en esa casa oscura, esperando el regreso de su padre. No podía dejarla; su padre empeoraba mes a mes.

No tenía palabras para decirlo. Clavó la mirada en una grieta de la acera.

Percibió la mirada de Liam, sintió la mano sobre su hombro:

—Por supuesto —dijo Liam—. Tienes cosas que hacer.

Jamás repitió la invitación.

Michael Kilcannon soltó un resuello tan ruidoso y estremecido que Kerry olió el whisky junto con el odio... y en el mismo momento comprendió que las cosas estaban peores que nunca.

—Negros de mierda —repitió Michael—. Casi destrozaron la ciudad en los motines y ahora uno de esos monos hijos de puta quiere ser *alcalde*. Así pueden incendiar todo otra vez, usarlo para asar la carne a la parrilla. Asarme a *mí*.

Kerry no comprendió esta alusión. Pero sí recordaba los motines, su olor y sus ruidos. Tenía nueve años. Todo comenzó con un incidente entre la policía y los negros en el West Ward: desde la ventana abierta de su dormitorio, Kerry olía el humo y escuchaba las sirenas. Un muchacho mayor que él, que vivía cerca de la avenida South Orange, le dijo al día siguiente que había visto alzarse las llamas hacia el cielo nocturno y había pensado que se incendiaría toda la ciudad.

Las cinco noches siguientes, desde la cama, Kerry escuchó el ulular de las sirenas, los estampidos sordos que sin duda eran disparos. Aunque no sufrió los motines, Vailsburg adquirió el aire misterioso de una ciudad sitiada: bares cerrados; puertas atrancadas; patrulleros por todas partes, cada uno con tres o cuatro agentes armados con escopetas cuyos caños asomaban por las ventanillas y a Kerry le parecían portaaviones. Y una mañana volvió el silencio y Newark cambió para siempre.

Días después, el padre llevó a Kerry a pasear en el patrullero. Grupos de negros aún rondaban cerca de las tiendas saqueadas e incendiadas. El majestuoso palacio municipal —la escalinata flanqueada por fieras águilas doradas, el casco elegante coronado por la reluciente cúpula de oro— era el centro de la historia comunal y el orgullo cívico, el premio al que aspiraban los representantes de las etnias blancas. Con estupor, Kerry vio los restos ennegrecidos de algunos edificios que lo rodeaban.

—¿Ves lo que han hecho los animales? —dijo Michael—. Volverán a hacerlo si no los detenemos.

Kerry sí lo vio, y se sintió furioso.

—¿Y los detendrán? —preguntó a su padre.

Los labios de Michael Kilcannon estaban apretados en un rictus...

—Verás —dijo a Kerry la noche de la borrachera—, dos noches atrás maté a uno... robaba una tienda. Diecinueve años, gracias a Dios que murió antes de que pudiera matar a una buena persona. Los amigos del tal Gibson, ese negro de mierda que quiere ser rey... no les basta dejar atrás a los blancos y ascender a sargento sin siquiera saber leer. —Bruscamente, Michael se inclinó sobre la cama, aferró la camiseta de Kerry y lo atrajo hacia él: —Dicen que tu papá es un *asesino*...

Kerry se estremeció. Vio a su padre con el compañero, un tipo que jamás abría la boca, la botella de whisky en el asiento trasero de la patrulla, al descubrir a un negro en una tienda abandonada. Sus ojos eran del color azul acerado de las balas.

—Dicen que tu padre es un asesino —repitió Michael—, y el hijo de puta de tu amigo Liam no quiere saber de nada.

El día que Liam Dunn decidió apoyar a Kenneth Gibson, el candidato negro, contra Hugh Addonizio en las elecciones municipales, Kerry no pudo entenderlo.

Había rumores en los bares, rostros adustos, amenazas telefónicas de matar a sus hijos y entregar a su hija a una pandilla de negros. Liam se ocupaba de sus asuntos, aparentemente sin tomar en cuenta que Dunn's Tavern perdía clientes, que pocos hablaban con él, que un dirigente local en ascenso, Paul Slattery, ya hablaba de disputarle su puesto en el Consejo.

La recorrida de las tabernas se convirtió en una pesadilla para Kerry. Pero permaneció leal a su padrino, furioso por la manera como algunos le volvían la cara. Kerry jamás pedía disculpas.

Al cabo de un domingo tenso, Liam llevó a Kerry al mismo banco del parque Ivy Hill.

—Me han dicho que mejoras en el boxeo —dijo—. Y también en la escuela: ni malas calificaciones ni peleas. —Le palmeó el hombro con rudeza—: Y además de todo eso, empiezas a entender la política. Puedes llegar muy lejos.

Pensó en Jamie, en las caras hostiles en las tabernas, y crispó los puños: —Jamás voy a ser candidato.

—Por supuesto —dijo Liam—. Cada uno tiene que encontrar su lugar en la vida. —Hizo una pausa. —En cuanto a mí, no pienses que he llegado al fin de mi cuerda. La gente *necesita* que yo pase por esto.

—¿Qué quiere decir?

—Tienen miedo y por eso están furiosos. Quieren que les diga que esto pasará: los negros que entran poco a poco en Vailsburg mientras los vecinos hablan de irse, la delincuencia creciente, la pérdida de su poder como comunidad, que empezó mucho antes de lo que creen. Pero sería estúpido decirles que el odio a los negros es la solución. Ni qué hablar de un programa político. —Se volvió hacia Kerry: —Decir las verdades que duelen, para eso existe el capital político. Salvo que uno quiera ser un recadero toda su vida.

¿Pero vale la pena jugarse por los negros?, se preguntó Kerry. Y en voz alta: —Parece que la gente lo odia.

Liam lo miró: —Pero tú no me odias, ¿no?

Kerry meneó la cabeza con firmeza.

Liam se paró, inquieto, y Kerry advirtió la presión que bullía bajo ese aire sereno.

—Si haces lo correcto, Kerry, las cosas suelen terminar bien. Pero sólo lo primero depende de ti. Y a veces, ir a la cama con la conciencia tranquila se convierte en una lucha cotidiana. —Liam sonrió por primera vez: —Además, hay idiotas que no saben hacer cuentas. Como Slattery.

—¿Por qué?

—Quiero decir que si yo necesitare los votos negros para seguir adelante, los negros necesitarán algunos votos míos. Y ese margen para la victoria con el que Paul Slattery cree contar ya se está mudando a los suburbios residenciales. —Su mirada era remota, triste—. No sé si alguien, incluso yo, puede detenerlo. Tu hermano James está a salvo de esto. Me pregunto si no lo vio venir.

—¿Qué cosa?

—El fin de una era, de un modo de vida como el que tenemos en Vailsburg. Sin prisa pero sin pausa. —Calló un instante—. No es algo por lo que deba preocuparse ahora que es candidato a senador estadual en Princeton. Un lugar tan cómodo, tan liberal, a salvo de todo.

Bruscamente Kerry tuvo la sensación de que Liam había hablado con James, y no mucho antes. Y a continuación comprendió que un policía asesino de un joven negro no sólo convertiría la vida de Kerry y su madre en un infierno sino que podría hacer un daño irreparable a la carrera de Jamie. La última pieza del rompecabezas ocupó su lugar. Para orgullosa satisfacción de su padre, los dirigentes de la comunidad negra habían dejado de pedir su enjuiciamiento. Los nuevos aliados de Liam...

Kerry le aferró la manga: —¿Fue usted quien salvó a mi padre?

Bajo los gruesos párpados, los ojos de Liam contemplaron largamente al joven con intenso interés:

—Como dije antes —respondió por fin—, si haces lo correcto, las cosas suelen terminar bien. También para Michael.

La noche que ganó la elección al senado del estado de Nueva Jersey, James Kilcannon prácticamente no se acordó de sus padres. Todo era acorde con su carrera hasta el momento: obtener la beca para Princeton; liderar las manifestaciones contra la guerra de Vietnam; echar su suerte con el ala reformista del partido. Para sus seguidores era seductor, buen orador y la antítesis del burócrata partidario. No conocían a su familia ni les importaba.

Con todo, Michael y Mary Kilcannon asistieron a la fiesta de la victoria, para evidente disgusto de su hijo. De su familia, sólo mencionó a Kerry. Al mencionar la edad de su hermano, el candidato victorioso sonrió con malicia y dijo:

—Ahora te toca a ti, Kerry... si mejoras tus calificaciones.

La frase le ganó unos segundos de televisión: el apuesto senador estadual electo tenía apenas veinticuatro años.

Al mirarlo por televisión, Kerry frunció el entrecejo. Hacía semanas que Jamie no hablaba con él, y le disgustaba que lo usara como decoración. Además, le interesaba mucho más la competencia de Gibson y Addonizio por la alcaldía de Newark, de la cual dependía el futuro de Liam Dunn.

La noche de la elección, la casa de Liam recibió una custodia policial. La semana anterior, alguien había encendido un ladrillo empapado con gasolina y lo había arrojado por la ventana.

Liam no había querido tener a Kerry en la casa ni menos aún llevarlo consigo. Pero éste insistió:

—Dice que es un momento histórico. Bueno, yo quiero vivirlo.

De manera que fue con Liam en un patrullero conducido por un agente de labios apretados a la fiesta de la victoria de Kenneth Gibson.

En la multitud exultante —algunos blancos, casi todos negros— reinaba una sensación de energía desatada; aunque los votantes negros eran mayoría en Newark, jamás uno de ellos había llegado al palacio municipal. Al escuchar junto a Liam el discurso victorioso, Kerry sintió una simpatía que lo sorprendió a él mismo; esta gente, cuya impotencia se daba por sentado, había llegado al poder. Las calles en torno del palacio municipal estaban atestadas de multitudes jubilosas.

—Jamás volverás a conocer un alcalde blanco en Newark

—murmuró Liam camino a casa. Cuando llegaron, su casa estaba intacta y en Vailsburg reinaba una paz de cementerio. Liam habló muy poco.

El mes siguiente, con el apoyo del alcalde electo, el concejal Liam Dunn pasó a presidir el Partido Demócrata del distrito de Essex. Su adversario Paul Slattery jamás llegó a ser candidato a nada.

TRES

A los dieciséis años Kerry Kilcannon disputó los Guantes de Oro.

Jack Burns lo contuvo todo el tiempo que pudo. Pero Kerry había alcanzado los sesenta y cinco kilos repartidos en un metro setenta de estatura. Había combatido en exhibiciones y entrenado sin cesar. Ahora tenía que saber si realmente era bueno.

Sus padres asistieron al primer combate de Kerry, ante unos cientos de espectadores; Michael desdeñaba las posibilidades de su hijo tan delgado, su madre no sabía si sería capaz de mirar. Tal vez, pensó Kerry con tristeza, le recordaba la casa.

Su primer adversario fue Joey Giusti, un muchacho italiano. Con su menor estatura y gran pecho, Joey trató de arrinconarlo contra las cuerdas para ametrallarlo a golpes; a través de los agujeros del protector, Kerry escuchaba los gritos de júbilo de los italianos ante cada golpe de Joey. Agazapado, Kerry se limitaba a recibir los golpes —en los brazos, los hombros, la coronilla, en cualquier parte menos el mentón— mientras los seguidores de Joey rugían y Michael se desgañitaba gritando, "pelea, carajo, pelea".

Al final de la primera vuelta, Kerry había arrojado tres golpes.

Sentado en el taburete, hizo oídos sordos al disgusto de su padre y la incredulidad de los espectadores.

—Está bien —dijo Jack—. Creo que se cansó de pegar y te subestima. La vuelta siguiente es la tuya.

Sonó la campana y Joey prácticamente corrió al centro del cuadrilátero. En sus ojos Kerry leyó el desdén, la avidez del matón.

Cuando Joey lanzó el primer gancho de izquierda, Kerry lo esquivó. La zurda, más lenta que en la primera vuelta, pasó sobre su cabeza. La zurda de Kerry llegó neta a la nariz del muchacho italiano.

Joey parpadeó, atónito, y Kerry acertó con otros tres jabs. La nariz de Joey manaba sangre.

Cuando el italiano se cubrió la cara con las dos manos, Kerry empezó a trabajarle las costillas.

Izquierda, derecha, izquierda. El sudor volaba de la cara de Kerry al lanzar golpe tras golpe al vientre. Joey tragó saliva, sus brazos cansados empezaron a bajar.

Kerry lanzó otro jab a la nariz. El choque le llegó hasta el hombro. Saltó la sangre y entonces se interpuso el árbitro.

En las tres peleas siguientes no hizo falta usar el golpe de derecha a la mandíbula.

Él y Jack habían decidido ocultarlo. Kerry empezaba a asimilar la importancia del entrenamiento, la disciplina, la estrategia: así podía llegar al final del combate, por largo que fuese. Qué diferencia, pensó, con ese peleador de doce años, no sólo en destreza sino en actitud. Sentía un orgullo desconocido y lo exhibía sin alardes.

No así su padre: —Por fin sirves para algo —dijo con tosca camaradería.

Cuando resultó que su adversario en la final era un negro, Marcus Lytton, Michael le dio consejos.

—Lo estuve mirando —dijo—. Mucha alharaca, pero no tiene agallas. Al primer golpe duro se viene abajo como una caja de cartón. —Para incentivar a su hijo, Michael Kilcannon apostó doscientos dólares y se aseguró de que estuviera enterado.

Esa noche, cuando subió al cuadrilátero, el gimnasio estaba atestado de negros e irlandeses.

Hubo una trifulca y la policía detuvo a dos adultos borrachos, un blanco y un negro. La tensión de la ciudad se había trasladado al cuadrilátero. Kerry se dijo que debía concentrarse en Marcus Lytton.

Kerry se había preparado bien. Jack le había dicho que al lanzar la zurda, Lytton descubría la guardia por medio segundo, tiempo suficiente para ponerle una mano derecha fuerte. Pero lo importante era lanzar constantemente la zurda para mantenerlo alejado y ganar puntos.

Cuando presentaron a Kerry, los irlandeses lo ovacionaron.

Por un instante se detuvo el tiempo. Kerry comprendió que él y Marcus, atrapados por las luces del cuadrilátero, se habían convertido en focos de pasiones mucho más grandes que ellos. Entonces absorbió la emoción: su corazón empezó a latir con fuerza, la sangre a zumbar en las sienes, su cuerpo delgado se llenó de una energía que pugnaba por salir. Contempló el cuerpo lampiño de Marcus, su pelo cortado al ras, su rostro sereno, casi angelical, sus impenetrables ojos negros. Sonó la campana.

Antes de llegar al centro del cuadrilátero, Marcus lo sorprendió con una combinación de tres golpes.

Un golpe le echó la cabeza atrás. Jamás había visto semejante rapidez, que no le dejaba tiempo para pensar. Marcus lo acosaba, implacable: izquierda a la cabeza, derecha al estómago, paso al costado, derecha a la mandíbula. Cada golpe era duro y bien dirigido: Marcus Lytton no se cansaría de pegar.

Los irlandeses dejaron de alentarlo.

Marcus le pegó en el estómago y lanzó un golpe a su ojo izquierdo.

Al tambalearse, Kerry comprendió que le había cerrado ese ojo. Marcus avanzó.

Kerry esquivó un gancho de izquierda, lanzó un jab a la boca y entonces terminó la vuelta.

Volvió a su rincón en medio de los aplausos para Marcus y se sentó. Jack le echó agua en la cabeza.

—Tendrás que dar el primer golpe —dijo el entrenador—. Jabs a la cara y cuidado con la derecha. No puedes perder otra vuelta.

Apenas sonó la campana, Kerry cruzó el cuadrilátero. Acertó con un jab, luego con otros dos. Marcus parecía sorprendido; Kerry lo conmovió con una derecha a la frente; si hubiera sido a la mandíbula, pensó, lo hubiera derribado. Entonces se trenzaron: golpe a golpe, esquives, más golpes, los de Marcus a la cara, los de Kerry al costillar. Al final de la vuelta, blancos y negros estaban de pie, los puños en el aire.

Kerry jamás había sentido semejante cansancio; como si hubiera pasado los últimos treinta segundos bajo el agua. Sus antebrazos estaban doloridos y pesados de bloquear golpes. Le dolían las costillas.

—Bien hecho —dijo Jack con su voz suave—. Esta vuelta fue tuya, así que la próxima decide. Tienes que mantenerlo alejado y buscar la derecha.

Cuando Kerry se paró, todos los irlandeses empezaron a corear.

—*Kerry, Kerry, Kerry...*

—*Mátalo.* —Bruscamente, se sintió depositario de las esperanzas, el odio y la frustración de una ciudad y una era que sus vecinos pensaban estaba agonizando. Se le revolvió el estómago.

Marcus lo tocó con una derecha corta.

Kerry dio un paso atrás ante los gritos exultantes de los negros, se enderezó y golpeó a Marcus que acortaba la distancia. Vio cómo echaba la cabeza atrás y advirtió que los irlandeses volvían a pararse.

—*Mátalo* —chilló la misma voz, la de su padre. Le sangraba el labio, tenía un ojo cerrado. Sólo la voluntad lo mantenía de pie.

Marcus se abalanzó con una mirada asesina y acertó con la combinación de tres golpes. Era un asunto personal: en los siguientes, infernales noventa segundos, bajo una lluvia de golpes y con las piernas que amenazaban con ceder, Kerry aprendió quién era mejor.

—Un minuto —dijo Jack—. Noquéalo.

Kerry esquivó un golpe, giró y tomó a Marcus en el estómago con todas sus fuerzas.

Los ojos de Marcus se abrieron de asombro y dolor, y él protector cayó de su boca.

Los blancos chillaron, frenéticos. Era el momento exacto para el golpe definitorio: la derecha a la boca desprotegida del muchacho negro. Sería el fin de la pelea...

—*La derecha* —rugió su padre.

El brazo derecho de Kerry quedó paralizado. Finalmente lanzó el golpe, pero era tarde y rebotó en el antebrazo alzado de Marcus.

La multitud lanzó un gemido.

El resto de la pelea transcurrió en cámara lenta. Marcus peleaba en retroceso, los ojos llenos de dolor. Kerry lo perseguía con brazos y pies de plomo, pegaba una fracción de segundo tarde, como si los mensajes de su cerebro buscaran desvíos. La campana final. El árbitro alzó el brazo de Marcus. Los negros de pie. Los blancos en sus asientos.

El regreso a casa transcurrió en silencio: unas palabras de consuelo de su madre, aliviada porque todo había terminado. De su padre disgustado, una sola pregunta:

—¿Por qué tienes tanto miedo de usar la derecha?

Kerry no respondió.

Jamás volvió a combatir en un cuadrilátero. Pero durante varias semanas volvió al gimnasio y castigó la bolsa hasta que sus brazos no aguantaron más.

CUATRO

A los diecisiete años, Kerry alcanzó su máxima estatura: un metro con setenta, sesenta y ocho kilos. Medía diez centímetros menos que su apuesto hermano, el senador estadual, igual cantidad de centímetros y veinticinco kilos menos que su padre, el agente de policía. Aparte del boxeo no existían muchos deportes para un joven que no era robusto, veloz ni un líder, que para colmo sufría ataques de furia impotente debido a su propia falta de talento.

Finalmente, logró ser un buen arquero de fútbol. Con eso y las calificaciones medianamente buenas en el último año de secundaria, consiguió una vacante en la Universidad Seton Hall, cerca de su casa. En cuanto al futuro, Michael sugirió que ingresara a la policía. "Para muchos es un buen trabajo —dijo—, y de nada sirve que envidies a tu hermano. Nadie es tan bueno como él."

Kerry no respondió. Su padre llevaba el fracaso escrito en las arrugas de su cara, los ojos turbios, y el único consuelo que encontraba aparte de la bebida era maltratar a su esposa y despreciar a su hijo. Su madre parecía una mujer vencida. Tal vez, pensaba Kerry, las mujeres de su padre eran la humillación final.

Michael aún se sentaba al pie de la cama de Kerry, pero ahora hablaba de las mujeres que conocía en los bares o en el trabajo, jovencitas que se morían de admiración por él. Asqueado y aún virgen, Kerry esperaba que esa diversión ayudara a Mary Kilcannon. Pero las palizas se volvieron peores, sobre todo después de la segunda reprimenda que recibió: había golpeado a un negro hasta provocarle una conmoción por "intento de fuga". El castigo incluyó una suspensión de un mes y le provocó un estado mental peligroso: la noche siguiente, Mary Kilcannon requirió dos puntos de sutura en el labio superior.

Kerry la llevó al hospital; en su corazón, pugnaban la desesperación y el odio. Cuando salió de la sala de guardia a la noche,

Kerry la abrazó y ella apoyó la cabeza sobre su hombro.

—Tienes que dejarlo, ma —murmuró—. Por favor. No puede ser voluntad de Dios que sigas con él.

—Es el alcohol. —Mary cerró los ojos. —El divorcio es pecado, Kerry. ¿Y adónde quieres que vaya?

La mirada en su rostro, antes bonito y ahora tan pálido y demacrado, penetró hasta su corazón. Cuando llegaron a la casa, Michael Kilcannon dormía la mona. Kerry se preguntó qué sentiría al matarlo mientras dormía.

Mary lo miraba. —Llamaré al cura —dijo por fin. —Llamaré al padre Joe.

Sería mejor llamar a Liam, pensó Kerry. Seguramente había policías que no estimaban a su padre, fiscales que debían un favor a Liam Dunn. Pero su madre quería el cura.

—Sí —dijo Kerry—. Llama al padre Joe.

El sábado siguiente, el sacerdote delgado de calvicie incipiente vino a la casa de los Kilcannon y habló con el padre de Kerry. Su madre se encerró en el dormitorio. Durante varias horas su padre estuvo muy callado, hasta que poco antes de la cena salió a la calle.

Volvió pasada la medianoche.

Kerry escuchó sus pasos en la escalera —pesados, resueltos— y su resuello al llegar a la planta alta. No entró en el dormitorio de Kerry.

Tendido sobre su cama en calzoncillos, la boca reseca, aguzó el oído.

El grito de dolor de su madre le llegó al corazón.

Cerró los ojos por un instante, luego sin pensar más se paró y fue al dormitorio de sus padres.

Su madre estaba tendida en un rincón con el salto de cama roto. La sangre manaba de su nariz. Su esposo la miraba inmóvil, como si por fin hubiera comprendido la magnitud de lo que hacía.

Kerry se paró detrás de él. Sintió tanto odio que casi no registró la mirada temerosa de su madre.

Pero Michael sí la advirtió y giró, sobresaltado. —*Tú* —dijo, sorprendido.

Kerry lanzó el jab de izquierda.

La sangre brotó de la nariz de su padre. —*Pendejo de mierda* —rugió.

Kerry le dio tres puñetazos más hasta dejarle la nariz tal como él se la había dejado a su esposa. Quería matarlo; le importaba un comino lo demás.

Kerry avanzó...

—*No* —chilló la madre, y Michael Kilcannon lanzó un puñetazo brutal.

Lo tomó en el hombro; Kerry se crispó de dolor, y Michael se abalanzó sobre él.

Kerry lo esquivó y le dio un puñetazo en el estómago.

La carne fofa tembló. Michael gruñó de dolor, pero no dejó de avanzar con una luz asesina en los ojos. Bloqueó el golpe siguiente y tomó las costillas de Kerry en un abrazo mortal.

Impotente, Kerry sintió cómo crujían sus costillas y se vaciaban sus pulmones. Delante de la cara de su padre enloquecida por el whisky aparecieron puntos negros seguidos por súbitos resplandores. Empezó a perder el sentido. En una última reacción espasmódica, logró darle un rodillazo en la entrepierna.

Sintió cómo su padre se ponía tieso. Sus ojos atónitos se abrieron de par en par. Con el último aliento le lanzó un cabezazo al mentón.

Los brazos de Michael aflojaron la presión. Kerry se retorció hasta quedar libre, entre arcadas se tambaleó a la derecha y le lanzó un gancho de izquierda a la entrepierna.

Su padre gimió de dolor, sus ojos se volvieron vidriosos. La madre se interpuso:

—No, Kerry. *No.*

Jadeando para recuperar el aliento, Kerry la tomó entre sus brazos y la llevó a la cama con temblorosa ternura.

—Quédate aquí —dijo—. Voy a poner fin a esto de una vez por todas.

La madre no volvió a moverse.

En la penumbra del dormitorio, Kerry se volvió hacia su padre.

Michael trató de levantar los puños. Kerry se adelantó.

Una izquierda, otra, otra más.

Sangraban las comisuras de los ojos. Kerry le dio un puñetazo en el estómago.

Su padre se tambaleó, abrió la boca. Entonces Kerry recordó a Marcus Lytton.

Así como le había ordenado Michael, lanzó la derecha.

Lo tomó en la boca. Se quebraron varios dientes, algunos le rasguñaron el puño. Su padre calló redondo.

Kerry se paró sobre él, resollando con una mezcla de rabia, shock y estupor. Michael, con los ojos entrecerrados, escupió sangre mezclada con fragmentos de dientes.

Kerry se arrodilló a su lado.

—Si vuelves a levantarle la mano, pa, te mataré. Salvo que tú me mates antes, mientras duermo. —Hizo una pausa para tomar aliento antes de concluir: —Pero yo que tú no lo intentaría. Ya sabes que te espero despierto todas las noches.

Después de esa noche, Michael Kilcannon jamás volvió a pegarle a su mujer. Su hijo menor jamás volvió a pegarle a nadie.

Al año siguiente, James, el hermano de Kerry, fue elegido como senador de los Estados Unidos. Tenía treinta años.

LA CAMPAÑA

primer día

UNO

Cuando sonó el teléfono, Kerry dejó que Clayton Slade tomara la llamada.

Con la mirada perdida sobre el puerto de San Diego, apenas percibía la voz de Clayton y no veía el reflejo del Sol que se extendía sobre el agua.

Hoy volvería a verla.

—Kerry.

Al volverse, advirtió que su amigo había esperado unos minutos antes de interrumpir sus pensamientos; su mirada firme indicaba que los había leído.

—¿Qué pasa?

—Es Mason. —Clayton hizo una pausa para observar su reacción. —Canceló sus discursos de campaña.

La sorpresa lo devolvió al presente: —¿Se retira? Imposible.

—Claro que no.

Kerry miró su reloj. Eran las seis y media. Faltaba media hora para la reunión de planificación a la que seguirían dieciséis horas de discursos, entrevistas, apretones de manos.

—Se propone intentar algo nuevo —dijo Kerry, ya camino de la ducha.

Sentado en el patio del Meridian, Nate Cutler disfrutaba de las palmeras, la brisa del mar y la extraña luz subtropical que asociaba con California cuando necesitaba una metáfora: un estado de ensueño; un estudio cinematográfico; acaso una playa de venta de autos usados color pastel.

Sabía que no era verdad: California era un lugar complejo. Pero Nate era una criatura del este: infancia en Manhattan, estudios en Dartmouth, facultad de periodismo de Columbia, carrera en Washington. Le parecía extraño que el próximo presidente de Estados Unidos fuera elegido por los ciudadanos indiferentes de este gigantesco paseo de compras cuya formación política se reducía a los avisos de treinta segundos en la televisión. A Nate le gustaban los bares llenos de humo, el whisky y el fresco del otoño; la mordacidad de la discusión política auténtica entre personas que conocían los problemas; la estrepitosa mezcolanza étnica de la atestada Manhattan; la monomanía de Washington. En una forma para él darwiniana, Washington producía los periodistas más perspicaces e ingeniosos; los burócratas más tenaces; los políticos más tozudos, inteligentes e implacables; la clase profesional más culta y pagada de sí de cualquier centro urbano; y en aparente contradicción, el gobierno municipal más cínico e incompetente del país, en parte porque era la única institución que a los carreristas les importaba un comino. Y tenía también ese subproducto patético de la autopromoción obsesiva, los ex: ex legisladores o funcionarios que, tras el retiro forzoso, descubrían que el empeño por llegar a donde habían llegado los había vaciado por completo.

Nate pensaba que el ecosistema de Washington poseía una capacidad espantosa y fascinante de seducción y destrucción. Años antes había terminado por aceptar que su amor propio dependía de la presunción de que era demasiado ambicioso e inteligente para fracasar. La idea de que no difundiría la información que había recibido le era extraña.

Desde hacía unos minutos, Nate tenía en sus manos la candidatura presidencial del Partido Demócrata.

La primera sensación después de leer el documento fue de estupor.

—¿Cómo lo conseguiste? —preguntó.

Katherine Jones encendió un cigarrillo: —Lo único que importa —dijo— es si el documento es auténtico. Y si el testimonio de la terapeuta se puede verificar.

Nate la miró con atención. Aunque su pelo recortado era del color de la paja, Katherine Jones le hacía pensar en una estatua de Buda, aunque sin la compasión: ojos rasgados, labios gruesos, sonrisa satisfecha. La piel salpicada con las manchas subcutáneas rosadas del fumador empedernido.

—No es lo *único* que importa, Katherine. Tú me llamaste a *mí*.

Jones chupó el cigarrillo con fuerza. Nate tuvo la sensación de que trataba de mostrarse impasible.

—Si nos basamos en lo que ha dicho, Kilcannon no merece la confianza de las mujeres partidarias del aborto. Este documento revela que es un adúltero y un oportunista...

—Si es así —la interrumpió Nate—, se puede decirlo mismo de muchos legisladores que apoyan tu posición. ¿Te parece justo?

—Si es verdad —replicó sin vacilar—, Kilcannon también es un hipócrita.

—Tal vez.

Jones apagó el cigarrillo a medio fumar: —Dime que no te gusta —dijo bruscamente—, e iremos con esto al *Times* o al *Post*.

No lo harán, pensó Nate. Saben que al *Times* le disgustan esta clase de historias y el *Post* tendría reservas por otros motivos. Vinieron a mí porque los semanarios compiten con la televisión y los diarios y porque, si verificamos la información, nos aseguraremos de que todo el mundo leerá *Newsworld* apenas llegue a los kioscos el martes. Ya me estás viendo hablar de nuestra historia en la CNN, así como ves la foto de Kilcannon en la tapa... Tú o quien sea que se oculta detrás de ti.

—Si mi jefa decide que es noticia —dijo Nate sin inmutarse—, lo publicaremos. Pero también querrá saber cómo mi fuente consiguió un documento confidencial de una terapeuta de parejas, si has hablado con ella y quién hizo el contacto entre las dos.

Jones hizo una pausa antes de responder en tono de quien hace un esfuerzo para conservar la paciencia:

—La persona que me lo dio jamás habló con la mujer que escribió este memorando. Yo no la conozco ni he hablado con...

—Y esta señora no se dará a conocer. ¿Es así? Según tu leal saber y entender.

Jones se encogió de hombros: —Tal vez tú o tus colegas puedan convencerla de que se dé a conocer. Se me ha dicho que ella ha puesto en duda la ética de su propio trabajo.

Bruscamente, Nate sonrió con malicia: —Parece que es verdad que la política provoca uniones domésticas bastante raras.

Jones torció la boca para demostrar que apreciaba el chiste.

—A veces las mujeres no tienen el derecho de elegir —dijo, y señaló el documento—. La *conocías*, ¿no? Cuando trabajabas en el *Times*.

La sonrisa de Nate se volvió agria: —Como decía un jefe mío, somos destructores de oportunidades.

—Tú podrías serlo. —Jones tocó el documento con su índice. —Porque esta historia sería el fin de Kerry Kilcannon y también de Costello. No importa quién puso a esta terapeuta atormentada por su conciencia en nuestro radar. O en el tuyo.

Eso era verdad, se dijo Nate. Mirando a Jones al otro lado de la mesa se sintió muy rudo y frío.

—¿Estás dispuesta a hacer esto sin apoyar a Mason? —preguntó.

—La Legión de Anthony se limita a apoyar a candidatas que

están a favor del aborto, y punto —dijo, hosca—. Pero a veces estamos obligadas a defender los derechos reproductivos de la mejor manera que podamos. Cuando los fanáticos asesinan para obligar a las mujeres a tener hijos, tenemos que detener a los hipócritas como Kilcannon que se rasgan las vestiduras por el aborto para obtener votos de ambos bandos. —Jones encendió otro cigarrillo y sacudió la cerilla con energía. —Pero hacemos algo más que filtrar documentos a la prensa. Ya verás lo que pasa esta tarde en el acto de Kilcannon en Los Angeles...

Se fue, y Nate releyó los apuntes de la terapeuta.

No era una decisión sencilla. Más de una vez algún político lo había acusado de traición; en una ocasión, sin que él tuviera nada que ver, un diputado había despedido al ayudante que había filtrado la información. Pero no imaginaba enterrar con tanta ligereza a las aspiraciones presidenciales de nadie, ni menos aún las de alguien que le parecía una persona esencialmente íntegra. Y jamás de los jamases había pensado en destruir a un amigo por un hecho que, por más que fuera éticamente cuestionable, en el fondo era tan íntimo como, a juzgar por ese documento, desgarrador. Pero lo que desconcertaba a Nate sobre todas las cosas no era sus reservas personales sino otra de esas verdades insoslayables: la euforia que sentía al tener en sus manos lo que parecía ser *la* noticia política de su carrera.

Eran las siete. Tenía una hora para volver al hotel y unirse a la caravana de Kerry Kilcannon.

Nate entró a llamar a su jefa.

DOS

En la cabecera de la gran mesa de una sala de conferencias en el San Diego Hyatt, Clayton Slade se aprestaba a presidir la reunión matutina de planificación. A siete días del final de la campaña, lucía sereno y de buen humor; momentos antes había dicho al director de la campaña en California, antes un abogado del mundo del espectáculo, que la política era la "farándula de la gente fea". A pesar de su preocupación, Kerry se había unido al coro de risas.

Por enésima vez había pensado que Clayton era indispensable.

Ante todo, su ecuanimidad era un don del cielo. Si una campaña alternaba horas de tedio con momentos de pánico, los próximos siete días serían de histeria a la velocidad de la luz. Pocas horas de sueño; movimiento constante; nervios tensos; ataques de furia a flor de piel. Las personas que habían trabajado en equipo durante meses descubrirían con deslumbrante claridad la estupidez de sus colegas. Pero también se percibía la adrenalina de la euforia pura: los hombres y las mujeres en esa sala merecían la atención total del candidato y tenían siete días para ganar o perder.

Clayton era el centro de gravedad. Era la persona facultada para hablar en nombre de Kerry; que sabía hacer la pregunta justa; que tomaba las decisiones sobre la marcha; que jamás perdía el equilibrio ni el juicio; que se hacía obedecer sin alzar la voz. Mientras Kerry volaba de una ciudad a otra, Clayton leía las encuestas diarias; decidía qué avisos saldrían al aire; se congraciaba con las figuras importantes que respaldaban la campaña; aprobaba la agenda diaria de campaña; estudiaba las noticias publicadas por la prensa; vigilaba a Mason; observaba a Kerry durante los actos más importantes; ayudaba a diseñar las gacetillas que Kit Pace enviaría a la prensa; separaba los buenos de los malos consejos; resolvía las disputas antes de que generaran rencores; despedía a cualquiera que se convertía en un estorbo; le decía la verdad al candidato sin temer por su propia posición.

Así como no hubiera elegido a otro director de campaña, Kerry no quería ser presidente sin tener a Clayton como jefe de personal de la Casa Blanca. Su ambición de ser el primer ministro de Justicia negro tendría que esperar para más adelante. Kerry no tenía prisa para decírselo; mientras sorbía el café amargo del hotel, pensaba con sorna que no tendría que hacerlo si perdía. Pero eso significaba perder ante Dick Mason, era Clayton quien había formulado la Ley de Slade: "Primero el candidato."

—Empecemos de una vez —dijo Clayton—. Tenemos una hora.

Clayton echó una mirada en torno de la mesa. Se había asegurado que el grupo de trabajo en California fuera lo suficientemente grande para incluir una diversidad de opiniones y a la vez pequeño para tomar decisiones y, con suerte, evitar las filtraciones.

Kerry y él habían elegido escogido a los asesores. Las primeras tres designaciones habían sido sencillas. Kit Pace, la secretaria de prensa, tenía chispa, y además un candidato soltero necesitaba una mujer a su lado; en el caso de Frank Wells, el genial asesor en medios, la virtud de que nadie quería verlo en el campo de Dick Mason compensaba con creces su fama de carrerista; y en cuanto al encuestador Jack Sleeper, joven, barbudo y descarado, a Kerry le gustaban las personas que rechazaban las explicaciones convencionales.

Los otros dos asesores eran Nat Schlesinger, millonario directivo de una empresa de relaciones públicas que usaba moño y cuya experiencia en las campañas presidenciales se remontaba a James Kilcannon, y Mick Lasker, director de campaña en California, un abogado cincuentón de Los Angeles que había manejado la campaña de James en el mismo Estado hasta que lo mataron. Kerry comprendía que al usar a los asesores de su hermano, su campaña incipiente obtenía una red ya montada; su renuencia inicial a aceptarlo se debía al temor de que lo confundieran con su hermano o vieran en él una segunda oportunidad de llegar al poder. Diferían en apariencia y manera de ser: Nat Schlesinger era gordo y gris y aparentemente plácido; Mick Lasker era un hombre algo frenético cuya agresividad parecía disimular cierta inseguridad. Pero eran tipos listos: Clayton ya había advertido que casi nunca hablaban del hermano de Kerry.

—Empecemos por la agenda —dijo Clayton a Mick.

—Bien —dijo éste con su tono cortante de abogado—. Primero, todos sabemos que en California mandan los medios de comunicación. No estamos en Nueva Hampshire: no hay manera de estrechar veinticinco millones de manos. La gran pregunta hasta el martes es quién manda en las ondas día por día: quién tiene la mejor publicidad, quién tiene los primeros treinta segundos en los noticiarios locales y, aunque es un poco menos importante, quién tiene más centimetraje en la primera plana del matutino.

"Así está armada la agenda. Cada día, Kerry tendrá actos en por lo menos tres de los cinco grandes mercados televisivos: Los Angeles, San Diego, Orange, la zona de la Bahía de San Francisco y Sacramento con el valle central. Ahí está el 90 por ciento de los votos.

La mirada de Mick se paseó por la mesa y volvió a Kerry: —Normalmente, uno espera que la prensa se ocupe de uno solamente en las zonas que visitó ese día. Pero hemos trabajado con el criterio del "tema del día": en lugar de repetir el mismo discurso día tras día, Kerry buscará un enfoque nuevo cada vez, presentará sus posiciones sobre un tema importante que lo favorezca según las encuestas. El mensaje es que Kerry es el candidato del cambio, no un representante de ciertos intereses: el único candidato que tiene la integridad y el coraje de representarnos a *nosotros*.

Hizo una pausa y se permitió una sonrisa fugaz: —Por una de esas casualidades, hoy es el día de la mujer, el día que Kerry le recuerda a Dick Mason que la mujer californiana es algo más que un útero que vota. Los temas son préstamos para la educación en San Diego; guarderías en Sacramento; mayor licencia por maternidad en Oakland. En Los Angeles visitamos un refugio para mujeres golpeadas. —Se volvió hacia Jack Sleeper, el encuestador. —Todas las encuestas de Jack dicen que la lucha contra la violencia familiar abarca todos los niveles de ingresos. Y psicológicamente, se deriva del atentado en Boston.

Jack Sleeper asintió: —En nuestra encuesta de anoche, Kerry, el derecho de abortar era el principal interés del nueve por ciento de las mujeres blancas con mayores probabilidades de votar. Es un salto del cinco por ciento, y creemos que se debe a las muertes.

—No dejes de hablar de eso en San Diego —dijo Mick—. Es lo que más interesa a los canales locales, según parece. No dejes que Mason siga en la delantera.

Como siempre, Kerry había permitido que hablaran otros antes que él.

—¿Y el jueves? —preguntó a Mick—. ¿Después de que dejamos atrás la conmoción de Boston?

—No la dejamos atrás. El tema de mañana es cómo prevenir y combatir la delincuencia: usar los guardacostas para impedir el ingreso de drogas al país; la aplicación justa de la pena de muerte. El acto principal es un discurso sobre el control de armas para familiares de las víctimas. —Hizo una pausa antes de agregar: —Dick Mason no tiene con qué responder a eso, Kerry.

Kerry lo miró. Por un instante reinó el silencio. Al día siguiente se cumplían doce años del asesinato de James.

—Quiero ver ese discurso —dijo Kerry en voz baja—. Con mucha anticipación.

Clayton tomó nota. Con voz impasible, como si no hubiera sucedido nada, pidió a Mick que explicara la agenda del viernes.

Mick jugó con sus gafas, aparentemente agradecido por la cuerda que le tendían.

—Si no hay novedades hasta entonces, el viernes está dedicado a los problemas urbanos. Creación de puestos de trabajo, fomento de la industria de alta tecnología y relaciones con Asia. Breve reunión con dirigentes negros e hispanos que nos apoyan...

—¿Por qué breve? —interrumpió Kerry—. ¿Últimamente no han matado a ninguno?

Mick acusó el golpe. Kerry sabía ser cruel cuando no le gustaba lo que escuchaba.

—Lo que el candidato quiso decir —dijo Clayton con suave ironía— es que le *gustan* los afronorteamericanos.

Kerry sonrió: —Algunos, sí. —Se volvió hacia Mick y bajó el tono: —Entiendo que lo dices por razones prácticas, Mick. Pero no voy a tratar a las minorías como si tuviera vergüenza.

Mick se inclinó sobre la mesa: —Escucha, Kerry, a todos nos gustaría que fuera como en 1968, cuando la gente se movilizaba por los derechos cívicos y Bobby Kennedy ganó la primaria en California con el voto negro y latino. Yo estuve en esa campaña, y cuando era universitario estuve en las manifestaciones contra la discriminación en el Sur. Son cosas *importantes* para mí.

—Eso lo sé...

—Entonces déjame terminar, por favor. —Dirigió una mirada suplicante a Clayton antes de seguir: —En los últimos diez años este Estado derogó leyes que beneficiaban a las minorías, y hasta decretó que los hijos de inmigrantes ilegales no tienen derecho a la salud ni la educación. Tú te opusiste a todo eso...

—Porque era una locura —interrumpió Kerry—. Tú y yo no viviremos para conocer el día en que ser blanco no signifique una ventaja. Y si hay indocumentados en California, es porque los blancos quieren mano de obra barata. Van a crear una generación de delincuentes juveniles enfermizos...

—Eso lo sabes *tú*, y muchos dirigentes de las minorías te admiran por eso, Kerry. Pero ésos ya están contigo. —Señaló a Jack Sleeper: —Pregúntale a Jack. No importa que California tenga una población mayoritariamente no blanca. Lo que importa, carajo, es que no votan en las primarias. En la última, el voto no blanco alcanzó el veintitrés por ciento, y algunos, digas lo que digas, votarán por Mason. Quiere decir que entre los que decidirán si serás el candidato presidencial del partido, el setenta y siete por ciento son blancos. Muchos de los cuales se preguntarán si te ocuparás de ellos tanto como de los negros y los latinos.

Frank Wells abrió la boca por primera vez:

—Hasta cierto punto, discrepo. Para ganar es necesario convencer a los no blancos que voten, y creo que puedes hacerlo. Lo que no debes hacer es malquistar a los blancos de los barrios residenciales derrochando tus treinta segundos de televisión rodeado de negros urbanos, salvo que sea en una iglesia donde velan a un niño asesinado. —Su tono era sereno y algo hastiado. —A nadie le gusta. Pero si quieres remediar los males, lo primero que debes hacer es ganar la elección. La manera inteligente de lograr el voto negro y latino es por medio de volantes y llamadas telefónicas y avisos en sus radios, o sea, las cosas que no se ven por televisión.

Clayton vio la frialdad que asomaba a los ojos de Kerry.

—Agradezco sus ideas —dijo amablemente—. A veces la polémica sirve para aclarar las cosas. Y ésta está bastante clara para mí. El viernes iré al barrio latino de San Francisco y luego al de Los Angeles. Punto final.

Tras un breve silencio, Mick mostró las manos en un gesto de desesperación mitad en serio, mitad en broma: —Sólo lamento que el viernes no sea el 5 de Mayo.

Todos rieron.

—Me quedan veinte minutos —dijo Kerry—. ¿Qué otras decisiones desastrosas puedo tomar?

La sonrisa de Mick era más amplia: —El candidato está para hacer discursos, Kerry, no para tomar decisiones. Las decisiones son un asunto demasiado serio.

Burlarse de sí mismo para aliviar las tensiones era otra de las buenas dotes de Kerry, pensó Clayton. Pero la réplica de Mick era algo más que una broma; el hábito de Kerry de rechazar los planes de sus asesores provocaba la admiración y la furia de éstos en aproximadamente la misma medida.

—¿Qué pasa con la economía? —preguntó—. Planteamos todas estas cuestiones para dar la idea de que no excluimos a nadie. Tengo que insistir en la estabilidad laboral.

—La economía es crucial —dijo Mick—. Deberías golpear sobre eso los días más cercanos a las elecciones, digamos el sábado y el domingo, y con publicidad. Pero Clayton dice que tal vez debas hacerte tiempo para un debate.

Kerry asintió: —Dick Mason se lo dijo anoche a todo el país. No creo que pudiera esquivarlo aunque quisiera.

Mick lo pensó un instante: —Eso significa una sola cosa, Kerry. El aborto. Mason quiere pasarte esa pelota.

Kerry alzó el entrecejo: —Si quieren que apoye las investigaciones con tejidos fetales, ya lo hice —dijo suavemente.

Jack Sleeper posó su taza de café: —Pero carajo, Kerry, en la última primaria el cincuenta y ocho por ciento de los votantes fueron mujeres. Ellen Penn no deja pasar una oportunidad de recordarme que la eligieron las mujeres porque apoya el aborto.

—Lo sé. —Su voz era tan paciente que Clayton pudo apreciar la magnitud del esfuerzo. —Pero Dick Mason pierde su tiempo. Atentados o no, el aborto está más o menos en el vigésimo lugar de la lista de lo que preocupa a la gente. Nadie gana una elección con sólo pronunciarse a favor, salvo que su contrincante sea un fundamentalista que sale a mostrar fotos de bebés abortados. —Su tono se volvió irónico: —Aparentemente los votantes piensan que eso es de mal gusto. Además, eso que dije el otro día sobre la vida no es tan nuevo, sólo significa que la gente presta mayor atención. Y no me hizo daño en Iowa ni en Nueva Hampshire.

—Kerry tiene razón —dijo Nat Schlesinger. Los demás se volvieron hacia él. Nat hablaba poco, y cuando lo hacía los demás prestaban atención. —La angustia no está tan mal —prosiguió—, siempre que el candidato demuestre inequívocamente que apoya la libertad de optar y usa palabras como *decisión penosa* en lugar de *vida*. ¿A qué persona en su sano juicio le gusta el aborto?

—A la Legión de Anthony —dijo Mick—. Y a cualquier grupo que piensa que las palabras como *decisión penosa* facilitan el regreso a los abortos clandestinos.

Clayton vio la mirada torva en los ojos de Kerry.

—Tres por ciento —dijo éste—. A lo sumo. Y por si lo habían olvidado, yo también apoyo la libertad de optar. Lo único que digo es que el aborto no es lo mismo que la apendicectomía.

Jack Sleeper frunció el entrecejo: —Tres por ciento antes del atentado en Boston, Kerry. Cuatro por ciento en San Francisco, donde muchas profesionales blancas lo consideran la piedra de toque.

"Dick Mason no es idiota y sabe leer una encuesta. La mía de anoche le da una ventaja del dos por ciento. Está bien, quién sabe. Pero tu base en California son las mujeres, el cincuenta por ciento en las últimas cinco semanas, y estás perdiendo votos entre los hombres. Dick Mason quiere una porción de ese tres por ciento para asegurarse la victoria.

—¿Qué me aconsejas?

—Dos palabras sobre el aborto y el resto a lo que te favorece a ti. Y por amor de Dios, no permitas que te arrastre a un debate sobre el aborto. Si no, la televisión va a transformar tus treinta segundos en un teatro de guerrillas protagonizado por la abortista más fanática que puedan colocar delante de la cámara. —Jack meneó la cabeza como si le resultara incomprensible tener que explicar verdades tan elementales. —No tienes problema, Kerry. Si Mason pudiera acusarte de alguna falla en tu carácter, porque ejemplo que te encamas con mujeres casadas, usaría tus propias frases para mostrarte como un moralista hipócrita. Pero como no puede, no lo hará. Salvo que tú lo ayudes.

Por primera vez, Clayton vio señales de distracción. Kerry miró su reloj y echó una mirada alrededor de la sala de plástico: reproducciones baratas, flores artificiales, paredes revestidas con papel color crema.

—¿Nadie más ha reservado esta sala? —preguntó—. ¿Siquiera para un mitin nacionalista?

—La Legión de Anthony —dijo Kit Pace con sorna.

Clayton se encogió de hombros: —Tenemos media hora más, Kerry, para revisar los grandes éxitos de Frank. Spots de treinta segundos en los que luces de lo más mono.

—Lamento perdérmelos —dijo Kerry al ponerse de pie—. Pero me esperan en *Buenos días, San Diego.* Quince minutos, y son gratuitos. Ni siquiera tengo que cuidarme.

Sonó el teléfono. Clayton tomó la llamada, escuchó y le hizo un gesto a Kerry.

—¿Qué pasa?

—Dick Mason acaba de aterrizar en Boston. Presidirá un acto frente a la clínica de abortos en una hora.

Debimos adivinarlo, pensó Kerry.

—Nueva ley federal —dijo rápidamente—. Todos los recursos del FBI. Lo que el presidente pueda darle.

Se hizo silencio nuevamente. Hasta que Nat Schlesinger se encogió de hombros.

—De todas maneras, será noticia un solo día.

Frank Wells miró a Kerry: —Tal vez deberías ir al entierro de una de las mujeres, la enfermera o la recepcionista.

—No —dijo Clayton, tajante—. Kerry llamará a sus familiares. Pero no seguirá a Dick Mason como un perrito para tratar de parecerse más a él. Esta campaña se decide en California y tenemos un plan.

Pensó que había logrado transmitir confianza. Pero la mirada pensativa y preocupada de Kerry reflejaba sus propios interrogantes.

TRES

A las ocho, cuando Nate Cutler regresó al Hyatt, en la sala de periodistas reinaba una actividad febril.

Algunos de sus colegas habían recogido su ropa de la lavandería —"Entregar a las 21.30, retirar a las 8", decía un letrero manuscrito— y dejaban sus maletas en el lugar de la acera indicado por el Servicio Secreto. Un agente y dos policías de San Diego con un detector de metales y un perro entrenado para detectar explosivos registraban el equipaje, que sólo devolverían esa noche en el hotel. Nadie se quejaba de las medidas de seguridad: todos sabían que John Hinckley se encontraba entre los periodistas acreditados cuando disparó contra Ronald Reagan; todos recordaban que el último candidato presidencial asesinado era el hermano de Kerry Kilcannon y que su asesino se había infiltrado entre los empleados del escenario. Nate se colgó la credencial del cuello y fue al comedor reservado para los acompañantes de Kilcannon.

Los sibaritas entre los periodistas acreditados opinaban que el servicio gastronómico proporcionado por la campaña de Kilcannon era superior al de Mason pero inferior al de Bob Dole, quien según los entendidos había sentado las pautas de la buena cocina moderna. La entrevista con Katherine Jones le había quitado el apetito, de manera que se sirvió una porción de huevos revueltos y se sentó a la mesa con Lee McAlpine del *Time* y Sara Sac de *Newsday*. Lee era menuda, morena y vivaz; Sara era alta, esbelta y tan fantasiosa que aún sorprendía a Nate con sus notas concisas y lúcidas. Esperaba distraerse un rato; se había visto obligado a dejarle a su jefe un mensaje algo enigmático, y los papeles que aún llevaba en el bolsillo de su chaqueta lo perturbaban profundamente.

—¿Qué hay de nuevo? —preguntó a Lee.

Se encogió de hombros: —¿No viste la agenda? Es el día en

que Kerry Kilcannon dará a conocer la respuesta a la antigua pregunta: "¿Qué quieren las mujeres?".

Nate sonrió: —Y bien, ¿qué es lo que quieren? Mi ex esposa se olvidó de decírmelo.

Lee miró a Sara con una sonrisa maligna. —Yo sé lo que quiere Sara. —Echó una mirada al agente secreto Dan Biasi, moreno, esbelto, apuesto y serio, que comía solo. —Ayer en Portland, Sara vio cómo protegía al candidato de esos periodistas de televisión que se enredan con los cables. Ahora quiere llevárselo a la cama.

—*Lee* —protestó Sara—. *Por Dios.*

Nate la miró: —¿Es verdad, Sara? ¿Te calientan los agentes secretos?

Sara alzó los ojos al techo: —Es un lindo tipo, ¿no? Yo tengo treinta años, soy calentona y hace tres meses que no me encamo.

—Como todos nosotros. —Nate puso una mano paternal sobre su hombro. —Podemos ayudarte, Sara. Mira a tu alrededor, cuántos amigos. ¿Para qué buscar afuera? —Y añadió, irónico: —Tal vez no sería ético.

Sara alzó el entrecejo y su mirada recorrió ostensiblemente las mesas de los periodistas como si buscara un buen candidato. Nate y Lee siguieron su ejemplo. Sus miradas se detuvieron al unísono en tres rudos camarógrafos de las grandes cadenas, considerados por su aspecto y actitud el sector obrero del periodismo. Uno llevaba el pelo recogido en una cola, otro una gorra de béisbol y el tercero un tatuaje de los Marines. Cuando este último encendió un puro, Lee lanzó la carcajada.

—Con esto concluye mi alegato —dijo Sara.

—¡Cómo! —exclamó Nate—. ¿Esperabas un poco de estimulación previa?

—Se me había ocurrido —replicó Sara—. Y sin bichos colorados.

—La gorra es una señal inconfundible —dijo Lee.

Nate sonrió: —A veces la gorra no es más que una gorra. Pero el puro siempre huele mal.

—Ay, qué astutos estamos esta mañana —dijo Lee, mirándolo con sorna—. Y tan temprano.

—Nate tiene una ventaja —terció Sara—. Envió la nota anoche, no tiene resaca y consiguió que le cortaran el pelo...

—*Yo* se lo corté —dijo Lee.

Nate asintió, solemne: —Íbamos a encamarnos, pero estábamos tan cansados que le hice una manicura.

Bruscamente cansada de la cháchara, Lee preguntó: —¿Cómo interpretan lo de Mason? ¿Qué se propone con el viaje a Boston?

Nate optó por no responder. La noticia que había recibido lo había vuelto discreto. —¿Qué te parece? —preguntó a Sara—. Yo no tengo la menor idea.

Sara lo pensó unos instantes.

—Imagino a Mason desvelado y pensando, *California mató al hermano de este tipo y ahora cree que está en deuda con él.* No es sólo lo del aborto; Mason quiere un poco de simpatía de las mujeres, recordarles que él también tiene sentimientos. Quiero decir que lo de Boston no es como la bomba en Oklahoma City, pero es la tragedia del momento. Hasta que caiga el próximo avión.

Lee asintió y se volvió hacia Nate: —¿Ni una teoría? Siempre tienes dos o tres.

"Nunca olvides", se dijo éste, "lo perspicaces que son estas mujeres."

—Ni una —dijo, y en ese momento sonó su bíper. Nervioso, leyó el mensaje y se paró. —Será mejor que me dé prisa —dijo—. El ómnibus sale en quince minutos.

La mirada de Lee le traspasó el cráneo.

—¿Qué pasa? —preguntó—. ¿Te llaman del jurado del premio Pulitzer?

Nate sonrió: —Sí, quieren disculparse.

Fue en busca de un teléfono público en una cabina donde nadie pudiera escucharlo.

Agazapado dentro de la cabina abierta, Nate trataba de no dejarse oír por su vecino, un empresario de voz pomposa que hablaba sobre chips de ordenador; su jefa, Jane Booth, alzó la voz para asegurarle que la puerta de la oficina estaba cerrada y nadie la escuchaba.

—Es una bomba —dijo—, pero hay dos preguntas. Número uno, ¿tenemos una fuente que la verifique? Y en ese caso, ¿la publicaremos?

Nate imaginaba las tensas reuniones en la redacción: el director de política, el secretario de redacción, el director ejecutivo y hasta el director general tendrían que aprobar cada palabra escrita por los redactores, y la decisión de si *Newsworld* debía alterar el curso de la campaña merecía un estudio cuidadoso. La esencia era tan importante como la apariencia: la prensa estaba tan fascinada consigo misma que si *Newsworld* publicaba la noticia, la competencia publicaría otras diez para explicar cómo se había tomado la decisión de poner fin a una candidatura presidencial y, probablemente, a la carrera de una periodista prestigiosa.

—¿Qué te parece? —preguntó Nate—. ¿La publicaremos si podemos verificarla?

—Debemos hacerlo. —El tono de Jane era combativo, como si se aprestara a discutir con sus colegas masculinos. Nate la imaginaba, canosa y demacrada y reconcentrada, paseándose por la oficina. —Para mí, es un asunto de interés público ante todo porque saca la luz la verdad sobre Kilcannon. La gente tiene que conocer sus motivaciones.

Nate miró de reojo al hombre del teléfono contiguo:

—Hablas de *explicar* al hombre, pero en realidad lo *eliminamos*. ¿Qué pasó con Gary Hart? ¿No se cometió un error de juicio?

—Esto es otra cosa —dijo Jane bruscamente—. Kilcannon se acostaba con una reportera que cubría su campaña. No es lo mismo que cogerse a una modelo de pantalones tejanos.

—Veamos lo que ella escribió sobre él —dijo Nate—. Tal vez lo ayudó, tal vez no.

—¿Quieres ayudarla a ella, Nate?

Era una pregunta tramposa y con varios niveles: si Nate estaba dispuesto a seguir adelante con la historia; si no buscaba los favores de Lara Costello; si al cabo de tres meses de campaña no se había pasado al bando de Kilcannon; si en el fondo no quería que los derrotara algún competidor.

—No —respondió, bajando la voz—. Pero lo que tengo es el documento confidencial de una terapeuta que describe a una mujer en una situación afectiva extrema, que sólo pudo hablar con una desconocida a quien la ética obligaba a guardar el secreto. Cuando me acuerdo de ciertas cosas que le dije a mi terapeuta de pareja...

—A nadie le importan tus perversiones —dijo Jane—. Tú no eres candidato presidencial.

—Ni lo sería jamás. Pero entiendo tu posición.

Apaciguada, Jane adoptó un tono práctico: —El problema ahora es verificar la historia. Aun en este caso la norma de la empresa es que necesitamos dos fuentes. Dices que esta mujer no quiere salir del anonimato.

—El *verdadero* problema —dijo Nate— es demostrar que todo es cierto. En teoría, cualquier loco con intereses políticos puede escribir el documento que se le da la gana y jurar sobre la Biblia que dijo la verdad.

—¿Costello era su paciente o no? ¿Crees que la terapeuta lo inventó?

—No me parece, y creo que podemos demostrarlo aunque el hecho mismo es confidencial. —Nate miró su reloj. —Escucha, Jane, sólo dos personas en el mundo saben la verdad. En algún momento tendremos que preguntarles, aunque sabemos que mentirán. Necesito saber cómo y cuándo puedo hablar de esto con Kilcannon.

Se produjo una pausa pensativa: —Esperemos un poco. Costello está en Washington y es más accesible. Le diré a alguien que la conoce que la invite a almorzar.

A Nate se le revolvió el estómago al pensar en la emboscada. Conocía la clase de presiones que *Newsworld* podía ejercer, las amenazas implícitas de verificar con vecinos o ex colegas si ella negara una aventura amorosa. Recordó un incidente de la campaña anterior, cuando varios diarios sensacionalistas investigaron el rumor espurio de que un candidato conservador tenía sida. La fuente era una enfermera de una clínica privada. Un periodista la amenazó; otro le envió un ramo de rosas; un tercero se presentó en su casa con juguetes para su gato. Varios más empezaron a acosar a sus vecinos y a su empleador. Finalmente, la mujer renunció a su trabajo y se mudó.

—Si alguien vio a Lara salir del apartamento de Kilcannon a las cinco de la mañana —dijo Nate—, se puede hablar de una aventura. Así, la versión de la terapeuta se vuelve más creíble. Y si Lara dice que nunca vio a Kilcannon salvo en público y resulta ser mentira, entonces pierde credibilidad en todo. El problema es que si entrevistamos a sus amigos y vecinos, la competencia se va a enterar.

—Es verdad —dijo Jane—. Bueno, me parece que debemos hacer lo siguiente. Esta tarde enviamos a alguien a hablar con la terapeuta en la dirección de Maryland que me diste.

—Que le pregunte a quién le dio el memorando. Si sus motivos son los que yo pienso, no entiendo por qué acudió a la Legión de Anthony. Katherine Jones jura que la señora no habló con ellos.

—Entonces, ¿de dónde viene?

—Estuve pensando sobre eso. —Miró de reojo a la cabina, que por fin estaba desierta. —Pienso que fueron los republicanos. Tal vez crean que será más fácil ganarle a Dick Mason.

—¿Por qué no esperan a que Kilcannon gane las primarias —replicó Jane sin vacilar—, y luego lo revelan? Así ganarían casi sin hacer campaña.

Nate tuvo que reconocer que era un argumento de peso.

—Tal vez no terminan de creerle a la terapeuta —dijo—. Si viene de Mason, alguno de los suyos iría a un periodista amigo y le diría, "te doy la noticia de tu vida, a cambio de que no digas que te la dimos nosotros". La única razón para ser tan indirectos es que son los republicanos, y no quieren aparecer como los electores del candidato demócrata.

—Puede ser. Bueno, trataremos de averiguar cómo el documento llegó a manos de Katherine Jones. Sabes una cosa —dijo

con tono pensativo—, esto es de lo más oportuno para Dick Mason. Lo favorece a él sólo si aparece antes del martes.

Ya pensaban en la campaña, pensó Nate: quién le hacía qué a quién. Lara Costello empezaba a parecer la víctima inocente en una balacera o acaso uno de los tres muertos de Boston de los que Dick Mason trataba de extraer el jugo. Pero Jane le había recordado un hecho clave: quienquiera que hubiese plantado la historia, *Newsworld* no la controlaba, y el deseo de aquél de verla publicada sería tan agudo como los instintos de la competencia.

—Si es Mason como tú dices, tal vez se lo filtren a otro si no lo publicamos antes del fin de semana —dijo—. Si están desesperados, tal vez se lo pasen a la prensa amarilla. Entonces la prensa seria informará qué está informando la amarilla, y nosotros también. Con gran renuencia, claro.

Jane rió suavemente: —Dicen que la política no es un juego de niños. El periodismo tampoco.

—Tengo que correr —dijo Nate—. Avísame cuando deba hablar con la secretaria de prensa de Kilcannon. Y quiero me tengas al tanto, aunque sea con mensajes en el contestador.

—Por supuesto.

—Una cosa más. Que alguien vaya a mi apartamento y me envíe ropa liviana como para este paraíso. Mi chaqueta es tan pesada que parece una cota de malla.

Jane rió: —Haré que te manden tus camisas hawaianas.

Nate llegó a los ómnibus un minuto antes de la partida.

Quedaban algunos asientos en el tercero. Fue con su maletín hasta el fondo y se sentó junto al camarógrafo de la NBC, el de la gorra de béisbol. El tipo lo saludó con un breve gesto de la cabeza. Nate generalmente no condescendía a dirigirle la palabra y le parecía elitista usarlo para entretenerse.

—¿Cómo está Mike Devore? —preguntó.

—Más furioso que otra cosa. Tiene para un mes de yeso.

—Dale saludos de mi parte. Y que yo digo que se ha ido a una vida mejor.

El camarógrafo rió.

—¿Sabes quién lo reemplaza? —preguntó.

El hombre sonrió feliz: —Con todo respeto por Mike, ganamos con el cambio. Es Lara Costello.

Nate se dejó caer contra el respaldo.

—*Lara* —dijo por fin—. Sí, será un placer verla otra vez.

CUATRO

Momentos después de la partida de Kerry, Kit Pace miró su reloj.

Tengo que bajar —dijo—. Los amigos de la prensa quieren saber qué sucederá en cada parada. Se angustian cuando uno no los pone al tanto.

Clayton sonrió. Kit había demostrado una gran eficiencia al recorrer el avión, echar migajas a los medios y decirles qué debían pensar.

—Cuando termine el día —dijo con sorna—, Kerry habrá registrado otro gran triunfo.

Kit sonrió a su vez: —En eso es una maravilla. Pero algunos de nuestros amigos periodistas son tan holgazanes que están de lo más agradecidos. No me refiero a los realmente buenos, pero también *ellos* responden bien a los mimos.

Mick Lasker, que se servía más café, habló sobre su hombro: —¿No les das demasiado acceso?

Kit se paró: —No veo por qué deberíamos cambiar a esta altura, Mick. De vez en cuando él se mezcla con ellos, contesta preguntas...

—Porque —ahora Mick la miraba de frente— le gusta sentirse independiente, y ahora que hay tanto en juego tenemos que evitar los errores. Deberías frenarlo un poco.

—Yo no conocí a su hermano —dijo Kit con fastidio—, pero Kerry no se deja manejar por nadie. Y así debe ser. Tiene chispa, es encantador cuando quiere serlo y los de la prensa saben que no miente. —Kit se cruzó de brazos. —Hace tres meses que lo observo. Y en la medida que pueden, nuestros periodistas lo apoyan. No voy a decirle a Kerry Kilcannon que empiece a fumar en el baño.

Clayton se volvió hacia Mick: —Es que Kit tiene un problema, Mick. El candidato está convencido de que *ganó* las últimas primarias. ¿Qué te parece?

Era evidente para Clayton que Mick medía la brecha entre

los dos: uno era amigo del candidato y estaba ahí porque creía en él; el otro era un asesor profesional que, si no fuera por su trabajo a James Kilcannon en el pasado, tal vez hubiera asesorado a Mason.

—Por lo menos —dijo Mick después de una pausa—, Kit debería establecer prioridades. Durante los próximos siete días, la prensa nacional es mucho menos importante que los canales locales y los diarios de California: el *Los Angeles Times,* el *Mercury News*, el *Sacramento Bee. Éstos* deberían tener prioridad para las entrevistas exclusivas.

—¿De acuerdo? —preguntó Clayton a Kit.

Asintió, y nuevamente Clayton sintió satisfacción porque siempre comprendía sin necesidad de largas discusiones.

—Sí —dijo ella—, Mick tiene razón. Hasta los más encopetados van a comprender por qué lo hacemos.

—Muy bien —dijo Clayton—. Gracias.

Kit se alejó rápidamente.

—La gran decisión —dijo Frank Wells— es cuánto podemos gastar en publicidad.

Clayton asintió: —Nos quedan unos cuatro millones para llegar al límite legal. Después no podemos gastar un centavo hasta ganar la candidatura. California es un agujero negro; se van dos millones nada más que para perder. Si gastas todo lo que tienes, no quedará un centavo para después.

—Si *no* gastas todo lo que tienes —replicó Frank—, no habrá candidatura de qué preocuparse.

—¿Estás de acuerdo? —preguntó a Jack Sleeper.

El encuestador clavó la mirada en la mesa.

—Casi, casi —dijo por fin—. La mayor diferencia será en la publicidad, de eso no hay duda.

—Veamos los avisos —dijo Clayton.

Frank Wells fue al monitor de vídeo.

—La idea fundamental —dijo— es comparar y contrastar.

"Si hablamos de coraje, Kerry gana de lejos. Dick tiene la pasión de un lechero noruego y el espinazo de un mejillón. Basta nombrar un grupo militante, sean los sindicatos, los maestros o las feministas, para que Dick se baje los calzones y se doble por la mitad. Es el colmo de lameculos.

—La gente lo sabe —dijo Jack Sleeper a Clayton—. En las encuestas sobre "integridad" e "independencia" Kerry gana de lejos en California. El problema es que si lo comparas con un elemento conocido como Mason, Kerry aparece como un salto al vacío. La pasión y la espontaneidad en un presidente meten un poco de miedo.

—En estos avisos aparecen como virtudes —dijo Frank—. Sumado a que es joven, apuesto, inteligente y ha hecho la carrera política más meteórica desde que desapareció su hermano. Para los votantes que buscan mejorar su posición social, sobre todo los nacidos en el *boom* de la posguerra, es una versión idealizada de lo que quieren ser *ellos*. —Frank hizo una pausa. —El único problema, Clayton, es que sus únicos familiares son una madre que no nos permite usar y una ex esposa a la que no podemos pedir ayuda.

—Ni se les ocurra —replicó Clayton inmediatamente—. Dejen a Meg en paz en Nueva Jersey.

Frank parecía molesto: —Sólo quería recordar a la gente que Kerry no es gay. Hay quien lo dice.

Clayton sonrió fríamente: —Eso nos da el diez por ciento de los votos en San Francisco. Déjalo, Frank.

—¿Y qué pasa con su madre? —preguntó Jack Sleeper—. ¿No la quiere?

Clayton sabía que la pregunta y el tono de impotencia ocultaban algo más profundo: la sensación de que Kerry era un enigma, demasiado celoso de su intimidad para un político, y que sólo Clayton podía descifrar el código.

—Lo que pasa es que la quiere mucho —dijo Clayton—. Y en cuanto a mí, estoy convencido de que la gente quiere un presidente, no un moderador de terapia grupal. Un poco de misterio no tiene nada de malo y les gusta a los votantes que Kerry mantenga una parte de sí lejos de la política. —Se volvió hacia Frank: —Veamos primero los avisos positivos.

Frank insertó un casete y oprimió el botón.

—Te aclaro que mostramos los avisos a grupos de control —dijo Jack Sleeper—. Éstos son los que obtuvieron las mejores calificaciones.

En el primero, con escenas de la campaña, Kerry hablaba de educación en medio de un grupo multirracial de niños en una escuela de barrio pobre.

—Parece que los niños de las minorías son menos amenazantes para los blancos que sus padres —observó Clayton—. Son más chicos.

—Eso —dijo Frank brevemente, y puso el aviso siguiente. En la sala de un apartamento Kerry hablaba de control de armamentos con parejas de adultos en plena edad de procrear. Como siempre, se había arremangado y aflojado la corbata, y tenía el pelo algo revuelto. Era fácil imaginarlo haciendo rafting en un río turbulento.

—*Matar gente* —decía—. *Es para lo único que sirve un arma de asalto. Ya es hora de que obliguemos al lobby y los traficantes de armas a asumir su responsabilidad por estos asesinatos...*

—Muy bueno —dijo Clayton.

Frank miraba la pantalla: —Mason está en contra de las armas de asalto —dijo—. ¿Pero se imaginan que pida cuentas al lobby de armas? Cualquiera diría que esos locos encontraron sus AK cuarenta y siete bajo un repollo.

—Por lo menos hasta lo de Boston —dijo Clayton—. Ahora veremos...

—*Kilcannon* —dijo la voz en *off* del aviso—. *Para variar, la verdad.*

—¿Qué pasa con el seguro social? —preguntó Mick Lasker—. Los últimos avisos de Mason atacan las reformas propuestas por Kerry.

—Eso sólo demuestra que Kerry está dispuesto a tomar decisiones —dijo Frank—. Aunque Dick diga que Kerry va a reducir los beneficios, su enfoque no convence a nadie por anticuado.

—La gente no es tan idiota —asintió Jack Sleeper—. Nuestra encuesta demuestra que conocen los problemas del sistema. Y los jóvenes de la Generación Equis que es más fácil encontrarse con un extraterrestre que sacarle un centavo al Tío Sam. Dick aparece como ese viejo director de escuela zalamero que todos saben que está mintiendo.

En la pantalla apareció otro aviso.

—*Los norteamericanos saben* —dijo Dick Mason— *que lucharé para proteger el aire y el agua...*

A continuación apareció el vicepresidente calzado con botas altas de caucho, caminando sobre charcos de petróleo en una playa.

—*Durante los últimos cuatro años* —dijo la voz en *off*—, *Dick Mason ha recibido más aportes para su campaña de las empresas contaminadoras que cualquier candidato presidencial anterior.*

En la playa, un Dick Mason apesadumbrado meneaba la cabeza.

—*Lamentablemente, Dick* —dijo la voz—, *es demasiado tarde...*

—No es bueno pasar demasiados avisos —dijo Clayton—. Para no confundir el mensaje, yo diría que usemos únicamente los que muestran a Kerry. Dick presenta bastante mala imagen con esas botas, pero no queda tan ridículo como Dukakis en el tanque.

Frank echó una mirada a Jack Sleeper y otra, más subrepticia, a Nat Schlesinger: —Queda un spot, Clayton, que Frank y yo queremos que veas.

—¿Qué pasa? —preguntó Clayton, sorprendido por el tono vacilante.

—Viene de nuestros grupos de consulta —dijo Frank—. Kerry

no tiene esposa ni hijos ni, a los efectos políticos, mamá. Pero lo que sí tiene a su favor, con perdón de la irreverencia, es el Espíritu Santo.

La mirada de Clayton se paseó de uno a otro: —James Kilcannon —dijo por fin.

—A ver —dijo Jack Sleeper—, pensemos en Bobby Kennedy, por qué era un buen candidato. En parte se debía a la asociación con su hermano y, aunque parezca chiflado, a la esperanza de reencarnación.

"La gente pensaba, a ver si podemos resucitar a Jack, compensar a los Kennedy y a nosotros mismos por la gran pérdida. Repetir la historia, digamos.

"Algunos pensaban que Bobby era chillón y autoritario. Como dijo Mick, *Kerry* asusta a algunos: es demasiado combativo y polémico. Pero Bobby llegó muy lejos con ayuda de la emoción y Jack Kennedy. Aunque no llegó a ser presidente, James Kilcannon puede ayudar a su hermanito a cruzar el río.

—¿Qué río? ¿El Estigia? —exclamó Clayton—. ¿Qué sugieren?

Jack Sleeper se paró, apoyó las manos en el respaldo de la silla.

—Hicimos una encuesta sobre el recuerdo de James Kilcannon entre los votantes. Ochenta y tres por ciento de favorables. —Su mirada se paseó por la mesa. —Frank está preparando un aviso con clips de la última campaña de Jamie. Estará listo mañana.

—¿Cómo lo llamaremos? —preguntó Nat Schlesinger—. ¿Necrofilia?

Todos se volvieron para mirarlo. Nat Schlesinger, secretario de prensa de James Kilcannon, había estado presente en el momento de su muerte; la había anunciado a la prensa, los ojos llenos de lágrimas.

—Yo quería a James Kilcannon —dijo con el mismo tono sosegado—. Sí, era un tipo bastante frío, pero pienso que tenía sus razones y hubiera sido un orgullo para el país.

"Pero no es por eso que me disgusta la idea. Jamie fue el político más astuto que he conocido... más que Kerry, lo cual en cierto sentido habla a favor del hermanito. Y si pudieran resucitar a James Kilcannon, lo primero que les diría es que todo es cuestión de tacto y que no es necesario darle a la gente por la cabeza con eso de que Kerry es su hermano. Ofende a los votantes.

—Y no sólo a ellos —añadió Clayton bruscamente—. También al mismo Kerry. ¿Cómo se les ocurre?

—Funcionará —replicó Frank Wells—. Mira las encuestas de Jack. Dick Mason lo haría en un microsegundo.

—Díselo a Kerry, Frank. Así lo convencerás.

Las facciones conciliadoras de Frank se endurecieron: —Se metió en camisa de once varas con lo del aborto. Debería pensar en sacársela antes de que Mason lo mate.

"¿Sabes cuál es mi alegoría preferida, Clayton? Si todos tus amigos vinieran a verte con una caja roja y te dijeran que tienes que sostenerla durante cuatro años y no soltarla porque si la sueltas revienta el mundo, tú y cualquier otra persona normal devolverían esa caja sin pensarlo dos veces.

"Pero cada cuatro años aparecen diez tipos que dan un paso al frente y dicen, 'Dame esa caja de mierda'. Y el que la gana es el que está dispuesto a matar a los otros nueve.

"Para mí, ese tipo sigue siendo Dick Mason. Es hora de que Kerry deje de tratar a su hermano como un tema tabú. —Frank se inclinó hacia delante. —Le mostraré el aviso. Jack le mostrará los resultados de las encuestas. Nosotros nos hacemos cargo. Pero deja que *Kerry* decida si de veras quiere la caja.

Clayton lo miró fijamente: —De acuerdo —dijo—. Lo haremos mañana. Será un gran día para Kerry Kilcannon.

Bruscamente cansado, Frank bajó la vista.

—Hagamos o no el aviso, tenemos que decidir si nos lanzamos con todo... si gastamos o no en California el dinero que nos queda. Todo es parte de lo mismo.

—Tal vez no —dijo Mick Lasker—. Ellen Penn llama día por medio para insistir que vayamos con todo. Pero tiene miedo por ella misma; una derrota de Kerry en su Estado la dejaría malparada, no quiere correr con esa responsabilidad.

"Ganar California no es todo. Kerry podría perder por poco y aun así tendría casi la mitad de los delegados.

—Si Kerry pierde, se acabó —dijo Jack Sleeper bruscamente—. Somos nosotros los que decimos que el partido tiene que desembarazarse de Dick Mason porque sólo Kerry puede vencer.

Clayton no respondió. Se paró, retiró la videocasete y sintonizó CNN.

En la pantalla, Dick Mason aparecía frente a la clínica de abortos. Su voz era clara, enérgica:

—*En nombre de los que murieron aquí, yo digo a los mercaderes del terror y la violencia: nunca más. Ni una vida más, ni una mujer despojada de sus derechos legales...*

Clayton se volvió hacia los demás:

—Gastemos ese dinero —dijo.

CINCO

Sean Burke estaba solo en la esquina.

La lluvia caía sobre la avenida Van Ness; momentos antes, un ómnibus municipal atestado había pasado sobre un charco y el agua había empapado las piernas de sus pantalones debajo de las rodillas. Aterido, contempló el salón desierto al otro lado de la calle, los ventanales cubiertos de carteles de "Kilcannon Presidente".

Sean se sentía desorientado. Eran las nueve de la mañana; a esa hora del día anterior, a tres husos horarios de distancia, ya había matado al médico de abortos y sus cómplices. De todos ellos, sólo le parecía real la mujer cuya vida había perdonado.

Recordó los aterrados ojos verdes, pensó en cómo describiría a un dibujante policial el asesino que farfullaba frases sin sentido mientras la recepcionista se desangraba sobre la alfombra. No tardarían en mostrar el retrato a los de Operación Vida.

¿Quién sería el delator?, se preguntó. ¿Quién vería en ello un reproche a su propia cobardía y, por vergüenza, alzando la vista del retrato, daría a conocer el nombre del dueño de ese rostro?

Tal vez sería Paul Terris. Recordaría sus discrepancias y con falsa renuencia diría, "se parece a Sean Burke". Entonces la policía iría a ver al padre Brian, quien diría que Sean había desaparecido.

El pasaje de avión los traería hasta aquí. Su única esperanza era desaparecer en el laberinto de una ciudad desconocida, protegido por una nueva identidad, el tiempo suficiente para cumplir con su deber.

Siete días, y no se decidía a cruzar la calle.

Con las manos en los bolsillos, sintió la llovizna fresca sobre la cara y el pelo, aspiró el humo de cien caños de escape. San Francisco era una ciudad fría: edificios bajos, restaurantes baratos, ni un árbol, una ancha avenida anónima que podía ser en cualquier ciudad.

Un patrullero se detuvo junto a la acera.

Sean dio un paso atrás en busca de una vía de escape. No vio sino una grilla de calles desconocidas.

Su corazón latía con violencia y volvió la vista al patrullero. Lo había detenido un semáforo; el agente en el asiento del pasajero miraba por el parabrisas mientras sorbía café de un vaso de telgopor. Era una advertencia, pensó. El ardor del estómago se volvía insoportable. El bolsillo sin arma parecía estar vacío.

Cuando el semáforo le dio paso, Sean cruzó la calle y con gran esfuerzo entró en la sede de Kilcannon.

El edificio parecía vasto como una iglesia, lastimoso como un viejo hotel. Las voces detrás de los tabiques delgados reverberaban de los pisos de baldosas hasta los techos de quince metros de altura con desteñidas filigranas doradas.

Una recepcionista de edad y raza indeterminada ocupaba una mesa de cafetería. Piel reseca, mirada severa, ojos opacos como la obsidiana. Sean recordó los ojos de otra recepcionista en los últimos instantes de su vida y apartó la vista.

—Vine para colaborar con el senador Kilcannon —dijo.

—Muy bien. Siéntese, por favor y llene el formulario.

Le llevó unos minutos. Con la torpeza de un niño que aprende las cursivas, Sean escribió el nombre "John Kelly". Como domicilio dio el "Golden Gate Motel".

Luego preguntaban qué actividades prefería realizar. La lista de tareas no significaba nada para él; sólo le importaba que Kilcannon vendría a San Francisco y que en la sede debían conocer su agenda. Marcó una serie de tareas a realizar en el edificio.

La última pregunta era "horario disponible para tareas".

Escribió cuidadosamente "todos los días hasta el martes próximo" y entregó el formulario a la recepcionista.

Lo leyó en silencio: —Parece que tiene tiempo para ayudarnos —dijo, y tomó el teléfono.

Cuando el avión despegó en San Diego, Kerry murmuró a Kevin Loughery, "kilómetros de camino antes de volver a dormir".

Estaba cansado pero lúcido, como si hubiera bebido demasiado café. Ya había aparecido en *Buenos días, San Diego* y hecho el primer discurso. Le aguardaban actos en Sacramento, Oakland, Los Angeles y cóctel en Beverly Hills donde estrellas del cine y presidentes de estudios lo aleccionarían sobre política. "La mayoría sólo quiere estar cerca del poder —había dicho Clayton—. Tal vez una noche en la Casa Blanca. Sólo debes cuidarte de las que quieran pasar la noche en *tu* cama."

A la mañana siguiente, pensó, Lara ocuparía un asiento en el sector de prensa del avión.

Se obligaría a pasear por el sector, a conversar un poco con todos y al llegar al asiento de Lara diría frente a otros veinte periodistas que se alegraba de verla nuevamente. Sería un momento terrible: fingiría que jamás la había mirado a la cara y deseado que sus vidas fueran diferentes...

Miró por la ventanilla.

No supo cuánto tiempo había pasado cuando advirtió que sobrevolaban una tierra verde, fértil, de campos separados por canales de riego. Habían pasado dos años desde la época en que Lara y él aún podían elegir: ahora la única pregunta que debía responder era, "¿Tienes lo suficiente?". La repetía en su fuero íntimo durante los vuelos mientras contemplaba las luces nocturnas de una ciudad, las cumbres grises de las Rocallosas o, como ahora, los campos sembrados que alimentaban bien a millones.

¿Tienes lo suficiente?

Doce años atrás, Jamie había muerto antes de poder averiguarlo.

A su lado, Kevin Loughery lo acompañaba en silencio.

Por un momento, Kerry contempló la tierra que se acercaba bajo el avión.

—¿Has vuelto a Vailsburg últimamente? —preguntó a Kevin.

Kevin meneó la cabeza: —Estuve en Navidad. Fui con mamá a misa en el Sagrado Corazón, y había cambiado tanto que se puso a llorar. Dijo que cuando vivía allá, la iglesia siempre estaba atestada, hasta en las galerías. Ahora parece un pueblo fantasma: reclinatorios vacíos, apenas algunas caras viejas, los que no pudieron irse.

Kerry pensó en Liam Dunn, enterrado cerca de la iglesia; Kevin se había iniciado en política así como Kerry se había iniciado con Liam, recorriendo las tabernas los domingos.

—Era un barrio hermoso —dijo Kerry—. Si hubiéramos podido adaptarnos en lugar de alejarnos. A veces me pregunto si no era posible.

Nuevamente se sumió en el silencio. Las ruedas tocaron tierra, rebotaron, iniciaron el carreteo. La caravana de autos ya lo esperaba.

El hombre que salió detrás del biombo tenía el pelo rizado, la frente amplia y una sonrisa agradable. Flaco, desmañado, vestía camiseta y tejanos; parecía apenas un poco mayor que Sean. Leyó el formulario y dio a la mano de Sean un apretón seco y firme.

—Soy Rick Ginsberg —dijo—. Qué bueno que puedas brindarnos tanto tiempo.

Sean miró las baldosas: —Tengo unos días de vacaciones.

—Me parece que no eres de aquí.

Sean meneó la cabeza: —De Nueva York. Desde los doce.

Ginsberg sonrió otra vez: —Fui a la universidad allá. ¿Dónde vivías?

Esa mañana, Sean había estudiado la guía; lo más cercano a la verdad era el barrio irlandés tradicional.

—Yorkville, en Manhattan —dijo. Jamás había estado allá.

Ginsberg inclinó la cabeza: —Cómo ha cambiado, ¿no? Ahora es un barrio de *yuppies*.

Sean recordó su infancia: —Como todos. —Su voz era suave y monocorde. —La gente se va. Pero creo que voy a volver... —Su voz se apagó.

—Espero que no lo hagas en los próximos siete días —dijo Ginsberg como si temiera que Sean fuera a abandonarlos—. Kerry Kilcannon nos *necesita*.

Sean metió las manos en los bolsillos: —Siempre me ha gustado.

Ginsberg asintió con energía: —El día que conocí al senador —dijo—, trataba de convencer a un grupo de universitarios sobre las bondades del servicio nacional obligatorio. El país nos da tanto, dijo. Le debemos algo más que los intereses en las tarjetas de compras.

"Después hablé con él. Tiene una manera de escuchar, como si absorbiera todo lo que uno dice. Parece reconcentrado, pero es un gran tipo y tiene un sentido del humor fantástico. —Ginsberg se encogió de hombros como si no supiera explicarlo. —Uno quisiera que todo el mundo pudiera conocerlo.

Sean asintió lentamente: —Yo quiero conocerlo. Algún día.

Ginsberg hizo una pausa para alentar esa esperanza y luego le tocó el hombro:

—Vamos —dijo—. Vamos a darte algo que hacer.

Nate tuvo que esperar a que Kerry Kilcannon finalizara su discurso —a favor de más guarderías para madres trabajadoras— para poder llamar a su jefa.

Fuera del centro de prensa, una carpa junto a la pista aérea de Mather Field, hablaba en voz baja por su teléfono celular.

—Viene Lara Costello —dijo—. Reemplaza al tipo de la NBC, que se fracturó el tobillo.

Por un instante Jane Booth hizo silencio: —No puedo creer tanta soberbia, Nate. Semejante falta de integridad.

Nate miró a su alrededor. Lee McAlpine había salido de la carpa y entrecerraba los ojos al Sol.

—Tal vez no tuvo opción —murmuró—. ¿Quién querría...

—Nadie *debería* actuar así. Y punto. —Su tono era frío, insistente—. No me dirás *ahora* que tienes alguna duda sobre la historia, ¿no?

Era una pregunta que no admitía respuesta.

—¿Hablaron con la terapeuta? —preguntó.

—Sheila Kahn está en Maryland, tratando de hablar con ella. —Jane hizo otra pausa. —¿Cuándo llegará Costello?

—Esta tarde.

—Te sentarás con ella. Una copa después del trabajo... dos antiguos colegas que se reencuentran

Nate vaciló, trató de imaginar la expresión de Lara cuando pusiera el memorando sobre la mesa.

—¿Quieres que la confronte con los hechos? —preguntó—. ¿Ya?

—Te diré cuándo apenas hable con la terapeuta. Llámame a casa, en lo posible cerca de las nueve, hora del este. —Jane bajó la voz. —Sabes, no puedo creer que permitiera que la enviaran. Si es que la historia es verdadera.

Nate advirtió que Lee McAlpine lo miraba.

—Si la historia fuese verdadera, ¿crees que Lara podía contársela a alguien?

SEIS

Sean fue con Rick Ginsberg a un gran espacio abierto donde una veintena de voluntarios ocupaban largas mesas con teléfonos. Realizaban llamadas y leían un texto; eran las voces incorpóreas que Sean había escuchado en la recepción.

—Estamos aquí desde enero —dijo Ginsberg—. Pero ahora que faltan siete días, nuestra tarea es identificar a los que votan por Kilcannon y convencerlos de que lo hagan. Ahí es donde te necesitamos.

Sean no respondió. El hecho de que los voluntarios fueran tan jóvenes como él le provocaba aprensión, y muchos eran asiáticos, latinos o negros, los que más despreciaba su padre. Era una sensación similar a la del primer día de clases cuando tenía once años: se preguntaba qué sabían o creían saber los demás sobre él. La sensación de soledad nunca lo había abandonado.

—Hay mucha gente aquí —dijo Sean. Era un pretexto además de comentario; tal vez le darían otra tarea.

—Y más todavía de noche —dijo Ginsberg—, cuando vienen los que trabajan. Pero el coordinador pudo conseguir muchos universitarios y chicos de las minorías, como quiere el senador.

Sean paseaba su mirada inquieta por el lugar. Pero aparentemente Ginsberg no lo advertía.

—Es bastante sencillo —prosiguió—. Cada voluntario recibe una lista de votantes clasificados por circunscripción, barrio, número de afiliado al partido y en lo posible origen étnico. El día de la elección cada jefe de circunscripción debe tener una lista de votantes identificados a los que debe convencer que vayan a votar, sea por correo o en persona.

"La carrera está muy pareja. Pero creo que si cada voluntario en cada local cumple con su deber, Kerry Kilcannon será el próximo presidente. Se volvió hacia Sean y puso una mano sobre su hombro. —Una vez que le tomas la vuelta, el objetivo es hacer veinte llamadas por hora. Sigue el libreto.

Sean reprimió el deseo de quitarse esa mano del hombro, estaba desesperado por huir. Atrapado entre los teléfonos como un vendedor, jamás se acercaría a Kilcannon.

A espaldas de los voluntarios, un hombre delgado de rasgos asiáticos los observaba.

—¿Quién es? —preguntó Sean.

—Jeff Lee, supervisor de los teléfonos. Te mostrará lo que debes hacer.

Sean vacilaba. Rick lo miró fijamente durante unos segundos: —Está bien, yo te mostraré cómo se hace, John. Es fácil.

Al cruzar la sala, Sean se sentía como un prisionero. Para darse ánimos se dijo que era lo mismo que ingresar a Operación Vida; después, la gente lo aceptaba a uno. Al menos por un tiempo...

Rick lo llevó a un asiento en el extremo de la mesa, junto a una rubia rojiza con el pelo recogido en una cola y las letras USF pintadas en rojo en su buzo de gimnasia. En ese momento terminaba una llamada y anotaba algo en su agenda; visto de perfil, su rostro era delicado como la porcelana, con ojos celestes.

—Mira —dijo Rick, señalando el lugar—, junto a cada teléfono tienes una lista impresa de personas a llamar, un formulario para anotar las llamadas y quién vota por Kilcannon o Mason y un libreto. Llamas, sigues las instrucciones y anotas el resultado: si hubo comunicación o no y por quién piensa votar. —Inclinó la cabeza hacia el supervisor: —Cualquier problema, llama a Jeff.

Lo palmeó en la espalda y lo dejó.

Inmóvil, Sean leyó el texto, línea por línea.

"Hola. Me llamo [nombre del voluntario] y participo en la campaña de Kilcannon.

"¿Se encuentra [nombre del votante]?

"¿No? ¿Puedo dejarle un mensaje?

"¿Sí? Mucho gusto. Quisiera saber si apoyará a Kerry Kilcannon en las elecciones presidenciales..."

El día anterior, pensó, había ejecutado a tres personas en nombre de la vida. Ahora estaba haciendo proselitismo por un hombre inmoral que aprobaba a los asesinos como el doctor Bowe.

Sean sintió los ojos del asiático clavados en él. A su lado, la rubia realizaba una nueva llamada.

—Hola —dijo alegremente—. Me llamo Kate Feeney...

Sean tomó el auricular y marcó el primer número de su lista.

El teléfono chilló: señal de que el número estaba mal marcado. Sean cortó, volvió a intentar, el teléfono chilló.

Arrojó el auricular sobre la horquilla con violencia. Su cara estaba roja, su furia latía como un pulso.

Kate Feeney vaciló y se volvió hacia él: —Parece que Rick no te explicó lo del teléfono —dijo. Su voz era dulce. —Hay que marcar el nueve para recibir tono.

Atrapado en su impotencia, Sean no supo qué decir. Kate sonrió, tomó el auricular, marcó el nueve y esperó el tono.

—Ahí lo tienes —dijo.

Sean tomó el auricular. Su piel, rozada al pasar, era fresca.

—Gracias —farfulló—. Fue estúpido de mi parte.

—Lo único estúpido acá es el sistema —replicó ella—. ¿Qué pensaban, que nos íbamos a llamar entre nosotros?

Con renuencia, Sean se apartó y discó el número de Robert Walker, avenida Miles 2406, Oakland.

—Hola —dijo una voz negra.

Sean tragó saliva: —Habla John Kelly. Quisiera saber si votará a Kerry Kilcannon en las elecciones.

—Claro —dijo la voz sin vacilar—. Me recuerda a su hermano.

Sean se sintió aliviado: —¿Quiere votar por correo? —preguntó—. Podemos enviarle la boleta.

—Cómo no, señor Kelly. Me parece muy bien.

Qué extraño, pensó Sean; súbitamente estaba conectado con ese hombre. Hizo las preguntas indicadas, le agradeció, cortó.

Kate Feeney alzó la vista: —Un voto para Kilcannon en la primera llamada —dijo—. No está mal.

Sean hizo una pausa. Marcó el segundo número con mayor confianza.

—Hola —dijo—. Me llamo John Kelly y estoy con la presidencia de Kilcannon.

Apenas despegó el avión, Kerry llamó por teléfono a dos partidarios. Kit Pace volvió del sector de prensa y se sentó frente a él.

—¿Quieres ver la cinta del discurso de Mason?

Kerry sonrió, fatigado: —No lo sé Kit. ¿No tienes *Forrest Gump*?

—Se parece —dijo, e introdujo la videocasete en el monitor.

Esperaron —Kerry, Kit, Kevin, los dos agentes secretos— a que apareciera la cara de Dick Mason.

Su aire era sombrío, solemne, su voz serena y clara. Kerry sabía que daría en el tono justo.

"Hemos venido a Boston —dijo Mason— *para deplorar la tragedia que golpeó a tres inocentes: un hombre y dos mujeres.*

"La tragedia será mayor si despojamos estas muertes de su significado.

"En un sentido profundo, no importa si, como individuos, apo-

yamos el derecho a optar por el aborto o lo rechazamos. Lo que importa es el consenso de que la violencia no tiene lugar en este debate y las muertes deben cesar."

La cámara hizo un paneo. Detrás del vicepresidente aparecía una mujer delgada vestida de negro: la viuda del doctor Bowe. Su rostro era pálido, estoico. Kerry lamentó su desgracia, y que tuviera que exhibirla en público.

—Sólo Dick la pondría allí —murmuró.

Kit se encogió de hombros: —Tal vez ella lo quiso. Y en todo caso, es eficaz...

"Pero estos *asesinatos* —dijo Mason, bruscamente severo— *no sucedieron en el vacío. En una sociedad cuyas leyes protegen el derecho de elegir, cada uno debe hacer esa elección en la intimidad del hogar y en lo profundo de su corazón: con reflexión, caridad y, esperamos, el conocimiento de lo que está en juego.*

"Pero la hora de la ambigüedad ha quedado atrás. Es imperioso que todos los que están en la vida pública protejan ese derecho privado —sin vacilaciones, disculpas ni explicaciones—, caso contrario todos seremos responsables."

—Ése soy yo —dijo Kerry—. Vacilo, pido disculpas. Yo mismo los asesiné, o poco menos...

"Nunca más. —El vicepresidente miró a la cámara. —*En nombre de los que murieron aquí, yo digo a los mercaderes del terror y la violencia: nunca más. Ni una vida más, ni una mujer despojada de sus derechos legales..."*

Kerry se paró y apagó el monitor.

—Creo que entiendo adónde quiere llegar.

—Es el titular de los noticiarios de las seis, Kerry —dijo Kit—. Lo único que puedes hacer es no colocarte en su camino.

Kerry se sentó. Su furia se convertía en decisión: —Lo mejor que puedo hacer —dijo— es ir a Los Angeles y hablar sobre mujeres golpeadas. Tal vez algo de eso se filtre por los lentes.

Cuando aterrizaron en Los Angeles, Nate Cutler vio una gran limusina negra junto a los ómnibus de la prensa.

Nate dejó que sus colegas lo pasaran. Tras desembarcar por la puerta trasera del avión, se dirigieron lentamente hacia los ómnibus como prisioneros rumbo a un campo de concentración. Como siempre, Kilcannon salió por la puerta delantera. El senador era una figura lejana que estrechaba la mano de políticos locales, tomaba a un diputado del brazo y lo llevaba a su Lincoln negro.

En ese momento se abrió la puerta trasera de la limusina.

Al pararse sobre el asfalto negro, la mujer delgada de pelo

oscuro contempló el candidato. Permaneció inmóvil hasta que Kilcannon entró en el Lincoln negro. Nate echó una mirada a los ómnibus y vio que en los dos primeros los asientos estaban ocupados.

Satisfecho, cruzó la pista y subió al tercero.

Sara Sax y Lee McAlpine ocupaban el primer asiento.

—¿Qué les pareció? —preguntó Nate.

Lee se encogió de hombros: —Hasta ahora lo vi un poco distraído. No estuvo mal, pero tampoco bien. Tal vez piensa que Mason le tomó la delantera y es un día perdido.

Nate hizo una mueca: —No quedan muchos días para perder —dijo, y fue hasta el fondo.

Por los parlantes se escuchaba la canción *Sonidos del silencio*. Muy apropiado, pensó Nate: ahí estaba en una cinta de asfalto, en un día brumoso de Los Angeles, esperando la oportunidad para investigar una noticia que nadie imaginaba.

Se sentía tenso, alejado de todos. Nadie parecía advertirlo; después de tanto tiempo juntos, eran un matrimonio grupal, con todos los sobreentendidos tácitos que hacen posible el matrimonio. El silencio no era un lujo sino un derecho.

Miró la hora y echó una mirada a la puerta del ómnibus, pero ella no estaba.

Se acomodó en el asiento, cerró los ojos y prestó atención a la cháchara desganada a su alrededor: el discurso de Mason; la agenda de Kilcannon; el hijo de una reportera, dos años, que había arrojado al inodoro cuarenta tampones de mamá, provocando una crisis de fontanería que volvía loco a su esposo.

—David no sabía que se *hinchaban* —decía Ann Rush—. El plomero metió una sonda con una minicámara en la cañería y ahora tenemos un vídeo que David llama “La represa del tampón”. Y una burbuja de agua en la pared del comedor.

Nate escuchó la risa inconfundible de Lee McAlpine: —Hay que hacerle caso a Kilcannon, Ann: la infraestructura de la nación se va al demonio.

Nate sonrió, y bruscamente se hizo silencio en el ómnibus. Abrió los ojos.

En el pasillo central, Lara Costello y su camarógrafo buscaban asiento.

Lee McAlpine se paró: —*Lara* —exclamó, abrazándola.

Lara sonrió y le devolvió el abrazo. Le llevaba varios centímetros de estatura.

—¿Qué tal es esto? —preguntó.

—Horrible. Una larga lista de violaciones a los derechos humanos: bombachas perdidas, sándwiches inmundos, jornadas interminables. Hemos llegado al punto que intercambiamos fotos de nuestros respectivos hijos. Debes denunciarlo ante el mundo.

Lara sonrió otra vez: —Por trescientos dólares diarios puede darle de comer a esta niña —dijo en tono burlón—. Cárguelo a su tarjeta de compras.

Lee rió. Tal vez Nate fue el único que advirtió que los ojos de Lara no eran risueños. La mirada era fría, remota.

—Qué le vamos a hacer —dijo Lee—. Yo esperaba ver mi cara en una botella de leche.

—Tal vez en un envase de helado —dijo, y le tomó el brazo con afecto—. Bueno, mejor me busco un asiento. Y apenas este loquero lo permita, cenemos juntas, ¿te parece?

Avanzó por el pasillo, intercambió algunos saludos, pero conocía a poca gente: los acreditados eran jóvenes, y pasaban rápidamente a otros puestos. Nate pensó que debía ser extraño desaparecer, pasar dos años en el extranjero en medio de terribles sufrimientos y privaciones y volver convertida en una personalidad famosa, con un sueldo diez veces mayor al de cualquiera de los presentes. Los medios gráficos no eran inmunes al rencor —el que provocaban la fama, el dinero, el acceso al candidato, el cartel que daba trabajar para las cadenas nacionales—, y algunos tachaban a sus colegas de la televisión de superficiales. La situación sería difícil aunque no ocultara, como sugerían los apuntes en el bolsillo de Nate, un secreto capaz de hundirlos a ella y Kilcannon.

Lara lo vio.

—*Nate* —exclamó. Realmente parecía feliz de verlo. Cuando se paró, lo abrazó con fuerza y luego lo miró a la cara.

—Se te ve muy bien —dijo, e inclinó la cabeza—. Si no fuera por el corte de pelo.

Al devolverle la mirada, Nate sintió nuevamente esa mezcla de auténtica estima y deseo masculino que dos años antes lo perturbaba cada vez que estaba con ella. Pero ahora se sumaba la sensación de culpa.

—No me llamaste —dijo con fingida despreocupación—. Nunca me escribiste una línea. Ni siquiera te despediste.

Sonrió y meneó la cabeza.

—Estaba muy alterada en ese momento. Acepté el puesto en la NBC y de un día para el otro me encontré en Bosnia. Todo lo demás, Washington, el Congreso, el *Times*, era como tratar de recordar la peor borrachera que uno se agarró en la universidad. Nada parece real... —Se interrumpió, lo besó suavemente en la mejilla. —En todo caso, lo lamento.

"Lo lamenta de veras", pensó Nate.

—No importa —dijo—. Y a ti también se te ve muy bien.

Pero no como antes, pensó. Había adelgazado, parecía una

hoja de acero. Sus ojos eran más maduros, más penetrantes. Parecía confiada, segura de así y tal vez un poco acosada por sus demonios.

—Cuéntame *tu* vida —dijo Lara.

Nate se encogió de hombros: —Poca cosa. Ni esposa ni hijos. Mi vida es Kerry Kilcannon.

Una chispa pasó fugaz pasó por sus ojos, pero inmediatamente volvió a sonreír:

—Por lo visto, es la de todos. Al menos hasta el martes.

Nate trató de reprimir su malestar: —Eso nos da poco tiempo para ponernos al tanto. Te invito a una copa, más tarde.

Sus facciones se distendieron, con un dedo le acarició la muñeca.

—Me gustaría mucho, Nate. De veras,

No se atrevió a mirarla.

SIETE

Clayton Slade y Peter Lake, el agente a cargo de seguridad, esperaban el último discurso del día.

Estaban en el campus de una pequeña universidad de Los Angeles, escogida porque tenía un centro para el tratamiento de mujeres golpeadas. Eran las cinco; el cielo azul estaba cruzado de nubes, las palmeras se teñían de verde oscuro a la luz del Sol poniente. La plaza donde Kerry debía hablar estaba rodeada de prados que se extendían en suave pendiente; Clayton y Peter ocupaban la que ofrecía la mejor vista.

Para Clayton, todo parecía estar en orden: los agentes hacían desfilar al público por los detectores de metales; los voluntarios frente a la tribuna sostenían las pancartas de "Kilcannon Presidente"; el palco de la prensa ya estaba instalado. Había un solo edificio de tres plantas frente a la plaza: Clayton sabía por experiencia que el Servicio Secreto ya había ocupado los salones con vista a la tribuna de oradores y apostado francotiradores en el techo. Los parlantes emitían música de rock alegre y una joven funcionaria latina acababa de prometer al público que "el próximo presidente de Estados Unidos estará aquí en menos de diez minutos". La agenda se cumplía al pie de la letra; con suerte el discurso de Kerry llegaría a los noticiarios vespertinos y nocturnos.

—Parece que hicieron un buen trabajo previo —dijo Peter.

—Hasta ahora —replicó Clayton—. Lo raro es que no pude identificar al tipo que organizó este acto, ya está ocupado con el siguiente. La única señal de que el tipo existe son las cuentas que nos pasa su tarjeta.

—Así que le saca plata a la campaña —dijo Peter con una sonrisa.

—Ajá. El coordinador dice que la novia lo abandonó después de que pasó cincuenta y siete días en campaña. Cuando por fin volvió a su apartamento en Washington, ella le puso la maleta en el pasillo y le dijo que Nueva Hampshire quedaba hacia el norte.

Ahora los únicos datos que tengo son un número de bíper y una serie de cuentas por Roederer Cristal. No lo puedo encontrar al hijo de puta.

Peter sonrió otra vez, pero sin apartar la vista de sus agentes. Las relaciones eran más que cordiales, amistosas. En la jerga de los agentes, Kerry Kilcannon era un "protegido de alto riesgo", y Clayton se felicitaba de contar con Peter como jefe de seguridad.

A los cincuenta y tres años, Peter tenía el físico robusto y la nariz quebrada del jugador de fútbol norteamericano que había sido en la universidad. Pero además de eso era abogado, lector de los clásicos y profundamente religioso. El Servicio le había llamado la atención por primera vez a los trece años, cuando su padre lo llevó a escuchar un discurso de John F. Kennedy. Su padre admiraba a Kennedy, pero a Peter lo fascinó el dispositivo de seguridad. "Parece que no entendí nada", dijo una vez a Clayton, pero éste había comprendido la verdad. El deseo de proteger anidaba en lo más profundo de Peter.

A veces esto provocaba conflictos: lo que anidaba en lo más profundo de *Kerry* era ser el terror de los servicios de seguridad. A nada temía más que demostrar temor, y por eso se hundía en las multitudes, cambiaba los planes impulsivamente y a pesar de los ruegos de Peter Lake se negaba a usar un chaleco de kevlar.

Finalmente, Peter acudió a Clayton: —El senador es un fatalista. Mi tarea es ser todo lo contrario. Necesito su ayuda.— Como resultado de esa conversación, el servicio de seguridad de Kerry Kilcannon era tan grande como el del presidente y Clayton en persona tenía a Peter al tanto de todo.

Mientras esperaban el arribo de Kerry, el jefe de seguridad vigilaba las cornisas del edificio de tres plantas. Los actos al aire libre eran los más peligrosos. El Servicio podía controlar una sala, pero en el exterior había demasiadas maneras de disparar contra un candidato: desde un edificio alto, un auto o cualquier elevación desde la cual un tirador con un arma de alto calibre tuviese una línea de fuego. *Eso* era lo que recordaba Peter Lake sobre Jack Kennedy.

Cincuenta agentes protegían a Kerry Kilcannon, divididos en tres equipos que realizaban turnos de ocho horas cada uno. Uno de ellos se adelantaba a cada acto. La planificación era tan estresante como la protección misma y en un sentido era como el trabajo de los que organizaban los actos: un error del organizador podía malograr un acto; un error del Servicio podía significar la muerte de Kerry. "La presidencia es un imán que atrae a todos los locos que andan sueltos —le había dicho Peter—. Y a muchos de estos aspirantes asesinos no les importa lo que les suceda a ellos con tal de conseguir lo que quieren."

Ahora, mientras aguardaban a Kerry, Clayton vio a Dan Biasi y Joe Morton parados frente a la tribuna de los oradores, mirando a la multitud. El hecho de que ambos llevaran gafas para el sol era un homenaje indirecto a John Hinckley. Después de que Hinckley atentó contra Reagan, el Servicio Secreto lo había identificado en filmaciones anteriores, en medio de una multitud que escuchaba a Jimmy Carter. Durante el interrogatorio, Hinckley confesó que había hecho planes para asesinar a Carter. Pero no se había atrevido a realizarlos debido a un agente del Servicio Secreto que llevaba gafas ahumadas. Al no poder ver sus ojos, estaba convencido de que el agente lo miraba.

—Es muy posible —le había dicho Peter Lake a Clayton—. Siempre buscamos la cara que va contra la corriente de la multitud. La que está seria mientras los demás ríen, la que nos mira a nosotros en lugar del candidato. Si mira esas películas, verá que la cara de Hinckley es distinta. Lo va a identificar sin que nadie le diga quién es.

El auto que encabezaba la caravana ya se detenía detrás de la tribuna. Clayton miró hacia el palco de la prensa y por primera vez vio a Lara Costello con su camarógrafo. Entonces Kerry Kilcannon bajó del Lincoln negro y, flanqueado por los agentes, se dirigió hacia la tribuna.

La multitud rugió.

Kerry, Kerry, Kerry...

Peter lake observaba la escena, reconcentrado, severo. Bruscamente, Clayton tuvo la sensación del cansancio que debían sentir los agentes a la noche: estaban tan tensos como el asesino que buscaban. "Uno siempre se pregunta —le había dicho Peter mientras bebían una copa— cuándo sucederá."

Clayton le puso una mano sobre el hombro: —Seis días más —dijo.

Nerviosa, Lara Costello aguardaba la aparición de Kerry.

Junto a ella, Lee McAlpine mostraba a Nate una carta de amor que había recibido de un guardia de seguridad etíope que había visto la cadena C-SPAN. "Querida genio", decía la carta. El texto era un poema desgarrador sobre la desesperación de la vida en Etiopía: la falta de alimentos, de oportunidades, de esperanzas para una vida mejor. Le ofrecía ser su "tu amante y tu perro guardián". A Lee le parecía divertido; Lara, que había estado en Etiopía, sabía que era la pura verdad.

Lee se volvió hacia ella: —Por C-SPAN, qué te parece. Apuesto a que recibirás muchas cartas como ésta.

El hecho de haber visto más mundo que Lee no la convertía en una Madre Teresa, se dijo Lara.

—¿Desde Etiopía? Algunas. Pero en general sólo piden comida. Y no escriben con tanto estilo.

Lee la interrogó brevemente con la mirada, plegó la carta y la guardó en el bolsillo de sus jeans.

Lara se puso a estudiar la escena en busca de detalles para su nota: una antiabortista de cara furiosa con un letrero que decía: "Aborten a Kerry Kilcannonn"; la composición joven y multirracial de la multitud; cómo los carteles de campaña explotaban la cara atractiva de Kerry. Un joven negro llevaba un cartel con las letras FKF escritas a mano. Entonces recordó ese último fin de semana en la playa y la sonrisa de Kerry cuando le preguntó por qué se negaba a usar sus iniciales.

—Basta cambiar una letra —había dicho él— para transformarse en un racista con capucha blanca.

—O en un Kennedy

Su sonrisa se borró —Soy hijo de un policía de Newark. Lo único que tengo en común con los Kennedy es que asesinaron a mi hermano. —Hundió las manos en los bolsillos de su rompevientos, contempló las olas en la bahía de Natucket y murmuró: —Eso de idealizar la muerte es algo detestable. A mí me bastó ver la nuca de Jamie...

No volvieron a hablar de ello. Tal vez, pensó Lara, si hubiera sabido que quedaba tan poco tiempo...

Kerry, Kerry, Kerry..., coreaba la multitud.

Entonces lo vio sobre la tribuna, a unos treinta metros de ella, una figura delgada en mangas de camisa, la corbata floja.

Su pulso se aceleró levemente, tuvo que tomar aliento. No podía ver su cara claramente. A esa distancia era pura energía y movimiento y una corriente eléctrica atravesaba la multitud. Excelente puesta en escena, pensó Lara: en la tribuna lo aguardaban una congresista negra de Los Angeles y representantes de grupo defensores de la mujer golpeada.

Kerry se detuvo a intercambiar unas palabras con cada una antes de acercarse al podio. Tal vez era sólo su imaginación, de que Kerry esperó hasta verla, o que el momento —bruscamente, él estaba inmóvil— se prolongaba durante algo más de unos pocos segundos. Pero en ese lapso breve cayó sobre sus hombros el peso de dos años de remordimientos, de ausencia, de esa sensación de culpa que jamás la abandonaría del todo. Entonces corrió el telón sobre todo eso, y Kerry empezó a hablar.

Minutos después de iniciar su discurso, Kerry las descubrió: un grupo de mujeres dispersas entre los voluntarios que aplaudían. Estaban tensas, y no lo aplaudían. Poseía un don casi sobrenatural para tomar el pulso de su audiencia; si no lo hubiera conmocionado la presencia de Lara, las hubiera descubierto al llegar.

En ese momento empezaban a agruparse.

—No es solamente la mujer golpeada la que sufre. —Hizo una pausa para estudiar los rostros. —El niño que presencia el trato brutal de la madre por el padre lleva las cicatrices para siempre; cicatrices de impotencia, de furia, de la perspectiva, ratificada por amarga experiencia, de que aquellos que presenciaron los abusos en la infancia practicarán el abuso en la edad adulta.

La multitud lo escuchaba en silencio. Una mujer asiática tenía la cara mojada de lágrimas; Kerry se preguntó qué sentimiento había despertado, qué recuerdo doloroso había evocado. Pero el grupo de mujeres aún lo miraba fijamente, sin prestar atención a la euforia que las rodeaba.

—¿Debemos castigar al niño porque su padre es abusivo y su madre no está capacitada para trabajar? ¿Debemos dejar librada a sus medios a la *mujer* porque después de intentarlo con toda su buena fe, no le queda otra protección que dejar al esposo?

"Creo que este país es mejor...

Bruscamente, las mujeres se alinearon y desplegaron una pancarta.

"El aborto es derecho, no un favor", decía la consigna.

Empezaron a corear una consigna; eran pocas, pero sus voces llegaban al palco de la prensa.

"No pedimos perdón, no pedimos perdón."

En el palco de la prensa, Nate Cutler vio cómo encajaban las piezas: el memorando en su bolsillo; el discurso de Mason en Boston; las manifestantes.

A su lado, Lara Costello se crispó: —¿Quiénes *son*? —preguntó.

—La Legión de Anthony, creo. Abortistas combativas. Los organizadores hicieron todo mal; *esto* es lo que va a aparecer por la tevé.

Cuando se volvió para mirarla, vio que estaba muy pálida.

Lara sintió la mirada de Nate clavada en ella.

—Yo no creo que deban pedir perdón por nada —dijo Kerry—. Ninguno de los presentes lo cree.

Una mujer bien vestida, de gafas y pelo gris largo, alzó la voz:

—Exigimos que se nos escuche.

Kerry vaciló y asintió: —Venga aquí.

—Muy arriesgado —murmuró Nate.

Lara meneó la cabeza: —No puede pasarlas por alto... después de lo de Boston. —A su alrededor, las minicámaras de televisión siguieron el paso de la mujer hacia la tribuna.

Kerry hizo un gesto hacia el podio. La mujer agradeció con un gesto de la cabeza y tomó el micrófono. Su voz amplificada por los parlantes sonaba chillona, nerviosa.

—En nombre de las mujeres partidarias de la libertad de elección —comenzó—, queremos respuestas a nuestras preguntas.

"Usted dice que un feto tiene vida. ¿Significa que tiene derechos legales? ¿Cree usted que una mujer que aborta es una asesina?

Lara, muy tensa, observaba la cara de Kerry. Pero desde esa distancia sólo alcanzaba a distinguir la atención que ponía en las palabras de la mujer.

Ésta se volvió hacia él.

—Senador Kilcannon, *usted* dice que apoya el derecho de optar por el aborto. ¿Cree que es un derecho absoluto de la mujer?

"¿Apoya el derecho de aborto en un estadio avanzado del embarazo?

"¿Apoya el uso de la píldora abortiva RU-486 para proteger a las mujeres de eventuales actos de violencia como en la clínica de Boston?

"¿Sus convicciones personales y religiosas significan que desde la presidencia atacaría a las mujeres partidarias del derecho de elegir?

Bruscamente lo encaró: —Durante los últimos dos años, el Congreso y la justicia han limitado el derecho al aborto. Su partido es nuestra única protección. La posición del vicepresidente es clara. En cambio, sus declaraciones recientes sobre el derecho de elegir nos parecen peligrosas. Queremos saber exactamente quién es usted.

Eran preguntas concretas, cada una un bocadillo perfecto para la televisión. Por un momento, Lara cerró los ojos.

—¿Me permite responder? —dijo Kerry amablemente. Se acercó al podio. La multitud aguardaba, expectante.

—Ante todo —dijo en tono cortante—, apoyo el derecho de elegir.

"Apoyo el uso de la píldora RU-486.

"Apoyo el aborto en un estadio avanzado del embarazo cuando la vida o la salud de la mujer corren peligro.

"Mis convicciones personales y religiosas son justamente eso: no obligo a nadie a profesarlas ni menos aún las emplearé para penalizar a las mujeres y sus médicos. Sólo una mujer puede tomar una decisión tan difícil, basada en *su* propia vida y convicciones.

Kerry se volvió hacia la mujer: —No puedo ser más claro. Estas posiciones son las de Dick Mason y las de miles de políticos que dicen apoyar el derecho de elegir.

"Además —añadió—, están desprovistas de sentido moral o de un pensamiento tan complejo que no se pueda expresar en una simple consigna.

—Diablos —dijo Nate—. Pensé que había terminado con esto.

Pero el auditorio parecía embelesado. Lara misma estaba más erguida.

Kerry se volvió hacia su auditorio:

—Cuando los fundamentalistas antiaborto recurren al acoso y la violencia, el solo hecho de reconocer que el aborto es una decisión compleja puede parecer un paso atrás. Simpatizo con esos temores. Pero la decisión de abortar es para muchas mujeres la más desgarradora de sus vidas, sea cual fuese mi posición al respecto.

"¿Saben por qué tanta gente se opone al aborto en un estadio avanzado? Porque en ese momento resulta particularmente claro que el aborto no es una intervención cualquiera, y las palabras que usamos para esquivar esa verdad, tales como "derecho de elegir", dejan sin respuesta esas preguntas angustiantes que cada mujer debe responder por sí misma.

Suavizó la voz: —Cualquier padre o madre que haya visto un sonograma, escuchado el latido del corazón de un niño por nacer o agradecido a Dios por el médico que salvó la vida de su bebé prematuro lo sabe.

—*Ay, Kerry* —murmuró Lara. El silencio era total.

—No vine aquí a hablar sobre el aborto. Ojalá no estuviera en discusión. No es tarea de un senador o un presidente obligar a mujeres embarazadas a tener hijos. —Una vez más, encaró a la mujer. —Sus derechos no corren peligro conmigo. No debe pedir perdón por nada. Pero yo también me niego a pedir perdón por lo que creo.

Si hizo un silencio prolongado. Y luego empezaron los aplausos, pero el ruido era solemne, distinto de las ovaciones habituales en los actos. Lara pensó que expresaba respeto.

A su lado, Nate callaba.

OCHO

Nate miró su reloj: eran casi las seis.

A medida que se dispersaba la multitud, los reporteros de los medios gráficos corrían a la improvisada sala de periodistas, una carpa de lona que se levantaba en el prado. Nate no tenía hora de cierre; su tarea era escribir un artículo semanal y reunir material para la edición especial "Campaña 2000" de *Newsworld,* que cubriría desde las primarias hasta las elecciones generales de noviembre.

Estaba seguro de que incluiría el incidente que acababa de presenciar. Pero la historia profunda sería el drama central de una campaña rica en personajes, ironía y, para Nate, algo afín a la tragedia. Aunque una parte de su ser lo rechazaba con disgusto, sabía que durante el resto de su vida sería el periodista que derribó a Kerry Kilcannon.

Vio a Lara en el prado cerca de la carpa.

Se preparaba para filmar. A la distancia parecía ensayar sus palabras y esperar la señal. La curiosidad lo impulsó a mirarla.

Cruzó el campo y se paró a un costado.

Lara miraba el suelo, ciega y sorda a todo salvo el camarógrafo, las instrucciones que recibía por el audífono y sus propios pensamientos.

—Cuando yo diga "trauma privado" —dijo por el micrófono—, me haces escuchar la cinta.

Inclinó la cabeza como si escuchara.

—Está bien —dijo, y enfrentó la cámara. Pasó un instante.

—En un acto en Los Angeles —comenzó—, Kerry Kilcannon puso fin a todo un día dedicado a problemas de las mujeres: educación, guarderías, atención para las mujeres golpeadas. Pero su acto frente a un refugio para mujeres golpeadas fue interrumpido por partidarias del aborto que le exigieron explicaciones sobre su declaración reciente de que un feto es una vida. Su respuesta consistió en sugerir que el aborto es un derecho público pero a la vez, al menos para algunas mujeres, un trauma privado...

Lara se interrumpió bruscamente. Nate vio que los sonidistas del camión de exteriores de la NBC le hacían escuchar la cinta. Lara escuchaba inmóvil, su concentración era total. Alzó los ojos a la cámara.

—Éste *no* era el discurso que Kerry Kilcannon había previsto. En las primarias de California el voto femenino es crucial, y la campaña esperaba evitar mayores problemas con el asunto del aborto.

"El senador Kilcannon afirmó inequívocamente que apoya el derecho de elegir. Pero al insinuar que estas posiciones implican problemas morales más profundos, tal vez habló más de lo necesario. La pregunta ahora es si los votantes recordarán su posición pública o sus reservas íntimas, y cómo reaccionarán ante una y otras.

"Lara Costello desde Los Angeles con la campaña de Kilcannon, para NBC noticias.

Permaneció inmóvil un instante más. Cuando se volvió hacia él, Nate comprendió que había advertido su presencia. Su mirada era firme y serena.

—¿Y bien?

—Kilcannon se excedió —dijo Nate, molesto.

Su mirada se alteró sutilmente; su voz al responder era suave y sardónica:

—Parece que es su defecto fatal, ¿no?

Nate asintió: —Nos vemos en el hotel —dijo, y se fue a llamar a su jefa.

En el pozo de la escalera de la salida de emergencia, Nate hablaba por teléfono celular y rogaba que nadie lo escuchase.

—¿Hablaron con la terapeuta?

—Sí. —La voz de Jane Booth sonaba metálica. —Se llama Nancy Philips. Confirmó que Costello fue su paciente, que habló con ella en confianza y confesó su aventura con Kerry Kilcannon. Philips dice que estaba destruida.

—Sí, bueno —dijo Nate—, ya me di cuenta al leer sus apuntes.

—El problema es que Philips no quiere salir del anonimato. Sheila Kahn dice que se siente tan culpable por lo que hace ahora como por lo que hacía antes.

—Es normal —dijo Nate—. Una cosa es violar el derecho de la confidencialidad. Pero arruinar su vida es otra, algo para pensar dos veces antes de hacerlo. Incluso en *estos* tiempos tan miserables.

Jane no respondió por unos instantes.

—Todavía no te gusta esto, ¿no?

Nate contempló el pozo sombrío.

—Decir que no me gusta es demasiado simplista. Como decía un viejo diputado del sur que conocí, me siento como un pájaro delante de una víbora: fascinado y asqueado al mismo tiempo. Por momentos imagino la entrevista con Larry King.

—Dejemos eso —dijo Jane—. Y no te preocupes por Costello. No estaba obligada a acostarse con él.

—No digo que mis sentimientos importen a nadie, Jane. Sólo digo que los tengo. —Se paró, inquieto. —¿La terapeuta dijo a quién le dio el memorando?

—No. Pero confesó que últimamente se afilió a un grupo cristiano fundamentalista. Eso sí puede significar algo.

—¿Crees que cayó en manos de los republicanos y *ellos* lo enviaron a Katherine Jones? Porque yo ya no estoy tan seguro. —Nate empezó a pasearse sin dejar de hablar. —Jones me pasa el memo, Mason va a Boston, las militantes interrumpen el acto de Kilcannon. Imagino a la gente de Mason anoche, mirando los resultados en Oregon y decidiendo que ha llegado el momento de jugarse el todo por el todo...

—¿O sea que fue Mason el que mató a esa gente?

Nate soltó una risita: —No niego que tiene suerte.

—Nadie tiene *tanta* suerte. —Su tono se volvió cortante: —Necesitamos otra fuente, Nate. La historia todavía no existe.

Nate vaciló antes de preguntar: —¿Qué quieres que haga?

—Encara a Costello. Pregúntale sobre Kilcannon.

Por un segundo, imaginó la expresión de Lara.

—¿Antes de mostrarle el memo?

—Veamos qué dice antes de saber lo que tienes. Tal vez diga la verdad o, lo que me parece mucho más probable, la atrapes en una mentira.

—*O* tal vez hable con Kilcannon.

—Tal vez. —Jane bajó la voz, imitando a Nate. —Pero como dijiste tú, corremos el mismo riesgo al hablar con los vecinos de Costello, cosa que haremos mañana. Y si Kilcannon empieza a esquivar a los periodistas, *eso* también es interesante.

—Para nosotros, sí. Pero no prueba que fue el amante de Lara...

—No hay tiempo —dijo Jane bruscamente—. Podrían pasarle el dato a otro. Sobre todo si la fuente es Mason.

Nate dejó de pasearse.

—Para Mason, la mujer que encaró a Kilcannon vino a pedir de boca. Esa frase, "Queremos saber exactamente quién es usted" cayó tan de perillas que da qué pensar.

Jane lo pensó un instante:

—Perillas o no —dijo por fin—, nuestra tarea es darle una respuesta.

Cuando la caravana aceleraba por una ancha autopista hacia Beverly Hills, Clayton se sentó junto a Kerry y pensó en un laberinto que lo conducía a ninguna parte. Kerry miraba por la ventanilla. Por pedido suyo, le habían ahorrado un paseo más con un político.

—Mason me mató hoy —dijo Kerry—. Dios salve a cualquiera de este partido que diga que el aborto es algo más que el derecho de practicarlo.

Clayton frunció el entrecejo: —Al menos, diste una respuesta sincera. Pero no cabe en treinta segundos de tevé.

El rostro de Kerry de perfil lucía pálido, con arrugas de cansancio:

—Sí, me di cuenta. Hoy no tenía ganas de sobarle el lomo a nadie. Pero si yo fuera un activista a favor del aborto, creo que tampoco me gustaría mi respuesta.

Evidentemente, estaba enfadado. Pero como siempre, era capaz de tomar distancia para verse como lo veían los demás.

Nuevamente se hundió en el mutismo.

Clayton miró su cara, pensativo.

—Parece que la viste —dijo por fin.

—Sí, la vi —dijo Kerry sin mirarlo.

Sean Burke miró su reloj.

Eran las ocho y cincuenta y cinco. Las mesas largas estaban atestadas de profesionales bien vestidos que venían de su trabajo, y en el enorme salón reverberaban las voces que leían el mismo texto a distintas velocidades y tonos, como un coro gregoriano desafinado en una inmensa catedral. A las nueve terminaban las llamadas. Sean tenía tiempo para una más.

En doce horas había marcado ciento noventa y siete números telefónicos. No había tenido tiempo para salir en busca de un revólver.

A su lado, Kate Feeney hablaba por teléfono con expresión reconcentrada; con los codos sobre la mesa sostenía su cuerpo delgado, agobiado por la fatiga. A medida que pasaba el día, Sean sentía crecer una conexión entre ambos: durante una hora no se hablaban, y entonces, al ver que cortaba, Kate le ofrecía una palabra de aliento o, a medida que él adquiría confianza, una sonrisa amistosa entre prisioneros. A la media tarde había compartido con él su sándwich de pavita.

—Qué bien —decía ella con su voz alegre—. Llamo para preguntar si apoyará la campaña presidencial del senador Kilcannon.

Las palabras despertaron a Sean de su ensoñación; cuando se detenía a pensar, como sucedía cuando miraba a Kate, lo apresaba la duda. La única manera de superar los miedos era marcar un número detrás de otro, como un robot.

Marcó el nueve e hizo la última llamada, rogando con fervor que le hablara un contestador automático.

—Hola —dijo una mujer.

Sintió la humedad en su frente.

—Me llamo John Kelly... —dijo, y la mentira lo hizo tartamudear—. De la campaña de Kilcannon. ¿Hablo con Louise Degnan?

—Sí. —Era la voz de una mujer madura, amable, pero discreta. —Todavía no lo he decidido, si es eso lo que quiere saber. Pienso que lo decidiré poco antes del martes.

Su misión, pensó Sean, era asegurarse de que la elección del martes no tuviera lugar. Se imaginó avanzando hacia Kerry Kilcannon, el revólver listo para disparar. Con voz hueca preguntó: —¿Piensa votar en la primaria?

—Sí. —La voz era un poco más cordial. —No quiero desalentarlo, señor Kelly. Tampoco soy partidaria del vicepresidente Mason. Por ahora me limito a escuchar las dos campanas. ¿Sabe usted si habrá un debate?

Sean recordó que Mason lo había desafiado a debatir.

—Estoy seguro de que el senador Kilcannon lo desea —dijo, y entonces recordó el volante de campaña que había leído durante un descanso. —¿Conoce las posiciones del senador sobre los derechos de la mujer? Me refiero a la protección a mujeres y niños golpeados...

—La verdad, no estoy segura —dijo la mujer tras una pausa.

—Bueno, él siempre ha sido así. —Sentía un hueco en la boca del estómago. —Su primer trabajo fue de fiscal en juicios a hombres que golpeaban a sus mujeres. Salvó la vida de un niño... —Bruscamente advirtió que Kate Feeney lo miraba: se suponía que no debían discutir con los votantes ni desviarse del texto escrito. —Podemos enviarle material.

—Me encantaría, señor Kelly.

Sean cerró los ojos.

—Gracias —dijo—, y antes de cortar recordó el libreto—: Gracias en nombre del senador Kilcannon.

Cortó con dedos torpes, como si el auricular le pesara. No era la misma sensación que le producía el arma, liviana, delgada y mortal. No quería mirar a Kate.

—Estuviste bien —dijo—. Esas cosas que dijiste sobre Kerry.

Finalmente se volvió hacia ella. Su mirada parecía desprovista de toda malicia; algunas mechas de pelo rubio caían sobre su frente. Sean sintió que se ruborizaba.

—Se supone que no tenemos que decir nada.

—Pero la trataste bien y fuiste sincero. La gente se da cuenta.

Kate sonreía un poco. Sean no sabía si lo miraba con pena o disimulaba otra cosa. Recordó la primera vez que había comprendido que, con mujeres, había algo que no terminaba de comprender. Era como escuchar música en la vieja radio de su auto cuando paseaba por los montes Berkshire: notas lejanas, palabras que se desvanecían de a poco.

Jamás olvidaría su nombre —Ann Regan— ni su aspecto: pelo rubio, pecas claras; boca de labios carnosos, con hoyuelos junto a las comisuras cuando sonreía. Se sentaba junto a él en las clases de religión. De noche, en su camastro del hogar para varones de Charlestown, escuchaba los ruidos de los otros muchachos dormidos y, a salvo en la oscuridad, se atrevía a soñar que ella lo quería.

Una fresca y soleada mañana de primavera, al salir del hogar, decidió que la esperaría a la salida de la escuela.

Esa mañana cada hora de clase duraba un siglo, mientras él miraba constantemente su reloj. En la clase de religión, dos horas antes de la salida, la miró en busca de una señal. Pero ella no le prestó atención y bruscamente la hermana Helen lo hizo volver en sí al preguntarle si rezaba o soñaba despierto. Ann Regan se había unido al coro de risas mientras Sean, humillado, escondía la cara...

Miraba a Kate Feeney cuando sintió una mano sobre el hombro.

Sobresaltado, giró con tanta rapidez que Kate abrió los ojos con sorpresa. Pensó que alguien lo había descubierto.

Rick Ginsberg sonreía:

—Jeff Lee dice que estuviste muy bien, John. Gracias por quedarte.

Al mirar la cara agradable del coordinador, Sean sintió sorpresa, luego alivio y por fin una enorme gratitud. Rick le apretó el hombro: —Si vuelves, tal vez lo conocerás. A veces organizamos reuniones para los voluntarios.

Rick siguió su camino. Sean permaneció sentado junto a Kate; lo había asaltado la imagen de él mismo frente a frente con Kerry Kilcannon. A su alrededor, mujeres de traje sastre y hombres con las corbatas flojas empezaban a conversar, libres por fin de los teléfonos. Un estudiante de camiseta y pelo revuelto colocaba una pila de cajas de pizza sobre una mesa.

—¿Puedes quedarte? —escuchó que preguntaba Kate—. Puedes hacer amigos.

Una vez más, la idea de que podían reconocerlo fue como un mazazo en el pecho. Meneó la cabeza, no se atrevía a mirarla a los ojos.

—No —murmuró—, no puedo.

NUEVE

Diez minutos antes de la hora concertada con Nate Cutler para beber una copa, Lara escuchó un golpe en la puerta de su cuarto.

Apenas salía de la ducha. Sin apuro, se puso su salida de baño azul y al escuchar el segundo golpe abrió la puerta.

Era Nate. Por un instante, pensó que con su rostro delgado y sus gafas de marco metálico parecía un asceta. La miraba en silencio, sin sonreír.

—¿Puedo pasar? —preguntó.

Al mirar su cara, Lara sintió que la sorpresa disputaba la palma con el miedo. Asintió y retrocedió. Nate cerró la puerta con exagerada suavidad.

—¿Qué pasa? —preguntó ella.

Nate la miró: —Se trata de Kerry Kilcannon.

Su tono descartaba cualquier ambigüedad. Bruscamente mareada, Lara se vio con él como antagonistas solitarios, atrapados en un cuarto sobre una ciudad oscura. Mientras se esforzaba por lograr claridad, por imponer el dominio del pensamiento sobre la emoción, inclinó la cabeza en una tácita pregunta. No abriría la boca para ayudarlo.

La sonrisa sardónica de Nate pareció reconocerlo.

—Sabemos de tu aventura con él, Lara. Terminó hace dos años, cuando él todavía estaba casado. Poco antes de que decidiera lanzar su candidatura presidencial.

Instintivamente apartó la vista. La abrumaban la rapidez con que se acababan dos años de silencio, la violencia con que afloraban sus sentimientos. Fue a la ventana y contempló la grilla irregular de las luces de Los Angeles. Aunque sus ojos se llenaron de lágrimas, habló con voz suave y clara.

—Ya que sabes todo, ¿por qué vienes a verme?

Era una pregunta tonta para ganar tiempo. Nate replicó con voz serena, implacable.

—Lo sabes muy bien. Queremos tu comentario.

Entonces se volvió, furiosa por las implicaciones destructivas de su pregunta, porque traicionaba su amistad.

—Quieres que te *ayude*. Es el truco más viejo del oficio. Decir lo que crees que sucedió como si fuera la verdad y esperar que la víctima lo confirme.

Nate la miró a los ojos: —Esto me duele —dijo por fin—. Pero es mi trabajo. Lo has hecho mil veces. Me lo harías a mí si fuera necesario.

Lara comprendió que estaba a la defensiva. Así ganaba tiempo para preguntarse quién más estaba enterado: los vecinos curiosos no contaban.

—No harás nada, Nate. *No tienes* nada contra mí porque no hay nada.

—¿O sea que niegas todo?

Lara pensó rápidamente: —No me dignaré a responder de una u otra manera. Me vienes con un rumor que podría echar a perder dos vidas, lanzado por Dios sabe quién dos días antes de una elección, ¿y esperas que te conteste? Si quieres algo de mí, tendrás que decirme qué es lo que crees tener y quién te lo dio.

Nate se cruzó de brazos. Por un instante Lara se sintió confiada: el periodista no tenía las dos fuentes fiables. No podía tenerlas.

—Siéntate, Lara.

La compasión que había en su tono era más aterradora que todo lo anterior. Cruzó el cuarto lentamente y se sentó en el borde de la cama.

Nate se sentó a su lado. Sacó unos papeles del bolsillo —dos hojas abrochadas— y las puso en sus manos.

Lara leyó unas pocas palabras.

Primero el shock, después las náuseas. Y después las lágrimas que le impidieron continuar la lectura.

—Vete —dijo—. Por favor.

Nate juntó las manos como si reprimiera el impulso de abrazarla.

—Sabes que no puedo. Todavía no.

Lara le volvió la espalda y después de unos minutos pudo seguir leyendo.

Los apuntes de la terapeuta eran dispersos y estaban llenos de disgresiones. Pero cada línea expresaba en síntesis esos sentimientos que había reprimido. Evocó la escena en el consultorio: ella sollozaba, al borde de sus fuerzas. Y sólo quería que Kerry estuviera con ella...

Con esfuerzo leyó hasta el final. La paciencia de Nate era como la del gato que espera a su presa.

—¿Y por qué piensas que es auténtico? —preguntó suavemente.

—Déjate de juegos, Lara...

Giró rápidamente: —No, *tú* déjate de juegos. Cualquier tipo enfermo o malicioso cree que una mentira parece más auténtica si la pone por escrito. Yo podría *decir* que te cogiste una elefanta. Y podría *escribirlo*, pero igual sería mentira.

Nate puso un dedo sobre la hoja: —Esta es tu voz, Lara. La reconozco. —Hablaba con firmeza, pero sin alzar el tono. —Recuerdo lo que hiciste, tu partida intempestiva del *Times*. Ésta fue la razón, ¿no?

Sí, claro que sí: el deseo desesperado de dejarlo todo, enterrarse en algo nuevo, completamente divorciado del pasado, para borrar el recuerdo de Kerry Kilcannon. No podría volver a verlo. Ni menos aún acudir a él en busca de una frase, una entrevista exclusiva.

—Coge un elefante, si quieres, Lara. Pero en ese caso no puedes escribir sobre el circo. Ni entonces ni ahora.

Era como si Nate leyera sus pensamientos. Al escribir sobre Kerry Kilcannon, eliminaba cualquier reserva que pudiera tener. Para Kerry, Lara Costello era peor que un recuerdo penoso: era una rueda de molino atada al cuello.

Se paró, aferrando los papeles en sus manos: —Si es verdad, entonces alguien ha violado mi intimidad y por motivos de lo más sucios. ¿No te molesta siquiera un poco?

Aparentemente, Nate había recuperado el dominio de sí.

—En lo personal, sí. Profesionalmente, no puedo pensar en eso. La historia es demasiado importante. —Se paró y la miró de frente: —Todo es cierto, ¿no es así?

Lara hizo un esfuerzo por pensar objetivamente, como una periodista. Tal vez la habían visto salir del apartamento de Kerry, pero eso no demostraba nada, y hasta podía ser un error: dos años antes, su cara no era conocida por el público. *Newsworld* era una publicación agresiva, pero no carecía de ética. Aunque la prensa había rebajado sus pautas morales, aún conservaba algunas.

—¿Y bien? —insistió.

Lara recordó la voz atormentada de Kerry en el teléfono. Aunque perdiera su propia carrera, aún protegería la intimidad de él, la libertad de perseguir sus objetivos. En su corazón pensaba que le debía eso y más.

—No es verdad, Nate. —Su boca estaba reseca. —Lo de Kilcannon no es verdad.

—Hablaste con la terapeuta.

—*Off the record* te digo que sí. Y que tuve una aventura. Pero no con Kerry Kilcannon. —Hizo una pausa en busca de las palabras que protegieran a ambos. —Era una fuente, y muy buena. Me gustaba, en la medida que una periodista puede sentir algo por un político. Éramos amigos, nada más.

—¿Amantes no?

Por un instante recordó los ojos de Kerry la última vez que hicieron el amor. El huracán había pasado. La playa estaba llena de rocas y escombros que parecían ruinas de otro mundo; en la casa reinaba el silencio. Kerry le acariciaba la cara.

"Te amo —dijo—. Más que a nada en la vida..."

Lara tomó aliento: —No éramos amantes —dijo serenamente—. Esa parte es mentira.

Ella era la que mentía, pensó Nate.

La había mirado. Entendía todo: la posición en que se hallaba, lo que trataba de hacer, lo que necesitaba de ella. Pero también veía el dolor en sus ojos; las pausas, a veces breves, antes de responder; cómo se debatía con sus sentimientos.

—¿Nunca fuiste a su apartamento? —preguntó—. ¿Ni él al tuyo?

Lara se enderezó:

—Basta de preguntas, Nate. Debes irte. —Fue a la puerta con decisión. Pero antes de abrirla, se volvió para mirarlo. —Gracias por invitarme a beber una copa. Estoy encantada de verte otra vez.

Nate se crispó por dentro. Fue a la puerta y con mucha suavidad tomó las hojas de sus manos.

—¿Estás segura de lo que haces, Lara?

—¿No lo estarías tú?

Su voz era clara, resuelta. Nate siempre había admirado su equilibrio en circunstancias adversas; aún ahora, cuando la observaba en busca de indicios, estaba casi enamorado de ella. Tal vez nunca terminaría de entender a Kerry Kilcannon, pero comprendía muy bien lo que sentía.

—Si quieres hablar... —pero al ver su cara se interrumpió.

Al alejarse escuchó el chasquido suave de la puerta.

Lara apoyó la cara contra la puerta.

No escuchaba otro ruido que el de su respiración. Cuando vino la arcada, tuvo apenas el tiempo suficiente para llegar al baño. Su cuerpo temblaba con los vómitos.

Como *entonces*, pensó.

Lentamente fue a tenderse en la cama y enterró la cara en la almohada.

Lo que había sucedido con Kerry podía salir a la luz. Aunque *Newsworld* no publicara la historia, los periodistas interrogarían a sus vecinos y los de Kerry, preguntarían a sus amigos si sabían algo y, de paso, difundirían rumores. La aventura se convertiría en la comidilla de los cócteles, y de ahí a las notas en la prensa amarilla había un solo paso. La única duda era si no debía advertir a Kerry.

Sentía en la boca un sabor amargo a vómito.

Aún era una periodista, pensó. Pero se sentía mal; había traicionado su profesión, primero al ser la amante de Kerry, y ahora, con algo peor. Si le advertía, se hundiría aún más, se convertiría en la reportera corrupta preocupada solamente por los intereses de Kerry Kilcannon. Nate vigilaría a los colaboradores de Kerry en busca de indicios; se preguntó de qué serviría arrojar un peso más sobre sus hombros si ya le había dado lo que más necesitaba. Una mentira.

Sonó el teléfono.

Vaciló antes de responder. Cuando lo hizo, el tono vacilante y cauto de su voz era totalmente auténtico.

—Habla Clayton Slade. —Era una voz grave, cordial. —Necesito verla, si tiene tiempo.

Lara cerró los ojos.

—Cómo no —dijo por fin—. No estaba dormida.

DIEZ

Clayton Slade se sentó en una silla y durante unos momentos contempló a Lara en silencio, sin disimular su curiosidad. Lara tenía la sensación de conocerlo por intermedio de Kerry, aunque cada uno representaba un aspecto de su vida que el otro no conocía: la antigua amante y el amigo más íntimo y manager de campaña.

El hombre frente a Lara era robusto, de bigote entrecano, ojos grandes que no perdían detalle, mirada inteligente. El hecho de estar en California era el mejor indicio de lo que sentía por Kerry; él le había dicho una vez que a partir del accidente a Clayton le disgustaba separarse de su familia. La mera ambición no hubiera bastado para aceptar este trabajo.

Se sentó en el borde de la cama.

—Estás enterado —dijo—. De todo.

Clayton asintió lentamente: —Así es.

—Y viniste a verme para protegerlo.

Clayton entrecerró los ojos: —Vine para expresarte cuánto agradezco tu llamada. Y para decirte que tengas cuidado... por el bien *de los dos*.

Lara le obsequió una sonrisa sardónica: —Tal vez pueda darte una mano, Clayton. Quieres que me aleje de él. Esperas que me atenga a las pautas más estrictas de la ética periodística. Caso contrario, te ocuparás de que yo termine mi carrera como periodista acreditada ante la comisión de cloacas de algún pueblo perdido.

Por los labios de Clayton pasó una sonrisa fugaz, un reflejo.

—Yo no fui tan grosero. Pero veo que comprendiste la esencia del discurso.

En medio de su cansancio mortal, Lara sintió un aguijonazo de ira.

—¿Qué idea tienes de mí? Aunque él me importara un carajo,

tengo mi conciencia. Éste es el último lugar del mundo donde quisiera estar.

Clayton calló un instante.

—¿De veras? —preguntó por fin.

Lara sintió que la furia se desvanecía.

—Es una tortura —dijo—. No tienes la menor idea.

La mirada de Clayton se suavizó: —Al contrario, te comprendo.

Un nudo le oprimió la garganta. Hizo un esfuerzo, pero en vano: —¿Cómo está? —preguntó.

La sonrisa de Clayton era irónica: —¿Te refieres a Kerry? Está muy bien, es el mejor candidato que ha tenido el partido en muchos años. Es seductor, vehemente y lo más raro de todo es que en verdad le importa la gente. Si no mete la pata, será el cuadragésimo tercer presidente de los Estados Unidos. —Bruscamente bajó la voz: —Casi no habla de ti. No hace falta.

Lara se frotó los ojos: —Ni hace falta que *yo* lo haga, Clayton. Si es lo que querías saber.

Sintió que Clayton la miraba, trataba de penetrar en su mente.

—Tengo que hacerte una pregunta —dijo.

—¿Cuál es?

Su mirada era firme: —¿Quién más está enterado? Aparte de la persona que *tenía* que saberlo.

Lara se paró, cruzó los brazos. Sentía en la boca del estómago un gran hueco y un ardor; debía elegir entre la última traición a los principios y una mentira, esta vez a Kerry Kilcannon. El mejor amigo de él la miraba.

Lara se volvió para mirarlo de frente: —*Newsworld* sabe.

Clayton la escuchó durante veinte minutos. Cuando terminó de hablar, su cara estaba demacrada, cenicienta.

Por caridad trató de disimular el estupor que le provocaba la historia: por Kerry, por ella, por él mismo. Su primera pregunta fue derecho al grano:

—¿Crees que fue la terapeuta?

—O alguien que tenía acceso a su archivo. —Bajó la vista; su expresión era pensativa, angustiada. —Desde que Nate salió he tratado de recordarla. Yo estaba a la miseria, me daba igual hablar con cualquiera con tal de que las palabras no salieran de ese cuarto. Casi no recuerdo su cara. —Lo miró, su voz se endureció: —Ni se te *ocurra* ir a verla porque lo revelaré todo yo misma. Ya fui demasiado lejos.

—Si lo hiciera, la gente de Mason se enteraría —dijo Clayton, cortante—. Tu ética no estaría comprometida.

Lara se sentó lentamente. En la luz tenue del cuarto de hotel, parecía demacrada; en su rostro sin maquillaje se destacaban los intensos ojos negros.

—¿Por qué crees que es Mason?

—Cuestión de oportunidad. Los republicanos esperarían una mejor ocasión.

Lara lo miró: —Quienquiera que sea, no volveremos a hablar sobre esto. Te las arreglarás por tu cuenta.

Clayton la miró fijamente y trató de poner orden en sus sentimientos. En las últimas horas, su mundo se había derrumbado, su pasado había regresado para acosarla y había puesto en juego —dos veces— todo lo que valoraba como periodista. Pero trataba de dominar sus emociones, conservar un resto de su yo. El sentimiento que suscitaba en él no era lástima sino franca admiración.

Tomó aliento: —¿Quieres que le diga algo de tu parte?

Sus ojos se encontraron, entonces ella los apartó: —No. Nada.

Clayton vaciló: —Bueno —dijo por fin—, tengo mucho que hacer.

Lara se paró, hundió las manos en los bolsillos de la salida de baño: —Suerte.

Clayton la miró un instante. No había nada que decir.

—Igualmente —dijo, y salió.

Lo primero que vio Clayton al abrir la puerta de su cuarto fue un sobre blanco en el piso. Tardó un momento en reconocerlo: las cifras de Jack Sleeper, la encuesta de todas las noches. Parecía tan absurdo que estuvo a punto de soltar una carcajada.

Se sentó y se obligó a leer las cifras. Él mismo debía ser el primero en someterse a la disciplina: era su tarea revisar las cifras, y Jack Sleeper esperaba su llamada. No podía permitir que intuyera algún problema.

Se recostó sobre la cama, extendió la hoja y lo llamó.

—Es como yo pensaba —dijo Clayton—. Tres puntos de ventaja para Mason... estadísticamente, es un empate técnico. El debate podría ponernos en ventaja.

—¿Qué me dices de las mujeres a favor del aborto? —preguntó Sleeper—. Nos lleva seis puntos de ventaja en la zona de San Francisco, dos entre las mujeres proaborto en todo el Estado y eso fue antes del discurso de hoy. Creo que Mason está tomando impulso.

—Podría ser una señal. Las cifras de una noche no bastan...

—Creo que deberíamos anticiparnos —interrumpió Sleeper—. Dile a Ellen Penn que organice un acto con todas las mujeres prominentes que lo apoyan. Tal vez en San Francisco.

—Sigamos las cifras mañana y pasado antes de decidir si de veras es un problema. Créeme, Kerry quiere cambiar de tema.

—Sería hora. —El teléfono no lograba disimular la preocupación de Jack. —Mañana es el aniversario del asesinato de su hermano. Espero que todo salga como tiro. Lo digo en sentido figurado.

—Mejor, no se lo digas a Kerry.

—No hay mal tan malo que no venga siquiera por un *poquito* de bien, Clayton. El senador lo sabe. No importa lo que diga o deje de decir.

—Claro que lo *sabe* —dijo Clayton, y cortó.

Se sentó en la cama y apoyó la espalda contra la pared. Las mujeres proaborto deberían esperar.

Cerró los ojos y se preguntó a quién debía consultar. Kit Pace, desde luego. Nat Schlesinger, por su experiencia y sus contactos. Confiaba en ambos.

Con cierta renuencia incluyó a Frank Wells: no se podía prescindir de un tipo tan astuto, tan conocedor de los medios.

Los llamaría esa noche. Pero no a Kerry: debía descansar, y por innumerables razones la noticia lo desvelaría. Ya habría tiempo a la mañana.

Se disculpó con Kit Pace por despertarla y fue bruscamente al grano: —Hay un problema. Nos vemos en mi cuarto a las siete. Que nadie se entere.

Al sintonizar el noticiario, la imagen le pareció borrosa y demasiado clara. Era culpa de los veladores, pensó Sean; la luz de las bombitas desnudas en el cuarto del motel se reflejaba en la cara del periodista. Pero las dejó encendidas y se acercó a la pantalla.

Había sucedido a los siete años, esa oscuridad de la cual no podía escapar. Aún recordaba cómo derribó la botella de vino al extender el brazo sobre la mesa; las gotas rojas en la camiseta de su padre; la furia que deformó sus facciones. Lo había arrancado de la silla y arrastrado sobre la alfombra de la sala. En el pasillo oscuro, el padre abrió la puerta del ropero.

—Entra —dijo con voz espesa como la sangre.

Miró a su padre a los ojos y se obligó a dejar de llorar. Sabía que su madre no haría nada por él.

Lentamente, el muchacho se hundió en la oscuridad. La puerta se cerró. La llave giró con un chasquido metálico.

La oscuridad era total. Cerró los ojos y su cuerpo se estremeció con los sollozos que no dejó brotar. Por fin se detuvieron los espasmos.

Cuando abrió los ojos, estaba ciego. Hacía un calor sofocante.

Lo embargó el pánico, luego una angustia aún más profunda. Aterrado, tanteó en la oscuridad. Lo primero que encontró fue una tela gruesa y tosca: el saco de lana de su madre.

Lo bajó torpemente de la percha y lo extendió sobre el piso de madera. Se acostó, apretó las rodillas contra el pecho; enseguida la imaginó, al otro lado de la puerta, los ojos turbios de alcohol y amarga desesperanza. A veces parecía que lo miraban sin verlo...

El invierno anterior, durante el embarazo de su madre, el bebé era un pequeño bulto en su vientre. Sean lo palpaba bajo el saco de lana cuando se sentaban en el parque. A veces deseaba que no viniera.

En el ropero, tragó saliva al recordar...

Mientras bebían vino, su madre embarazada había preguntado al padre si no podían mudarse a un apartamento más grande. La bebida la volvía imprudente. Sean, que había escuchado sus discusiones nocturnas, intuyó que era un pedido insensato, que su padre no deseaba una nueva boca para alimentar. Durante horas bebió y caviló en la sala mientras Sean lo miraba con mudo terror; cuando la madre, demasiado borracha para juzgar el estado de ánimo del esposo, reiteró su pedido, él se paró, trastornado por la furia y el whisky, y le dio un puñetazo en el estómago. La madre se encogió de dolor y por el shock, demasiado mareada para llorar. Cuando fue al hospital, Sean vio las gotas de sangre en la alfombra; cuando volvió, ya no había bebé...

A pesar del saco de su madre, el piso era duro. Sean trató de acomodarse; le dolía todo el cuerpo, no podía dormir por miedo a morir ahogado. Le dolía la vejiga. Finalmente se alivió, pero tuvo cuidado de no mojar el saco de la madre. Cuando por fin ella abrió la puerta, su padre había salido; sucio, humillado, el muchacho se tambaleó desde el ropero, parpadeando bajo la luz.

Ahora, sentado en la cama, miraba impávido la pantalla del televisor.

"El vicepresidente Richard Mason cruzó todo el país para llegar a Boston —dijo el locutor— *y pronunciar un discurso frente a la clínica de mujeres donde ayer se produjo el trágico atentado."*

Mason apareció en la pantalla. *"En nombre de los que murieron aquí* —proclamó—, *yo digo a los mercaderes del terror y la violencia... ni una mujer despojada de sus derechos legales."*

Bruscamente lo embargó el orgullo, mezclado por el desdén por Mason. La furia del vicepresidente no parecía auténtica... como la suya. Lo extraordinario era que hablara en el mismo lugar donde él había actuado. Mason era pura cháchara; desde ayer, Sean era mucho más.

Mason alzó la voz: *"Dedicaremos todos los recursos de nuestro gobierno para descubrir al cobarde asesino y obligarlo a enfrentar la naturaleza de su crimen."*

Sean echó una mirada reflexiva a su alrededor. La puerta estaba cerrada con llave y con la cadena en su lugar; las cortinas estaban cerradas. En un día, tal vez dos, empezaría la búsqueda de Sean Burke. Quedaba poco tiempo.

Apareció una mujer en la pantalla. Aunque el nombre de pila era irlandés, su aspecto le parecía exótico, casi latino.

"En un acto en Los Angeles —comenzó—, *Kerry Kilcannon puso fin a todo un día dedicado a problemas de las mujeres... Pero su acto frente a un refugio para mujeres golpeadas fue interrumpido por partidarias del aborto que le exigieron explicaciones sobre su declaración reciente de que un feto es una vida. Su respuesta consistió en sugerir que el aborto es un derecho público pero a la vez, al menos para algunas mujeres, un trauma privado."*

En la cinta, Kerry Kilcannon parecía menudo, acosado. Pero Sean pudo percibir su franqueza desde la pantalla.

"Las palabras que usamos para esquivar esa verdad, tales como 'derecho de elegir', dejan sin respuesta esas preguntas angustiantes que cada mujer debe responder por sí misma. —Kilcannon suavizó la voz: —*Cualquier padre o madre que haya visto un sonograma, escuchado el latido del corazón de un niño por nacer o agradecido a Dios por el médico que salvó la vida de su bebé prematuro lo sabe."*

Sean se crispó de rabia: *Tú* sí *lo sabes*, pensó. *Eres católico romano, pero abandonaste tus raíces y todo el bien que aprendiste para convertirte en el aborto con rostro humano, como dijo Paul Terris.*

Se paró, empezó a pasear por la habitación. Bruscamente le vino un recuerdo visceral: los ojos de su padre, la última vez que lo vio.

"Lara Costello —decía la mujer—, *desde Los Angeles con la campaña de Kilcannon.*

Kerry Kilcannon echó agua en su cara.

La noche anterior, exhausto, se había dormido pensando en Lara y se había despertado de un sueño con Jamie. El final del sueño era el de Jamie: en un velatorio en Newark, su hermano menor, que luego sería senador nacional por Nueva Jersey, contemplaba su cara rígida.

La cara que veía en el espejo lucía demacrada; veía poca semejanza —si es que la había— con el joven salvador que algunos creían ver.

Kerry Kilcannon, el héroe que había salvado lavida de un niño. Eso decían los noticiarios. Kerry contempló la cicatriz en su hombro como si le fuera tan ajena como el acto de heroísmo.

En la recepción en Beverly Hills, en la galería llena de luces y espejos de un adinerado *marchand d'art*, Kerry había hablado sobre las minorías y los pobres. Al contemplar el auditorio de gente de dinero —celebridades, abogados; negociantes bien alimentados, cada uno mirándose en los demás como en otros tantos espejos—, descubrió que su ironía era más filosa que nunca. Pero el colmo de la ironía era que les gustaba su discurso.

Posteriormente, una estrellita del momento, de ojos café, coqueta y lo bastante inteligente para halagarlo, había insinuado que se acostaría con él. La respuesta de Kerry no fue "no" sino "por ahora, no"; sabía que ella no quería acostarse con el hombre sino con el presidente.

Su rostro desapareció del espejo.

En su lugar apareció el de Lara. Y luego, mucho después otros rostros: Meg; Liam Dunn; el muchachito de pelo oscuro que lo adoraba; y como siempre, Jamie.

"Veo a mi vida que fluye como un río, de cambio en cambio", escribió Keats. En cambio, Kerry veía a la suya como una serie de accidentes desgarradores, el último de los cuales era Lara.

"Hacer planes para toda la vida es una tontería —le había dicho una vez—. Todo es tan pasajero..."

En ese momento, a los veintiséis años, no sabía hasta qué punto era verdad.

NEWARK

1984-1988

UNO

Aunque no tenía manera de saberlo, en el momento en que le dijo a Vincent J. Flavio que se fuera al demonio, Kerry puso en marcha el caso Musso, el asesinato de una mujer y casi su propia muerte.

Cuando Liam Dunn le consiguió el puesto, nada estaba más lejos de su mente que enfrentar al fiscal del distrito de Essex. Estaba agradecido: a Liam, por su ayuda para estudiar derecho en Seton Hall; por el descubrimiento de que, aparte de dotes poéticas que sorprendían a todos, tenía vocación de abogado; por la humedad en los ojos de su madre al prestar juramento en una ceremonia íntima presidida, por pedido de Liam, por el venerable juez Thomas Riordan en su espacioso despacho revestido en roble.

Dos años antes, Mary Kilcannon había hallado a su esposo Michael desplomado en un sillón de la sala, muerto de un ataque cardíaco fulminante. Aunque el vecindario cambiaba, Mary permaneció en la casa donde había criado a sus hijos. Kerry se ocupaba de ella; Jamie era una personalidad lejana, el orgullo de Vailsburg aunque rara vez se dejaba ver por el vecindario: un senador apuesto cuyo intelecto y don de la elocuencia, propios de una universidad de elite más que de la comunidad irlandesa, tal vez lo llevarían a la presidencia a una edad más temprana que Kennedy.

Pero Kerry sentía escaso interés por Jamie y su mundo. Sus ambiciones eran más sencillas: juzgar a los criminales y justificar el orgullo de su madre. Aparte de un viaje de estudios a Florida, pocas veces se había alejado más de un centenar de kilómetros de Newark. No tenía intenciones de partir.

Así como Newark era una ciudad de contrastes —modernas torres de vidrio al lado de edificios abandonados y tiendas cerradas, el magnífico palacio municipal que alojaba un gobierno en quiebra—, lo mismo sucedía con el palacio de justicia del distrito de Essex. La primera vez que Kerry subió la escalinata con su título de abogado, se detuvo al pie de las gruesas columnas para leer las palabras "Ley", "Justicia" y "Paz" talladas sobre las puertas y contemplarlas estatuas símil griegas sobre el pórtico. Pero a pesar de las dimensiones grandiosas de la estructura, el interior había caído en la suciedad y el deterioro. Los asistentes del fiscal de distrito ocupaban cubículos de tres metros cuadrados a lo largo de un pasillo lúgubre; cada una contenía un gabinete metálico, dos escritorios enchapados en madera y unas sillas desvencijadas que, como decía su pelirrojo compañero de oficina Tommy Corcoran, crujían bajo el peso de los fantasmas de fiscales de antaño.

La oficina, que daba al pasillo interior, era un horno en el verano. Para mayor intimidad, cubrieron la única ventana con carteles cinematográficos, así los testigos que recibían allí no se sentían tan acosados. Pero aun los abogados se sentían un poco acosados. Aunque Newark era una ciudad violenta, ni el tribunal ni la oficina del fiscal tenían guardias o siquiera un detector de metales; muchos fiscales, entre ellos Tommy, guardaban una pistola en el cajón del escritorio.

A Kerry no le importaba. Pero le parecía imposible que alguien quisiera dispararle por procesar la serie interminable ofensas menores que le tocaban en suerte al fiscal novato: infracciones de tránsito, vandalismo menor, alteraciones del orden público. Y el fiscal en jefe del distrito, Vincent J. Flavio, no quería encender los ánimos.

—Flavio es un burócrata —le había dicho Liam—. Jamás debes olvidar que esperó ese puesto durante años y ahora que lo tiene hará cualquier cosa para conservarlo. Si ve en ti una amenaza, se convertirá en una víbora. El tipo conoce tantos secretos que los últimos dos gobernadores, un demócrata y un republicano, no tuvieron más remedio que conservarlo en el puesto. Hay sólo dos maneras de deshacernos de él: pescarlo con las manos en la masa de algo gordo o nombrarlo juez.

Con este último toque de humor sardónico, Liam reconocía a su manera las imperfecciones del mundo. Pero prosiguió con seriedad:

—Vincent no es un admirador de tu hermano. A veces me pregunto si Dios no creó a Jamie sólo para provocar rencor a los políticos como Flavio. "¿Cuándo pagó su derecho de piso?", se preguntan. Tú sí lo pagarás, Kerry.

"Tú y yo sabemos que aceptaste el puesto para aprender el oficio. Pero para Flavio, el apellido Kilcannon significa que eres un tipo de cuidado, acaso con influencias para desplazarlo. Demuéstrale respeto y consúltalo sobre asuntos importantes. Y si algún periodista demuestra interés por ti, hazte cargo de los errores y atribuye los aciertos al liderazgo y la sabiduría de Vincent J. Flavio.

A Kerry no le pareció mal consejo. Más que Vincent Flavio, conocía la capacidad de Jamie para humillar a sus interlocutores. En realidad, tenía más en común con Flavio que con su hermano: título de Seton Hall, la universidad "local" de donde egresaban los abogados, políticos y jueces de Newark; raíces profundas en la comunidad; conciencia de sus limitaciones. Como Flavio, sólo quería que lo respetaran.

El primer día, el asistente principal de Flavio —un hombre calvo, de cara arrugada y dura como una nuez llamado Carl Nunzio— lo acompañó a la oficina del jefe y cerró la puerta. Vincent Flavio estaba sentado detrás de su escritorio. Era un hombre tan robusto como el padre de Kerry, pero ése era el único parecido. Sus zapatos relucían, su cabello enrulado olía a loción, sus gemelos de oro y corbata con sus iniciales bordadas agregaban a su aire de *gravitas* —los dedos unidos por las yemas, la cabeza erguida— un toque de vanidad.

En el momento en que Flavio se paró para recibirlo, Kerry intuyó que la vanidad, lejos de ser un rasgo gracioso, era el aspecto más peligroso de su persona. Su apretón de manos era firme, su sonrisa tan amplia que aparecían arrugas en las comisuras de los ojos. Pero su mirada se clavó en la de Kerry con una intensidad tal que penetró hasta su cerebro. Era como si hubiera enseñado a su boca y sus ojos a cumplir distintas funciones. Kerry se sintió pequeño e incómodo.

Flavio se sentó, enmarcado por su propio rostro sonriente que lo miraba desde diversas fotos con un senador, dos gobernadores y, para sorpresa de Kerry, Luciano Pavarotti.

—Así que quieres ser abogado litigante —dijo el fiscal.

Kerry asintió. Con timidez buscó alguna frase de reconocimiento y humildad.

—Tal vez algún día pueda tener mi propio bufete. Pero éste es el lugar donde aprender. Tengo suerte de estar aquí.

Flavio mostró los dientes en una sonrisa: —La suerte no tiene nada que ver, Kerry. Liam Dunn te elogió mucho.

El mensaje tácito era claro: no estás aquí por mérito tuyo sino como favor mío a Liam. Kerry pensó en los hijos, primos o sobrinos de seguidores en lista de espera para su puesto y se sintió a la defensiva, sin duda como quería su nuevo jefe.

—Haré lo mejor que pueda —dijo para su propio disgusto.

Como si disfrutara del malestar de Kerry, la voz de Flavio se volvió francamente cordial:

—Estoy seguro de que lo harás, Kerry. —Lo que escuchó Kerry fue: *Por lo que pueda valer.*

Kerry se paró, incómodo: —Le agradezco la oportunidad, señor Flavio.

Flavio no se paró: —Llámame Vincent, Kerry. Mientras sigas aquí, esta puerta estará abierta. Debes mantenernos al tanto, a mí o a Carl.

Al salir se dio cuenta de que el fiscal no había mencionado una sola vez a Jamie. Era otro mensaje claro: en el mundo de Vincent J. Flavio, James Kilcannon no existía.

No hay problema, pensó Kerry con nuevos ánimos. Lo único que importaba era adquirir experiencia en juicios.

Durante un año trabajó duramente. Tal vez había abogados más vivos, pensó, más hábiles o con mejores instintos. Pero ninguno le ganaría en cuanto a cantidad de trabajo. Ofensa por ofensa, aprendió a ganarse la confianza de los agentes de policía, a tratar con la mezcolanza poliglota de testigos afectados por los males de la vida urbana, a entenderse con jueces tan groseros y aburridos y cínicos que sus cortes eran el purgatorio de los abogados. Tommy Corcoran se maravillaba de que trabajara tantas horas y el mismo Vincent Flavio tomó nota. A fin de año, tenía más casos procesados que cualquiera. Y si no soy un abogado brillante, pensaba Kerry, al menos soy un buen mecánico legal.

Un día, Carl Nunzio vino a su oficina y le entregó un sobre vacío.

—Para regar las macetas —dijo.

Kerry le devolvió la mirada y trató de ocultar su consternación. No por nada era discípulo de Liam; cuando devolviera el sobre, no estaría vacío.

—¿Qué es eso de regar las macetas? —preguntó con fingida ingenuidad.

Nunzio entrecerró los ojos para expresar su fastidio: —Para ayudar a Vincent a solventar los gastos de la oficina —dijo por fin—, les pido a todos los abogados que ayuden a regar las macetas.

Comprendió que estaba atrapado. Liam no podía deshacerse de Flavio; en el reparto tácito de puestos que mantenía unido al partido, la oficina del fiscal era para un italiano, y los que tenían poder para deshacerse de Flavio le temían. Kerry se preguntó si su dinero iría a parar al ropero de Flavio o a su apartamento en Florida y cuánto le tocaba a Nunzio.

—¿Cuánto? —preguntó sin vueltas.

Nunzio inclinó la cabeza como si viera en Kerry algo que había pasado por alto.

—Diez por ciento del sueldo bruto.

En silencio, Kerry sumó doscientos cincuenta dólares mensuales a los cuatrocientos que enviaba a su madre y se dijo que debería mudarse a un apartamento más barato. El tono de Nunzio era engañosamente amable.

—La suma es voluntaria, claro. Pero esperamos el ciento por ciento de colaboración.

Acorralado, su propia impotencia lo llenó de furia. La amistad de Liam y el apellido de su hermano sólo lo salvarían del despido; pero la consecuencia de rebelarse sería el suicidio profesional: la transferencia a una oficina donde no tendría otro trabajo que el de ordenar papeles. Sería el fin de su formación como abogado litigante.

Asintió lentamente.

Para su sorpresa, Nunzio tomó la silla de Tommy Corcoran y se sentó frente a él: —Hay algo más.

Su instinto le indicó que lo mejor era guardar silencio y esperar.

—Te han enviado un expediente —prosiguió Nunzio—. El caso de Frankie Scaline. La audiencia preliminar será la semana entrante.

Kerry procesaba muchos casos; éste no lo conocía, pero sí el nombre de Scaline.

—No he visto el expediente —dijo.

Nunzio extendió los brazos: —Pelea doméstica, esposa trastornada, dice a la policía que el esposo le dio una trompada. ¿Quién sabe?

Kerry lo miró fríamente: —¿A quién le importa? —preguntó suavemente.

Nunzio le devolvió la mirada: —Pocas pruebas, como siempre. No quiero que pierdas el tiempo.

Kerry calló un instante: —Que se lo den a otro —dijo sin levantar la voz.

Nunzio se recostó en la silla y plegó las manos bajo el mentón: —Creo que deberías desestimarlo.

Kerry comprendió. Si algo llegara a sucederle a la esposa, el cambio de fiscal llamaría la atención; Flavio no quería dejar sus huellas en el expediente, por eso se lo pasaba a Kerry.

—Tal vez debería hablar con la esposa —dijo.

—Tengo entendido que lamenta haber presentado la denuncia —dijo Nunzio después de una pausa. Había en su voz apenas un matiz, una insinuación de que perdía la paciencia. —No tiene sentido molestar a la señora. Es su matrimonio, no el tuyo ni el mío.

Kerry sintió tensión en el pecho. La mujer había insistido con su denuncia y alguien había realizado una llamada. Así se hacían las cosas.

—Quiero leer el expediente —dijo.

Nunzio se paró: —Me parece muy bien, Kerry. Para mañana.

Nunzio salió y Kerry permaneció inmóvil durante un buen rato, con la mirada perdida. Pasó media hora antes de que levantara el auricular.

—¿Quién es Frankie Scaline? —preguntó a Liam.

—El hijo de Peter Scaline —dijo Liam. Como siempre, no necesitaba hacer preguntas.

—Eso pensé.

—Te conviene saber —prosiguió Liam sin inmutarse— que Peter apoya a Vincent Flavio. Y si no recuerdo mal, Vincent es el padrino de Frankie.

Y tú eres el mío, pensó Kerry: —Gracias, Liam.

Se hizo silencio mientras Liam ponderaba sus obligaciones.

—¿Todo bien por allá? —preguntó.

Liam le había ayudado bastante, pensó Kerry. Al interceder por él ante Flavio, gastaría una parte del capital político que necesitaba para fines más importantes.

—Todo bien —dijo, y se despidió.

Halló el expediente Scaline sobre un archivador metálico.

Según el informe policial, Frankie Scaline tenía veinticuatro años, y menos de uno de casado. Su esposa Elaine se había encerrado en el dormitorio y llamado a emergencias. El agente que fue a la casa vio un moretón en la cara y un labio hinchado. Ella dijo que Frankie le había pegado porque se negó al sexo oral; el esposo, entre avergonzado y agresivo, dijo que se había caído. Para hombres como Vincent Flavio era una comedia, un favor a realizar.

Kerry cerró el expediente y se frotó los ojos.

Era la segunda denuncia de Elaine Scaline. La rígida prosa policial no alcanzaba a ocultar el drama: Frankie era un esposo golpeador y su mujer sabía que las cosas se pondrían peores. Por eso no retiraba la denuncia.

Era el último caso que Kerry hubiese querido procesar.

Sabía por qué. Cualquier otro diría que los casos de violencia doméstica eran la escoria de la oficina: testigos que se contradecían, denuncias retiradas. Lo mejor era seguir la recomendación de Nunzio. Pero Kerry tenía razones más profundas: el hábito del silencio que le había transmitido su madre, la necesidad de olvidar.

Esa parte de su vida había terminado. No tenía el menor deseo de volver.

La mañana de la audiencia preliminar de Frankie Scaline, Kerry se presentó en la corte.

Todo resultó a pedir de boca. En nombre del Estado de Nueva Jersey, el asistente de fiscal de distrito Kerry Kilcannon pidió que se desestimaran los cargos. Frankie no se presentó, su esposa tampoco. Se hizo lo más difícil: Kerry llamó a Elaine Scaline para decirle que el caso era difícil debido a la falta de testigos. El abogado de Frankie Scaline no tuvo que abrir la boca.

Al salir de la sala, estrechó la mano de Kerry y le agradeció.

A solas, Kerry se detuvo en la escalinata. No sabía qué hacer, ni siquiera adónde iba.

Al final de la conversación, Elaine Scaline se había puesto a llorar.

Desgarrado por la furia y el odio que sentía por sí mismo, volvió a su oficina. El sobre estaba en su escritorio.

Arrancó un jirón de papel de su cuaderno de apuntes, escribió tres palabras y puso el papel en el sobre. Recorrió el laberinto de pasillos hasta la oficina de Vincent Flavio y abrió la puerta.

Flavio hablaba por teléfono. Al ver a Kerry no señaló una silla ni cortó la comunicación. Kerry esperó.

Al cortar, Flavio lo miró de arriba abajo en mudo reproche por su descortesía.

—¿Qué pasa? —preguntó.

Cruzó la alfombra oriental de Flavio y le entregó el sobre. Al retirar el jirón de papel, su rostro enrojeció.

Expediente Frankie Scaline. Eso había escrito.

—Es mi aporte a las macetas, Vincent —dijo con voz temblorosa de furia—. Creo que es suficiente.

Salió sin darle tiempo a responder.

No tuvo que esperar mucho. Ese mismo día, su amigo Tommy Corcoran fue enviado a otra oficina y reemplazado por un robusto abogado negro llamado Clayton Slade, a quien también le gustaba el silencio.

Dos días después, Carl Nunzio lo llamó a su oficina.

—Te voy a asignar otro caso —dijo, y esperó la pregunta. No la hubo.

"Eso de la violencia doméstica se ha convertido en un verdadero problema —prosiguió—. Vincent piensa que necesitamos un especialista. —Por una vez asomó una sonrisa a su cara demacrada. —Y por supuesto que pensé en ti. Después de todo, tienes experiencia.

DOS

Dos semanas más tarde le dieron el expediente Musso.

La víctima se llamaba Bridget Musso. Cuando llegó la policía, el esposo había desaparecido; estaba tendida en el piso de la sala, inconsciente. Tenía la cara amoratada y varios dientes rotos. Pero el detalle más sobrecogedor era que su hijo de ocho años estaba sentado junto a ella. Hablaba tan poco que pensaron que era retardado. Lo único que dijo a la policía fue, "Creo que mi mami está muerta".

Llevaron a Bridget al hospital y a su hijo a un hogar católico para varones. A Kerry le pareció sensato; en el edificio de apartamentos donde vivían los Musso, el padre era conocido por sus borracheras y berrinches. Cuando lo atraparon en una taberna, Anthony Musso dijo que su esposa alcohólica había tropezado en el baño y se había golpeado la cara en el lavabo. No preguntó dónde estaba su hijo.

El segundo problema era la misma Bridget.

El informe de admisión del hospital mencionaba rastros de drogas en el organismo y alcohol en la sangre muy por encima del tope legal. Tomaba medicamentos para la epilepsia, pero en combinación con el exceso de alcohol le provocaban un estado de estupor.

Así solían verla los vecinos: aturdida, ausente, con la mirada perdida. Aparentemente, John Musso no tenía padres dignos de ese nombre.

Kerry sabía que un buen abogado defensor impugnaría el testimonio de Bridget Musso. Que los borrachos suelen caer y lastimarse estaba grabado a fuego en su memoria.

Ante todo, debía interrogar a Bridget.

Al recibir el alta del hospital, se negó a volver a su casa. Se alojó con su hijo en un refugio municipal; al hablar por teléfono, Kerry comprendió que había vuelto a beber. Reservó una sala para interrogarla y la hizo traer por una escolta policial.

* * *

Era pelirroja, tenía cara de irlandesa y, según el expediente, treinta y cinco años. Pero las enfermedades y adicciones parecían haberla drenado de fuerza vital. Tenía el mentón flojo, las carnes blandas; su piel pálida estaba manchada y Kerry vio la maraña de capilares rotos bajo la piel de las mejillas. Aunque eran las once y media de la mañana, su aliento olía a whisky.

—¿Puede decirme qué pasó? —preguntó.

Se palpó la cara como para estimular su memoria. Bajo sus dedos delicados, el moretón adquiría un tinte amarillo verdoso. Cuando abrió la boca, Kerry vio los dientes rotos, la sutura en la cara interior del labio.

—Lo hizo Anthony —dijo con voz sorda, y se encogió de hombros—. Todos los hombres son iguales. A veces se enfadan.

Kerry sintió un escozor en el cuello.

—¿Su padre le pegaba a su madre? —preguntó con voz suave—. ¿O a usted?

Por un instante su mirada se perdió en el vacío.

—A las dos —dijo por fin.

Dios querido, se dijo Kerry, desesperado. Pero reprimió el impulso de preguntarle más sobre eso; ya estaba bastante trastornada.

—Esa noche —dijo—, ¿qué le hizo su esposo?

Durante una hora, paso a paso, recorrió el campo minado de su memoria: fogonazos de claridad rodeados por agujeros negros. La memoria de un ebrio.

Cuando terminó, Kerry estaba exhausto; el relato de esa noche, tomado de las declaraciones de Bridget y del expediente, era indeleble.

Estaba en la sala humilde de la casa. John probablemente estaba en su habitación: Bridget Musso no sentía curiosidad por saberlo. La luz de la lámpara no alcanzaba a disipar la oscuridad. El olor agrio de la salsa de tomate quemada le recordó vagamente que no había apagado el fuego en la cocina.

Anthony no había llegado a cenar.

Mientras lo esperaba, Bridget se sirvió más whisky en el vaso de plástico. La música de la radio, sintonizada en una emisora de rock suave, parecía llegar desde muy lejos, de a una nota por vez. Escuchó el ruido de la llave, luego el de la puerta que se cerraba suavemente.

Su esposo era una sombra enorme en la oscuridad.

Bridget se enderezó. Él se paró frente a su silla, muy sereno, la cara hundida en la sombra.

—¿Por qué me haces esto, Bridget?

Su voz era quejumbrosa, casi un susurro. Era el momento en que ella más lo temía.

Meneó la cabeza, aturdida.

—¿Por qué? —repitió.

Sus ojos eran charcos negros, cubrían sus mejillas una barba incipiente. Igual que su padre.

Aterida, Bridget sintió el hilo de orina que corría por su pierna.

Su esposo contemplaba la mancha que se extendía sobre el almohadón de la silla.

—Como un animal —dijo. Su voz se había vuelto ronca. —Un perro...

Bridget empezó a llorar. Cuando la alzó brutalmente de la silla, chilló de dolor...

Se hundió en la noche.

Ahora estaba en el baño, el vestido alzado en torno de su cintura, acaballada sobre el inodoro. El esposo la abofeteó con tanta fuerza que se golpeó la cabeza contra la pared.

—Ahora vas a mear —ordenó—. Vamos, ahora.

Cerró los ojos y lo intentó. Su cuerpo temblaba.

—*Ahora* —rugió.

Estaba aturdida, las lágrimas caían por su cara.

La abofeteó otra vez. Al caer hacia un costado aferró el lavabo con una mano.

Pudo alzarse. Tenía la bombacha caída en torno de los tobillos. En el espejo resquebrajado, apareció la cara de su esposo partida en pedazos.

Con una mano brutal le aferró la nuca y le estrelló la cara en el lavabo.

Bridget chilló de dolor. Al tambalearse hacia la puerta del baño escupió fragmentos de sus dientes.

Su hijo estaba en la puerta, los ojos llenos de terror. Bridget pasó a su lado y se hundió en la oscuridad.

Era lo último que recordaba. Su hijo de ocho años llamó a emergencias.

Kerry, al borde de sus fuerzas, la miró sobre la mesa. El cubículo estaba bañado por una luz fluorescente verde. El aire era cálido, sofocante.

—Necesito que declare en la corte —dijo con su voz más suave.

Muda, meneó la cabeza, los ojos clavados en las manchas de café sobre la mesa.

—Me matará si lo hago —murmuró por fin.

—Bridget —dijo con la boca reseca—, la matará si no lo hace.

Sus ojos verdes parecían muertos, pensó Kerry. Las lágrimas eran la única señal de que lo había escuchado.

Volvió a su oficina, se aflojó la corbata y se arrellanó en la silla, los ojos cerrados de cansancio. No miró a Clayton Slade.

Era afortunado al tener una madre como Mary Kilcannon, pensó.

—¿Y bien —preguntó Clayton—, cómo estaba la mujer?

Kerry lo miró con sorpresa y se preguntó cuánto había adivinado al escuchar sus llamadas al refugio, el hospital y la policía.

—Un desastre —dijo. Se dijo que era un alivio hablar con un colega, usar la jerga del oficio. —Lagunas en la memoria. Pasado el límite legal. Miedo de declarar.

—¿Y las heridas?

—*Ella* dice que él le estrelló la cara contra el lavabo. *Él* dice que se cayó, que estaba tan borracha que se meó encima. Y esto es verdad.

Clayton frunció el entrecejo y se tomó las manos sobre el estómago.

—Vas a necesitar el testimonio del chico —dijo.

Esa noche, en su apartamento, mientras escuchaba casetes de Bruce Springsteen y Southside Johnny, Kerry pasó revista a su vida.

Tenía veintisiete años, era soltero, hermano menor de un senador y menos dotado que éste, con un jefe que era su enemigo y un conjunto de casos de violencia doméstica. La única salida era James Kilcannon; en su primer viaje a Washington, Jamie le había ofrecido un puesto de baja categoría en la burocracia del Senado. Pero Washington no seducía a Kerry, y ser un subordinado de Jamie lo condenaría a vivir a la sombra de su hermano mayor, sin vida propia.

—Vas a necesitar el testimonio del chico —le había dicho Clayton Slade.

Sin saber por qué, pensó en su padre.

Durante los últimos años de su vida, Michael Kilcannon se había convertido en un bebedor solitario y melancólico, sumido en la vergüenza, incapaz de disculparse con su esposa y sus hijos. Para Kerry, era un muerto en vida; ahora que su madre estaba a salvo, casi no le hablaba. Entonces murió y Kerry, atónito, lloró su soledad y su furia no resuelta. Comprendió que había deseado con desesperación tener un padre, pero lo único que le quedaba era el terror de los ataques de violencia y la decisión de que jamás sería como él.

John Musso tenía ocho años.

Desechando los hábitos de toda una vida, se obligó a recordar.

Cuando tenía ocho años, Kerry no tenía a quién pedir ayuda: Jamie les había vuelto la espalda y su madre tenía miedo de llamar a la policía. Y si la hubiera llamado, ¿él hubiera tenido el coraje de apoyarla? Pero Mary Kilcannon no era una pobre borracha que a la brutalidad de su padre sólo oponía una estólida indiferencia.

Si quería enviar a Anthony Musso a la cárcel, debía ganarse la confianza *del hijo*.

A solas con él en el salón de testigos, John Musso era incapaz de mirarlo.

Kerry vio un muchachito pálido de pelo lacio y oscuro y el hábito de apretar los dientes como para soportar lo que fuera a sucederle. Expresaba su miedo al tragar convulsivamente.

—Me llamo Kerry —dijo suavemente.

John se negó a alzar la vista. La única señal de que lo había escuchado era que dejó de mover la cabeza y tragó varias veces. Era lógico que los agentes de policía lo creyeran autista, pensó.

—Trabajo con la policía —prosiguió—. Mi tarea es ayudarlos a ti y a tu mamá.

John no respondió. Kerry sacó de su bolsillo una pelota de caucho, la puso sobre la mesa, la hizo rodar bajo los dedos.

Los ojos del muchacho se posaron fugazmente en la pelota.

—¿Te gusta? —preguntó Kerry.

No hubo respuesta.

—Es tuya. A ver, dame la mano.

Por un instante el muchacho permaneció inmóvil, los ojos celestes clavados en la mesa. Su mano se deslizó hacia Kerry como animada por una vida propia. Cuando éste le puso la pelota sobre la palma, John se encogió y sus dedos aferraron la esfera roja con tanta fuerza que los nudillos se pusieron blancos.

—Pásamela sobre la mesa —dijo Kerry—. Yo te la devolveré. Es un juego.

John tragó otra vez. Kerry advirtió que no quería soltarla.

—No hay problema —dijo—. Puedes quedártela.

En un gesto que parecía obedecer al miedo más que a las ganas de jugar, el chico soltó la pelota, que rodó sobre la mesa. Kerry la tomó y la colocó nuevamente en su palma.

—¿Otra vez? —preguntó.

Por toda respuesta, John le devolvió la pelota. Al devolvérsela, se preguntó quién jugaba con el niño. Su maestra de segundo grado le había dicho que miraba a todos con suspicacia, que sus ausencias eran frecuentes y sus calificaciones, pésimas. En la escuela sólo salía de la abulia cuando sufría un ataque de furia.

Se pasaron la pelota una y otra vez, en silencio. Para John Musso, esa sala lúgubre se había convertido en un refugio: unos minutos con un hombre extraño que, fuera quien fuese, aparentemente no significaba una amenaza. Kerry dejó que creciera el silencio. Recordó que en las contadas ocasiones en que jugaba a la pelota con su padre, no era necesario hablar.

¿Qué puedo decir?, se preguntó. Y cuando le vino la respuesta, era tan difícil de realizar que tuvo una súbita revelación sobre el alma de ese niño y también la suya.

—¿Puedo contarte algo? —dijo por fin.

La pelota se detuvo en la mano de John Musso.

—Cuando yo tenía ocho años, mi papá le hacía cosas a mi mamá.

El chico estaba inmóvil.

—Le pegaba. Como tu papá. Yo no podía impedirlo.

El chico tragó otra vez. Kerry observó que su boca no estaba crispada como antes. La suya estaba reseca.

—Yo me acostaba en la cama —prosiguió— y pensaba, ojalá viniera alguien a ayudarnos.

John callaba. Su mano aferraba la pelota.

Por primera vez, Kerry se la quitó, se la devolvió rodando sobre la mesa.

—Yo odiaba eso que pa le hacía a mi mamá. Sé que tú también. —Kerry bajó la voz. —Si puedo detenerlo, tal vez tu mamá se ponga mejor. Pero necesito tu ayuda.

Kerry calló, dejó que la esperanza se asentara en la mente de John. El chico tragaba convulsivamente. Entonces aflojó los dedos y dejó que la pelota escapara de su mano.

Tenso, Kerry la miró rodar hacia la suya.

—¿John, recuerdas esa noche, cuando la policía llevó a tu mamá al hospital? ¿Qué le hizo tu papá para hacerle tanto daño?

Hubo un largo silencio, hasta que John Musso miró a los ojos de Kerry, cerró los ojos y con labios temblorosos susurró:

—Le pegó la cara contra el lavabo.

Kerry fue a visitar a Bridget Musso en el refugio.

Era una tibia mañana de primavera y había plegado la capota de su Volkswagen de diez años. Se anunciaba un hermoso fin de semana, lo cual le recordaba que no tenía novia, amigas ni planes. También en eso era distinto de su hermano. Pero bastó ver a Bridget Musso para olvidarse de todo eso.

Estaba reclinada en un sofá, la cara laxa y la nariz roja. Deliberadamente, echó una mirada alrededor de la sala desprovista de muebles, deprimente como un hotel para viajantes de comercio.

—¿Esto es lo que quiere para su hijo? —preguntó—. ¿O para usted?

Lo miró en silencio. Kerry se sentó a su lado en el sofá.

—No quiere que vuelvan a pegarle a usted, Bridget. No quiere que vuelva a emborracharse. —Y en tono más suave preguntó: —¿Me está escuchando?

Asintió casi imperceptiblemente.

—Bueno, escuche bien. —La miró a los ojos. —Aunque tiene miedo, su hijo de ocho años está dispuesto a declarar en la corte por usted. ¿No se atreve a declarar por *él,* Bridget?

Separó los labios, pero no dijo nada. Consciente de sus dudas, Kerry olvidó por un momento que John Musso no le había prometido nada, que usaba a uno para dar ánimos al otro.

—¿Qué vale ese chico para usted? —preguntó—. ¿Tiene algún valor? Porque si no hay un cambio, nunca conocerá otra vida que la que tuvo *usted*. Y será un hombre igual que su padre.

La mujer parpadeó y desvió la cara.

Kerry quería aferrarle los hombros, obligarla a mirarlo a los ojos. Se obligó quedarse quieto.

—*Míreme,* Bridget.

Se volvió lentamente hacia él.

Kerry acercó la cara a unos pocos centímetros de la suya: —Si ayuda a John —dijo—, yo enviaré a Anthony a la cárcel. Y después tendrá miedo de hacerles daño.

Lo miró a los ojos durante varios minutos. Y luego, como si respondiera a la voluntad de Kerry, asintió.

TRES

Esa noche, acosado por sus dudas y por la soledad, Kerry decidió pasar por McGovern's a beber una cerveza.

Para él, McGovern's era la última gran taberna irlandesa. Vailsburg había cambiado tan rápidamente que sus bares desaparecían, se transformaban en tiendas, salones de reunión y en un caso asombroso, en una iglesia apostólica negra. Pero McGovern's conservaba la decoración de los años 30, los recuerdos de Irlanda en las paredes y el hogar y las gorras policiales que colgaban sobre la barra de madera. Las reglas eran intemporales. Se permitía fumar, pero se expulsaba al hombre que dijera malas palabras delante de una dama. No había televisor que impidiera la conversación, el debate o la posibilidad de conocer a un posible cónyuge en circunstancias socialmente aceptables: todos sabían que no era un bar para levantes sino un club social, y se decía que "hay más casamientos en McGovern's que en la iglesia". La música era irlandesa y el propietario, un inmigrante que sabía bailar la giga, solía convidar alguna vuelta de cerveza. Debido a su proximidad a las facultades de derecho de Rutgers y Seton Hall, era uno de los bares preferidos de la fauna tribunalicia; la publicidad en las revistas de derecho decía, "McGovern's, la única barra que usted no querrá pasar". Kerry reflexionó con sorna que más de un futuro abogado iba a McGovern's a ahogar las penas de un aplazo en los exámenes.

Era viernes y la taberna estaba llena de humo, risas, el murmullo de discusiones, chismes o coqueteos. Kerry advirtió con sorpresa que no había nadie de su oficina. Iba a partir, pero la alternativa era pasar otra noche con Southside Johnny, de manera que ocupó el único taburete libre frente a la barra.

Al instante apareció el propietario, Bill Carney, un hombre de sesenta años bien llevados, ojos chispeantes y bigote gris, con una botella fría de Killian's Red, la preferida de Kerry.

—Kerry Kilcannon —dijo con una sonrisa—. El fiscal combativo, valiente campeón de la verdad.

Kerry sonrió. Habían iniciado ese juego la noche que le tomaron juramento, y en cada ocasión debía inventar un título nuevo.

—Bill Carney —replicó—, evasor de impuestos, prófugo de la ley, azote de la corona inglesa.

Bill rió: —Ojalá fuera verdad, sobre todo lo de la evasión de impuestos. —Le sirvió la cerveza. —Bueno, cuéntame cómo andan las cosas en la frontera de la justicia urbana.

Kerry bebió un sorbo y decidió contestar con un remedo de la verdad: —Casos difíciles, jornadas largas. Ahora más que nunca.

Bill le dirigió rápidamente una mirada astuta, producto de diez mil noches de práctica en adivinar los estados de ánimo, y luego miró a la mujer del taburete contiguo.

—¿Se conocen?

Kerry no la había mirado. Ella se volvió, con una sonrisa burlona lo miró de arriba abajo. Era bonita: pelo castaño corto, nariz respingada con pecas, grandes ojos verdes, boca generosa enmarcada por hoyuelos al sonreír. Se volvió hacia Bill:

—¿Debería conocerlo?

Bill se encogió aparatosamente de hombros: —No podría decirte. A veces me parece que no lo conozco.

Fue a atender a otro cliente, dejando a Kerry y la mujer para que se entendieran solos.

—Bill a la carga —dijo Kerry para romper el hielo.

Volvieron los hoyuelos, esta vez en una sonrisa que parecía levemente sardónica:

—Mis padres se conocieron aquí —dijo en tono irónico—. Bill cree que es parte de una gran tradición. No quiero desilusionarlo contándole lo mal que se llevan.

La inesperada observación le provocó risa. Con un par de palabras francas, la mujer había invertido lo que en un principio parecía ser una historia sentimental y aliviado el temor de Kerry de que Bill Carney hubiera planificado el encuentro.

—Soy Kerry Kilcannon —dijo, y le tendió la mano.

La mano de ella era fresca y seca: —Meg Collins. Y *sí*, te conozco. Del Sagrado Corazón. —Sonrió otra vez: —Eras mayor que yo. Tenías unos diez años.

Kerry la miró unos instantes y la reconoció a su vez:

—Me parece que te vi en una fiesta en la facultad de derecho. ¿No eres la esposa de Pat Curran?

—Sí, me viste. Y *era* su esposa. Duró hasta muy poco después de esa fiesta.

—Lo lamento —dijo con sinceridad.

—No hay problema, de veras. —Lo dijo con buen humor, como

para rechazar cualquier muestra de pesar. —Cuando no hay niños, se parece más a un accidente ferroviario que a una agonía prolongada. Un buen día se fue tu esposo y ya no tienes que hablar con él.

Kerry se preguntó qué había sucedido. Pero el mismo espíritu solidario que despertaba su curiosidad le impedía preguntar; sólo podía ofrecerle su honestidad.

—Algunos días son mejores que otros para estar solo, ¿no te parece? No tienes con quien hablar, pero puedes hacerlo que se te dé la gana.

Meg asintió: —Es lo que trato de aprender. Como ir al cine sin una amiga o venir aquí. Es algo que no enseñan a las mujeres.

Kerry percibió su tono resuelto y se preguntó si no la estorbaba.

—No te sientas en obligación conmigo —dijo, y agregó para aligerar el tono—: Digo, como en ese juego de parejas por televisión, cuando el hombre viene de atrás del biombo y la mujer parece decir con la mirada, "Yo con *éste* no voy a salir".

Meg sonrió y posó una mano sobre su brazo: —Si quisiera que te alejaras de mí, ya te habrías dado cuenta. Pongo los ojos en blanco, como en esos sermones interminables del padre Joe. —Sorbió su cerveza. —Pero es cierto que ese show es espantoso. Creo que quieren enseñarte a sentir pena por otros.

A pesar de su sonrisa, Kerry tuvo una ocurrencia desagradable: *Mientras siga procesando casos de violencia doméstica, no voy a necesitar esa clase de lecciones.* Pero sí necesitaba hablar con alguien sobre John Musso. Claro que no era un tema para conversar con alguien a quien acababa de conocer, y además tenía mucho que ver con su propia vida.

—¿Y qué haces con tu vida? —preguntó.

—Soy secretaria de un abogado —dijo con indiferencia—. El plan era que trabajaría hasta que Pat se recibiera de abogado, y luego reanudaría mis estudios. Ahora estudio de noche para obtener el título habilitante de maestra.

Kerry intuyó que la indiferencia era fingida. Aunque lo disimulaba con ese tono fatalista, Meg aún no terminaba de superar el fracaso de su matrimonio.

—Parece que Pat no era gran cosa como marido —dijo.

Ella lo miró, pensativa, luego su mirada se paseó por el local. El humo, las risas y las conversaciones los envolvían en un capullo de intimidad.

—Era joven —dijo—. Quería cambios, emociones, cosas nuevas. Y yo descubrí que el matrimonio es otra cosa.

Por un instante Kerry sintió algo más que simpatía; con toda honestidad, le había mostrado su corazón. Pero él no tenía una experiencia que ofrecer, ni conocía a Meg como para hacer algún comentario. Permanecieron un rato en silencio.

—Bueno —dijo ella por fin—, creo que es hora de ir a casa. El lunes empiezan los finales.

Kerry se preguntó si era verdad, y vaciló. Pero Meg era verdaderamente bonita y había despertado su interés. Se paró.

—¿Me permites llevarte hasta tu casa?

Meg lo estudió unos instantes y volvió a sonreír.

—Siempre *parecías* un buen chico, Kerry. Al menos para las chicas.

Vivía en la planta baja de un dúplex en Down Neck, el viejo barrio portugués, ahora preferido por algunos jóvenes debido a los alquileres bajos y los buenos restaurantes. Durante el trayecto conversaron sobre Vailsburg y algunos recuerdos comunes.

—Parecías tan serio —dijo Meg—. A veces me preguntaba si pasaba algo malo.

Kerry había aprendido las bondades del sentido del humor:

—Serio no —dijo—. Sólo estaba rezando. Era la única manera de obtener buenas calificaciones.

Cuando llegaron al dúplex, Kerry la acompañó hasta el porche. Se miraron unos instantes en el aire fresco de la noche.

—Me gustó verte otra vez —dijo.

Kerry comprendió que era el fin de la velada. Pero no era una despedida del todo.

La miró a los ojos y le tomó suavemente el mentón. Sus ojos muy grandes lo interrogaban. Cuando acercó su cara a la de ella, se cerraron.

Su boca era suave, tibia. La sintió estremecerse y luego, lentamente, ella puso fin al beso.

Su mirada era franca, seria.

—Eso también me gustó —dijo. Retrocedió lentamente y abrió la puerta sin dejar de mirarlo.

Camino a casa, él sentía una alegría inexplicable.

Durante las dos semanas siguientes se vieron con frecuencia para ir al cine o a cenar; se encontraban en McGovern's al salir del trabajo. Meg reía de sus chistes y hablaba espontáneamente sobre sus padres. Con una sorna que no alcanzaba a ocultar totalmente el rencor que aún sentía, retrataba a su padre como un misógino autoritario que no alcanzaba a comprender por qué una mujer habría de estudiar en la universidad. El mensaje tácito, intuyó Kerry, era que su padre y su esposo le habían enseñado a ser cauta; que tal vez volvería casarse, pero no a costa de su personalidad. Aunque a veces parecía agotada por las tensiones del trabajo y los estudios, al día siguiente volvía de mejor ánimo y parecía feliz en su compañía.

Poco a poco intercambiaron confidencias: sobre gustos, prejuicios, sucesos de sus vidas. Pero ella evitaba hablar sobre su matrimonio, y aunque a su vez le preguntaba sobre su trabajo, Kerry sólo se respondía con renuencia. Esto se debía en parte al caso Musso: a medida que se acercaba el juicio, se sentía tan responsable por la madre y el hijo que el miedo de perder lo desvelaba. No quería mezclar a Meg con su preocupación por ellos, su rencor hacia Vincent Flavio, su visión sombría de una carrera estancada; al cabo del día, el solo verla le levantaba el ánimo.

Una tarde tibia de junio fueron al Iberia, el restaurante preferido de Meg. Entre los alegres adornos portugueses y los sones del fado bebieron sangría y comieron radicchio, deliciosas brochettes de carne. Meg estaba alegre, risueña, llena de vida.

—Mis amigas tienen razón —dijo.

—¿Sobre qué?

Meg lo miró con ojos sonrientes: —Eres más apuesto que tu hermano. Él es demasiado perfecto.

Se sintió sorprendido y a la vez ofendido por la observación: por no poder escapar de las comparaciones, incluso con Meg. Con brusca intensidad lamentó que ella no lo comprendiera sin necesidad de hablar de ello, pero enseguida se dio cuenta de que tal vez la culpa era suya.

—Así que no soy Jamie —dijo—. ¿Pero entonces qué *soy*?

Meg parecía estudiar su expresión. Finalmente rozó su mano: —Humano, Kerry. Eres humano.

Fueron al apartamento de ella.

Al besarla, se sintió embargado por el deseo y a la vez por otra sensación menos grata: el deseo de probar su hombría. Aún estaba ofendido por la observación sobre Jamie; por un instante lo asaltó la imagen de dos extraños, impulsados por necesidades recíprocamente secretas, creadas por sus respectivas vidas. Entonces Meg lo besó profundamente y expulsó esas ideas de su cabeza.

Cuando le desabrochó el vestido, ella se apretó contra su cuerpo y Kerry comprendió que había decidido confiar en él un poco más.

Su piel estaba salpicada de pecas claras, sus senos eran grandes. Al dejar caer su bombacha lo miró con momentáneo desconcierto.

—Debes tenerme paciencia —dijo—. Hace mucho que no lo hago.

Kerry sentía el latido de su corazón.

—Lo mismo que yo —dijo, y la tomó de la mano.

Se acercaron juntos a la cama.

Aunque transportado por el deseo, se sentía inseguro, dónde acariciarla, cómo saber que estaba preparada. Meg trataba de murmurar frases de placer o de aliento como para guiarlo. Finalmente, la penetró.

Aun cuando sus cuerpos se movían al unísono, pensaba demasiado en ella, era demasiado consciente de lo poco que se conocían como para excitarse rápidamente. Bruscamente, Meg se puso tiesa y lanzó un gritito. Él se quedó quieto.

Meg se quedó callada entre sus brazos. Como si estuviera ausente, pensó Kerry.

—¿Estás bien? —preguntó.

—Eres dulce, Kerry. —Lo besó suavemente. —Dicen que la primera vez siempre es difícil.

Tendido a su lado, Kerry se preguntó qué esperaba de ella.

—Háblame de Pat —dijo por fin—. ¿Qué pasó?

Ella apartó la vista: —¿Eso qué importa?

Le acarició el brazo: —Y qué me dices de nosotros. Hace tres semanas apenas nos conocíamos, y aquí estamos.

Tendida de panza, miró la pared detrás de él.

—Me dejó —dijo con voz monocorde—. Se fue con una abogada de su firma. Dijo que era más interesante que yo. Que yo no era divertida.

Las últimas palabras sonaron ahogadas. Kerry le acarició la columna con las yemas de los dedos, casi imperceptiblemente, hasta que ella apretó su espalda contra él. Lloraba.

Después, Meg se durmió. Él no. Ambos eran hijos de matrimonios malogrados, pensó; ninguno de los dos tenía experiencia de las cosas como debían ser. No era casual que tropezaran.

La abrazó con fuerza.

CUATRO

Mientras esperaba a Bridget Musso y su hijo en la escalinata del palacio de justicia del distrito de Essex, Kerry recordaba el consejo de Clayton Slade.

No eran amigos con Clayton: hablaban poco, y sólo de cosas del trabajo. Pero Clayton era tres años mayor, tenía más experiencia y parecía advertir su angustia.

La víspera del juicio, lo observó mientras Kerry preparaba su interrogatorio.

—¿La mamá está sobria? —preguntó.

Kerry alzó la vista, sorprendido, y asintió: —Ni una gota en tres meses.

—¿Y el chico?

Kerry vaciló.

—No sé qué hará —confesó—. No *lo sabré* hasta que lo llame a declarar.

Clayton frunció el entrecejo.

—Díselo al jurado apenas lo llames. Si el chico se acobarda, al menos no los tomará por sorpresa.

Ahora Kerry miraba a John Musso que subía la escalinata de la mano de su madre.

Qué notable, pensó: había pensado que la mujer no tenía salvación, pero ahí estaba. Aunque pálida, su piel estaba más limpia, y la mirada de sus ojos era lúcida. Lo cual no era totalmente bueno, pensó, porque no había nada que acallara sus miedos.

—Sabía que lo haría —dijo. Cuando ella levantó la cabeza, comprendió que había hecho bien: era mejor elogiar sus progresos que hacerle promesas que ella sabía eran imposibles de cumplir.

Se arrodilló junto al hijo.

Kerry había pasado horas con él. Pero los ojos del niño, bajo las largas pestañas, miraban los escalones de piedra.

—Qué bueno que ayudes a mamá —dijo.

John no alzó la vista. Pero Kerry lo vio enderezar la espalda;

un lazo, vacilante pero conmovedor en la esperanza que representaba, había crecido entre el hijo y la madre. Cuando subían los escalones, John Musso tomó la mano de su madre y la de Kerry.

Al apretar los deditos, Kerry sintió una vaga inquietud y se preguntó qué representaba para un niño de ocho años. En pocas horas más, John Musso tendría que elegir entre su padre y su madre. Entre su padre y Kerry Kilcannon, que lo había puesto en esa situación.

Una trabajadora social los aguardaba en lo alto de la escalera. Con una serenidad que no sentía, Kerry dijo al niño que ella los llevaría a un cuarto con juguetes hasta que llegara el momento.

Por primera vez, los ojos temerosos de John buscaron los suyos.

—Estarás ahí, ¿no? —preguntó con voz temblorosa—. ¿En la corte?

Kerry asintió y le puso una mano sobre el hombro: —Cuando contestes las preguntas, mírame a mí. A nadie más.

Kerry miró a la madre y le hijo que se alejaban con una desconocida. Después entró en la sala del tribunal.

Estaba desierta. A través de las altas claraboyas enmarcadas por molduras doradas caían rayos de luz sobre el estrado de mármol del juez y el de madera del jurado. Cinco hileras de bancos tallados a mano estaban flanqueados por retratos al óleo de jueces y un fresco de la Dama Justicia y sus pretendientes. Como en la capilla del Sagrado Corazón, donde aún concurría con su madre los domingos, se sintió sobrecogido por la majestuosidad del lugar. Cuánto más temible le parecería a un niño, pensó.

Sentado detrás de la mesa del fiscal, Kerry esperaba ver por primera vez a Anthony Musso, el hombre a quien había aprendido a odiar aun sin conocerlo, y que en los tres meses que llevaba en la cárcel a la espera del juicio sin duda había aprendido a odiarlo a él.

Poco a poco la sala fue cobrando vida: el alguacil; el escribano; los convocados al jurado; el defensor público Gary Levin, un veterano de ojos penetrantes que gustaba de llevar moño y una larga cabellera canosa; el juez Frederick Weinstein, semicalvo, demacrado, afecto a los sarcasmos. Por último, Anthony Musso.

Era de estatura más bien baja, apenas más alto que Kerry, pero mucho más robusto y de hombros anchos. Pero no demostraba la arrogancia habitual del abusador; sentado junto a su abogado, permanecía totalmente inmóvil. Su cara olivácea era plana, como si la hubieran forjado en un yunque, su pelo era tan renegrido como sus ojos. Posó en Kerry una mirada fija, implacable, remota. Era como mirar los ojos de un caballo.

Kerry le devolvió la mirada y trató de imaginar que era John Musso frente a su padre. Sintió miedo, no tanto de la violencia súbita como de algo infinitamente peor: la terrible ausencia de sentimientos, la indiferencia hacia las vidas que había deformado. Bruscamente se sintió como un niño en la puerta que veía como Anthony Musso estrellaba la cara de su madre contra la porcelana blanca del lavabo. El ruido de dientes rotos, los escupitajos sanguinolentos, no habían alterado la mirada del padre.

Acabaré contigo, le prometió Kerry desde el otro lado de la sala, y entonces comenzó el juicio.

La mañana transcurrió rápidamente. Los abogados eligieron rápidamente a los miembros del jurado, apremiados a ello por el juez Weinstein; constituían una muestra representativa de la población de Newark, aunque Kerry hubiese preferido una mayor presencia de mujeres. Su primer testigo, el primer agente de policía que llegó a la escena de los sucesos, describió las heridas de Bridget y la declaración de Anthony Musso; al repreguntar, Levin dejó constancia de que John Musso había dicho que creía que su madre estaba muerta. El médico de emergencias no agregó gran cosa; a pesar de la gravedad de las heridas en la boca y los dientes, no tenía certeza de cómo se habían producido. La epilepsia y el alto grado de alcohol en sangre sugerían la posibilidad de una disfunción motriz, acaso de un desmayo que hubiera provocado una caída. A las dos de la tarde, Kerry no tenía pruebas.

Miró al jurado y llamó a Bridget Musso a declarar.

Entró escoltada por un ayudante del alguacil. Kerry advirtió que al avanzar entre los bancos reservados al público, ahora desiertos, se esforzaba por no mirar a Anthony Musso. Instintivamente, Kerry se acercó, la tomó por el codo y la acompañó al estrado de los testigos.

Sus ojos verdes miraban fijamente. Su cara era una máscara rígida. "Que el jurado vea que tiene miedo", había dicho Clayton. Una víctima inexpresiva provocaba rechazo en el jurado, tanto como una que fuera chillona y rencorosa. Pero aun en estado sobrio, Bridget era parca en palabras y expresiones de sentimientos; contra todos sus instintos y en presencia del hombre a quien temía, debía recrear los sucesos de esa noche.

Durante las primeras preguntas no alzó la vista y su voz era un susurro monocorde.

—¿Dónde estaba usted antes de que llegara Anthony? —preguntó Kerry.

Bridget entrecerró los ojos. Aunque Kerry había repasado esos momentos con ella, cada recuerdo le exigía un esfuerzo.

—En la sala —dijo por fin—. Estaba oscuro.

—Y había bebido.

Su mirada se perdió: —Sí.

Kerry se acercó un poco con la esperanza de conmoverla: —¿Dónde estaba John?

Bridget vaciló. Finalmente respondió con vergüenza: —No lo sé.

Mírame, imploró Kerry en silencio, y se acercó un poco más.

—¿Cómo se enteró cuando Anthony llegó a casa?

A la derecha de Kerry, desde la mesa de la defensa, Anthony Musso miraba fijamente a su esposa.

—Al principio era una sombra —susurró Bridget—. Después apareció la cara.

—¿Estaba parado junto a usted? ¿Como yo en este momento?

Bridget asintió. Como si estuvieran solos, y el jurado fuera una presencia indiscreta.

—¿Qué hizo usted?

Bridget tragó antes de responder: —Me mojé.

Kerry soltó el aliento: —¿Su esposo lo vio?

Humilló la cabeza: —Me llamó animal.

—¿Lo dijo así? —Bruscamente la voz de Kerry restalló como un látigo. —Eres un animal, un perro.

Bridget se encogió, volvió la cara.

—*Objeción.* —A espaldas de Kerry se alzó la voz imperiosa de Levin. —Induce a la testigo.

Kerry miraba a Bridget. Sólo una parte de él era consciente del jurado; de la mirada escrutadora del juez Weinstein; de la mirada implacable de Anthony Musso.

—Ha lugar —dijo Weinstein.

Kerry lo pasó por alto: —Su esposo la llamó animal. ¿Qué pasó después?

Encorvada, cerró los ojos y se estremeció: —Me arrastró por el pelo hasta el baño. Me bajó la bombacha y me dijo que hiciera pis. —De perfil, Bridget se enderezó, apretó los dientes en un gesto de miedo y resolución. —Traté de...

Kerry se corrió a la derecha, hacia su línea visual. Después de una larga pausa, la mirada de Bridget encontró la suya.

—¿Y eso lo puso más furioso?

—Me abofeteó. —Se encogió como si recibiera nuevamente el golpe. —Me golpeó la cabeza contra la pared.

Kerry vio que una jurado negra se llevaba una mano al cuello.

—¿Le pegó otra vez?

—Sí. —Su voz era ahogada, como si contuviera las lágrimas. Me agarré del lavabo para pararme. Su cara estaba en el espejo... —Nuevamente cerró los ojos.

Por favor, pensó Kerry, *sigue un poco más.*

—¿Qué hizo Anthony, Bridget?

Por primera vez miró a su esposo. Abrió la boca y sus ojos se llenaron de lágrimas.

—¿Qué le hizo? —insistió Kerry.

Se volvió hacia él y tomó aliento: —Me empujó la cara sobre el lavabo.

—¿Empujó?

—Me rompió los dientes. —Su voz se quebró. —Tenía pedazos en la boca...

Kerry esperó un instante: —¿Qué pasó después?

Bridget se tomó las manos temblorosas sobre el regazo.

—Estaba en el hospital...

No, pensó Kerry. Hizo otra pausa, esperó que volviera a mirarlo a los ojos.

—Antes de llegar al hospital, ¿recuerda algo más?

Bridget parpadeó. Aparentemente lo había olvidado. Kerry tenía un nudo en el estómago.

—¿Bridget?

Las lágrimas corrían por su cara.

—Mi hijo —dijo suavemente—. John estaba en la puerta del baño.

Cuando Gary Levin se paró para repreguntar, Bridget parecía haber perdido todas sus fuerzas y hasta su sangre. Levin permaneció al lado de Anthony Musso; era una táctica para obligarla a mirar a su esposo.

—Esa noche —preguntó en tono cortante—, ¿qué había bebido?

Bridget apartó la mirada: —Whisky.

—¿Cuánto?

Nerviosa, se acomodó el ruedo de la falda: —No me acuerdo.

—¿Dos copas? ¿Tres?

Se encogió de hombros con indiferencia: —No me acuerdo.

—¿No se *acuerda*? —La voz y la pose del abogado, las manos en la cintura, la mirada a Bridget, expresaban su incredulidad. —La verdad es que estaba borracha, ¿no? Pasó todo su matrimonio borracha.

Bridget vaciló. Pero durante tres meses había asistido a las reuniones de Alcohólicos Anónimos y aprendido a mirar su problema de frente.

—Soy alcohólica —dijo con voz sorda.

—Y cuando bebe, pierde la memoria.

Kerry saltó: —Objeción. ¿Algunas veces? ¿Siempre que bebe? ¿Todo el tiempo? ¿A eso se refiere el señor Levin?

El juez Weinstein lo miró desde lo alto de su estrado:

—¿Quiere usted decir, señor Kilcannon, que la pregunta es excesivamente amplia?

Kerry se ruborizó: —Sí.

—Yo hago lugar a objeciones, no a discursos. —Se volvió hacia Levin. —Ha lugar.

Levin prosiguió sin inmutarse:

—No recuerda lo que pasó esa noche, ¿verdad? Esa por la cual culpa a su esposo.

Desconcertada, Bridget miró sucesivamente a Levin y Kerry.

—Sí que la recuerdo —dijo con tardía obstinación.

—¿Recuerda que habló con la policía?

—Sí.

—Pero no les dijo que se había orinado.

—Tenía miedo...

—Ni que su esposo le había gritado.

Bridget se tocó la frente: —No me acuerdo... —empezó a decir, pero cambió de tono—: Tenía miedo.

—Lo único que le dijo a la policía es que su esposo le pegó.

Bridget meneó la cabeza: —Tenía miedo —repitió.

—Estaba borracha, ¿no?

—Pero no en ese momento.

Levin echó una mirada de reojo a Kerry: —Pero no recordó esos detalles hasta que habló con el señor Kilcannon, ¿no es cierto?

Incapaz de mirar a Kerry, a Levin, al jurado, los ojos de Bridget se posaron en un punto remoto.

—El señor Kilcannon me ayudó. Por el bien de John.

—*John* —repitió Levin—. Cuando sucedían estos presuntos hechos, quiero decir, la bebida, el regreso de su esposo, usted que se orina encima, usted no sabía dónde estaba John, ¿no es cierto?

Los ojos de Bridget se cerraron: —No.

—Pero cuando tenía los dientes rotos, sangraba de la boca y estaba a punto de desmayarse... entonces sí recuerda haber visto a John.

—Sí.

—Pero no se lo dijo a la policía.

Bridget pareció encogerse. Kerry quería detener el martirio, pero el pedido de un receso podía parecerle mal al jurado. Levin alzó la voz:

—Señora Musso, ¿existe algún motivo por el cual no quiere mirarme?

Kerry perdió los estribos.

—Tal vez —dijo al juez Weinstein— el motivo es que el señor Levin está parado junto a su esposo. O peor aún, porque actúa como él.

Weinstein se inclinó hacia delante; su piel apergaminada se teñía de rojo:

—Señor fiscal...

—Que la interrogue sin acosarla. —La voz de Kerry era tan furiosa como la mirada del juez. —Que ya tenemos matones de sobra.

El juez frunció los labios como si tuviera un sabor amargo en la boca.

—Si quiere que lo acuse de desacato, *señor* Fiscal, sólo repita esa escena. —Se volvió lentamente hacia Levin: —La testigo puede mirar donde le dé la gana, abogado. Prosiga de una vez.

Levin se acercó lentamente al estrado. Los rostros de los jurados lo seguían, absortos. Con su voz más amable Levin preguntó:

—¿Usted sufre ataques de epilepsia?

Bridget asintió: —Sí.

—Y durante esos ataques pierde el conocimiento, ¿no es así?

—Sí.

—A veces se cae y se lastima.

—Sí.

Levin hizo una pausa brevísima.

—¿Y pierde la memoria?

Kerry, inmóvil, vio cómo Bridget se preparaba para responder con la verdad, aun sabiendo que la perjudicaría.

—Sí —dijo—, a veces.

Antes de que los ojos del abogado defensor se posaran en él, Kerry comprendió que Levin había realizado bien su tarea. Había creado una duda razonable.

—No hay más preguntas —dijo Levin, y el caso pasó a depender de las respuestas de un niño de ocho años.

CINCO

Esa noche, Kerry no pudo dormir.

A su pedido el juez Weinstein había dispuesto un receso antes de llamar a John Musso al estrado. El motivo expresado —que un niño de ocho años no debía comparecer durante dos días— era legítimo. Pero era otro el motivo que lo desvelaba y pesaba sobre su conciencia: si realmente lo movían los intereses del niño o los suyos.

Podía pedir que se desestimaran los cargos; tal vez Anthony Musso se sentiría intimidado por el juicio y los dejaría en paz. Kerry quedaría humillado, pero John no tendría que optar entre enviar a su padre a la cárcel y poner en peligro a su madre. Al recordar los ojos de Anthony Musso, imaginó en su cansancio que la vida de John estaba en sus manos.

¿Por qué lo hacía?, se preguntó. ¿Pensaba en los Musso o en él mismo, en su yo y sus ambiciones, sus recuerdos amargos, su anhelo infantil de que alguien lo salvara? ¿Se veía reflejado en la cara de John? ¿O actuaba sin egoísmo: como un hombre que no deseaba procesar ese caso pero sabía por dura experiencia que la violencia no tendría fin salvo que él se lo pusiera?

Tener ocho años, había dicho a Bridget Musso, ya era bastante difícil aunque uno no temiera a su padre y por su madre.

Kerry encendió el velador. La luz tenue echaba sombras en el cuarto. Pensó en su infancia, en los pasos de su padre en la escalera, y luego en Anthony Musso que se acercaba a Bridget y su cara aparecía bajo la luz.

En ese momento su instinto le dijo que aquél, a diferencia de su propio padre, era un demente.

Se incorporó y se preparó para ir a la corte. Había llegado demasiado lejos.

Al ocupar el estrado, John Musso tragó convulsivamente.

Su padre lo miraba fijamente desde la mesa de la defensa. John se negaba a mirarlo; echaba miradas de soslayo a los abogados, el jurado, la vasta sala, como si la luz le lastimara los ojos.

Para contrarrestar ese efecto, Kerry había sentado a Bridget en el banco detrás de su mesa. El simbolismo elemental —el niño que elegía entre la madre y el padre— parecía resaltar la fragilidad del muchacho. Estaba muy pálido, casi al borde de las náuseas, y su tez tenía un tinte amarillento. Sus pies no llegaban al piso.

Se paró cerca de él, de manera que no pudiera ver a su padre.

El primer problema era dejar sentado que John Musso era competente como testigo; el segundo, asegurar que su testimonio, si tenía coraje para presentarlo, no condujera a una declaración de nulidad por error de procedimiento o a una apelación. "Los chicos en el estrado son un arma de doble filo —le había dicho Clayton—. No comprenden que sólo deben declarar sobre los cargos, no sobre todo lo que han visto." Antes del juicio, Weinstein había declarado fuera de lugar toda prueba de que Anthony Musso le pegaba a su mujer antes de la noche de los sucesos. La posibilidad de que el acusado pudiera quedar libre de culpa porque se dijera la verdad —que le había pegado a su mujer durante años— era lo más frustrante; y por eso mismo era peligroso interrogar al hijo.

Kerry puso las manos en los bolsillos y encaró al muchacho.

—¿Puedes decirle al juez Weinstein cómo te llamas?

John tragó. —John Musso —dijo con un hilo de voz.

—Y me conoces, ¿no es cierto?

El muchacho vaciló, luego miró a Kerry como si buscara refugio: —Usted es Kerry.

La sencillez de la respuesta transmitía varios mensajes: que Kerry Kilcannon era importante para él, tal vez un personaje central en su vida, seguramente el motivo por el cual se presentaba a declarar. Kerry sintió ese peso sobre sus hombros y se acercó para hablar suavemente.

—¿Sabes por qué estás aquí?

Tragó otra vez y todo su cuerpo se estremeció.

—Vine... —John se detuvo y volvió a empezar—. Vine a decir lo que le pasó a mi mamá.

—¿Alguien te dijo qué debías declarar, John?

Vaciló como si esperara alguna indicación; luego dijo: —Usted.

Era un momento de tensión, porque si el juez o el jurado interpretaban mal la respuesta, las consecuencias serían fatales.

—¿Y qué te dije?

—Que dijera la verdad. —Por un momento sintió alivio, pero entonces el chico agregó: —Que si lo hacía, mandarías a mi papá a la cárcel.

En su cerebro sonaron campanas de alarma. El juez lo miró desde el estrado y luego se volvió hacia el niño:

—¿Sabes qué significa decir la verdad, John? ¿El señor Kilcannon te dijo que debías decir la verdad?

Tenso, Kerry vio que el muchacho posaba su mirada temerosa en Weinstein. Parecía incapaz de hablar.

Weinstein elevó el tono: —¿El señor Kilcannon te indicó qué debías decir?

John tragó otra vez y con voz casi inaudible respondió: —Kerry me dijo que diga qué pasó.

Kerry se colocó entre el niño y el juez, miró a éste y alzó la mano para interceder. Weinstein asintió con renuencia. Se volvió hacia el niño y preguntó:

—Sabes lo que les pasa a los mentirosos, ¿no es cierto? Tú me lo dijiste.

John asintió con vigor: —Decir mentiras es pecar contra Dios. Jesús castiga a los mentirosos.

Kerry se volvió hacia el juez y alzó el entrecejo. Éste asintió:

—Prosiga, señor Kilcannon.

El jurado lo miraba absorto, porque las preguntas siguientes podían ser las decisivas.

—¿Recuerdas la noche que tu mamá se lastimó?

Por primera vez, John miró de soslayo a su padre. Kerry imaginó el terror que el acusado podía causarle al niño con el expediente, tan sencillo como inhumano, de mirarlo fijamente y aparentemente sin parpadear. Sólo cabía esperar y preguntarse si sería capaz de soportarlo. Bridget tenía la boca entreabierta y miraba a su hijo. Entonces él volvió la vista hacia ella.

—Creí que mamá estaba muerta —dijo, y en su voz Kerry escuchó todo su miedo y su impotencia. Lo mismo que sentía él por su madre.

—Entonces llamaste a emergencias.

—Sí.

—¿Sabes cómo se lastimó tu mamá?

John bajó los hombros y apartó la mirada; Kerry reconoció la pose de un niño que ha aprendido que no tiene esperanzas, que hablar es peligroso y confiar es perjudicial.

—John —dijo Kerry—, ¿entendiste la pregunta?

El niño se volvió hacia él; vio en sus ojos llenos de miedo que sopesaba todas las experiencias de su vida contra su conocimiento reciente de Kerry Kilcannon.

—Estaba en mi cuarto —dijo.

Kerry tomó aliento: —¿Qué pasó?
John cerró los ojos: —Gritaba...
—¿Quién?
Sin abrir los ojos, respondió con esfuerzo: —Mi papá.
El jurado estaba absorto. Podían dudar de las palabras de John, pero no de su miedo. Gary Levin entrecerró los ojos y lo miró fijamente.
—¿Te quedaste en tu cuarto?
El chico asintió: —Me cubrí la cabeza con la manta.
Kerry quedó helado; la respuesta lo había sorprendido, y podía significar el fin de todo. Trató de pensar en la siguiente pregunta.
—¿Cómo sabes que tu mamá se lastimó?
El niño miró sus manos, luego a su madre para comprobar si aún estaba ahí: —La escuché gritar.
Kerry fue al estrado del testigo; puso una mano sobre el brazo de la silla y se paró al lado de John, de frente al jurado para que se vieran sus caras.
—¿Sentiste miedo por ella? —preguntó.
El chico abrió los ojos lentamente: —Sí.
—¿Qué hiciste?
—Me levanté de la cama.
—¿Adónde fuiste?
—A la sala. Pero no había nadie.
—¿Entonces qué pasó?
El chico tragó otra vez, entonces le vino un ataque de tos tan violento que su cuerpo se estremeció y sus labios se cubrieron de saliva. Kerry le tomó los hombros para tranquilizarlo. Le secó los labios con un pañuelo.
—¿Te sientes bien, John?
Sus ojos eran charcos de miedo. Y además suplicaban. Kerry se sentía como un miserable.
—¿Quiere un receso? —preguntó Weinstein.
Kerry miró al chico. John Musso quería salir de ahí, pero en ese caso tal vez no volvería.
—No —dijo Kerry—. Tengo un par de preguntas, nada más.
John parpadeó; era su manera de decir que no le parecía bien que Kerry le obligara a permanecer ahí.
—Cuando estabas en la sala, *¿escuchaste* algo?
Con una mirada a los ojos le exigió una respuesta.
John tragó otra vez: —Estaban en el baño —murmuró.
—¿Qué hiciste?
Se lamió los labios sin dejar de mirar a Kerry: —Fui allá.
—¿Viste a tu mamá?
Asintió lentamente y entonces bajó la vista, avergonzado.

—Estaba sentada en la pelela, y lloraba.
—¿Tu papá estaba ahí?
Sus ojos se cerraron otra vez: —Sí.
—¿Y qué hizo?
Miró a su madre, cuyos ojos se llenaron de lágrimas. Luego miró de soslayo a su padre.
—Mi papá le pegó.
Kerry soltó el aliento: —¿Y qué le pasó a tu mamá?
John miró a su madre otra vez: —Se cayó de la pelela.
—¿Se paró?
—Sí.
—¿Y qué pasó?
Sobrevino una larga pausa durante la cual el niño cerró los ojos; los miembros del jurado se inclinaron hacia delante, al unísono; la madre inclinó la cara bañada en lágrimas como si rezara. Kerry sintió que sudaba, que se abría un hueco en su estómago. Finalmente, habló con voz monocorde directamente a Kerry:
—Mi papá agarró a mi mamá del pelo y le estrelló la cara en el lavabo.

Lenta, deliberadamente, Gary Levin se aproximó a John. Siguió un trayecto que obligaría al niño a ver a su padre si lo miraba a él.
"No estás obligado a mirarlo —le había dicho Kerry—. Mírame a mí o a tu mamá. Sólo tienes que decir la verdad."
Con las manos sobre el regazo, John miraba a Kerry, el hombre en quien había depositado su confianza y más aún, su lealtad.
—Tu mamá bebe whisky —dijo Levin—. ¿No es cierto?
John meneó la cabeza y respondió con cierto orgullo: —Mi mamá no bebe más.
—Pero bebía.
—Sí.
Levin hizo una pausa y adoptó un tono benigno: —A veces tu mamá se lastimaba.
El chico calló un momento. Tensó, Kerry sintió que el tiempo se detenía; no podía controlar el proceso y, por miedo a que John no comprendiera las sutilezas, se había abstenido de advertirle que no debía decir ciertas cosas. ¿Cómo pedirle que dijera la verdad, siempre que fuera *solamente* la verdad necesaria para ganar el caso?, le había dicho a Clayton. Sólo cabía esperar que lo demás permaneciera encerrado en su interior.
John se tomó las manos.
—Mi mamá tiene epilepsia —dijo con dignidad—. Tiene ataques.

—Y es así como se lastima, ¿no? Al caer.

A espaldas de Levin, Anthony Musso miraba a su hijo con una mezcla aterradora, le parecía a Kerry, de odio, autoridad e indiferencia por sus sufrimientos. Al verlo, John apartó la mirada, asustado.

—A veces.

—Y cuando llamaste a emergencias dijiste que tal vez tu mamá estaba muerta.

John tragó: —No me acuerdo.

—¿No es lo que dijiste a la policía?

John meneó la cabeza. Confundido, no sabía qué responder.

Levin se acercó con aire benigno.

—John —dijo con voz cordial—, el señor Kilcannon es tu amigo, ¿no es cierto?

El chico miró a Kerry y asintió: —Sí.

—Quieres complacerlo.

Su mirada se paseó de Kerry a Bridget: —Y a mi mamá también.

Levin sonrió: —Y ellos quieren que digas la verdad, ¿no es cierto? Eso es lo que te dijo el señor Kilcannon.

El chico asintió. La seducción empezaba a surtir efecto. Respondía con mayor facilidad y miraba al abogado en busca de su aprobación.

—Entonces —dijo Levin— ¿no es cierto que hablaste con el señor Kilcannon y descubriste que lo complacerías al decir que tu papá le pegó a tu mamá?

John vaciló largamente antes de responder: —Quería ayudarlo.

Levin asintió: —Y lo hiciste, John. Le dijiste que tu papá había empujado a tu mamá contra el lavabo. Pero la verdad es que no *sabes* lo que pasó, ¿no es cierto?

John se cruzó de brazos: —Sí que lo sé.

Su voz era obstinada, como si estuviera enfadado. Kerry empezó a pararse.

Casi con lástima, Levin dijo: —Tu mamá bebe, ¿no es cierto? Y por eso se lastima.

John se enderezó en la silla y miró al abogado con una furia que sorprendió a Kerry:

—Papá la lastima. Le pega todo el tiempo.

—*Señor juez* —exclamó Levin, pero John Musso se volvió hacia el jurado. Su voz era chillona, insistente.

—Le da trompadas en la cara y el estómago.

En el banco de los jurados, la mujer negra se estremeció.

—Señor juez —dijo Levin—, hago moción de anulación.

* * *

Se reunieron en el gran despacho de Weinstein: el juez, Kerry, Levin y un estenógrafo del tribunal.

—El testimonio crea prejuicio —insistió Levin—. Se acusa a mi cliente de un solo hecho, el único que motivó una denuncia policial. Y ahora resulta que es una bestia que usa a su mujer como punching bag. No puede haber un juicio justo.

Weinstein se volvió hacia Kerry: —Coincido con el señor Levin. Aquí hay un problema. ¿Para qué seguir y correr el riesgo de que una corte de apelaciones revierta el fallo?

Kerry hizo una pausa mientras ponía orden en sus pensamientos.

—Que el señor Levin apele, señor juez, si cree que le servirá de algo. Pero no veo por qué debemos anular este juicio. No fui yo el que hizo la pregunta, aunque la respuesta de John no debería sorprender a nadie, ni menos que menos al abogado de Anthony Musso. —Se volvió hacia Levin: —El abogado defensor acosó a un chico de ocho años...

—Usted lo puso en el estrado —replicó Levin con la cara roja—. Debió haberle explicado las reglas.

Tal vez era verdad, pero sólo acentuó la furia de Kerry.

—Señor juez, la verdad es que el defensor llamó al niño un mentiroso, un peón en mi *vendetta* contra su padre. El chico se defendió con la única arma que tiene: la verdad. La defensa tuvo su merecido. —Bajó la voz. —Lo que no merece es una anulación. El chico ha sufrido demasiado. Someterlo otra vez a todo esto sería muy cruel.

Weinstein asintió lentamente y sorprendió a Kerry con su respuesta llena de compasión:

—Coincido con el fiscal. No fue él quien provocó el testimonio, y causa pena ver al muchacho. Si tiene que volver, será porque lo disponga la corte de apelaciones, no yo. —Se volvió hacia Levin: —Señor Levin, le ordenaré al jurado que desestime los testimonios sobre los demás presuntos actos de violencia doméstica. Rechazo su moción.

Levin frunció el entrecejo: —Señor juez, que conste en actas que si se declara culpable al señor Musso, iré a la corte de apelaciones.

—Que para eso existe —dijo Weinstein, encogiéndose de hombros. Finalizó la conferencia.

Al salir, Kerry puso una mano sobre el hombro del defensor:

—Por qué no llamas a declarar a tu defendido, Gary. Que explique por qué pasó por encima del cuerpo de su esposa para ir al bar más próximo, dejando a su hijo de ocho años con miedo de que la madre estuviera muerta. Así se aclarará todo.

Levin enrojeció, furioso. Volvió a la sala sin abrir la boca.

El juez Weinstein ordenó al jurado en términos clarísimos que desestimara la respuesta de John Musso. Pero Kerry sabía que no lo harían; el daño estaba hecho, su constancia en las actas del juicio era una bomba de tiempo. Para ahorrar mayores sufrimientos a la madre y el niño, debería ganar en dos instancias.

Levin reanudó las repreguntas con cautela:

—¿No es cierto, John, que jamás le dijiste a nadie que tu papá le pegaba a tu mamá hasta que conociste al señor Kilcannon?

John tragó y miró a Kerry, quien asintió.

—Sí —dijo John.

—Y has hablado muchas veces con el señor Kilcannon.

—Sí.

—Y han repasado la historia muchas veces para estar seguros de que la recuerdas bien.

—Sí.

Levin se puso las manos en la cintura:

—¿Dijiste que el señor Kilcannon te hizo una promesa? ¿Qué si le ayudabas, tu papá iría a la cárcel?

Una mirada de soslayo a Kerry, un gesto nervioso de la cabeza: —Me prometió.

—Y tu mamá quiere lo mismo. Que tu papá vaya a la cárcel.

Bruscamente, John Musso parecía exhausto. La pregunta tenía que ver con su decisión, y acaso por eso sentía vergüenza.

—Sí —dijo con voz de niño que se siente culpable, tal vez por mentir.

Levin había recuperado un poco de terreno. Y lo comprendió, porque dijo inmediatamente que no tenía más preguntas.

Kerry se paró sin saber qué hacer. Con suerte podía reparar el daño de los últimos minutos. Pero los ojos de John Musso suplicaban que pusiera fin al martirio.

—Gracias, John, es todo —dijo suavemente. Así terminó la presentación de la fiscalía.

SEIS

Desde las primeras palabras de su alegato, Kerry se sintió acosado, a la defensiva.

Gary Levin no había convocado a Anthony Musso a declarar, y así había privado a Kerry de la posibilidad de desenmascararlo. Intuyó que el defensor centraría sus argumentos en él; pondría sus esperanzas en la idea de que el fiscal había fabricado el caso. Si fracasaba, utilizaría la confesión extemporánea de John Musso para apelar. Kerry comprendió que era culpa suya. El caso giraba en torno de él, de *su* pasión y errores.

Frente al jurado quiso mostrarse como un profesional competente: presentó las pruebas, mostró cómo la declaración de John Musso coincidía con la de Bridget, recordó la declaración policial de que Anthony Musso no había llamado a emergencias.

—Sólo les pido —dijo en conclusión— que declaren a Anthony Musso lo que él mismo sabía que era cuando huyó del apartamento: culpable de un crimen atroz contra una mujer indefensa en presencia de un niño indefenso.

Al sentarse lo embargó la melancolía. El jurado no parecía hostil pero tampoco convencido, como si ocultara su decisión y sentimientos. El ambiente sereno de la corte contrastaba con el de esa noche como la imaginaba Kerry, llena de furia y violencia.

Gary Levin se acercó al jurado: sereno, confiado, soberbio.

—Todos deploramos los actos descritos por el señor fiscal —dijo—. Pero ése es justamente el problema, ¿no es así? Porque el señor Kilcannon presentó muy bien el caso, pero él no es testigo. —Se volvió por un momento hacia Kerry. —Sus testigos son una mujer enferma y un niño de ocho años.

Una vez más, se volvió hacia el jurado: —Bridget Musso merece compasión. Ha reconocido que la noche que en que sufrió las heridas estaba borracha, como durante todo su matrimonio. Y además es epiléptica, como lo será por el resto de su vida, con propensión a las pérdidas de conocimiento frecuentes y las caídas.

"*Alcohol* y *epilepsia.* —Levin meneó la cabeza. —Una combinación fatal. Sobre todo para la memoria, como Bridget Musso demostró claramente.

"Dejemos de lado su actuación como testigo, aunque debería ser prueba suficiente. Recuerden esto: horas después de los sucesos, cuando el trauma descrito por el señor Kilcannon debía estar presente en sus pensamientos y grabado a fuego en su memoria, la señora Musso no recordaba nada.

"Pregúntense lo siguiente: ¿por qué no le dijo nada a la policía, pero un mes después le relató al *señor Kilcannon* más de lo que razonablemente podía recordar?

Levin hizo una pausa y metió las manos en los bolsillos. Los jurados parecían molestos y escuchaban con profunda atención; la mujer que parecía simpatizar con Bridget miró a Kerry de reojo por un instante

—Con lo cual —dijo Levin— volvemos al señor Kilcannon y su otro testigo, un niño fácil de impresionar.

"Cuando llegó la policía, John Musso les dijo que creía que su madre estaba muerta. —Los ojos del abogado recorrieron el jurado. —Pudo expresar el miedo más terrible de un niño: la muerte de uno de sus padres. Pero en ningún momento le dijo a la policía cómo había sucedido esa tragedia horrenda.

"No. —La voz de Levin se volvió triste. —No, se lo dijo al *señor Kilcannon.*

"John Musso también merece compasión, aún más que su madre, no sólo por la vida que ha llevado sino por el daño que pueda haber sufrido el sentido de su identidad personal. En el momento en que el señor Kilcannon lo trajo a la corte, el muchacho se vio ante una disyuntiva terrible. —Señaló a Anthony Musso. —Tenía que elegir entre el padre, a quien no ha visto en tres meses, y la madre con la que vive todos los días. Entre un hombre encerrado en la cárcel y un hombre al que quiere complacer por todos los medios: el señor Kilcannon.

Kerry paseó su mirada por la sala: Bridget Musso, humillada y evidentemente asustada; su esposo, que la miraba con ojos gélidos, impasibles; el jurado, que no miraba a ninguno de los dos, pero escuchaba absorto a Levin. Pensó en John Musso sentado en un cuarto con una persona desconocida y un cajón de juguetes, y lo embargó una profunda rabia por la manera cómo Levin tergiversaba una verdad que él conocía en lo más íntimo: que el pedido de ayuda podía tardar meses o años, o no producirse jamás.

—No disculpo a Anthony Musso —dijo Levin—. No digo que

es un esposo y padre modelo ni que esta familia debe continuar unida. Pero merece el mismo derecho que la ley nos otorga a todos: el de la duda razonable. Ustedes no pueden decir que la verdad presentada por el señor Kilcannon a través de un niño perturbado y una mujer desmemoriada es, en efecto, la verdad más allá de toda duda razonable.

En medio del silencio meditabundo del jurado, Levin se sentó.

Kerry se paró y fue hacia el jurado. Los rostros frente a él eran menos nítidos que su memoria de un niño y la imagen, igualmente dolorosa y más reciente, de otro. Las palabras brotaron sin esfuerzo.

—Tienes doce años —dijo suavemente.

"Estás en tu cuarto.

"El apartamento está oscuro, tu madre está bebiendo. Tu padre no está en la casa... sabes que está en algún bar. Estás totalmente solo.

"Entonces escuchas la puerta de calle y sabes que es tu papá.

"'Llegó papá' —dijo Kerry, bajando la voz aún más—. Sabes de otros chicos en tu escuela que irían corriendo a abrazarlo. Pero *tú*... en tu caso es distinto. Sabes que no puedes hacer eso.

"Cuando escuchas su voz, te cubres la cabeza con las cobijas. Luego escuchas los gritos de tu madre.

Kerry hizo una pausa para contemplar los rostros: un fontanero italiano, una irlandesa con seis hijos, un contador judío, la señora negra cuyas reacciones ya había advertido.

—Sabes quién es tu madre —prosiguió—. Conoces sus problemas. Pero, Dios te ayude, necesitas tener a alguien a quien amar y que te ame a su vez.

"Cuando tu madre grita, lo sientes en la piel, en tu estómago. Tienes miedo de moverte. —Bajó la voz. —Pero estás solo y tienes miedo de perder a tu madre.

"Entonces te levantas de la cama y, a pesar de todo, vas hacia donde tu madre está gritando.

Lentamente, con pasos vacilantes de niño, caminó hacia el jurado.

"La sala está oscura. La única luz encendida es la del baño.

"Vas allá con la esperanza de que nadie te vea. Y con miedo de lo que vas a ver.

"Lo que ves es a tu padre que obliga a tu madre a sentarse en el inodoro y le grita mientras ella llora.

Bruscamente se irguió: —*Ahora vas a hacer pis* —rugió—. *Vamos de una vez.*

El contador se encogió.

Kerry lo miró a la cara: —Te encoges de miedo. Pero no puedes dejar de mirar. Porque son tu padre y tu madre, son todo lo que tienes en la vida.

"La abofetea. Su cabeza se estrella contra la pared. La abofetea otra vez. Cae de costado y se toma del lavabo. Se inclina sobre el lavabo con la bombacha caída en torno de los tobillos. —Ahora hablaba con voz ronca, cada palabra una arcada. —Entonces tu padre aferra a tu madre del pelo y le estrella la cara contra el lavabo.

El silencio era total: —Tu madre pasa a tu lado sin verte —prosiguió, implacable—. Se tambalea, le sangra la boca, escupe pedazos de dientes rotos. Tu padre la sigue.

"Nuevamente te refugias en la oscuridad. Te escondes para que él no te vea. Te escondes, llorando, incapaz de moverte o de hablar. Hasta que tu padre se va.

"La única persona que te queda en el mundo está tendida en el piso de la sala y sólo tú puedes ayudarla.

"Vas al teléfono y, tal como te enseñaron en la escuela, discas el número de emergencias.

La mujer irlandesa lloraba. Kerry se dirigió a ella: —Cuando llega la policía, dices que tienes miedo que esté muerta. Pero hay algo encerrado dentro de ti, que no dices por miedo. Y sabes que el peor miedo que tienes en el mundo anda rondando allá afuera. Se enderezó: —Ustedes saben lo que pasó. —Se volvió y señaló a Anthony Musso: —Ustedes saben lo que es este hombre.

Lo miró fijamente, en silencio, hasta que los ojos impávidos de Musso se llenaron de furia. Luego se volvió hacia Bridget:

—Desde hace tres meses, Bridget Musso no prueba una gota de alcohol. Ha cumplido con su deber. Ustedes cumplan con el suyo. —Su voz se volvió casi un susurro: —Protejan a esta mujer. Protejan a su hijo.

Al otro lado de la sala, Bridget se irguió en su asiento con dignidad conmovedora. Entonces se dio cuenta que era el primer hombre en su vida que la defendía. Pero al volverse hacia el jurado, pensó nuevamente en el niño que esperaba a solas.

—Por favor —imploró—, díganle a John Musso que su padre hizo mal. Y que él hizo bien al salvar a su madre. —Miró sucesivamente a cada miembro del jurado y concluyó: —Díganle a John Musso que merece vivir como cualquier otro chico.

Se sentó sin decir una palabra más.

Impartidas las instrucciones al jurado y levantada la sesión, Kerry se despidió de Bridget y se aprestó a pasar una larga noche de espera. Se sorprendió al ver a Clayton Slade en el fondo de la sala.

—¿Cuándo llegaste?

—Parte de la mamá, casi todo lo del chico. Los alegatos.

Como siempre, su expresión era inescrutable. Kerry no detectaba reacción alguna sobre lo que había presenciado y no esperaba recibir elogios. Pero tenía la certeza de que Clayton sería sincero con él y, para bien o para mal, sus consejos serían útiles.

—¿Tienes tiempo para una cerveza?

Clayton asintió: —Cómo no.

Fueron a McGovern's en el auto de Kerry, que estaba un poco nervioso debido al mutismo de Clayton. Ya había bastante gente en el bar; Kerry vio algunas miradas de sorpresa por la presencia de un negro e intuyó que Clayton ya estaba habituado. Se sentaron en una mesa y pidieron cervezas.

—¿Y bien? —preguntó Kerry.

No hizo falta decir más. Clayton bebió un poco de cerveza, se echó atrás en el asiento y lo miró fijamente.

—Cometiste algunos errores —dijo—. Trabajaste bien con el chico. Pero la apelación de Levin tiene buenas posibilidades de prosperar, y deberías haberle preguntado tú a Bridget por qué no le dijo nada a la policía: fue por miedo, lo mismo que el chico. Lo aprendió de ella.

Era tan cierto lo que decía que aumentaron sus dudas.

—¿Y quién ganó —preguntó por fin.

Detrás de sus gafas, los ojos de Clayton se iluminaron con una chispa risueña:

—Bueno, de eso sí que no hay duda. Ganaste tú.

—¿Por qué?

—Por el alegato final. —Su expresión era seria otra vez. —Al principio pensé que exagerabas, sobre todo cuando demostraste cómo Musso le gritaba a su esposa. Entonces me di cuenta de que el problema era mío: jamás intentaría algo así y jamás había visto nada parecido. En segundos, dejaste de ser un abogado competente y te conectaste con los jurados tan profundamente que Levin desapareció. —Miró a Kerry con curiosidad indisimulada. —No lo habías ensayado, ¿no?

Menos halagado que desconcertado, Kerry meneó la cabeza: —Y no creo que pueda repetirlo. Me salió de adentro.

Clayton, meditabundo, bebió otro sorbo de cerveza. Miró en derredor como para asegurarse de que nadie los escuchaba.

—¿Qué significa para ti la violencia doméstica?

La pregunta tan directa sorprendió a Kerry; jamás hablaba de eso con nadie. El rostro de Clayton era imperturbable. Clavó la vista en la botella de cerveza y murmuró, "mi madre". Advirtió que su voz temblaba.

—Eso lo explica todo —dijo Clayton.

Kerry lo miró: —¿Qué quieres decir?

—Buceas en tus propios sentimientos. Y los transmites al jurado, que siente lo mismo que tú. Tienes ese don.

Kerry sintió un alivio enorme porque Clayton no abusaba de su confianza con preguntas indiscretas o psicoanálisis casero y tal vez él llegaría a ser mejor abogado de lo que pensaba. Y tomó conciencia de otra cosa: de la profunda, inefable humanidad que subyacía bajo la inteligencia de Clayton.

—¿Permites que te invite a cenar? —preguntó.

A la tarde siguiente, el jurado declaró culpable a Anthony Musso.

Para Kerry los momentos siguientes transcurrieron como en un sueño: la lectura del veredicto; los votos del jurado; Weinstein que fijaba la fecha de la sentencia. Bridget y John no estaban presentes; Kerry recordaría que Anthony Musso sólo tenía ojos para él.

Dos alguaciles se lo llevaron y Kerry fue a la sala de los testigos.

En un rincón, John jugaba con un Lego; no alzó la vista, como si temiera escuchar las novedades. Había miedo en los ojos inyectados de sangre de Bridget; su cuerpo estaba rígido. Kerry se sentó frente a ella.

—Culpable —dijo.

Se llevó una mano a la garganta; por un momento dio la impresión de estar sofocada. Luego extendió el brazo y colocó una mano temblorosa sobre la muñeca de Kerry.

—Me salvó la vida —dijo.

—*Usted* misma se la salvó. Usted y John.

El chico dejó de jugar y lo miró de reojo, como si tuviera miedo de creerle. Kerry fue a arrodillarse a su lado y John se volvió lentamente para mirarlo.

—Se acabó —dijo Kerry—. No podrá hacerte mal.

Los ojos azules lo miraron como si no hubiera escuchado. Bruscamente, le echó los brazos al cuello, lo abrazó con mucha fuerza y empezó a llorar en silencio.

Cuando volvió a su apartamento, lo primero que vio fueron unos globos sujetos a la puerta con cinta adhesiva.

Sorprendido, buscó una nota. Luego abrió la puerta.

No había nadie en la sala. Se echó la chaqueta sobre el hombro y fue al dormitorio.

Tendida sobre la cama, totalmente desnuda, Meg alzaba una

copa de champagne. Se sobresaltó; le parecía tan atípico de Meg que no sabía qué pensar.

—Felicitaciones —dijo ella, y al ver su cara rió con tantas ganas que derramó champagne sobre las sábanas.

Desconcertado, Kerry tomó la copa, la colocó sobre la mesa de noche junto a la botella que Meg había enfriado y se sentó a su lado.

—¿Cómo te enteraste?

—Llamé a Clayton, tu compañero de oficina. —Tomó una de sus manos. —Sabía que estabas preocupado. La otra noche casi no dormiste. Me alegro mucho por ti, Kerry, de veras.

Kerry la miró, y la sensación de bienestar barrió con todas sus dudas: el caso Musso que tanto lo angustiaba había terminado; Bridget y John estaban a salvo y tal vez salvados. Su soledad se disipó. Meg había comprendido sin necesidad de explicaciones. Y ahí estaba con él.

—Y bien —dijo—, ¿quieres ir al cine?

Kerry meneó la cabeza y sonrió.

Ella le quitó la corbata; él hizo el resto. Y cuando la penetró, lo envolvió con sus brazos y piernas con fuerza, como si jamás volvería a soltarlo.

El amor fue más dulce que nunca: intenso, apasionado, sin inhibiciones. Después, sudorosos y exhaustos, se abrazaron y Meg apoyó la cabeza sobre su pecho.

—Escucho tu corazón —dijo.

Tal vez había cambiado, penso Kerry. Y tal vez Meg, con su espera paciente, había obrado el cambio. Pero sí sabía con toda certeza que eso era lo que siempre había deseado, primero para sus padres y ahora para él.

—Cásate conmigo —dijo.

SIETE

El año siguiente, Kerry procesó veinte casos de violencia doméstica y ganó diecisiete.

Muchos colegas le advertían que estaba en un callejón sin salida; lo más inteligente sería mejorar las relaciones con Flavio y buscar cualquier salida de ese gueto profesional. Pero Kerry no los escuchaba. Visitaba los refugios para mujeres golpeadas; colaboraba con la policía; hacía campañas por nuevas leyes. Aprendió, no sin dificultad, a hablar en público para abogar ante los grupos cívicos por mayor compasión para las víctimas y penas mayores para los victimarios. En esto era implacable y algunos empezaron a tacharlo de injusto, de estar dispuesto a mandar un hombre a la cárcel con tal de lograr sus propósitos egoístas. Aunque ofendido y desconcertado por la acusación, rechazó el camino más fácil para contrarrestar esa impresión, el de hablar sobre su madre. Con nadie hablaba sobre su infancia, salvo con Clayton Slade.

A medida que se comprometía más con la causa, empezó a pensar en una carrera política, no porque le gustara como carrera —ya que no quería perder su intimidad— sino porque esas cosas que tanto le importaban sólo se podían cambiar desde el gobierno. Estaba bien procesar a los abusadores, pero con eso no se conseguían penas más duras, fondos para ayudar a las esposas, guarderías para los hijos. Fue uno de los primeros en proponer que se prohibiera la venta de armas a los abusadores. Esto suscitó un incidente que algunos consideraron admirable, otros inoportuno y aun sobrecogedor.

Había visitado la oficina de Ralph Shue, un legislador pomposo que se postulaba para el Senado y era un aliado tácito del lobby por la venta libre de armas. Kerry le hizo una propuesta que le pareció sencilla y atractiva: aun los partidarios acérrimos de las armas coincidirían en que los maridos golpeadores no deberían andar armados. Cuando Shue respondió con evasivas y luego con un rechazo liso y llano, Kerry preguntó si los aportes de la Asociación Nacional del Rifle no habían modificado su posición. Shue se enfureció.

—O sea que la vida vale menos que la campaña electoral para llegar al Senado. Recuerde: la próxima vez que uno de esos animales mate a su esposa e hijos, usted le ayudó a jalar del gatillo.

Salió de la oficina, dejando atrás un enemigo y una anécdota.

El epílogo del incidente fue una conversación con Clayton Slade que jamás trascendió. Pero tuvo consecuencias profundas sobre la personalidad de Kerry. Habían salido a beber una cerveza.

—Shue es un hijo de puta. Pero ya que no puedes desarmar a cada tipo que le pega a su esposa, ¿por qué no tratas de educarlo? —Y en tono firme añadió: —No creo que *todos* sean así porque les gusta, Kerry. Y en todo caso, sería bueno que dejes un poco esa actitud de vengador.

Kerry se echó atrás en la silla, callado e introspectivo. Para él, su padre había sido el paradigma de la violencia irracional. Pero entonces ya sabía que muchos la habían aprendido a su vez de sus padres abusivos; intuía, y le perturbaba hondamente, que su propia furia, canalizada a través de la justicia, fuese un reflejo de la de Michael Kilcannon. No respondió a Clayton. Pero a partir de entonces empezó a abogar por la terapia para los hombres que la pidieran y, a la vez, a estudiar más profundamente sus propias motivaciones.

Vincent Flavio lo vigilaba. Liam Dunn, con quien cenaba frecuentemente, le dijo un día:

—Vincent no puede creer que lo hagas solamente para aprender. Piensa que buscas avanzar posiciones y eso lo pone nervioso. —Liam clavó en él su mirada astuta, como si pensara lo mismo.

—¿Por qué será —preguntó Kerry— que Vincent Flavio piensa que todos quieren ser como *él*?

El padrino decidió ocultar su admiración detrás de una sonrisa.

—Vincent es un poco paranoide, Kerry, y tu apellido es Kilcannon. Si *él* fuera tú, lo aprovecharía.

Era lo último que quería hacer.

Sus contactos con Jamie eran infrecuentes. Su hermano lo visitó una sola vez en la oficina y pasó a ver a Vincent Flavio, con quien permaneció el tiempo más breve que permitía el decoro.

—Una hora con Vincent —le dijo luego a Kerry— es una más cerca de la tumba, y la experiencia parece bastante similar. —Su mirada recorrió la oficina con sus muebles desvencijados. —Bueno, pero creo que puedo hablar con él. ¿Hasta cuándo continuarás con los dramas domésticos?

—El tiempo que sea necesario.

Jamie le dedicó una sonrisa fugaz, aunque su mirada era seria y algo desconcertada.

—Ay, Kerry —dijo por fin—. ¿Cuándo te irás de casa?

Siguió procesando casos de violencia doméstica, siquiera para llevar el caso Musso hasta el final. Después de todo, le había pagado a Vincent Flavio para conservarlo.

El jefe había dispuesto que las apelaciones fueran procesadas por otra oficina. Kerry se sentía responsable por Bridget y John, y quería —más aún, necesitaba— manejarla él mismo. Pero cuando fue al jefe de la sección, éste le dijo que debía hablar con Carl Nunzio.

Lo hizo con renuencia.

La sonrisa maliciosa de éste tenía por objeto recordarle que se había negado a pagar tributo y por eso lo había exiliado a violencia doméstica.

—Así que vienes a pedir favores —dijo Nunzio—. Está bien, pero entonces es hora de que te unas al equipo.

Reprimió su rabia. Se dijo que debía pensar en Meg; se casarían en pocos meses. Pero al meditar su respuesta no pensaba en ella sino en la cara de John Musso al echarle los brazos al cuello.

Asintió lentamente.

Nunzio sonrió: —Si te facilita un poco las cosas —dijo—, el distrito de Essex puede darte un aumento de sueldo. En bien del interés público, claro está.

Kerry se sintió más sucio que antes.

Pasaban los meses, se acercaba el momento de la apelación, y Kerry se mantenía en contacto con Bridget y John.

Su vida era penosa; sin el sueldo que ganaba Anthony como obrero de la construcción, eran pobres, y Bridget dependía de la asistencia pública debido a sus problemas de salud y falta de conocimientos. Pero no había vuelto a beber y John asistía regularmente a la escuela. Un día, Kerry los llevó al zoológico del Central Park en Manhattan. Ella parecía casi serena y John, aunque seguía callado, evidentemente había aprendido a confiar en ella. Bridget dijo que había iniciado un curso de contabilidad. Tenía facilidad para las cuentas, y las calificaciones de John en matemática indicaban que él también la tenía. Su vida había cambiado muchísimo desde la desaparición de Anthony, y Kerry confiaba en que aún quedaba lugar para mejoras. Estaba satisfecho con ese logro.

Otro motivo de satisfacción era la amistad con Clayton Slade.

Con el tiempo, Kerry empezó a conocer algo de su vida. Era

hijo de un burócrata municipal poco comunicativo y aún menos cariñoso, y un ama de casa bienintencionada pero algo tonta; desde su juventud había aprendido a observarlos con objetividad. Canalizaba su profunda capacidad de afecto hacia su esposa Carlie, mordaz e irreverente, y sus hijas, traviesas mellizas de cinco años. Clayton las llamaba "el aquelarre", término socarrón que confirmaba, más que disimulaba, el amor profundo que sentía por ellas.

La familia Slade vivía en las afueras de Vailsburg, a pocas cuadras de Mary Kilcannon. A Kerry le encantaba ir a cenar a su casa: él y Clayton no se sentían obligados a conversar; Carlie lo trataba casi como a Clayton, con cierto irónico afecto. Con las mellizas Kelsey y Marissa descubrió cuánto deseaba tener hijos. Le fascinaba jugar con ellas. Una noche, cuando las buscaba para cenar, Carlie había sorprendido a Kerry en cuatro patas dentro de su vestidor, jugando a las escondidas. Alzó el entrecejo:

—Bueno, al menos no te pusiste uno de mis vestidos. Pero probablemente lo harías si te lo pidieran esas nenas.

Kerry sentía admiración por ambos. Carlie era profesora universitaria, inteligente, tan lúcida como Clayton para pensar y expresarse. Él era un abogado litigante de primera: sistemático, exhaustivo, previsor, sumamente competente en los casos más complejos. Kerry jamás lo vio cometer un error elemental; parecía capaz de comprender cualquier situación, por compleja o novedosa que fuese. Su intuición para la política interna de la oficina era tan certera como su conocimiento de personalidades y motivaciones. Kerry sabía por instinto cuándo debía consultarlo. Y no le sorprendió en absoluto que un gran bufete de Newark se lo llevara con el doble de sueldo.

Aunque disfrutaban mutuamente de su compañía y compartían el sentido de la ironía, Kerry no tenía tanta certeza acerca de lo que Clayton veía en él. Lo cual, por lo demás, no era un tema frecuente de sus conversaciones.

—Al principio —confesó Clayton un día—, pensé que eras un irlandés primitivo como tantos; tú sabes, uno de esos chicos pendencieros e ignorantes que les gusta pelear y no pueden concebir el mundo más allá del barrio y la parroquia. Pero un día comprendí que estaba loco al pensar eso de ti.

Pero Kerry jamás le preguntó *por qué* había mejorado su concepto de él y Clayton jamás se lo dijo.

En general no hablaban del problema racial. Pero el tema los rodeaba: los irlandeses huían de Vailsburg; no cabía duda de que el vecindario se deterioraba y se perdía el sentido comunitario. Casas de familias que Kerry conocía desde su infancia se convertían en fumaderos de drogas, con las ventanas cubiertas por tablas; crecían las tensiones entre negros y blancos; Mary Kilcannon, siempre obsesiva con la limpieza de la casa, se quejaba de que había cucarachas en la cocina.

—Quiere mudarse —dijo Kerry—. Dice que no se siente segura.

Estaban en el parque Vailsburg donde acababa de terminar un partido de fútbol entre abogados; en el vano intento por detener un pase ofensivo, Kerry se había despellejado un brazo y ahora le quitaba la tierra con su viejo buzo de Seton Hall.

—¿Tiene razón al sentirse así? —preguntó Clayton.

Kerry hizo una mueca de dolor al rozar la carne viva.

—Nunca le pasó nada. Pero no entiende lo que pasa en Vailsburg.

Clayton calló un instante. Luego tomó aliento y dijo con una mezcla de paciencia y hastío:

—Y si los irlandeses pudieron descender del barco y hacer de sus hijos abogados y senadores, por qué no los negros.

—Algo así. —Kerry hizo una pausa y agregó con franqueza: —Yo solía preguntarme lo mismo.

Clayton contempló el parque: —Cuando tus padres vinieron de Irlanda —dijo por fin—, encontraron una comunidad bastante parecida a la que habían dejado atrás, con la misma cultura, religión, estructura familiar y amigos o parientes que les ayudaban a conseguir trabajo. Aunque se podría decir que a los africanos también les daban trabajo.

El tono de discreta ironía persistía en el aire.

—Eso lo entiendo —dijo Kerry, a la defensiva—. Aunque los irlandeses de la primera oleada eran la resaca de la sociedad. ¿Pero ahora?

—No busco pretextos. Hay mucho que hacer y en estos tiempos no habrá mucha ayuda. El ejemplo deslumbrante de la familia Kilcannon tampoco sirve. —Se volvió hacia Kerry. —Los prejuicios hacia los que tienen otro color de piel están grabados en el cerebro humano. Dentro de diez años, los chicos blancos imitarán a James Kilcannon como antes a Kennedy. Pero estoy seguro de que no imitarán a Jesse Jackson o siquiera a Denzel Washington. Tú también lo sabes.

Kerry lo miró fijamente, luego su vista se paseó por el vecindario.

—Es una pena.

—Pero no es la única —dijo Clayton sin rodeos—. Y por cierto no es la peor. Tus viejos amigos ahora están en los suburbios residenciales donde nadie puede hacerles daño.

Kerry no supo qué responder.

—Nunca quise hablar sobre esto —dijo por fin.

Clayton se encogió de hombros: —A mí no me importa, y en eso estamos de acuerdo. Pero sí quiero que pienses un poco.

—Y en eso también estamos de acuerdo —respondió Kerry, y se paró—. ¿Crees que Carlie tendrá algo para curarme el brazo? Tus chicas siempre andan chocando contra las paredes.

Cuando Kerry y Meg se casaron, tres días antes de que él cumpliera veintinueve años, Clayton fue el padrino de la boda.

Después de la boda, Kerry bajó la capota de su VW y, lleno de euforia al pensar en su nueva vida, se llevó a su sonriente esposa a pasar cuatro días de luna de miel en Manhattan.

No era el plan original, pero por una vez, Kerry había aceptado el consejo de su hermano, con mayor experiencia mundana.

"Florida es donde va la gente cuando se va a morir —había dicho Jamie—. Con el dinero de los pasajes reserven una habitación en el Pierre, vayan al teatro, coman en restaurantes buenos. Dios sabe que yo lo haría con cierta mujer si no me costara cien mil votos."

James Kilcannon, aún soltero, estaba embarcado en una gira proselitista por todo el país que culminaría, según los medios, con el anuncio de que al año siguiente se postularía para la presidencia. Esa referencia irónica a los problemas de su vida amorosa —rumores de una aventura con la hermosa cantante de rock Stacey Tarrant— hizo que Kerry se sintiera feliz de llevar una vida privada en la que podía tomar decisiones por su cuenta. Al contemplar los rascacielos de Manhattan, tomó la mano de Meg:

—No cambiaría mi lugar con nadie.

El cuarto era pequeño pero adornado con buen gusto y tenía vista a Central Park. Kerry corrió las cortinas y se volvió hacia su esposa, embargado por el deseo.

Ella lo besó: —¿Podemos salir un rato? —dijo—. Todavía estoy excitada por la boda.

Kerry reprimió un gesto de desilusión. Aunque hacía un año que se acostaban, esa noche era especial, ya que por primera vez harían el amor como marido y mujer. Pero tal vez Meg tenía otros pensamientos, recuerdos penosos.

—Iremos donde tú quieras —dijo—. Tenemos la noche por delante.

Pasearon durante dos horas —Kerry recordaba las anécdotas más sabrosas de la boda, Meg se extasiaba con los escaparates de la Quinta Avenida, llenos de objetos que jamás podría comprar— hasta que encontraron el restaurante recomendado por Jamie, La Côte Basque. Entre los pintorescos murales y la discreta elegancia del lugar, Meg tomó su mano; disfrutó el ambiente, la atención esmerada, quiso prolongar la velada con postres y una copa de oporto para brindar. Cuando les trajeron la adición era casi medianoche y los presentes eran apenas el matrimonio Kilcannon y cuatro hombres que ponían fin a una larga cena de negocios.

Con una mueca al pensar en el próximo resumen de su tarjeta de crédito, Kerry pagó la cuenta y se paró, ansioso por estar a solas con Meg. Pero cuando llegaron al Pierre, echó una mirada al bar y dijo que quería una copa de coñac. Debe de ser un momento *muy* especial para ella, pensó Kerry, un recuerdo para atesorar, un nuevo punto de partida en su vida: la primera salida como matrimonio, el lujo y las luces de Manhattan. Era la una cuando volvieron a su habitación.

A la luz tenue del velador, desempacó la maleta.

Buscó el cajón o la percha adecuados para cada percha. Luego, mientras Kerry se desvestía, se encerró en el baño.

Tuvo que esperarla media hora, sintiéndose solo y angustiado.

Salió en silencio. Cuando Kerry le tendió los brazos, se dejó caer entre ellos y le dio la espalda.

Kerry le besó el cuello y en ese momento se sintió abrumado por sus sentimientos. Era el comienzo de su vida en común, el camino hacia los hijos y una intimidad más profunda. Bajó lentamente los breteles del camisón.

Ella encogió los hombros: —Estoy muy cansada.

Kerry la abrazó con fuerza: —Es nuestra noche de bodas, Meg. Podemos dormir hasta cualquier hora.

No respondió. Él le quitó el camisón. Con algo que parecía un suspiro o un temblor, se tendió de espaldas.

Durante algunos minutos, se dejó llevar por su propia pasión. Casi no advirtió que Meg separaba las piernas como si se entregara a él y que no había pasión en sus gestos. Sumergido en la suavidad de su piel, sus senos, su pelo, murmuró, "Te amo, Meg Kilcannon".

Entonces ella estalló en llanto.

Kerry se quedó rígido. La brusca conciencia de la distancia entre ambos, entre la angustia de ella y su propia ceguera, fue como una bofetada.

—Dios mío, Meg... ¿qué pasa?

Se apartó de él para sentarse en el borde de la cama, la cabeza gacha.

—Perdóname —dijo con voz ahogada—. Debería haberlo sabido.

Kerry se arrodilló a su lado. Su corazón latía con fuerza.

—¿Sabido qué?

Cerró los ojos.

—Me siento como en una cárcel, Kerry. Por favor, vamos a casa. Allá será mejor.

A la mañana siguiente, un Kerry desconcertado e incrédulo llevó a su nueva esposa al apartamento en Down Neck. Al llegar, Meg tomó el teléfono y llamó a una compañera de trabajo, alguien a quien Kerry apenas conocía. Kerry la miró en silencio hasta que cortó.

—Tenemos que hablar, Meg.

Tomó aliento: —No es nada contigo, Kerry. Tal vez es Pat. Es como si tuviera miedo de volver a sufrir como antes.

Se le hizo un nudo en la garganta.

—Estás casada conmigo, no con Pat. Necesitamos tiempo.

Una semana después, con el ánimo por el suelo, tuvo que presentarse ante un panel de tres jueces para alegar contra una apelación en el caso Musso. Escucharon el alegato de Kerry —de que la amonestación del juez Weinstein era suficiente, y que no se debía someter a un niño de ocho años a tanto sufrimiento por causa de una sola frase irreflexiva— sin emitir la menor señal de lo que pensaban. Cuando volvió a su casa, deprimido y con ganas de conversar, encontró una esquela sobre la mesa. Una vieja amiga había llegado a la ciudad, decía Meg. Esperaba que el alegato hubiese terminado bien y no veía la hora de enterarse de todo.

Durante los meses que demoró la decisión de los jueces, su vida con Meg mejoró, pero nunca llegó a ser lo que había esperado.

Era atento con ella; a veces todo parecía depender de su capacidad para interpretar los estados de ánimo variables de Meg. Pero cuando trataba de iniciar una conversación franca sobre sus problemas, ella se hundía en el mutismo, ofendida. Le ofreció un acuerdo tácito: en tanto hicieran el amor los fines de semana por la mañana, él podía tener la certeza de que no había problemas en su matrimonio. Los días buenos, cuando Meg reía con él, se sentía feliz y esperanzado. Y a veces ella le dejaba esquelas en su portafolio para desearle suerte en un juicio o simplemente para decir, "te quiero". Kerry las hallaba al llegar a su oficina y sonreía feliz.

En ocasiones quería abordar el asunto con Clayton. Pero los dos matrimonios eran amigos, y tanto en las salidas con los Slade como en reuniones con amistades, Meg se mostraba sonriente, vivaz, ávida de conocer otra gente: una mujer totalmente distinta que en la intimidad. Kerry experimentaba una mezcla desconcertante de placer, alivio porque los demás no advertían su problema y rencor oculto porque Meg era capaz de mudar de personalidad hasta ese punto. A él le estaban reservados su mutismo, los interminables fines de semana que llegaban sin aviso, durante los cuales ella se pasaba el día en la cama. Y sólo él sabía lo que pensaba sobre los niños.

Preparaban la cena en la cocina. Kerry volvía de una visita a John y Bridget Musso. John le había mostrado un modelo de portaaviones de plástico que estaba armado y le había pedido que le ayudara a terminar el trabajo.

—Los chicos son increíbles —dijo—. Para John, no había nada más importante en el mundo que terminar de armar ese barco. Y después de un rato, se convirtió en lo más importante para mí.

Meg lo miró, pensativa: —Qué bueno que pueda pasar un rato feliz contigo, a pesar de sus problemas. ¿Alguna vez se te ocurrió afiliarte a una de esas organizaciones que atienden a niños huérfanos?

En la superficie parecía un comentario inocente; él daba por sentado que algún día tendrían hijos. Pero para entonces ya conocía los mecanismos de defensa de Meg, su manera indirecta de expresarse.

—No sé —dijo con fingida despreocupación—. Más bien estuve pensando en nuestros hijos. ¿Cuándo crees que podríamos encargarlo?

Meg bajó la vista a la olla.

—No lo sé —dijo—. Por ahora, no.

Era un momento tenso. Pero el tema era demasiado importante para dejarlo pasar.

—¿Quieres decir por ahora? ¿O nunca?

Estaba acorralada.

—Eres tan tradicional —dijo, mirándolo—. Y yo ya no sé *quién* soy.

Al día siguiente, la corte de apelaciones decretó un nuevo juicio para Anthony Musso y ordenó su libertad.

OCHO

El segundo juicio a Musso comenzó en una mañana lluviosa y triste.

Kerry llevó a John y Bridget al tribunal. A pedido de Kerry, el juez Weinstein había prohibido a Anthony Musso que apareciera por su apartamento o por el trabajo de Bridget, la oficina de una pequeña empresa de mudanzas. La semana anterior, al salir del trabajo, ella lo había visto al otro lado de la calle, pero él no intentó acercársele. Fue la única vez, y John no lo había visto. Pero después del incidente Kerry estaba más resuelto que nunca.

Al subir la escalera de mármol a la planta alta de los tribunales, la luz que se filtraba entre las molduras de la cúpula reflejaba la tristeza del día. John Musso estaba muy callado y pálido. Kerry no podía olvidar el momento en que les dijo que Anthony estaba en libertad: el miedo pánico en los ojos del niño, tan elocuente como las lágrimas de Bridget. En la puerta del tribunal, tomó a John de la mano:

—Una vez más —prometió—, y se acabó.

John lo miró y la madre le apartó el pelo de la frente.

—Lo sabemos —le dijo a Kerry—. Usted nos ha cuidado.

Kerry miró a la madre y el hijo, la mujer sobria, el niño más confiado, menos encerrado en sí mismo. *Están a un paso*, pensó. *Si consigo salvarlos esta última vez...*

No pudo concluir la idea.

Anthony Musso caminaba hacia ellos por el pasillo, la mano derecha en el bolsillo de su sacón de lana. Kerry fue el único que lo vio; sólo él registró el paso pesado, crispado, la mirada fija en la nuca de Bridget, y entonces supo que Anthony no venía en busca de un nuevo juicio.

Nadie estaba cerca. De reojo, Kerry vio a un alguacil que bebía café y conversaba con alguien en la puerta de una oficina. Musso se detuvo. Serena, deliberadamente, extrajo una pistola del bolsillo.

Kerry estaba paralizado.

Los segundos siguientes fueron apenas una sucesión de impresiones en cámara lenta: Musso alzaba el arma. Apuntaba a Bridget. Ella abría la boca al ver la expresión de Kerry. Al sonar un estampido hueco, los dedos de John temblaban en la mano de Kerry.

La cabeza de Bridget se fue hacia delante.

Sus ojos se abrieron de par en par. A través del tercer ojo que apareció en su frente, la sangre y los trozos de sesos salpicaron la cara de Kerry.

Cuando Bridget se tambaleaba, Anthony Musso le apuntó a Kerry.

Una mujer chilló. Con un movimiento reflejo, Kerry se zambulló hacia la puerta sin soltar la mano de John.

Un rayo candente le atravesó el hombro. Su cabeza se estrelló contra la puerta gruesa de madera; aturdido, escuchó otro golpe sordó, el del cuerpo de Bridget al caer.

Kerry rodó de espaldas, abrazando a John; delante de sus ojos bailaban los puntos negros. Bridget estaba tendida a su lado. Más disparos; como si lo hubieran golpeado de atrás, Anthony cayó junto a la puerta. El último recuerdo de Kerry antes de desmayarse fue el grito histérico de John Musso al ver la cara de Bridget.

Kerry era un héroe.

El alguacil era testigo de que le había salvado la vida a John Musso. Eso decían los diarios. Eso le dijo Vincent Flavio cuando lo visitó en el hospital, seguido por una nube de periodistas.

Kerry tenía el brazo derecho en cabestrillo; la bala de Musso le había destrozado la clavícula. Sus pensamientos, su soledad y vergüenza estaban tan alejados de la fingida solicitud de Flavio que éste permaneció poco tiempo. La seca observación de Liam, "Vincent prefiere los héroes muertos... porque no pueden desplazarlo", le hicieron callar cuando estaba a punto de revelar la verdad tal como él la recordaba. Los mitos, como la cobardía, suelen ser útiles.

Una mujer había muerto, un niño había quedado huérfano.

—Buscan algún pariente próximo —dijo Clayton—. Parece que hay una tía abuela en alguna parte: hermana de la madre de Bridget.

Estaba a solas con su amigo en la sala fresca, silenciosa. Kerry contempló el cielo raso.

—Que Dios lo ayude —dijo por fin—. Y se apiade de mí.

Clayton meneó la cabeza: —No podías haber hecho nada más.

Kerry se volvió hacia él, y la herida del hombro le provocó una mueca de dolor.

—Pude haberla salvado —dijo—. Vi la pistola y me quedé paralizado.

Clayton lo miró detenidamente.

—Fueron dos segundos, Kerry. Nadie podía preverlo.

—Yo sí. Desde el momento en que lo vi. —Volvió la vista al techo. No podía mirar a su amigo. —Te diré cómo fue. "Que sea ella y no yo." Lo de salvar a John fue un accidente.

Clayton se paró, lo miró a la cara: —Eso nunca lo sabrás, Kerry. Fue demasiado rápido.

Kerry no respondió.

Clayton le tomó el brazo: —Nunca lo sabrás —repitió—. Tal vez el alguacil te convirtió en algo que no eres. Pero no tienes nada que reprocharte.

Kerry lo miró: —Sólo tengo que vivir con el recuerdo.

Clayton asintió: —Tienes que *vivir* tu vida. Ya hay bastantes vidas arruinadas por esta causa.

Kerry calló durante un largo rato.

—Quiero ver a John —dijo por fin.

Los dos días siguientes pasaron entre sueños. Su hermano llamó desde California; con la certeza de que se recuperaría, se dio el gusto de hacer bromas.

—Dicen que te olvidaste de esquivarlo.

—No —dijo Kerry—. No me olvidé. Pero no lo hice a tiempo.

Jamie rió de la broma: —La próxima vez lo harás mejor.

Al dejar el auricular, lo único que recordaba era la cara de Bridget al explotar junto a la suya.

Repasó una y otra vez esos segundos, como lo hacía desde que adquirió conciencia de que la muerte de Bridget no había sido un sueño sino una realidad de pesadilla, por la cual era responsable. Al despertar, recuperaba por un instante su vida anterior al momento en que Anthony Musso sacó la pistola del bolsillo; en ese hermoso instante no tenía culpa, pero entonces recordaba la cara de Bridget y el grito de un niño...

Entonces despertó, la pieza estaba a oscuras y Meg lo miraba en silencio.

Tenía la cara húmeda porque había estado llorando.

—¿Qué pasa? —preguntó Kerry.

Ella le tomó la mano: —Estuve a punto de perderte —dijo con voz ahogada.

Kerry sonrió: —¿Y qué hubiera sido de ti?

—No lo digas ni en broma.

Había desesperación en su rostro. Sintió pena y luego desconcierto.

—Se acabó, Meg. Estoy vivo. ¿Qué más puedo hacer?

Meg no podía contener el llanto: —Ese hombre pudo haberte matado —dijo con brusca vehemencia—. Quiero que me prometas que dejarás esto de la violencia doméstica.

Pensó en Bridget Musso y se crispó interiormente.

—No puedo.

—*Por favor.* —Le apretó la mano con fuerza. —Entonces prométeme que no volverás a arriesgarte.

Kerry cerró los ojos por un instante. Luego se sentó con una mueca de dolor y le habló en el tono paciente de un padre a un niño:

—Fue un accidente, Meg. No soy policía sino abogado. De ahora en adelante habrá detectores de metales en todas las puertas del tribunal.

Meneó la cabeza con obstinación.

—Prométélo —insistió—. Soy tu esposa, no es mucho pedir.

Exhausto, se dejó caer de espaldas sin soltarle la mano.

—Está bien —dijo, y cerró los ojos.

Mary Kilcannon pasaba todos los días y permanecía por poco tiempo. Parecía intuir que Kerry estaba acosado por pensamientos desconocidos para ella, y no quería ser un peso adicional. Su pelo se había vuelto de un color gris acerado con algunas hebras negras, y su cara estaba surcada por arrugas. Al pensar en cuánto había sufrido, Kerry se sintió agradecido por todo lo que le había dado cuando era niño y por su discreción en ese momento. Tal vez Jamie llegaría a presidente, pero Kerry era el hijo más querido, aquel en quien veía reflejado su ternura. Sin embargo, no quería demostrar en su presencia que estaba preocupada.

Las cosas que hacen los padres por los hijos, pensó, maravillado. *Lo que una* madre *es capaz de hacer...*

Una vez más, le había dicho a John, *y se acabó.*

En la puerta, Clayton le tocó el hombro y señaló hacia la cama.

—¿Lo ves, John? Kerry está bien.

Por una vez, el chico no podía apartar la vista de Kerry. Lo que éste vio en sus ojos era algo que iba mucho más allá del alivio, algo doloroso de contemplar. El niño se acercó, vacilante.

Kerry miró a Clayton y asintió.

—Estaré afuera —dijo éste, y salió.

John puso la mano sobre las sábanas, a centímetros del brazo de Kerry. Tenía ojeras profundas, su expresión era de estupor; según la asistente social, desde que dejó de llorar casi no había abierto la boca. No había preguntado sobre su padre ni su madre. Le daban píldoras para dormir.

¿Qué puedo decirle yo, se preguntó Kerry, *que pueda servirle para algo?* Le tomó la mano.

—Tu mamá te quería mucho, sabes. Siempre te querrá.

El chico tragó y apartó la vista. De qué le serviría una madre muerta, que le había brindado amor durante algunos meses, en los años por venir. Sólo pudo apretarle la mano con fuerza. Como en el momento en que murió Bridget.

Tal vez, pensó, el mismo recuerdo le provocaba ese temblor en los labios, como si quisiera decir algo.

—¿Qué pasa? —dijo Kerry.

John apoyó la cara sobre la sábana; no se atrevía a mirarlo.

—Quiero quedarme contigo —susurró.

Se le estrechó la garganta. Un susurro tan bajo que Kerry casi no podía escucharlo. Que él mismo casi no podía escucharse.

Quiero quedarme contigo...

¿Esta noche?, se preguntó Kerry. ¿O el resto de su vida? ¿Y acaso no le debía eso a John? Una mujer mayor, en una ciudad lejana, ¿sería capaz o viviría el tiempo suficiente para enmendar los males que había sufrido?

Kerry le acarició el pelo oscuro. Había tantos factores, pensó: su trabajo, su pareja, su estado físico. Recordó su última decisión impulsiva, tan entrelazada con ésta; cuán poco sabía sobre el amor cuando le pidió a Meg Collins que se casara con él, cuán poco lo entendía aún ahora. Apenas lo suficiente para comprender que su incapacidad de amarlo no comenzaba con Pat sino en su infancia, cuando se plantaron las semillas de su deseo subconsciente —del cual Kerry tenía ya pocas dudas— de no tener hijos. Ni propios ni, menos que menos, este chico.

No podía permitir la menor ilusión. Ante la imposibilidad de salvar a Bridget Musso o tomar en sus manos la vida de John, sólo quedaba la verdad.

Le habló con ternura sobre su nuevo hogar, la tía abuela que lo esperaba. John no volvió a abrir la boca. Cuando Clayton pasó a buscarlo, salió sin mirar atrás.

NUEVE

Durante las semanas siguientes al alta, Kerry se dedicó de llenó a la rehabilitación física y el trabajo. No lo abandonaba la idea de que si se hubiera demorado medio segundo más, la bala hubiera penetrado en su cerebro. Cada hora vivida desde entonces era un regalo: la sensación de culpa lo volvía más obsesivo. Un lunes a las diez de la noche, cuando aún se encontraba en la oficina, Clayton lo llamó para decirle que no se sintiera culpable por estar vivo. Kerry no lo escuchó. En casa sólo tenía a Meg; aquí había casos que ganar, causas que le permitían recordar, o acaso olvidar.

Cuando llamaba a la tía abuela de John, el chico se negaba a hablar con él.

Era tan introvertido, decía la señora, que no sabía cómo tratarlo. Parecía una buena persona, totalmente desprovista de ingenio e imaginación. Semana tras semana, John se negaba a hablar con él y el informe de la señora no variaba. Su voz expresaba una mezcla de impotencia y fatalismo: Kerry intuyó que para ella John Musso era una cruz que debía llevar, y no le correspondía poner en tela de juicio los decretos divinos. Pensó en viajar a verlos, pero comprendió con amarga certeza que su reaparición en la vida de John era la única crueldad que quedaba por cometer.

A veces pensaba en Jamie. La carrera por la candidatura presidencial entre él y un ex vicepresidente estaba virtualmente empatada. Entonces, para estupor de Kerry, anunció públicamente su noviazgo con Stacey Tarrant; que un aspirante a la presidencia estuviera en pareja con una cantante de rock, por grandes que fueran su inteligencia y su conciencia social, era un hecho para despertar polémicas. Kerry deseó con fervor que esta franqueza significara un cambio en su hermano, la prueba de que el amor era más importante que el mero cálculo político. Pero lo único que dijo Jamie en su breve conversación fue, "Si tú fuiste tan temerario como para recibir un balazo, lo menos que puedo hacer yo es no ocultar que salgo con una mujer".

Nunca volvieron a hablar.

Una tibia noche de abril, Kerry estaba en la oficina. Acababa de hablar con la tía de John Musso; las cosas seguían más o menos igual. Ojalá no fuera tan difícil sanar las heridas de la infancia, pensó fútilmente. Sin saber por qué, pensó en Jamie.

Estaba en California y la campaña lo había llevado al borde del agotamiento, decía la prensa. Debía ganar esa primaria para conservar alguna esperanza de obtener la candidatura; dos días antes lo había visto en un noticiario, tan exhausto que causaba estupor. Esa noche vería las noticias de las once...

Sonó el teléfono.

La voz de Meg sonó espantada, hueca: —Llamó tu mamá —dijo—. Se trata de tu hermano. Lo balearon.

Aturdido, Kerry tuvo que esperar unos segundos antes de poder hablar: —¿Y cómo está?

—Todavía no se sabe. Lo están mostrando por televisión.

—Vete a lo de mamá. Te veré allá.

Como un autómata, fue a la oficina de Vincent Flavio; sus pasos resonaban sobre las baldosas gastadas.

El televisor estaba en un rincón sobre una mesa antigua. Kerry oprimió el botón y aparecieron las primeras imágenes en la pantalla.

En el escenario de un concierto de rock, Jamie tomaba la mano de Stacey. La multitud frenética coreaba su nombre.

Kil-can-non...

Stacey lo miraba, le ofrecía su sonrisa deslumbrante. Estaban de pie en la intersección de dos reflectores, como suspendidos en la oscuridad. La multitud los bendecía con sus gritos.

Kil-can-non...

Jamie sonrió y se irguió, sin señales de fatiga. Stacey se apartó para dejarlo a solas con la multitud.

Jamie alzó la mano.

Desde un rincón del escenario se adelantó un hombre delgado.

Kerry se encogió al verlo.

Como si estuviera en trance, el hombre alzó su arma. Sólo Kerry parecía verlo.

En medio de los cánticos, la boca de Stacey Tarrant se abría en un grito mudo...

El asesino dio un paso más y disparó.

Frente a la multitud, Jamie se quedó paralizado. Se alzó el pelo de su coronilla.

Se derrumbó, cayó de costado y luego de espaldas. Stacey se

arrojó sobre él. Entonces los agentes secretos los rodearon y la cámara de televisión buscó a Jamie en medio del enjambre de brazos y piernas.

Cuando lo encontró, sus labios se movía. Bajo su cabeza brillaba un charco de sangre.

Inmóvil sobre la alfombra persa y entre las fotos vanidosas de Vincent Flavio iluminadas por el resplandor de la pantalla, Kerry contempló la agonía de su hermano.

Lo llevaron a Newark.

Por pedido de Mary, Niall Callahan, el dueño del velatorio, preparó el cuerpo para el entierro. Ella se mostraba estoica, con los ojos secos, sostenida por la oración y la presencia de Kerry. Quiso ver a su hijo mayor.

—Espera a que hable con Niall —dijo Kerry.

Ella asintió; las explicaciones eran innecesarias.

Niall lo condujo al salón donde yacía, dijo algunas palabras de pésame y salió.

Solo, Kerry contempló el rostro de su hermano Jamie.

La piel estaba lívida y le faltaba la tapa de los sesos. Kerry conocía bien los estragos que causaban las autopsias; sabía que el cuerpo delgado bajo el traje formal de senador estaba hueco y lleno de costuras. El hombre que había sido su hermano ya no estaba ahí.

Dios mío, Jamie. ¿Qué objeto tiene todo esto?

Durante un rato, Kerry se quedó con él; con lágrimas en los ojos y los puños metidos en los bolsillos de su abrigo.

Dicen que te olvidaste de esquivar.

No me olvidé, sólo me atrasé un poco.

Tanta muerte, pensó Kerry. *Y ahora tú. Cuánto lamento no haberte conocido o, Dios me perdone, no haberte querido. Lo que más deseaba era no ser como tú. Me dolía tanto ser tu hermano menor, inferior en todo. Me pregunto si lo sabías y te importaba.*

—Pero tú eras importante para mí —dijo en voz alta—. Siempre.

Tuvo que hacer un gran esfuerzo para volverle la espalda y salir.

Cuando volvió con su madre, ella se apoyó en su hombro mientras contemplaba a su hijo mayor.

—No le gustaría que lo recordaran así —dijo Mary.

Esas palabras no alcanzaban a ocultar una tristeza más profunda: muchos años antes, James Kilcannon había dejado de pertenecer a su familia.

Kerry buscó a Niall Callahan: —Ciérrelo —dijo.

* * *

Nat Schlesinger, el ayudante de Jamie, supervisó la ceremonia fúnebre. Estoico en su dolor, trató a los dos Kilcannon con profundo afecto. Cuando preguntó a Kerry si quería pronunciar el discurso, y éste respondió que "debería hacerlo alguien que lo conoció", pareció comprender sin explicaciones.

Nat hizo traer a Stacey Tarrant. La mañana del entierro, Kerry quiso hablar con ella.

Estaba sola en su cuarto de hotel, con un guardaespaldas apostado en el pasillo. A Kerry le maravillaba que alguien pudiera elegir semejante vida, tan pública y a la vez tan aislada. Cuando se paró para estrecharle formalmente la mano, le llamó la atención su aplomo, así como su mirada lúcida.

—Mis condolencias —dijo Kerry.

Sus ojos azules de mirada seria demostraron sorpresa —tal vez porque *él* le daba el pésame a *ella*— y luego comprensión.

—Jamie solía hablar de ti.

No le preguntó qué decía, en realidad no quería saberlo. Lo único que tenía en común con esa hermosa mujer, de su misma edad pero habitante de otro mundo, era un hombre que ambos conocían parcialmente: ella, su presente; él, su pasado.

Conversaron amablemente. Pero cuando Kerry preguntó qué haría más adelante, perdió un poco el aplomo.

Miró el piso y meneó lentamente la cabeza: —Me parece inconcebible —dijo suavemente— que vuelva a actuar en público. Me siento tan responsable... —Cerró los ojos. —No puedo pensar en otra cosa que los últimos momentos, cuando Jamie trataba de hablar, sabiendo que era su fin.

¿Qué era lo que tenía tanta necesidad de decir? Tal vez explicaría eso que Kerry jamás había comprendido.

Titubeó, y le preguntó.

Ella lo miró con cierta suspicacia, o tal vez era el dolor, pensó Kerry.

—Lo que dijo la prensa —respondió—. Preguntó si todos estaban bien.

Kerry recordó la escena, cómo su hermano movía los labios.

—¿Nada más?

Stacey lo miró fijamente:

—Hubo algo más. —Tomó aliento: —Me dijo, "Es un buen chiste, ¿pero qué significa?".

Enterraron a Jamie en Princeton. El presidente estaba en Europa, pero asistieron el vicepresidente Bush, algunos diputados, casi todos los senadores. Desfilaron solemnes frente al hermano y la madre como emisarios de la vida de Jamie. Kerry pensó que eso la consolaba, tanto como las oraciones por Jamie, por la salvación de su alma. Liam Dunn estuvo presente en todo momento, en silencio, atento a sus necesidades, pero Kerry intuyó que su mente estaba en otra parte.

Liam lo llamó una semana después.

¿Podía Kerry pasar a verlo?, preguntó en tono de pedir disculpas. Tenía que tratar un asunto privado que aparentemente no podía esperar.

Al entrar en la austera oficina del presidente del partido en el distrito de Essex, Kerry reflexionó sobre la diferencia entre Vincent Flavio y Liam: a éste no le interesaban los adornos del poder sino su ejercicio. Con una solemnidad desusada, aparentemente nacida de la muerte de Jamie, lo invitó a tomar asiento.

—¿Cómo está tu mamá? —preguntó—. He querido llamarla.

—Resignada. —Trató de encontrar las palabras adecuadas. —Como si tuviera un núcleo inmutable, algo que no se puede reducir a cenizas. Tal vez es Dios.

Liam asintió: —¿Y tú?

—Mucho trabajo.

Liam lo escrutó larga, fríamente. Kerry jamás había visto esa mirada en su padrino, y se sintió vagamente molesto.

—Debo pedirte algo —dijo por fin—. No es fácil. Probablemente no es justo. Pero la política, como el óxido, jamás se detiene.

—¿Qué pasa?

—Habrá elecciones en noviembre, Kerry. Alguien ocupará el escaño de Jamie. —Bajó el tono de su voz. —Recordarás al diputado Shue. El mejor amigo del lobby armamentista.

Kerry escrutó la cara de su padrino: —O sea que conoces la historia.

—Supe que calificaste a Ralph Shue de cómplice de asesinato. ¿Es verdad?

—Sí es verdad. Y eso es.

Liam se tomó las manos: —Será el reemplazante de Jamie. Después de un plazo decoroso, nuestro gobernador lo designará senador interino hasta la elección.

—¿Le darán el escaño de Jamie a esa basura? No puede ganar.

—*Ganará*. Tiene votos a carradas en los barrios residenciales y todo el dinero que se necesita. —Liam hizo una pausa. —Nadie puede ganarle.

La frase se cortó bruscamente. Lo que quedó tácito, bruscamente fue tan claro que Kerry lo recibió como un puñetazo en la boca del estómago.

Liam lo miró sin alterarse: —Hablé con el presidente estadual y casi todos los del comité. Sabemos que es mucho lo que te pedimos, hijo. Pero nos haces falta.

Kerry se echó atrás, conmocionado: —Nunca quise algo así cuando él vivía. Menos lo quiero ahora, de *esta* manera.

Liam lo miró a la cara: —Te pediré una sola cosa: que vuelvas mañana y lo repitas.

Alterado, Kerry se paró de un salto: sentía vergüenza, furia, como si lo hubieran traicionado.

—Lo único que puedo ofrecer es un hermano muerto y el apellido Kilcannon. No votarán por mí sino por un cadáver. ¿Por qué habrían de hacerlo? —Se sosegó un poco. —Nadie me conoce. Pero hay algo que yo sé desde que tengo uso de razón. No soy Jamie.

Liam lo miró con una sonrisa triste: —"Mis brazos son demasiado cortos para boxear con Dios." ¿Eso es lo que dices?

Kerry se ruborizó: —Digo algo más sencillo. No estoy capacitado.

—Te has convertido por tus propios medios en un buen fiscal. Eres amigo de las mujeres y un héroe. Y sí, eres el hermano de Jamie. Puedes estar orgulloso de todo eso. Y puedes llegar al Senado. —Liam hizo una pausa. —Si te decides.

La ironía de la situación cayó como una piedra sobre su cabeza: tantas cosas a favor, ninguna merecida. Meneó la cabeza lentamente.

—Sufriste mucho, fuiste herido por un loco —prosiguió con voz suave—. Debes pensar en tu madre y tu esposa. Tienes todo el derecho de negarte. Pero antes, debes hacerte una pregunta, por tu bien. Cómo te sentirás si le vuelves la espalda a esta oportunidad. —Liam se paró. —Sabes bastante de política, Kerry. Yo te enseñé. Lo que nunca entendiste es hasta dónde eres capaz de llegar.

Kerry lo miró a la cara: —El otro día me enteré de las últimas palabras de Jamie. Quiero decir, verdaderamente las últimas.

—¿Qué dijo?

Kerry las repitió.

Liam lo pensó unos instantes.

—Reza mientras piensas —dijo.

DIEZ

Cuando habló con su madre sobre el pedido de Liam, ella cayó en un silencio profundo, los ojos entrecerrados. Kerry pensó que rezaba.

Estaban en la sala. Atardecía y la habitación estaba casi a oscuras; ha cambiado tan poco desde que Jamie se fue, pensó. Ahora sólo quedaban ellos.

—¿Qué le respondiste? —preguntó.

—Hasta el momento, nada.

Abrió los ojos para mirarlo: —¿Esperabas que yo te dijera que no?

Le acarició el brazo: —Sé lo que sientes, mamá.

Sus ojos se llenaron de lágrimas: —Desde que naciste he rezado por tu salud, como cualquier madre. Pero siempre he pensado que existe un motivo para las cosas y que no puedo oponerme. —Le cubrió una mano con la suya. —Debes buscar en tu corazón, Kerry. Lo que encuentres ahí es lo que debes hacer. Porque sé que Dios te ama aún más que yo.

Kerry entró en la capilla del Sagrado Corazón.

Eran las cinco de la tarde y estaba casi desierto. Se arrodilló frente al altar, se santiguó y aguardó que la vastedad y la calma del santuario serenara el gran torbellino de sus emociones.

Jamie había muerto hacía menos de una semana, y ahora lo querían a él. Kerry cerró los ojos.

Es un buen chiste, pensó. *¿Pero qué significa?*

No lo querían a él sino a *Jamie*. ¿Cómo pretendían obligarlo a vivir la vida de su hermano muerto? Además, lo haría mal: jamás sería James, y lo que más temía era costo de intentarlo: las comparaciones interminables; la mirada implacable de mil ojos que lo seguirían por un camino no elegido por él; las burlas de quienes lo tacharían de insensible y oportunista; la desilusión de otros que proyectarían en él las esperanzas puestas en Jamie; las fantasías que ningún hombre podía realizar.

Ahora te toca a ti, Kerry... si mejoras tus calificaciones.

Lo había detestado tanto por eso... tanto como ahora deseaba que estuviera vivo. ¿Cómo pretendían que ocupara el *lugar* de Jamie si ni siquiera podía poner orden en sus sentimientos hacia el hermano muerto?

¿Le darán el escaño de Jamie a esa basura?, había preguntado. *No puede ganar.*

Ganará.

¿Cuál era su mayor temor, se preguntó: la sombra de Jamie o su propia incapacidad? Tal vez su hermano sólo había sido un espejo en el que veía su propia verdad con una claridad vedada a los demás.

Eres un héroe.

Una vez más, en su memoria, Anthony Musso alzaba la pistola.

Tal vez ése era su gran miedo. Otro loco armado, actuando bajo el imperio de impulsos perversos, inconcebibles para él.

Tienes todo el derecho de negarte.

Una vez más, le había prometido a John Musso, *y se acabó.*

No tienes la culpa, había dicho Clayton, *de estar vivo.*

Kerry cerró los ojos y rezó.

Cuando abrió los ojos después de un buen rato, vio al padre Joe Donegan en la puerta detrás del altar.

Kerry se irguió y lo saludó. El sacerdote vaciló antes de acercarse.

—Es la quietud —dijo Kerry—. Me ayuda a pensar.

El padre Donegan lo miró. Trece años antes el cura había intentado vanamente disuadir a Michael Kilcannon de maltratar a la madre de Kerry. Estaba demacrado, canoso, envejecía en el servicio de la Iglesia mientras su parroquia se reducía.

—¿Quieres hablar? —preguntó el sacerdote con ternura.

No, pensó Kerry. *Sobre esto, no. Hay una sola persona en el mundo a quien le diría lo que pienso.*

—Hace tiempo que quiero agredecerle por cuidar de mi madre —dijo Kerry.

—Las madres no esperan enterrar a sus hijos, Kerry. A veces sólo resta la fe en Dios. Por eso viene.

—*Siempre* ha venido. —Kerry miró a su alrededor. —Ha cambiado mucho, ¿no?

—Ya lo creo.

Kerry hundió las manos en los bolsillos.

—Me pregunto qué se puede hacer.

—¿Por la parroquia, la comunidad...? Hace falta tanto... Compasión, reconciliación. Y formas más concretas de asistencia, como la recuperación o la eliminación de los edificios abandonados. Son criaderos de todo lo que corrompe a nuestros hijos. —El cura suspiró. —La verdad, lo que más me preocupa son los niños. No la parroquia, aunque la amo tanto.

Kerry asintió, le tocó suavemente el hombro y salió.

Mientras conducía hacia su casa, pensaba en Liam.

Sabes bastante de política, Kerry. Yo te enseñé. Lo que nunca entendiste es hasta dónde eres capaz de llegar.

En la sala, Meg estudiaba para los exámenes finales; en el otoño se recibiría de profesora de inglés. La esperaba un puesto.

Con la mayor serenidad que pudo fingir, le explicó lo sucedido.

Meg abrió los ojos de par en par: —Dios mío, lo estás pensando en serio, después de lo que pasó.

—Merece que lo piense, Meg. La decisión va a afectar mi vida por mucho tiempo.

—*Si es* que vives. —Se cruzó de brazos. —Acabas de enterrar a tu hermano, ¿cómo se te ocurre aceptar?

—No dije que voy a aceptar. Pero Liam tiene sus razones. Cree que si no me presento, el escaño será para Ralph Shue. Eso es lo último que quiero en el mundo.

Lo miró sin comprender y por un instante la emoción le ahogó la voz.

—Ralph Shue sería un senador entre cien. —Se contuvo, luego se acercó y apoyó la cabeza contra su pecho. —Perdóname, Kerry, estuve a punto de perderte...

Conmovido, Kerry le acarició el pelo: —Yo también lo siento.

—Por favor. —El llanto le ahogaba la voz. —Me prometiste.

—Lo sé —murmuró—. Pero Jamie estaba vivo.

Se puso rígida y lo miró a los ojos: Y ahora quieres *ser* él. Porque está muerto.

Kerry tomó aliento: —No, Meg, no quiero ser Jamie.

Se apartó de él. Su cara estaba bañada en lágrimas.

—Lo siento. Si te embarcas en esto, no te ayudaré. Tengo mi vida, un puesto que conseguí con esfuerzo. Y aunque no tuviera miedo, detesto la política por lo que hace a las mujeres. —Meg meneó la cabeza; aún no salía de su estupor. —No seré un obstáculo para ti. Si vas a Washington, iré cuando me necesites. Pero no iré a vivir contigo.

Kerry la miró: —Está bien —dijo suavemente—, al menos nuestros chicos no me echarán de menos.

Las lágrimas asomaron otra vez. Giró y salió del cuarto.

Esa noche, en la cama, no intercambiaron una palabra. Kerry no durmió.

A la mañana lo llamó a Clayton Slade: —Quiero pedirte algo —dijo.

Cuatro días después, aleccionado por Liam Dunn, un Kerry aprensivo se reunió con tres miembros del comité estadual del partido: su presidente, Joseph Auletta; Walter Shipman, dirigente de un sindicato importante; y Carl Cash, activista por los derechos cívicos de los negros y amigo del alcalde de Newark. Al mirarlos, Kerry reflexionaba sobre los agudos instintos que habían permitido a Liam, también a Jamie, sobrevivir entre las fuerzas en pugna. Todos querían conservar el escaño, y Kerry era el instrumento disponible.

—No tiene sentido que me postule —dijo— si los sesenta demócratas mejor posicionados que yo empiezan a decirlo públicamente. Que es seguramente lo que espera Shue si está enterado de esto.

Su franqueza pareció sorprender a Auletta.

—En ese caso no habrá primaria, Kerry. Si el senador Kilcannon no hubiera ganado la candidatura presidencial, lo hubiéramos postulado para el Senado. —Auletta hizo una pausa. —No hay garantías. Pero si te comprometes con esto, creo que podemos prevenir los problemas.

Kerry miró a los otros: —¿Todos están de acuerdo?

Lo miraron y asintieron.

—¿Qué más? —preguntó Auletta.

—Dinero. ¿Alcanza?

Asintió: —Tenemos la red de tu hermano. Sé dónde están la organización *y* el dinero. En ese sentido, el senador Kilcannon te dejó bien parado.

Senador Kilcannon, pensó. ¿Cuánto tiempo pasaría antes de que dejaran de verlo como el sustituto de Jamie?

—Eso está bien —dijo—, pero si acepto, haré campaña como yo mismo, sea lo que fuese, y no como una mala imitación de mi hermano. Todos saben por qué acudieron a mí. ¿Para qué empeorar las cosas?

Auletta asintió. Kerry sabía que eso no significaba nada; buscaban un aficionado sumiso, lo suficientemente seductor para hacer una campaña ganadora con el nombre de su hermano... siempre que se dejara manejar.

—Hay algo más —dijo Kerry—. Quiero elegir al jefe de campaña. Y que se comprenda que todo y todos estarán sujetos a su aprobación.

Auletta alzó las cejas: —¿Tiene un candidato?

—Clayton Slade. Fuimos compañeros en la fiscalía.

Auletta se acarició suavemente la cabellera gris oscura que nimbaba su cabeza.

—No lo conozco —dijo, dubitativo—. ¿Alguna vez fue candidato?

—No. Pero es vivísimo. Sólo necesitará un poco de ayuda de ustedes.

—De acuerdo —dijo Auletta después de pensarlo—. Podemos darle buenos colaboradores. Pero necesitamos tu decisión, Kerry... lo antes posible.

—La tendrán mañana —dijo, mirando al grupo—. Una pregunta, por curiosidad. Al fiscal federal lo designa el presidente, pero los que deciden son los dos senadores por el Estado, ¿no es cierto? Incluso en el distrito de Newark.

Kerry pudo leer los pensamientos de Auletta: *Todavía no eres senador y ya estás repartiendo puestos.*

—Tendrías mucha influencia —respondió—. Siempre que hubiera un demócrata en la Casa Blanca.

—Eso pensé.

Se estrecharon las manos. Liam esperó a que se fueran los demás.

—Se la tienes jurada a Vincent Flavio, ¿eh? Tu fiscal federal lo acusaría.

Kerry miró a su padrino con una sonrisa casi imperceptible: —Te olvidas de Nunzio —dijo.

No resultó fácil.

"Un escaño en el Senado no es cosa que se hereda —dijo el *Newark Star—Ledger* en un editorial—, por trágicas que fuesen las circunstancias." El columnista político fue al grano: "El Partido Demócrata está resuelto a reemplazar a un presidente en potencia por un producto del aparato político irlandés cuyo apellido, por curioso que parezca, también es Kilcannon".

Kerry y Clayton tuvieron que bregar para superar esa imagen. Aquél revelaba su falta de experiencia —su desconocimiento de ciertos problemas, su incomprensión de algunas comunidades— y Ralph Shue no perdía ocasión para comprar sus años de experiencia con la carencia de aptitudes de su contrincante.

Furioso, Kerry explotó durante un discurso: "Que diga el señor Shue dónde aprendió a menear la colita cuando suena el silbato del *lobby* armamentista. O a babearse como el perro de Pavlov cuando los contaminadores hacen sonar el timbre para la cena. Ésa es su famosa *experiencia...*"

Enseguida lo lamentó. A la lista de adjetivos que le dedicaba a Kerry, Shue agregó "desconsiderado" e "inmaduro". Para algunos votantes, seguidores de Jamie, nada de lo que decía Kerry era excesivo; para otros —y la prensa— era demasiado inestable. Cuando Auletta le sugirió que hablara con John Musso y su tía para hacer un aviso que mejorara su imagen por televisión, Kerry se negó. Durante varias semanas, paralizado por la cautela, sufrió los ataques que Shue lanzaba desde lo alto de sus conocimientos y años de experiencia.

El punto culminante se produjo durante el último debate. Shue estaba envalentonado por su ventaja de un punto y resuelto a hacerle perder los estribos o soportar su ataque en silencio. Finalmente Shue se volvió hacia Kerry y dijo:

—Si su nombre fuera Kerry Francis, señor, su candidatura sería un chiste.

Por un instante, Kerry contempló la cara cuadrada y arrogante.

—Si mi nombre fuera Kerry Francis —dijo suavemente—, mi hermano estaría vivo.

Shue parpadeó. Bruscamente lejos de la escena, Kerry se dijo que la última vez que vio a un hombre tan golpeado fue la noche que dio una paliza a su propio padre. Clayton era el único que sabía cuánto le había costado responder así.

A los treinta años, la misma edad que su hermano, Kerry ganó por estrecho margen la elección al Senado de los Estados Unidos.

LA CAMPAÑA

segundo día

UNO

Mientras Kerry le hablaba sobre Lara —los apuntes de la terapeuta, la pregunta de Cutler, su respuesta mentirosa— Clayton observaba cuidadosamente a su amigo.

Su inmovilidad era tal que parecía haber dejado de respirar. Sus pensamientos podían ser los que fuesen —un terrible remordimiento; el medio de quedar en descubierto; la eventual destrucción de sus esperanzas presidenciales—, pero la mirada era inconfundible. Por eso su pregunta no sorprendió a Clayton:

—¿Cómo está?

Estaban sentados frente a frente en la suite de Kerry. Eran poco más de las seis. Venía del gimnasio; tenía el pelo revuelto y la frente empapada. Lo rodeaba el silencio de un inmenso hotel en los momentos previos al estrépito de las bandejas, el ruido de puertas que se abrían y cerraban. Hacía tanto que vivían así, lejos de casa pero rodeados de gente, que a veces Clayton olvidaba la enorme soledad que anidaba en su seno.

—Destrozada —dijo—. Por lo de entonces y lo de ahora. Pero trata de disimular.

Kerry hizo una mueca. Su dolor por Lara era tan evidente que Clayton apartó la mirada.

—No mintió solamente por ti. Hizo lo que le pareció mejor para los dos.

Kerry se tomó las manos: —Lo mismo que hace dos años. ¿Seguirá pensando que fue lo mejor?

Clayton calló unos instantes.

—Dejando de lado cualquier otra consideración, no podrías haber sido presidente. Te dejó en libertad para elegir. Como ahora. —Y después de una pausa añadió rápidamente: —No quiere verte. Por tu bien y el suyo.

Esta vez fue Kerry quien apartó la mirada.

Clayton lo dejó en paz por unos minutos, que transcurrieron en silencio.

—Bueno —dijo por fin—, queda una sola decisión por tomar.

Kerry no respondió. Sólo su mirada, directa e inescrutable, indicaba que había escuchado.

—*Newsworld* tratará de publicar la primicia antes del martes. Significa que Cutler vendrá a hablar contigo. Kit puede ganar un poco de tiempo. Pero más temprano que tarde te encontrarás frente a frente con él y deberás decidir.

—¿*Deberé* elegir? —dijo Kerry, bruscamente enfadado—. Lo que sucedió entre Lara y yo no tiene nada que ver con mis dotes de presidente. Si le respondo, reconozco su derecho de preguntar.

La respuesta reveló hasta qué punto Kerry estaba perturbado: a diferencia de muchos políticos que frente a los problemas se crean una realidad propia, él jamás se había negado a encarar las dificultades.

—¿Negarte a negar? —preguntó—. Todos saben que eso equivale a una confesión. *Newsworld* va a indagar en los registros de tu teléfono celular, interrogar a los vecinos, descubrir al maître que recuerda haberlos visto juntos. ¿Qué responderás cuando Cutler pregunte por qué la llamaste a las tres de la mañana o saliste de su apartamento a las seis? ¿A usted qué le importa? —Clayton lo encaró. —Tiene suficiente para hacerlos quedar mal. Si no niegas todo, publicará la historia.

Kerry se cruzó de brazos: —Entonces, permito que Nate Cutler muestre al mundo que soy un mentiroso.

—O pierdes la elección.

Una vez más, se quedó inmóvil. Sólo su mirada delataba su sorpresa.

—Si pierdes se acabó la historia. Pero si ganas, y *después* sale todo a la luz, serás el candidato destruido que arrastró a su partido a un desastre. —Clayton suavizó el tono: —Serás un fantasma a los cuarenta y dos años. ¿Con cuántos remordimientos más quieres vivir?

Kerry lo miró fijamente: —¿Cómo haremos para que pierda si ni siquiera estamos seguros de lo que hay que hacer para ganar?

—Retiro la publicidad comprometida con el argumento de que necesitamos ese dinero hasta la convención. Frank Wells y Jack Sleeper creen que sin esas apariciones ganará Mason. Estoy de acuerdo. —Sonrió con tristeza. —Ellos protegerán su reputación. Apenas yo cancele los avisos, se lo harán saber a la prensa y yo seré el idiota que te hizo perder la candidatura. La próxima vez, elegirás mejor.

Kerry inclinó la cabeza. Clayton pudo leer sus pensamientos: pensaba en él, en los dos años perdidos de su vida, en el daño a su orgullo y reputación, en sus esperanzas de ser ministro de Justicia. Para él sería mejor que Kerry mintiera.

—Eres joven —dijo por fin—. Hiciste una gran campaña cuando nadie te concedía la menor posibilidad. Dentro de cuatro u ocho años podrías intentarlo nuevamente. Si quisieras.

—¿Y si miento?

—No hay garantías. Pero *Newsworld* tiene su código de ética: ¿publicará una historia basada en puros rumores? La historia aparecería en diarios de cuarta. Tal vez en la prensa amarilla, y entonces la negamos por sórdida.

—Aunque sea la verdad.

—Si les das la verdad, sacrificas a Lara, su reputación y su carrera. Y la tuya. —Y en tono lentamente, para subrayar la gravedad de sus palabras, agregó: —Si no quieres mentir, pierde la primaria. Pero antes, pregúntate: ¿estás dispuesto a sacrificar toda tu campaña, decepcionar a todos tus partidarios, para que el tipo que trata de destruirte, sea Dick Mason o un republicano, pueda llegar a presidente? Y pregúntate también con cuál de los dos pecados prefieres vivir.

Kerry fue a la ventana y separó las cortinas. Algunos rayos de Sol atravesaban el smog sobre Los Angeles; los edificios en torre que rodeaban el hotel, con toda clase de formas y colores, le parecían a Clayton la obra de un niño caprichoso.

—No puedo vivir con ella, pero puedo arruinarle la vida —dijo Kerry con amargura—. Sólo porque creo que sería mejor presidente que Dick Mason. —Meneó la cabeza y agregó con una mezcla de ironía y tristeza: —¿Puedes imaginar qué hubiera hecho mi hermano?

Ese mismo día, doce años antes, habían asesinado a James Kilcannon.

—Dentro de cinco minutos me reúno con Kit, Nat y Frank. ¿Qué les diré?

Kerry no se volvió: —Que traten de ganar tiempo —dijo por fin.

A las seis de la mañana, Sean Burke apareció frente a la puerta de vidrio bajo el cartel de “Kilcannon Presidente”.

Era un amanecer soleado; las nubes sobre San Francisco se habían dispersado. A su espalda escuchaba el zumbido del tráfico urbano normal, el chillido de frenos, el rugido arrítmico de los motores. Rick Ginsberg, el coordinador de los voluntarios, apareció como un espectro detrás del vidrio.

Sus ojos estaban irritados por la falta de sueño, pero le dedicó una sonrisa: —Gracias por venir temprano, John.

Sus palabras despertaron ecos; ahora que estaba casi desierto, el gran salón parecía más enorme, más parecido a una iglesia que nunca.

—Vamos atrás —dijo Rick—. Tengo el *Times* matutino y el *Chronicle* sobre la mesa.

Sean lo siguió. Sus pasos resonaban desde las tejas árabes hasta el cielo raso a quince metros de altura.

—¿Escuchaste el discurso de Kerry? —preguntó Rick sobre su hombro—. ¿Con las manifestantes?

Sean descubrió que el solo nombre de Kerry Kilcannon lo ponía nervioso.

—Sí —murmuró—, lo escuché.

—Espero que entiendan. Kerry está a favor del aborto legal, pero tiene sentimientos. —La voz de Rick parecía dubitativa. —Después de que ese gusano mató a esa gente en Boston, uno se pregunta si la gente escucha. Y Mason no deja de aprovecharlo.

Sean sintió que se le erizaba la piel. Cuánto faltaba, se preguntó, para que lo rastrearan hasta San Francisco y difundieran las fotos del "gusano" por televisión para que lo vieran los idiotas como Rick. Y aún no tenía un arma.

El coordinador lo llevó a una mesa de fórmica donde había varios diarios y unas tijeras.

—Empieza por el *Chronicle* —dijo—. Recortamos todo lo que tenga que ver con la campaña o lo que está en discusión y lo enviamos por fax a la sede en Los Angeles.

Sean puso las manos sobre la mesa y se inclinó para mirar los diarios. La primera página de la segunda sección estaba encabezada por el titular, "Kilcannon recorre San Francisco mañana".

Sean miró fijamente las palabras.

—Cuando termine —murmuró—, tengo que salir por un rato. Una hora, más o menos.

Tomó las tijeras maquinalmente.

—Por Dios —murmuró Nat Schlesinger.

Eran las siete. Clayton estaba en su suite con Nat, Kit Pace, Frank Wells y dos cafeteras; la voz de Nat era la primera que se escuchaba después del relato. Ahora analizaban las diversas piezas: el memo de la terapeuta; la visita de Nate Cutler a Lara Costello; la negación de ésta. La melancolía era palpable.

Frank Wells fue el siguiente: —Bueno, adiós a los rumores de que era gay.

Nadie sonrió. La cara redonda de Kit estaba abotagada, como acabara de despertar. Hacía un esfuerzo por poner en marcha sus pensamientos. Con cautela, preguntó:

—¿Qué dirá Kerry si Nate le pregunta?

Clayton sabía que Kit no preguntaba si la historia era cierta. Los demás tampoco lo preguntarían; como abogados defensores en un juicio, no querían saberlo ni hablarían de ello con Kerry. Ésa era tarea de Clayton.

—En este momento piensa que no debería decirle nada.

La taza de café de Kit se detuvo a mitad de camino hacia su boca. Miró a Clayton sobre el borde del pocillo y se rehizo.

—Eso no sirve —dijo sin vueltas—. La manera de encarar el escándalo puede mejorar o empeorar las cosas. Kerry tiene que dar una respuesta. —Sorbió el café y añadió: —Nunca ha vacilado a la hora de tomar decisiones.

Clayton estudió las miradas. Cada uno daba por sentado que él conocía la verdad y esperaba los indicios.

—Lo sabe desde hace menos de una hora —dijo.

Kit dejó su pocillo y entrecerró los ojos. *O sea que es verdad*, parecía decir.

—¿Qué hay de la mujer? —dijo Frank Wells—. La terapeuta que escribió el memo. ¿Podemos hablar con ella?

Clayton meneó la cabeza con vehemencia: —Eso le da mayor credibilidad. Si *Newsworld* lo publica, nuestra visita podría aparecer en la historia. Y no sabemos qué diría ella.

—Busquémosla en el Internet —dijo Kit—. Si tenemos suerte, es una activista política o hace denuncias absurdas. Algo que nos permita desacreditarla. Después de todo, lo que hizo es una mierda.

—Conoces la regla número uno —dijo Frank Wells—. Si cometiste un error, que salga a la luz y acéptalo. Y ruega que Dick Mason haya cometido otro aún peor.

—¿Como cuál —preguntó Kit—. El que le filtró esto a Cutler sabe lo que la gente va a pensar: que Kerry es un inmoral sin escrúpulos, dispuesto a todo con tal de salvarse. —Miró a Clayton—: ¿*Ése* es el problema, no?

—Creo que sí —dijo a Clayton, y se volvió a los demás—. Si *Newsworld* consigue verificarlo, va a publicar la historia, ¿estamos de acuerdo en eso? ¿Y que será el fin de las aspiraciones de Kerry?

Frank Wells clavó la mirada de sus ojos entrecerrados en un punto más allá de la cabeza de Clayton.

—Los ciudadanos ya no son tan intolerantes —dijo por fin—. Imagino lo siguiente: el candidato dice que es un dilema moral desgarrador y está seguro que miles han tenido que enfrentarlo.

—¿O sea que es la tragedia de *Kerry*? —Kit Pace no tuvo que levantar la voz para demostrar su incredulidad. —¿*Y* le echamos toda la culpa a Lara Costello? Las mujeres lo detestarían por eso.

Frank se dirigió a Clayton: —Pongámoslo a prueba con los

grupos de enfoque, hagámoslo rápidamente y en algún lugar lejano como Massachusetts. Digamos que el candidato hipotético es un tipo casado que quiere llegar al Congreso, redactemos varias versiones de una autocrítica y veamos qué piensa la gente. No eliminemos ninguna de nuestras opciones.

La conversación había tomado un giro decisivo; Frank insinuaba de manera aún más directa que Kit que la historia era cierta.

—Nos llevaría una semana —replicó Kit—. El peor error sería demorar la decisión tanto tiempo. Y hablamos de Kerry Kilcannon, no de un narcisista en un programa periodístico. El estilo intimista no va con su personalidad.

El estrés provocaba hostilidad, pensó Clayton: Frank se dirigía a él sin tener en cuenta a Kit; ella replicaba que Frank no comprendía al candidato. Tenía que ponerle punto final.

La historia es fatal, y punto —dijo—. Una vez publicada, la única opción sería negarla. Y para *entonces* será tarde. Así que hablemos sobre lo que sucederá en los próximos días.

Nuevamente se hizo silencio. A través de la ventana contemplaron el cuadro surrealista de las torres de la ciudad en medio de la bruma.

—Ante todo, veamos qué tenemos a nuestro favor —dijo finalmente Kit—. Primero, el problema, cualquiera que sea, no es de carácter. A diferencia del presidente actual, nadie va a acusarlo de tener un harén.

Clayton meneó la cabeza: —No está en su carácter.

—Bien. Segundo, Kerry está divorciado. No es cuestión de adulterio...

—¿Qué pasa con su ex esposa? —preguntó Frank Wells—. ¿Qué dirá si a *Newsworld* se le ocurre entrevistarla?

Buena pregunta, pensó Clayton.

—No sé si Meg está enterada —dijo—. Pero si hay que hablar con ella, lo haré yo.

El comentario ambiguo quedó suspendido en el aire y Kit reanudó su análisis.

—Tercero, y lo más importante de todo, sabemos que Lara lo negó. Es una ventaja enorme: aparte de Kerry, es la única que sabe la verdad. Aunque Cutler no lo crea, su revista tendrá dudas. No pueden basarse en una fuente anónima y un memo que podría ser carne podrida difundida por motivos políticos. Nate tiene que hablar con nosotros.

"Y eso no lo puede hacer en público —prosiguió en tono irónico—. Se imaginan que pregunte a los gritos desde el sector de la prensa, "¿Se ha encamado usted con alguna periodista de la NBC en los últimos tres años?" Perdería la exclusiva.

"El problema es si *Newsworld* entrevista a los amigos de Lara y la ex de Kerry. Les dirán, "*Sabemos* que usted era amiga íntima de Lara Costello. También *sabemos* que ella tuvo una aventura con el senador Kilcannon. ¿Qué le dijo ella?" Y así sucesivamente.

Absolutamente cierto, pensó Clayton antes de responder: —Ningún amigo de Lara sabía nada.

Kit se echó hacia atrás y juntó los dedos: —¿Ella te lo dijo?

—Sí.

Por un instante, Kit dejó de lado su actitud fría y eficiente.

—Por Dios, siento pena por ella.

—Kerry también. No debemos hacer nada que permita a Cutler sospechar que Lara habló conmigo.

—¿Cómo lo evitamos? —preguntó Kit—. Mientras Nate no muestre sus cartas o Kerry decida qué va a hacer, no podemos permitir una situación en que quede acorralado. Y una de las cosas que más le gusta a la prensa es que Kerry es accesible: se pasea por el avión, saluda...

—Eso no es problema —dijo Frank—. El hombre está cansado, nada más. Ya hemos decidido que dedicará la mayor parte de su tiempo a los medios locales. Así que por unos días no daremos la impresión de que tratamos de evitar a *Newsworld*. —A pesar de la tensión, añadió con humor: —Con suerte, pensarán que estamos esperando a que la gente olvide sus comentarios sobre el aborto.

—Así tendrá que ser —dijo Clayton a Kit—. Tenemos que ganar tiempo.

—¿Quieres decir, hasta el martes? Eso está bien si Kerry decide negarlo todo o si pierde. Si no, será peor.

Una vez más, Clayton tuvo que admirar su inteligencia.

—Él lo sabe —dijo con calma.

Bruscamente, Kerry era una presencia tangible. Clayton intuyó que los demás imaginaban su conversación con él y se preguntaban cómo el hecho de estar enterados de todo, aunque no se mencionara, afectaría su relación con ellos. Y por último —puesto que estaban en política y todos eran profesionales— percibió su solidaridad con el hombre.

—Es asombroso —musitó Nat—. Aceptamos sin más que pueden hacer esto. Preguntar lo que quieran y publicarlo.

—Yo no me hago ilusiones —replicó Kit—. No son amigos nuestros, ni siquiera son una audiencia. Generalmente no se dejan convencer y están excesivamente obsesionados con los escándalos. Pero tienen que hacer su trabajo, y yo debo respetarlo para poder hacer el mío. A veces se van a la mierda en sus especulaciones, pero en general dan bastante cerca del blanco. Si esto es verdad, tienen argumentos a favor de publicarlo: la ética de Lara al encubrirlo, el hecho de que parece un hipócrita, el aspecto implacable. Nate Cutler me parece un tipo honesto. ¿Por qué enojarse?

—Porque *Kerry Kilcannon* es un tipo honesto —replicó Clayton— y lo que está en juego en esta elección es lo que él puede ofrecerle al país. —Se volvió hacia Nat. —Creo que tú conoces al director de *Newsworld*, ¿no? Y eres amigo del jefe de redacción.

—Ajá. Estuve en su boda. —Sonrió. —Me refiero a su *primera* boda, antes de que dejara a Janie y sus hijos para escapar con una periodista del *Baltimore Sun*.

Kate soltó una carcajada breve y algo amarga: —*Touché*.

—Muy bien —dijo Clayton—, ¿qué le dirás a tu amigo moralista cuando Cutler llame a la puerta de Kerry?

—Que tienen una sola fuente y es anónima. Que un semanario de noticias tan prestigioso debe aplicar un patrón más elevado de verificación, algo así como el criterio de la duda razonable, antes de decidir el resultado de la elección primaria más crucial que se recuerde en tiempos recientes. Que en estos tiempos en que la prensa vomita cualquier cosa, ese patrón es más importante que nunca. Que tienen tiempo entre la elección y la convención para seguir verificando.

Nat hizo una pausa y prosiguió con mayor vehemencia: —Que si deciden publicar una historia tan endeble es porque prefieren a Dick Mason en lugar de Kerry Kilcannon. Y de esa manera transforman la campaña en un concurso de insultos que nos obliga a responder por cualquier medio. Que el público está tan hastiado de esas cosas que apenas la mitad de los ciudadanos votan, y este escándalo sería un paso más para arrojar la política presidencial al inodoro.

Todos habían superado el shock, pensó Clayton. La discusión era vehemente y a la vez práctica.

—Entonces, tal vez lo mejor será que apenas Cutler venga a vernos, tú vueles a Nueva York a decírselo.

Nat se inclinó hacia delante; un hombre canoso y sufrido, que había visto todo y aún conservaba esperanzas:

—Pero en ese caso, Kerry tiene que negarlo y convencer a todos. Si no, va a ser la vieja historia del tiro por la culata y esta vez con todo. —Tomó aliento. —Es el viejo juego de te pesqué. Nadie va a reconocer que jodió a su abuela muerta, pero si se hace la pregunta y uno miente, la prensa tiene la obligación absoluta de denunciarte por mentiroso. Es lo que va a decir el *New York Times*, como si lo estuviera leyendo.

—En la página editorial —dijo Kit con sereno desdén—. El

epicentro de la sabiduría aceptada por todos. —Se volvió hacia Clayton. —Si le dicen a Cutler que espere, siempre puede filtrar algún dato a la prensa amarilla para que lo publiquen. Después él publica la historia completa sin que *Newsworld* cargue con la responsabilidad de haberla revelado. Lo he visto.

Clayton miró a Nat Schlesinger menear la cabeza, apesadumbrado; como si dijera, tengo sesenta años, conocí el periodismo de un tiempo pasado que sin duda fue mejor.

—Una pregunta —le dijo Clayton—. ¿Quién le dio el dato a Cutler?

Nat frunció el entrecejo: —Los republicanos. Les interesa *a ellos*, ¿no?

Frank Wells meneó la cabeza: —Mason. Tiene que ver con lo que pasó en estos dos días. —Se volvió hacia Clayton: —Lo cual me lleva a mi pregunta cínica: ¿Nuestros estudiosos del enemigo han encontrado la bala mágica capaz de matar a Dick Mason?

—Están para eso. Pero hasta ahora sólo tienen rumores. Eso sí, son todos malos.

Todos se agitaron y Frank Wells alzó el entrecejo: —A ver, cuenta.

Clayton meneó la cabeza: —Lo haré cuando sean algo más que rumores. Hasta entonces, podrían volverse en contra.

Todos asintieron con su silencio.

—Muy bien —dijo Clayton—. Sinteticemos. Por ahora, Kerry evita a la prensa para evitar a Cutler. Si éste pide una entrevista exclusiva, Kit pregunta de qué se trata. Y cuando Cutler hace la pregunta, Nat se va a ver a *Newsworld*. Pero sólo si Kerry está dispuesto a negar todo con firmeza.

Todos asintieron.

—Cuando se lo digas a Kerry —dijo Nat suavemente—, subraya lo último.

No era necesario responder, de manera que Clayton abordó el último asunto antes de poner fin a la reunión.

—Todo esto es nada menos que el futuro político de Kerry. Pero también es un asunto personal que afecta a mi mejor amigo.

"La primera obligación de ustedes es mostrarse optimistas, como si no hubiera pasado nada. La segunda es no decir una palabra a nadie. Para mí eso es más que lealtad: es una cuestión moral.

"Cuando hablo de trazar una distinción moral, no me refiero a tal o cual decisión que Kerry decida tomar. Hablo de los asesores de campaña leales y los que filtran información. La cultura de Washington premia la deslealtad: el asesor político más sabio es el que jode a su jefe. Díganme quién es el asesor mejor conceptuado por la prensa y les diré quién es el traidor hijo de puta. —Clayton miró a Frank Wells a los ojos. —Claro que el *verdadero* arte consiste en filtrar y derivar al mismo tiempo: criticar al candidato por no hacer lo que le aconsejaste, lo cual demuestra su falta de juicio y tu propia inteligencia.

"No quiero que eso le suceda Kerry Kilcannon por *ninguna* razón, y menos por ésta. —Clayton bajó la voz aún más. —Pero si sucede, quienquiera que filtre esta reunión hará bien en enterrarlo. Porque si Kerry llega al gobierno, que nadie dude de *mi* memoria.

Frank Wells le devolvía la mirada con firmeza.

"Bien, ahora tenemos la reunión general y mucho trabajo. Entre otras cosas, las encuestas de Jack Sleeper dicen que tenemos un problemita con el aborto.

DOS

—El aborto sigue siendo un flanco débil —dijo Jack Sleeper—. Las cifras de anoche muestran que pierdes terreno con las mujeres.

Kerry paseó su mirada por los presentes: entre los cinco —aparte de Clayton—, Kit Pace, Frank Wells y Nat Schlesinger trataban de conservar un aire normal. Acaso sólo Kerry advertía la artificialidad de sus sonrisas, las miradas exageradas de interés con las que intentaban disimular su malestar. Sus relaciones con los tres habían cambiado para siempre debido a algo que no podían decirle a nadie. Los otros dos —Jack el encuestador y Mick Lasker, el jefe de campaña en California— parecían un par de ángeles.

—¿Qué opinas? —preguntó Clayton.

El encuestador miró a Frank Wells, quien habló directamente a Kerry:

—Tu mensaje de ayer contra la violencia se perdió. Tenemos que hacer ver que has salvado las vidas de mujeres *y* de sus hijos... en sentido literal.

Kerry lo miró a los ojos: —No de todas —dijo suavemente.

Frank pareció titubear antes de responder: —Salvaste al chico, Kerry. ¿Dick Mason hizo algo parecido? —Fue a la vídcocasetera y la encendió. —Éste es el spot que quiero difundir en lugar del que vimos ayer. Jack y yo pensamos que tiene más impacto.

En la pantalla apareció un Kerry más joven: una fotografía de prensa tomada, pensó, cuando le tomaron juramento en el Senado. Después de Jamie, antes de Lara. Se miró, joven y evidentemente intimidado, y pensó en cuánto le quedaba por aprender aún ahora.

Se escuchó una suave voz femenina:

"El 12 de febrero de 1988, un joven abogado se presentó en la corte.

"Ya había dedicado cuatro años de su vida a proteger a muje-

res víctimas de la violencia. Iba a proteger a otra mujer y su hijo.

"Pero ese día, alguien más se presentó en la corte: un hombre armado con una pistola. El esposo golpeador de la mujer."

Se escuchó un estampido seco, como el ruido de un disparo, y cambió la imagen.

Kerry miró fijamente la pantalla.

El fotógrafo había llegado segundos después de que el alguacil del tribunal matara a Anthony Musso. En la foto aparecía el alguacil parado junto al cuerpo de Musso. A su lado estaba el cuerpo de Bridget con los brazos extendidos. Afortunadamente, su rostro no estaba de frente a la cámara.

La imagen siguiente era un plano de Kerry.

Estaba tendido bajo el marco de la puerta, los ojos cerrados, el hombro ensangrentado y con el otro brazo protegía a un niño cuyas ojos miraban la escena con horror.

"Kerry Kilcannon —dijo la voz de la mujer—. *Porque el amor vale más que las palabras."*

Kerry no podía apartar los ojos de la pantalla. A su lado, Clayton estaba muy callado.

Eso nunca lo sabrás —le había dicho Clayton—. *Fue demasiado rápido.*

Desapareció la imagen.

—El amor vale más que las palabras —dijo Kerry—. No tengo la menor idea de lo que le pasó después al chico. ¿Alguien lo sabe?

Frank hizo una pausa y lo miró a la cara: —Una foto de ti al sacar una gaviota muerta de una playa contaminada vale diez discursos de media hora sobre la importancia de cuidar los pantanos. Ayer, nadie escuchó tu mensaje. Pero esto sí les llegará.

Kerry calló.

—Otra cosa —terció Clayton—. Estuve pensando otra vez sobre el dinero para la televisión. Si nos quedamos sin un centavo, Kerry quedará fuera del aire desde ahora hasta la convención. Ese fue el problema de Dole.

Frank volvió a la mesa y se sentó pesadamente.

—Ya hemos hablado de eso, Clayton —dijo con hastío—. Si perdemos California, Kerry queda fuera del aire para siempre. Pienso en lo que dirá Ellen Penn.

—Hablaremos de eso. —Sin levantar el tono, la voz de Clayton era más dura. —Más tarde. Dime qué más tienes.

La mirada de Frank se paseó del jefe de campaña al candidato. *¿Está por abandonar la carrera?* Eso era lo que se preguntaba, pensó Kerry.

—El último spot que vimos te ayuda con el asunto de los chicos —dijo—. Pero no es suficiente.

—¿Qué es el asunto de los chicos? —preguntó Kerry.
—Que no tienes ninguno.
—Ah, eso. ¿Tengo tiempo para adoptar uno?
Sólo los inocentes —Jack Sleeper y Mick Lasker— sonrieron.
—Son esas fotos de Dick y Jeannie —respondió Frank—, con sus tres chicos rubios... la familia perfecta de albinos. Si el más importante de tus valores es ser buen padre y marido, te gusta el candidato que lo parece. O sea, Mason.
"Pero tiene una cara negativa. Interceptamos gente en los centros de compras, y las mujeres solteras...
—¿Interceptamos?
—Sí, es como un grupo de enfoque, pero más rápido. Vamos a un centro de compras, interceptamos a las personas que nos interesan, las llevamos a un cuarto alquilado y les hacemos preguntas con el vídeo. En la era post-O.J. Simpson a nadie le molesta.
Kerry sonrió, absorto: —¿Sabes lo que le falta al país, Frank? Vergüenza. Pero cada uno quiere tener un agente.
Frank le devolvió una sonrisa agria: —Entonces esto sí que fue una ganga: nadie cobró un centavo. Bueno, pero a las mujeres solteras la idea de un presidente soltero es casi un asunto de derechos cívicos. Están cansadas de que les hablen de los "valores familiares", como si *ellas* no existieran.
"Lo que quiero, Kerry, es que vuelvas al estudio a filmar otro spot sobre los niños. —Frank titubeó y miró a Jack Sleeper. —Usaremos tu frase: "Una sociedad civilizada debería invertir en los primeros cinco años de vida del niño por lo menos la misma suma que en las dos últimas semanas de vida del anciano." Pero tienes que darle un toque más personal.
—¿Cómo lo haría?
—Miras derecho a la cámara, dices que te gustan los niños y alguna vez esperas tener hijos. Pero como presidente, ayudarás a cada niño de la gran familia norteamericana.
Kerry se puso rígido. Miró de reojo a Frank, que había clavado la vista en el piso.
—No lo haré —dijo—. Lo que yo quise y lo que espero son asuntos míos.
Frank miró a Jack antes de preguntar a Kerry: —¿Podemos usar el primero?
Hubo una larga pausa hasta que éste respondió suavemente: —Es verdad que me hirieron. Eso no me lo quita nadie.
Jack frunció los labios: —De acuerdo —dijo lentamente—. Hay otro problema que interesa a las mujeres: las armas. Quieren que se haga algo al respecto.
Sin que se dijera una palabra más, Kerry advirtió que el tema de la muerte de su hermano se había hecho presente.
—Yo también —dijo.

—El problema es qué se debe hacer. —El tono de Sleeper era cauto. —Nos guste o no, muchos distinguen entre armas cortas y de asalto. Algunos guardan armas cortas en la casa para protegerse. Pero creen que sólo los locos tienen ametralladoras.

Kerry vio que Mick Lasker abría la boca, pero no se decidía a hablar.

—¿Quieres decir algo, Mick? —preguntó.

Éste vaciló antes de asentir: —Creo que Jack tiene razón. Las armas cortas tienen sus partidarios, que son minoría pero influyentes. Ahora que la ley permite las primarias abiertas, algunos extrapartidarios podrían votar por la contra. Es más prudente referirse a las armas de asalto.

—No lo fue en el caso de mi hermano —murmuró Kerry—. Ni en el de la mujer que acabas de ver en la pantalla. Los mataron con pistolas. Y después de verlos, es difícil hacer esa distinción.

Se hizo silencio hasta que habló Frank Wells: —Eso depende de nosotros, Kerry. Podemos poner el acento en otra cosa que el arma. —Se paró y fue al televisor. —Quiero mostrarles otro spot. Antes de responder, por favor piensen en lo que acaban de ver.

La voz del asesor de medios era hosca y resuelta, pensó Kerry, y asintió.

Frank encendió la casetera.

En la pantalla apareció James Kilcannon.

"Kil-can-non", coreaba la multitud. Jamie soltó la mano de Stacey Tarrant y dio un paso al frente. Tal como sucedió esa noche en la pesadilla de Kerry, un hombre armado apareció en un rincón de la pantalla. Inconsciente de todo, James Kilcannon sonrió; saboreaba sus últimos segundos de vida.

El cuadro se congeló. La sonrisa de Jamie apareció en primer plano. Luego se disolvió y se convirtió en la de Kerry.

"Cambió nuestra historia —recitó el locutor— *y cambió su vida.*

"Kerry Kilcannon: él nos protegerá aunque sea lo último que haga."

Terminó el aviso.

Kerry vio a Nat Schlesinger menear lentamente la cabeza.

—Espero que no sea lo último —dijo con dificultad. Tenía la boca reseca. —Recuerden que espero tener hijos.

Frank respondió suavemente: —Comprendo lo que siente. Pero hicimos a los grupos de enfoque dos preguntas sobre tu hermano: cómo lo recordaban y qué sentían por él.

"Las respuestas fueron, "me gustaba" y "murió demasiado joven". Cuando mostramos este spot, muchos lloraron. Sobre todo las mujeres.

"Dick Mason tiene a Jeannie y sus hijos. Para los votantes,

Kerry, James Kilcannon era tu familia. Te la arrebató un loco armado. —Hizo una pausa, miró a los demás y nuevamente a Kerry: —Es un mensaje demasiado fuerte para pasarlo por alto. Si lo difundimos, a muchos no les importará qué piensas del aborto ni nada que diga Dick Mason. Y apoyarán tu posición sobre las armas cortas sin que digas una palabra sobre ellas.

Se hizo silencio. Todos miraron a Kerry; parecían tan molestos que daba la impresión de que miraban el Sol de frente.

—Puedo hablar por Nat y por mí, aunque no por Kerry —dijo Clayton—. Me parece demasiado oportunista. Los diarios no nos perdonarán.

—Pero a nadie le importará lo que digan —replicó Frank—. Porque no hacemos más que mostrar los hechos, que son abrumadores. Y si *Mason* dice algo, será como escupir sobre la tumba de James Kilcannon.

Una vez más, todos se volvieron hacia Kerry.

—Acabo de recordar algo —dijo con firmeza—. Hace doce años, antes de postularme para el Senado, Liam Dunn me aconsejó que visitara la tumba de mi hermano. Yo sabía que él avisaría a la prensa y que vendrían los fotógrafos.

"El año pasado, antes de postularme para la presidencia, el antecesor de Frank sugirió lo mismo. —Kerry hizo una pausa antes de concluir: —Lo que no sabían es que *nunca* voy a la tumba de Jamie. Lo que hago, lo hago a mi manera y por mis propias razones. No por otras.

Kerry se paró.

—¿Esa es tu respuesta? —preguntó Frank obstinadamente—. ¿Usar lo que tenemos?

Kerry se volvió hacia Frank. Sabía que esto era duro para él, ya que debía proteger su propia integridad. Eso y el recuerdo de haber usado a su hermano para atacar a Ralph Shue le ayudaron a conservar los estribos.

—Cuando esto termine —dijo—, iré a la tumba de Jamie. Por mis razones y a solas. Pero no puedo mostrar esa película.

Agradeció a todos y salió.

Después de la reunión, Clayton pidió a Frank Wells que se quedara un momento.

—No lo presiones con esto —dijo—. Stacey Tarrant lo va a presentar esta tarde en Sacramento, y no sabes lo que me costó convencerlo. Además, tiene razón.

"Dondequiera que vaya hoy, la prensa va a hablar del hermano. No tendrá que decir una palabra. —Clayton se inclinó hacia él. —Tiene sus principios, pero además no es idiota. Sus instintos son más certeros que un mes de encuestas.

—Justamente por eso me asombra que haya armado semejante embrollo con lo del aborto —dijo Frank—. Después de lo que escuché esta mañana, me parece una actitud suicida.

Clayton se encogió de hombros: —Liam Dunn me dijo una vez que el colmo del *paso en falso* es decir la verdad en el momento equivocado.

—En el *peor* momento. —La mirada de Frank era firme. —Lo que dijiste sobre los avisos... ¿es porque lo encubrirás, no? Si él decide que lo mejor es perder.

Clayton lo miró con respeto. Si Kerry Kilcannon no es ningún idiota, pensó, Frank Wells tampoco tiene un pelo de tonto.

A la boca de Frank asomó una sonrisa torcida: —¿Crees que voy a traicionarlo, no? Apenas todo se eche a perder.

Era el momento de la verdad.

—Éste es tu medio de vida, Frank. No permitirás que los errores de un candidato echen a perder tu carrera. Por eso irás a la prensa.

La mirada del asesor se volvió dura: —Déjame poner las cosas en claro —dijo con aspereza—. Ganaría más dinero como vendedor de detergente en polvo. Estoy en política porque soy un romántico. Tú no lo eres. Kerry, sí. Es necesario para ser un buen candidato, un líder. Porque no sólo quieres dejar una huella sino que imaginas que puedes hacerlo.

Fue a la cafetera, se sirvió una taza y se volvió nuevamente hacia Clayton: —Desde mi punto de vista hubiera sido más inteligente ir con Mason: rara vez se equivoca y está dispuesto a matar a su madre con tal de ganar. Y si le dijera que hiciera un spot sobre su dolor después de matar a mamá y pudiera respaldar ese pedido con cifras de encuestas, él lo haría.

"Pero yo soy un *romántico*, Clayton. Kerry tiene pasión e integridad: cree que las encuestas sirven para descubrir la mejor manera de a traer a la gente, no para descubrir su propia identidad. —Frank bajó la voz: —Ojalá no lo perdamos. Es la clase de candidato que un tipo como yo espera durante toda la vida.

Clayton lo miraba en silencio.

—Y sí, reconozco que me enfurece. ¿Pero sabes quiénes son los que arruinan a la gente de mi oficio? Los candidatos como Mason. Porque están vacíos y quieren que uno los llene.

Frank volvió a sentarse y lo miró fijamente: —Eres el mejor amigo de Kerry, lo reconozco. Pero no eres el único. Si lo encubres, yo también lo haré. —Y agregó con voz ahogada por una inesperada emoción: —¿Puedes entenderlo?

Por primera vez en toda la mañana, Clayton se distendió: —Sí que lo entiendo.

TRES

Sentada en el sector de la prensa, Lara esperaba el despegue, cansada debido a la noche de insomnio, nerviosa a causa de dos tazas de café en un estómago demasiado revuelto para comer.

A su alrededor zumbaba la energía demente de cincuenta desarraigados, los periodistas nómades. Dos filas atrás de ella, Lee McAlpine preguntaba a Sara Sax si había logrado encamarse con un agente secreto y, en ese caso, que describiera la experiencia "para los que hemos olvidado si la lengüeta A se introduce en la ranura B". Momentos antes, Nate Cutler había ocupado un asiento al otro lado del pasillo sin mirarla. Se había vuelto hacia él, con una mirada inmutable pero fría. *¿Cómo pudiste hacerlo?*, se preguntó. En ese momento de sentirse traicionada no era una periodista. Él había tenido el buen gusto de apartar la mirada.

Era una situación peligrosa porque los demás percibirían ese enfriamiento de la relación entre ambos, pensó. No podía fingir amistad. De alguna manera debía borrar la existencia de Nate de su mente, la humillación de saberse descubierta; actuar como una profesional, hora tras hora, hasta que pudiera bajarse del avión y volver a lo que le quedara de vida después de que *Newsworld* terminara de revolver la basura.

Se acomodó en el asiento y cerró los ojos.

Su mente regresó al apartamento dos años antes. La habitación estaba oscura. La voz de Kerry en el contestador automático imploraba: "Lara, no comprendes lo que esto significará para nosotros..."

Piensa en otra cosa.

Después de esto fuiste una buena periodista: más obsesiva, pero, era de esperar, más comprensiva. No tenías nada que ver con *esto:* una horda de gente lúcida que gastaba enormes sumas de dinero para encontrar algún matiz en una historia rutinaria.

Kenia. En potencia, el país más rico de África, sumido en rencillas tribales, encerrado entre fronteras arbitrarias trazadas por explotadores blancos en la era del colonialismo, ahora gobernado por explotadores negros que permitían el deterioro de los caminos y el derrumbe de las comunicaciones para despojar a su pueblo de los medios para deshacerse de ellos. Un amigo de Lara, abogado y admirador de Tomás Moro, le había pedido que denunciara el trato dispensado a los presos políticos, el uso de la picana eléctrica en los genitales y los dientes. Por eso habían detenido a su amigo. Nadie protestó; el gobierno en Washington no se interesó por el asunto. Por fin, cuando el presidente de Kenia fue a Washington en busca de ayuda económica, Lara convenció a la NBC que proyectara un programa especial sobre las violaciones de los derechos humanos, centrado en la detención de su amigo. El programa afectó a las autoridades de ambos países; su amigo keniano quedó en libertad y durante algún tiempo se redujo el empleo de la tortura.

No tendría que explicarle algo así a Kerry. Conocía el dolor; era una de las muchas razones por las cuales él y no Mason debía ser presidente. Y ahora ella podía ser la causa de su caída.

La prensa demostraría tanta indignación moral en el caso de Kerry. Pero toda la campaña era una danza de luces y sombras éticas: los matones a sueldo que migraban de un candidato a otro; los periodistas y asesores que trocaban datos por favores sexuales; las fuentes cuyas verdades a medias, filtradas a la prensa en beneficio propio, permitían a los periodistas justificar su razón de ser por un día más. ¿Era peor la mentira, se preguntó, cuando estaba dispuesta a decir la verdad, cualesquiera que fuesen las consecuencias para ella, si ésta pudiera salvarlo?

Ojalá pudiera decírselo. Darle al menos esa satisfacción. Pero Kerry estaba librado a sus propios medios. Dos años antes, ella había resuelto que eso era lo correcto; ahora, no tenía alternativa.

Lara miró por la ventanilla.

El pool de periodistas, camarógrafos y sonidistas esperaban la caravana de Kerry sobre la pista. Cuatro años antes, mientras cubría la campaña de Dick Mason para el *Times*, se había enterado de que los periodistas lo llamaban el velatorio.

El propósito del pool era cubrir la información para todos los medios: escenas para la televisión, frases sueltas del candidato, retazos de noticias. Pero a partir del asesinato de John F. Kennedy, tenía otro propósito: cubrir un asesinato. Gracias al pool, la historia contaba con fotografías de la agonía de Bobby Kennedy, las heridas de George Wallace y de Ronald Reagan. De James Kilcannon moviendo los labios, segundos antes de su muerte.

Todos sabían que ese día se cumplía un aniversario.

Estarían más atentos, más nerviosos. Cuatro años antes, durante la campaña de Mason, Lara había imaginado lo que haría en caso de un atentado: pediría más periodistas por teléfono y que enviaran a otros al centro asistencial adonde transportaran al herido; acercarse para tratar de constatar la gravedad de las heridas, ver quién era el asesino, qué sucedía en torno del cuerpo; dictar la historia al diario. Siempre se había preguntado qué haría al escuchar disparos: ¿se echaría atrás o se quedaría a realizar su tarea de informar? Antes de enamorarse de Kerry ya rezaba que no sucediera nada de eso y caso contrario, que no le tocara estar en el grupo.

Eso dependía del destino. Los integrantes del pool rotaban día por día por orden alfabético de sus medios: la televisión, las revistas, los diarios y las radios tenían sus representantes. Antes del martes, le tocaría su turno junto con el camarógrafo.

Llegó la caravana.

Los periodistas se abalanzaron sobre el Lincoln negro de Kerry. Salió del auto: una figura remota, de pelo claro y rizado, aspecto menudo entre los agentes secretos que lo protegían. En medio de la multitud, el pool entraba en los cálculos de los agentes: los reconocían y se concentraban en los desconocidos. Existían rumores de que los consideraban posibles escudos humanos. "Deberían reventarlos a *ellos*, no a nosotros", había dicho un colega.

Ahora se arremolinaban en torno de Kerry como si fueran un solo organismo. La tarde anterior él se había detenido a conversar con los periodistas y estrechar las manos de agentes de policía locales. En esta ocasión pasó rápidamente, flanqueado por los agentes y su asistente Kevin Loughery, además de Kit Pace que revoloteaba a su alrededor para escuchar cualquier frase suelta, detenerla, desviarla, dejarla volar. En menos de un minuto, Kerry subió al avión.

De modo que eso harían. La prensa no tardaría en descubrir que sólo podían hablar con Kit, y Nate en adivinar que Lara había hablado con Kerry o uno de sus colaboradores. Si ella estuviera en el lugar de Kit, trataría de desviar la atención mediante rumores sobre amenazas o temores de violencia basados en el aniversario de la muerte del hermano. Tal vez serviría por un par de días.

El avión inició el carreteo. Momentos después alzó vuelo; en ese momento, Lara cayó en la cuenta de que no había hablado con nadie sino, en su imaginación, con Kerry.

Sean abordó el ómnibus en la avenida Van Ness y ocupó un asiento alejado de los demás pasajeros.

Tenía el estómago revuelto. Sacó un comprimido del bolsillo, se lo llevó subrepticiamente a la boca y lo mascó hasta reducirlo a tiza.

Eran las diez cuarenta y cinco. En menos de dos horas había realizado treinta y ocho llamadas, hablado con veintitrés personas, identificado once votos para Kerry Kilcannon. Kate Feeney trabajaba a su lado. Mientras discaba, Sean observaba su rostro de perfil pálido y delicado; su piel tersa; su pelo brillante, peinado hacia atrás y recogido en una cola. Pero nunca había sido popular entre las muchachas, que no entendían su afán por protegerlas, enseñarles a ser mejores. Cada vez que Kate le sonreía, alternaba entre la confusión y la desconfianza.

Con ojos entrecerrados, Sean echó una mirada a su alrededor. Las caras le parecieron extrañas; la mezcolanza poliglota de blancos, asiáticos, latinos y negros acentuó la sensación de hallarse a la deriva en una ciudad desconocida, el miedo de que lo reconocieran. Fue como al ingresar en el hogar para varones donde lo llevó la asistente social. A solas a los catorce años, yacía despierto en el dormitorio, temeroso de que se enteraran sobre su padre y su madre, sobre él mismo. Porque Sean ya sabía que las personas a quienes uno acudía en busca de amor abusaban de uno, o lo abandonaban o morían.

El mismo padre Brian, cuya fe compartía, lo traicionaría si conociera los secretos de su corazón. Por un instante, al recordar, las lágrimas asomaron a sus ojos.

El hogar para varones era limpio y ordenado, el lugar más seguro que había conocido en su vida. El padre Brian comprendía que si peleaba era para protegerse a sí mismo o a alguien menor que él. Le había enseñado que Dios amaba al débil, al joven, al inocente. Al niño por nacer.

Fue como si un rayo iluminara su cerebro. A los dieciséis años, el sentido de su vida se le hizo tan claro que se sintió conmovido, transportado. Dios le había concedido el don de la ira, no para las peleas irreflexivas sino para que fuera Su soldado.

Desde la ventanilla del ómnibus vio el nombre de la calle: "McAllister."

Era una cuadra sórdida de negocios de pornografía, tiendas baratas, hoteluchos de mala muerte. Sean vio a un hombre barbudo que empujaba un carro sobre ruedas y una mujer sentada en la escalinata de un hotel, la mirada perdida debido a las drogas, murmurando palabras a nadie. Para conocer el alma de una sociedad, había dicho el padre Brian, mira a la gente que deja en la calle. Pero Sean sólo sentía repugnancia; había calles como ésa en Boston, calles donde un hombre podía comprar el cuerpo de una mujer, cualquier cosa. La cara de esa mujer era como la de su madre...

Cuando el padre Brian insinuó con su voz suave, poco antes del fin del secundario, que tal vez Dios no quería que fuese sacerdote, Sean envió una solicitud a la policía de Boston. El psiquiatra policial le mostró dibujos, lo interrogó sobre sus padres, incluso sobre sus sueños. Semanas después, rechazaron su solicitud. El padre Brian sintió pena por él y le dio trabajo.

Sean Burke, soldado de Dios, debía ayudar en la limpieza de la Iglesia de Santa Ana y el hogar para varones.

A solas en la capilla, Sean había orado para que Dios enviara una señal.

Era una fría mañana en Boston, recordó Sean, similar a aquella, dos días atrás, en la que había ejecutado al médico de abortos. Pero Dios no había enviado la señal. Desgarrado entre la esperanza y la amargura, había salido de la iglesia, donde lo rodeaba el enclave irlandés de Charlestown. El vecindario, de un kilómetro y medio cuadrado, jamás cambiaba: casas de madera de tres pisos con una familia en cada uno; tabernas pequeñas y oscuras, muchas sin cartel en la puerta; el obstinado código de silencio que prohibía delatar a un vecino a la policía. Un hombre nacido en Charlestown podía ir a la escuela parroquial, conseguir trabajo en el astillero, casarse con una muchacha de Santa Ana, comer y beber, procrear y morir, sin alejarse más de un par de cuadras de su casa natal. Parado en la escalinata de su iglesia, Sean imaginó su propia muerte: el portero desaparecía como una gota de lluvia en el océano.

Al pie de la escalera lo esperaba un hombre.

Tenía unos treinta años, pelo rizado marrón, cara demacrada y ojos negros de mirada tan intensa que Sean pensó en un arcángel. El hombre se acercó y le tendió un papel.

Sean se quedó paralizado.

El hombre le puso el papel en la mano: —Por favor —dijo—, léalo.

Su voz era suave, pero muy seria, como si la respuesta de Sean fuera de suma importancia para él. Sean aceptó la octavilla. Y al leer la primera frase, sintió que generaba una corriente eléctrica entre él y el desconocido.

Si la vida es sagrada, rezaba el texto, *¿por qué toleramos el asesinato?*

Lentamente, Sean lo miró a los ojos.

—Soy Paul Terris —dijo—. De Operación Vida...

El ómnibus se detuvo con un suspiro de sus frenos.

Sobresaltado, Sean despertó de sus recuerdos y vio los nombres de las calles, Segunda y Harrison, y luego el cartel de la tienda que buscaba. El Emporio del Arma.

Con la mirada gacha para defender su anonimato, bajó del ómnibus.

En el vuelo a Fresno, Nate Cutler miró su reloj. Tal vez era sólo su imaginación, pero le pareció que Lara lo miraba desde el otro lado del pasillo.

Hacía tres horas que trataba de hablar con Kit Pace. Pero tanto en el avión como en tierra, Kit parecía rodeada de periodistas californianos o bien los buscaba ávidamente. En ese momento se encontraba en la entrada del sector de prensa, a dos filas de distancia de él, apenas lo suficiente para tener que levantar la voz y llamar la atención de todos si intentaba hablarle.

—Éste siempre es un día penoso para Kerry —le escuchó murmurar a la joven muy seria que representaba al *Sacramento Bee*—. Todos los años es igual. No sé si lo verán acá atrás. Pero te dedicará unos minutos allá adelante durante el vuelo a Sacramento.

La puta que lo parió a Sacramento y su diario, pensó Nate.

Esa mañana, a las siete, su jefa le había autorizado a hacerle la pregunta a Kilcannon.

En el momento que Nate se paró para hablarle, Kit desapareció detrás de la cortina.

A solas en la suite del hotel, Clayton Slade se paró bruscamente.

—¿Puedes confirmarlo? —preguntó por teléfono.

—No lo sé —dijo el director de investigaciones sobre la oposición—. Tratamos de conseguir los expedientes. Pero parece que tienen más de veinte años y Mason los hizo lacrar.

Clayton hizo una pausa; en la otra línea lo aguardaba una llamada urgente de Tony Lord, el abogado que negociaba las reglas del debate con los asesores de Mason.

—Dentro de la ley —ordenó Clayton—, hagan todo lo que puedan.

No había nadie en el enorme salón de ventas, aparte de un hombre robusto de pelo tieso que lustraba un fusil detrás del mostrador.

Sean se detuvo al escuchar sus propios pasos sobre el piso de madera. Cohibido, contempló las escopetas en los armeros de las paredes, las armas cortas en los gabinetes de vidrio, su resplandor metálico o negro bajo las luces fluorescentes.

El vendedor dejó el arma sobre el mostrador.

—¿En qué le puedo servir? —preguntó.

Sean se acercó, lo miró a la cara. Sus húmedos ojos pardos y su sonrisa le daban el aire agradable de un hombre que daba limosna a los sin techo.

—Necesito una pistola —murmuró Sean—. Para protección.

El hombre asintió: en esa tienda no se pedían explicaciones.

—¿De qué tipo?

—Puede ser de nueve milímetros.

El hombre se inclinó, abrió un cajón y colocó una pistola negra sobre el mostrador.

Sean hizo una mueca; era tan parecida a la que había utilizado en Boston que pudo sentir el bulto liviano en el bolsillo, ver su respiración condensada en el aire fresco de la mañana. Por un instante tuvo la certeza de que el vendedor sabía quién era.

Sin abrir la boca, tomó el arma.

—¿Le gusta? —dijo el vendedor—. Firme los formularios y en quince días se la envío.

Sean parpadeó, sorprendido.

El vendedor lo miró fijamente, entrecerrando los ojos: —Está enterado del período de espera, ¿no?

Sean meneó la cabeza lentamente.

—Quince días —dijo el hombre, asqueado—. Ley de California... desde que el tipo aquel mató a Kilcannon. El hermano de *éste*.

Lo miró sin atinar a responder.

—Sí, ya sé —dijo el hombre—. Tal vez alguien quiera hacernos otro favor.

Sean sintió un escozor en la piel: —Quince días —murmuró.

—Seee... entiendo. Un animal viola a tu esposa el día catorce, ¿y qué te dan? Dos entradas al baile anual de los abogados por los derechos humanos. *Si es* que ella sobrevive.

Sean cerró los ojos y acarició el gatillo: —¿Y si uno la necesita antes?

—Pregunte a los políticos. —El hombre vaciló, bajó la voz. —Compra en la calle, hermano, o en una tienda de empeños si quieres arriesgarte. La mierda que consigas, a quien mierda quiera venderlo. Pero nosotros tenemos que cumplir con la ley.

Sean dejó el arma sobre el mostrador.

—En quince días no estaré aquí —murmuró.

El hombre hizo una mueca de furia impotente: —Si quieres volver...

Sean metió las manos en los bolsillos de la chaqueta y salió.

Al salir de la tienda se detuvo, sorprendido por el resplandor del Sol del mediodía. El vendedor recordaría a ese hombre raro que intentó comprar un arma igual a la que mató al médico de abortos. Caminó rápidamente dos cuadras hasta que vio el ómnibus y cruzó la calle para tomarlo.

Las puertas se abrieron con un siseo de aire. Sean bajó la vista, echó seis monedas de veinticinco en la alcancía y ocupó el asiento detrás del conductor.

Al día siguiente Kerry Kilcannon llegaría a San Francisco. Sean estaba desarmado, desconocía sus horarios, su tiempo se agotaba. Era un soldado de Dios desarmado.

En una tienda de empeños el riesgo sería aún mayor.

Miró a través de la ventanilla: el ómnibus atravesaba otro barrio sórdido. "Converse con una mujer desnuda —decía un cartel—. Setenta y cinco centavos el minuto."

Compra en la calle, hermano... La mierda que consigas, a quien mierda quiera venderlo.

Sean hizo sonar la campanilla. El ómnibus se detuvo bruscamente al llegar a la esquina y Sean se tambaleó a la acera.

CUATRO

—Prepárate para atravesar el espejo. —La voz de Tony Lord era cortante y levemente irónica. —¿No fue hace apenas un par de meses, Clayton, que propusiste que el senador y Mason debatieran según las reglas de Lincoln y Douglas? ¿Tema libre y que los candidatos puedan interrogarse mutuamente en forma directa?

—Eso fue en Nueva Hampshire. La propuesta asustó a la gente de Dick como una cabeza de ajo a Drácula. —Al pasear por la habitación, Clayton se sentía atado por el cable del teléfono. —Kerry tiene más chispa, Mason está más programado. Lo último que Dick quiere es la espontaneidad.

—Eso ya no es así. El nuevo Dick Mason quiere cuatro temas elegidos de antemano con diez minutos para cada uno y veinte minutos finales de tema totalmente libre. Mason y Kerry pueden hacerse preguntas sobre cualquier tema y hasta pueden repreguntar. Como quería el mismísimo Lincoln.

En su propio silencio, a Clayton le parecía escuchar los pensamientos de Tony.

—Eso no tiene sentido —murmuró.

—Entonces tratemos de descubrir qué es lo que ha cambiado según ellos.

—No son los candidatos —dijo Clayton—. Los instintos de Kerry son más certeros y sabe más. Si le preguntara a Mason sobre la reforma del seguro social, la única duda sería quién moriría primero, si la memoria de Dick o su público. —Clayton empezaba a impacientarse. —Es la diferencia entre lo real y lo irreal, y la gente de Mason lo sabe.

—¿Se te ocurre a qué se debe tanta desesperación?

—No es *tanta* la desesperación. En nuestras encuestas, él gana por uno o dos puntos. Seguramente las suyas dan el mismo resultado.

—Bueno, pero *algo* ha cambiado. Antes de volver a esa reunión y decirles que estamos encantados, me gustaría saber qué es.

El tono de Lord, aunque cordial, era inquisitivo. Hasta cuatro años antes, el esposo de Stacey Tarrant había sido un abogado criminalista de primera, y aunque había abandonado ese trabajo para dedicarse al servicio público, era tan lúcido en sus análisis como antes. Por eso Clayton le había pedido ayuda.

—Dímelo tú, Tony. Tú eres el que está en un salón con ellos.

Tony hizo una pausa para poner orden en sus pensamientos.

—Parecen más agresivos —dijo—. En los últimos dos días Mason ha visto a Kerry meter la pata en el tema del aborto y lo ha aprovechado muy bien. Tal vez piensa que Kerry sólo tuvo suerte y que puede ganarle...

Clayton lo interrumpió con su risita: —Muchos pensaron eso. El único que queda de pie es Mason.

—Y tal vez —prosiguió Tony con calma— Mason piensa que conoce un secreto sucio de Kerry Kilcannon y ha decidido que llegó el momento de divulgarlo.

Clayton se sentó: —Me preguntó *qué* será.

Tony calló unos instantes.

—Puedo proponer una asamblea popular —dijo— en la cual los ciudadanos hacen las preguntas. Una discusión de elevado espíritu cívico acerca de lo que el pueblo quiere saber, frente a una audiencia que espera respuestas amables. Allí es mucho más difícil hacer ataques personales.

Clayton se dio cuenta de que no había engañado a Tony Lord.

—No, si rechazamos lo que habíamos pedido en Nueva Hampshire, Mason lo divulgará a la prensa. Pero lo más importante es que Kerry no se oculta. Siempre prefiere correr el riesgo.

—Entonces, les digo que estamos de acuerdo.

—Sí.

Clayton cortó lentamente.

Solo en la acera, Sean traslada su peso de un pie a otro; era un forastero pulcramente rasurado entre los negocios de pornografía, un hotel de mala muerte, una sórdida taberna vietnamita y la licorera con carteles de neón que anunciaban vino barato y whisky. La calle olía a basura y orina.

Los últimos quince minutos habían sido como la antesala del infierno, un desfile de la escoria humana que asqueó a Sean: un vagabundo con harapos por calzado y manos temblorosas; la mujer de mirada perdida, que balbuceaba con nadie sentada en la escalera; el hombrecito que entró furtivamente por la puerta roja para "conversar con una mujer desnuda"; la prostituta de pelo revuelto con pústulas en la cara, pálida y demacrada que le provocó náuseas al ofrecerle sexo oral. De vez en cuando pasaban hombres jóvenes que parecían conocer el vecindario: un negrito flaco que caminaba con exagerada lentitud por el centro de la calle, como si le perteneciera; un latino de tez color caoba que pasó con nerviosa energía, tal vez por causa de las drogas. Otro joven negro, con las manos en los bolsillos y la espalda contra la pared del hotel, sin prestar la menor atención a la mujer que parloteaba, miraba a Sean con moroso desdén. Éste deseaba ávidamente el arma.

Como si hiciera un esfuerzo de voluntad, el negro se enderezó y con fingida despreocupación fue lentamente hacia Sean.

Se detuvo en la acera a un metro de distancia y miró en derredor. Era de menor estatura y más flaco que Sean, con orejas que sobresalían bajo su gorra de cazador. Pero los oscuros con que lo miró eran duros como balas.

—¿Qué busca?

Su tono era impaciente, como Sean ocupara un espacio ajeno. A pesar de su nerviosismo, empezó a erizarse. Inclinó la cabeza y miró al negro.

—¿Como qué?

El hombre encogió un hombro: —¿Un raviol?

Sean se acercó: —No busco droga.

El hombre entrecerró los ojos; al responder, casi no movió los labios: —Yo no hago esa mierda. Puedo conseguirte otro tipo.

Sean tardó varios segundos en comprender, y cuando lo hizo enrojeció de ira y vergüenza.

—Quiero una pistola.

El hombre echó una mirada rápida a su alrededor: —Una pieza.

Sean asintió.

La mirada del hombre lo traspasó: —¿Policía?

—No.

—Bueno, no sé, viejo. —Hizo una pausa y afectó una sonrisa sarcástica. —Venderte una pieza viola la ley.

—Cien dólares —dijo Sean mirándolo fijamente, sin sonreír.

El hombre miró la cera, sus labios se fruncieron en un silbido mudo de admiración.

—Puedo conseguir —dijo—. ¿Qué clase?

—Pistola. Nueve milímetros.

Torció un costado de la boca: —¿Qué soy yo, un arsenal? ¿El dueño del ejército? El que quiere una pieza acepta lo que le dan.

—Mañana a la mañana —dijo Sean con voz ahogada—. Antes de las nueve.

—No es mi horario de trabajo.

Sean le aferró el pecho de la camiseta: —Las nueve.

El hombre le abrió los dedos lentamente y lo miró a la cara: —Si estás tan apurado, que sea a las cuatro.

Lo embargó una furia impotente: —Las cuatro —dijo por fin—. Aquí.

—Eso dije.

Sin una palabra más, el hombre giró y se alejó despreocupadamente, como si Sean no existiera.

El teléfono de Clayton sonó otra vez: era Peter Lake, el agente a cargo de seguridad.

—¿Dónde están? —preguntó Clayton.

—En Fresno. Camino de Elk Grove, luego Sacramento. Por eso llamo. Tres emisoras locales recibieron la misma amenaza de muerte.

Clayton suspiró: —No hay por qué pensar que hoy será distinto. ¿Qué dijeron?

—Te digo lo que anotaron las telefonistas: "¿Sabe qué día es hoy? Lo vamos a matar en el noticiario de las seis." O sea en Sacramento, me parece.

—¿Qué quieres que haga?

—Habla con el senador. —El tono de Peter era calmo, profesional. —Probablemente es un universitario. Pero es el aniversario de la muerte del hermano y el lugar elegido para hablar sobre control de armas. El Internet está lleno de mensajes de estos chiflados, que piden que todos vayan al acto: "Desregulación total", esa clase de cosas. Podría haber tensión.

Clayton miró por la ventana. Desde la muerte de su hijo, el miedo que sentía por Carlie y las mellizas era fuerte como una superstición. Las largas noches en el hospital estaban grabadas en su memoria: las ojeras de Carlie, la presencia discreta de Kerry, más elocuentes que las palabras de pésame que no podían soportar. Desde el comienzo de las primarias, su otro temor era que apareciera otro desconocido con un revólver, una nueva tragedia irracional. No pasaba un día sin que Clayton pensara en ello; ni un acto al aire libre que no lo hiciera sufrir hasta que Kerry volvía a la limusina.

—No podemos cancelar el acto —dijo Claytron—. Y Kerry no lo permitirá. Diría que si no puede hablar, ganan ellos.

—Jamás le pediría que no hablara. Sólo que piense en la seguridad al decidir cuándo y dónde hablar. —Peter hizo una pausa. —Ya sé que lo hemos conversado. Pero yo lo hubiera hecho en un local cerrado, no en un parque.

—Kerry lo quiso así. Sabes por qué.

—Entonces me parece que es hora de que use un chaleco. Empezando por esa noche. —Peter hablaba con calma. —Muerto, no le sirve a nadie, Clayton. Ni siquiera a sí mismo.

Era una indirecta sumamente lúcida, pensó Clayton.

—Ya parto para allá —dijo.

CINCO

Nate Cutler pensó que el vuelo a Sacramento se parecía a *El señor de las moscas*, una caída en el estado de naturaleza hobbesiano.

El malestar afectaba a todos. Aparte del pool, nadie había visto a Kilcannon de cerca; no había visitado el sector de la prensa. Kit Pace se mostraba más cortante que lo habitual al guiar a los periodistas de medios locales al sector delantero de la cabina. De puro aburrido, el tipo de *Newsweek* se había sentado sobre una bandeja de plástico y se había deslizado por el pasillo durante el despegue, lo que le había valido un coro de aplausos, silbidos y que le arrojaran una servilleta a la cabeza.

—Lo más jodido es que uno echa de menos la clase turista de United —comentó Lee McAlpine al verlo pasar.

A su lado, Sara Sax escribía con marcador sobre un pomelo y juraba "atravesar la cortina de hierro". Exhibió su obra con orgullo: "Senador K: ¿Está usted a favor del aborto en estadio avanzado para proteger la salud psicológica de la madre?"

Con alarde firmó, "Un beso, Sara" e hizo rodar el pomelo bajo la cortina que separaba a la prensa de Kerry Kilcannon.

Nate, nervioso, se paró y miró a su alrededor. En torno de la mesa de la comida, cuatro periodistas jugaban una partida desganada de póquer. En el fondo, los camarógrafos gruñían que la nueva reportera de Fox, al arrancar las fotos de *Hustler* de las paredes, se "cagaba en la libertad de prensa". Camino de la mesa para recoger un sándwich, Nate sintió un golpe en el zapato.

Era el pomelo.

Lo recogió. Bajo la pregunta de Sara estaba escrito: "No lo sé, Sara. ¿Estás muy loca?" Debajo de las palabras escritas con su letra inconfundible, había firmado, "Kerry".

Nate se lo entregó solemnemente: —No estoy seguro —dijo—, pero parece que hay vida más allá de la cortina.

Sara sonrió al leer la respuesta.

—Es una señal —exclamó—, y entregó el pomelo a un colega para que lo pasara. Nate advirtió que Lara Costello fue la única que no sonrió al leerlo.

En ese momento Rich Powell, un periodista de Reuters que la había conocido en el Congo, se arrodilló en el pasillo junto a su asiento y le besó la mano con el aire solemne que merecía una nueva princesa de los medios.

—Millones —dijo con tono reverente—. Las revistas dicen que ganarás millones. ¿Será cierto?

Lara sonrió: —Totalmente. Mañana convertiré mi nombre en una marca registrada para producir una línea de calzones. Tú recibirás dos muestras gratuitas.

Rich se llevó una mano al corazón: —Por favor, que sean usados.

Lara inclinó la cabeza: —¿Cómo estás, Rich?

—Muy bien. Ya que me tocó seguir a un candidato, me alegro de que fuera Kilcannon. —Hizo una pausa: —Creo que tú lo conoces.

Al mirarla, Nate advirtió que era consciente de su presencia a dos hileras de distancia.

—Lo *conocía*. No lo he visto ni hablado con él desde que decidió postularse.

—Una gran decisión para un tipo como él. —Rich se sentó en el pasillo con las piernas cruzadas. —¿Viste que Stacey Tarrant lo va a presentar en Sacramento? No sé si llamarlo asombroso o un acto oportunista.

Lara se encogió de hombros: —El tema conviene a los dos. Y el día. Ella va a atraer mucha gente.

—Sin duda. Pero te diré una cosa, Lara: prefiero mil veces acostarme contigo antes que con Stacey Tarrant.

Le obsequió una sonrisa triste y le palmeó el brazo: —No creo que pase tanto tiempo aquí. Pero te agradezco la invitación.

Rich meneó la cabeza, melancólico: —La monja de siempre.

—Por supuesto. ¿Cómo quieres que trabaje si me la paso pensando en ti?

Rich rió. Nate volvió a su asiento.

Ella le había enviado un mensaje tácito, pero claro: no había visto a Kilcannon ni hablado con él. Al abandonar la campaña, se hacía cargo de su problema ético. Clayton Slade utilizaría ese argumento, entre otros, para tratar de convencer a sus jefes de que no publicaran la historia, una vez que Nate hiciera la gran pregunta. Estaba seguro de que lo harían.

El tiempo corría: faltaban cinco días para los comicios. La verdadera historia de la elección primaria de California, desconocida por todos sus colegas salvo Lara, era el rincón oscuro en que Nate y Kerry competían por imponerse. Al reanudar su vigilia a la espera de Kit, lo embargó un anhelo rayano en la obsesión.

Estaba seguro de que no había nada personal en ello; las sospechas de Lara eran infundadas. Aunque casi nunca votaba por los republicanos, Nate había logrado dejar de lado sus propias convicciones, y era muy difícil que un político pudiera ofender o complacerlo. Su tarea era interpretar, separar la retórica de la realidad, descartar las repeticiones embrutecedoras, las frases de autómata destinadas a evitar los errores, la armadura protectora de las frases hechas por medio de las cuales la mayoría de los candidatos trata de evitar las duras verdades y manipular a la prensa. Kerry Kilcannon era demasiado bueno para caer en eso, pero ya no tenía importancia. Nate tenía una pregunta legítima; por razones que comprendía pero no podía respetar, creía que Kilcannon trataba de evitarlo.

Se corrió la cortina.

No era Kit Pace sino el nuevo objeto del deseo de Sara, el agente secreto Dan Biasi. Por su mirada de preocupación, adivinó que buscaba un excusado. Lo dejó pasar, luego se paró y lo siguió. Sólo Lara levantó la vista.

Cuando llegó al fondo, la puerta estaba cerrada.

Se apoyó contra una mampara como si esperara su turno. Se abrió la puerta y salió Dan Biasi, peinando su cabello oscuro.

—¿Se siente mejor? —preguntó Nate.

Dan rió de buen humor: —Es el exceso de café —dijo—. El senador dice que tengo la vejiga más chica de todo el servicio.

Para Dan, el avión era un lugar de distensión, de alivio del agotador estado de alerta que se le exigía en tierra. Bajo los ojos, el joven agente mostraba arrugas de fatiga.

—Ahora que está tranquilo —dijo Nate amablemente—, ¿podría decirle a Kit Pace que necesito hablar con ella lo antes posible? Debo verificar un dato.

La sonrisa de Dan se desvaneció. Los agentes eran escrupulosamente apolíticos y se negaban a cualquier pedido que no correspondiera a su trabajo.

—Está bien —dijo por fin—. Puedo hacerlo, si no está ocupada.

—Se lo agradezco de veras. —Nate entró en el baño, dejó pasar unos minutos y volvió a su asiento.

Volvió a clavar los ojos en la cortina.

Minutos antes del aterrizaje, Kit apáreció, se arrodilló junto a si asiento y lo miró con una sonrisa profesional que no comunicaba cordialidad ni lo contrario:

—Me han dicho que te falta información, Nate.

—Sí. ¿Puedes darme unos minutos en Elk Grove después del discurso?

Nate advirtió que Lara, al otro lado del pasillo, estudiaba sus uñas. La sonrisa de Kit se achicó medio milímetro.

—No prometo nada, pero lo intentaré. Si lo dejo a Kerry, sólo Dios sabe lo que es capaz de decir.

—No llevará mucho tiempo —dijo Nate sin sonreír.

El acto de Elk Grove fue en una zona agraria, en un campo cerca de unos establos que acaso servía de predio ferial. La tribuna estaba rodeada de tractores y fardos de heno. A lo lejos se veían silos y unos campos sembrados de un cereal que Lara supuso era trigo. Su ignorancia de las cosas del campo le recordaba una anécdota familiar que una vez le había relatado a Kerry. Cuando tenía nueve años, durante una excursión familiar, había pasado por un viñedo. "Miren —dijo Lara—, plantas de vino." Su padre rió durante varios minutos. Kerry la miró con asombro fingido: "¿De qué se reía? —preguntó—. ¿No las llaman así?".

Al recordar, sonrió para sus adentros y se preguntó cómo actuaría Kerry en ese ambiente.

En el palco de la prensa estaba rodeada por sus colegas con grabadores, laptops, cámaras. Por los parlantes se escuchaba la voz de Bruce Springsteen que cantaba *Nacido en USA*. Kerry estaba orgullo del apoyo de Springsteen, nacido como él en Nueva Jersey. El candidato ya subía a la tribuna de oradores. Los cincuenta metros cuadrados entre la tribuna y el palco de la prensa estaban ocupados por la multitud heterogénea que Kerry parecía atraer en todas partes: agricultores, pequeños comerciantes, asiáticos, estudiantes secundarios, algunos trabajadores rurales mexicanos. Eran las cuatro y los rayos tibios del Sol poniente caían sobre la tribuna: una metáfora, pensó Lara bruscamente, de los últimos días de una campaña, acaso de una carrera.

Momentos antes había llamado a Washington para averiguar si tenía mensajes en el contestador. Había uno solo: de una amiga de la universidad, ahora periodista en el Congreso. La habían llamado de *Newsworld*, dijo Maria, para preguntar sobre Lara y Kerry Kilcannon. Pero ella no les había dicho nada, no tenía nada para decirles. ¿Se podía saber qué diablos pasaba?

No pasa nada, debía decirle Lara. Nada en absoluto. Bruscamente la embargó una sensación punzante de soledad: atrapados por su secreto, ella y Kerry no podían decir una sola palabra.

Nate estaba dos pasos atrás con su grabador.

Sabía que él la seguiría de cerca. Durante los próximos cinco días su mundo sería claustrofóbico.

Acompañado por los aplausos, Kerry se acercó al micrófono con un papel en la mano, sin duda una lista de dignatarios locales a los que debía nombrar: el alcalde, el concejo. Pero cuando iba a empezar a hablar, el viento se llevó el papel.

Rígido, sus ojos siguieron el papel que revoloteaba sobre la multitud; parecía una parodia del político desconcertado.

—Diablos —dijo—, ése era mi programa agrario.

Era un chiste arriesgado, pensó Lara: un poco de parodia con algo de verdad. Pero se produjo un coro de risas amistosas, principalmente de los agricultores. Kerry nombró a todos sus acompañantes en la tribuna, sin cometer un solo error.

Escuchó un zumbido en el bolsillo interior de su chaqueta deportiva. Sin apartar los ojos de Kerry, sacó el teléfono celular: —¿Hola?

—¿Lara? —La voz de su jefe la sobresaltó. Por un instante pensó que la habían delatado. —Hubo una amenaza de muerte contra Kilcannon —dijo Hal—. Llamaron a nuestro canal en Sacramento.

—¿Qué dijeron? —preguntó, aturdida.

—Que lo van a matar para que aparezca en el noticiario de las seis. Creemos que se refiere al acto en Sacramento.

Lara tomó aliento: —Preguntaré a los del servicio. También a Kit.

—Perfecto. Oye, muy bueno tu informe de anoche.

Sin alzar la voz, Lara le agradeció y guardó el teléfono en el bolsillo. Echó una mirada a su alrededor en busca de lugares donde pudiera ocultarse un tirador: los árboles, el techo de los establos. Vio las gorras con visera de tres tiradores apostados en el techo del granero y la cabeza de otro que mantenía los ojos clavados en la tribuna. ¿Cómo se sentiría al estar en el lugar de Kerry?, se preguntó.

Se volvió para mirarlo. La multitud lo escuchaba en un silencio casi solemne.

—La pena de muerte —dijo— es uno de los problemas más penosos que debe encarar una sociedad civilizada.

"Una vez, años antes de ser senador, visité una cárcel. Vi las caras de los hombres que esperaban la ejecución y pensé en la tristeza, la pérdida, el derroche de esas vidas. Si fuera humanamente posible, yo querría un país donde no hubiera una vida tan envilecida como para tomar la vida de otro.

Lara advirtió que no leía apuntes. Aunque no alzaba la voz, ésta llegaba a todos los rincones.

"Durante un tiempo no pude pensar en *otra cosa*. Pero después se me ocurrió pensar en los rostros que nunca llegaría a ver: los de hombres, mujeres y niños muertos por aquéllos. Porque al abandonar la idea de la venganza por mano propia, lo hacemos con la expectativa de que nuestras leyes reconocerán el valor de la vida inocente: que cuando corresponde, el asesino pagará con su vida la muerte del inocente.

Lo habían discutido durante horas, a solas en el apartamento de Kerry porque no podían dejarse ver en público. "Como en la universidad —decía Kerry con su tierno sentido del humor: —cerveza, pizza y la pena de muerte."

Ella conocía su manera de pensar. Aun sin la presión de la política tal vez no hubiera podido pensar de otra manera. Pero había discutido con él. "El asesinato es asesinato siempre. No existe eso de matar por el bien público. ¿Adónde termina todo?"

"¿Asesinar es asesinar? —habría replicado Kerry—. En el Senado aprendí a apreciar la ironía. Mis colegas adversarios del aborto aman al ser humano antes de nacer, pero no tienen objeción a la ejecución legal. En cambio, mis amigos partidarios de la legalidad del aborto descubren el amor a la vida en la cárcel de los condenados a muerte, aunque se trate de salvar a Charles Manson..."

La multitud lo escuchaba en silencio, atentamente:

—Antes de quitar una vida —dijo Kerry—, debemos asegurarnos de que la raza o la clase social del asesino no cuenta para nada, como no cuenta la de la víctima.

"Si optamos por la pena de muerte, lo mínimo que debemos asegurar es una elección imparcial del jurado, un juicio justo, una revisión exhaustiva y la seguridad de que se respetan los derechos del acusado. Porque si seguimos el canto de sirena de la ley y el orden —un atajo aquí, un derecho violado allá—, sin duda seremos cómplices del asesinato de inocentes: un precio demasiado elevado para cualquiera de nosotros..."

Uno momento después, Lara advirtió la presencia de Nate a su lado.

—¿Alguna vez discutieron el tema, ustedes dos? —preguntó—. Recuerdo lo que pensabas tú.

Lara se volvió para encararlo. *Hijo de puta*, pensó.

—No —dijo fríamente—. ¿Por qué habríamos de hablar sobre esto?

Se alejó en busca de su camarógrafo.

La pregunta la había afectado, pensó Nate. Vio en sus ojos que había llegado al blanco.

Mentía; no podía ser de otra manera. Pero esa cuasi certeza, por importante que fuese, no le causaba satisfacción.

Fue en busca de Kit.

Vio rápidamente que no tenía la excusa de permanecer cerca de Kerry Kilcannon; los agentes lo habían escoltado rápidamente a la limusina. Kit estaba en medio del pool, cuyos miembros se dispersaban lentamente en dirección a su ómnibus. Aunque Nate estaba cerca, ella parecía no verlo.

Metió las manos en los bolsillos y la esperó.

Cuando quedaban sólo dos periodistas, ella reconoció su presencia. Luego se dirigió lentamente hacia él, los ojos entrecerrados debido a la nube de polvo que levantaba el viento.

—¿Cómo se llemaba esa película? —dijo Kit—. *¿Viñas de ira?* ¿O era una novela?

Nate sonrió; como la mayoría de sus colegas, estimaba a Kit por su humor filoso y su profesionalismo. Podía tratar de esquivar una pregunta, pero rara vez mentía.

—¿Y bien? ¿En qué te puedo ser útil?

Nate miró en derredor: —Debo hablar con el senador.

Kit frunció el entrecejo: —Después del martes, Nate. No es que no te queremos, pero la mayoría de tus lectores no son votantes californianos, y a *éstos* los amamos más que a nadie.

Nate meneó la cabeza: —Lo que tengo para preguntar no puede esperar tanto.

Kit alzó el entrecejo: —¿Aportes de campaña de los extraterrestres? En este momento, "no puede esperar" no es argumento suficiente.

—Es una pregunta delicada —dijo Nate con tono suave, paciente—. Necesito una respuesta directa de él.

Kit se cruzó de brazos, contempló el polvo a sus pies.

—¿Hablamos de algo ilegal?

Está enterada, pensó Nate; quiere actuar como filtro.

—No hablamos de un delito sino de la vida íntima del senador. —Endureció la voz: —¿Cuándo podré verlo?

Kit lo miró con ojos menos cordiales que hasta entonces: —Apenas me digas de qué se trata. Y demuestres que vale la pena ocupar el tiempo de Kerry antes del martes.

—Deja de actuar como una bruja, Kit. —Nate suavizó el tono: —No querrás que le pregunte delante de todos. Si es algo que Kilcannon puede negar, preferirá hacerlo en privado. Quiero darle esa oportunidad.

—¿Y si no?

—Publicamos la historia el martes. Sobre la base de lo que ya tenemos.

Kit lo miró fijamente. Éste pensó que si Lara había hablado con Kilcannon, era fácil imaginar lo que pensaba la secretaria de prensa: *¿Tenía* Newsworld *suficiente información para publicar?*

—Lo pensaré —dijo Kit por fin—. Y tú pensarás si puedes decirme algo más.

—Setenta y dos horas —repitió Nate.

Kit sonrió apenas... aunque él no pudo determinar si le creía o no. Se alejó.

Nate fue a la carpa de la prensa a mecanografiar sus apuntes. Un poco más tarde vio a Kit sola, en el granero, hablando por su teléfono celular.

SEIS

—Diablos —murmuró Stacey Tarrant, perpleja—. Esto sí que asombraría a Jamie, ¿no?

Kerry sonrió: —Sobre todo se asombraría por mí. Imagino que me preguntaría, "¿*Todo* lo tienes que aprender por experiencia?".

Conversaban en el asiento trasero de la limusina de Kerry, en dirección a Sacramento. Él había ordenado que la caravana pasara a buscarla a una pista aérea privada para que tuvieran tiempo para conversar. Después de la muerte de Jamie sus encuentros habían sido infrecuentes, pero cierta afinidad había surgido entre los dos, una percepción común de las cosas. Stacey era una mujer perspicaz a quien no incomodaba el silencio; Kerry descubrió con sorpresa que podía ser franco y sentirse cómodo con ella. Le recordaba a Lara.

—Bueno —dijo Stacey, sonriendo a su vez—, él siempre dijo que eras un tipo *capaz*. Pero se preguntaba qué haría falta para que lo descubrieras.

—Me alegro de que no lo supiera. —Kerry se volvió hacia la ventanilla y contempló el juego de luces y sombras sobre las torres de la ciudad al atardecer. —Es un buen chiste —añadió suavemente—, ¿pero qué significa?

Stacey calló por un instante: —¿Alguna vez te da miedo?

Kerry asintió: —Uno se pregunta quién anda por ahí. Alguien. Pero no sabe quién es ni dónde está.

Stacey inclinó la cabeza: —¿Y entonces por qué te postulaste?

—¿Aparte de lo que siempre digo sobre hacer del país un lugar mejor?

—Sí.

Kerry la miró fijamente; sus sinceros ojos celestes lo miraban con curiosidad, pero sin malicia. Había sufrido mucho por las ambiciones de su hermano. Él sólo podía tratar de explicarle las suyas.

—No es fácil —dijo por fin—. En parte tiene que ver con mi vida personal: las cosas que tuve, las que perdí, las que nunca tendré. Si hubiera tenido una mujer a quien amar, o hijos, ¿hubiera hecho lo mismo después de lo que le sucedió a Jamie? No estoy seguro. —Hizo una pausa para tratar de explicarse en la medida que le estaba permitido. —Hace un par de años tuve que tomar una decisión. No podía consultar a nadie sino a mí mismo. Algunos pensaban que yo debía ser candidato simplemente porque era su hermano, y en parte yo pensaba que era mi deber. Pero lo que debía decidir era para *qué* me postulaba, si como senador podía ayudar a lograr los fines en los cuales creía. ¿Por qué debía ser presidente?

”Entonces miré a mi alrededor. Los republicanos tienen respuestas para todo, pero no estamos de acuerdo. Mason no tiene respuestas. A veces me pregunto en qué cree. Qué *siente*. Lo he visto llorar en entierros de personas que despreciaba, demostrar indignación porque un encuestador le dijo que debía hacerlo, perorar sobre control de armamentos en Nueva Hampshire sólo para derrotarme. No sé en qué es más ambiguo: en sus convicciones o en sus sentimientos. —Meneó la cabeza lentamente. —Me pregunto si hay algo que lo conmueva, un principio por el cual arriesgaría la elección. Un momento en el cual Dick Mason revela su auténtico yo y lo reconoce.

”La gente es cínica, Stacey. Nosotros tenemos la culpa. La halagamos, injuriamos a nuestros adversarios, mentimos sobre nosotros mismos. Dick Mason en la presidencia sería un clavo más en el ataúd. —Kerry se interrumpió, sonrió brevemente. —Conozco a otros que serían mejores que cualquiera de nosotros. Pero no pueden ganar. Por eso estoy aquí, haciendo las cosas lo mejor que puedo.

Stacey, muy seria, bajó la vista: —Y te preguntas si es suficiente —dijo, pensativa.

—Constantemente.

Se volvió, lo miró largamente antes de responder: —Jamie jamás hubiera hecho semejante confesión.

—¿Por qué habría de hacerlo?

—¿Tu hermano? ¿Un tipo tan *cool* y seguro de sí? Porque estaba lleno de miedos, y uno de ellos era el de darse a conocer tal como era. Se protegía con su ingenio. Su gran temor era ser un tremendo fraude, un falso Kennedy, hijo de gente sobre la cual jamás podría hablar. Creo que tú eras demasiado joven para comprenderlo.

La imagen de Jamie atormentado por la duda sorprendió a Kerry; era como si ella hubiera cambiado la forma de sus recuerdos, a la manera de un caleidoscopio.

—Supongo que no faltaban indicios —dijo por fin—. Pero nunca supe interpretarlos. —Titubeó antes de preguntar: —¿Por qué lo amabas?

La sonrisa de Stacey pareció nostálgica.

—Porque *no era* un fraude. Pero hubiera dado muchísimo por escucharlo hablar como acabas de hacerlo. Aunque tal vez hubiera llegado a vieja sin escucharlo. —Su sonrisa se desvaneció, lo miró fijamente. —El conocimiento de uno mismo es un don, Kerry. Pero requiere coraje. Tal vez es otra razón para que seas presidente. O, Dios te libre, padre de familia.

En la estela de la caravana, el avance silencioso y eficiente hacia la tribuna que estaban a punto de compartir, Kerry la miró otra vez. Parecía más asentada que antes, estaba en paz; su carrera continuaba con éxito, su matrimonio parecía feliz, ella y Tony Lord habían adoptado una niña, nacida en China, de unos tres años.

—¿Cómo es *eso*? —preguntó—. Ser madre

—Indescriptible. —Stacey sonrió. —Aprendí una nueva dimensión del amor: leer en voz alta, muerta de cansancio, el mismo cuento idiota sobre el gatito y el perrito, sin saltear una sola palabra. Aunque tu hija jamás se entere.

—Integridad —dijo Kerry—. Confianza. Espíritu de sacrificio. ¿No te gustaría ser vicepresidente?

Stacey meneó la cabeza sin dejar de sonreír: —No, gracias. Ahora soy feliz.

Por un instante, demasiado íntimo y triste para mencionarlo, sus pensamientos volvieron a Lara. Y entonces la caravana aminoró la marcha, entró en la ciudad y enfiló hacia el parque.

El parque estaba en la ciudad vieja, cerca de la casa de gobierno estadual, sobre una calle arbolada de casas altas de madera que, sin ser imponentes, trasuntaban confort y calma. Clayton estaba seguro de que el tiroteo que se había producido allí un año antes y provocado la muerte de un niño debía de haber trastornado a todos.

El parque, de tres manzanas, comprendía un gran prado, mesas para picnic, columpios y un tobogán donde había caído el niño herido. El servicio de seguridad había tendido sogas en torno del lugar dispuesto para el acto. Los asistentes, todos con entradas provistas por la campaña, debían pasar por los detectores de metales; muchos eran partidarios del control de armamentos. Los agentes habían peinado el parque en busca de bombas, cerrado las ventanas de las casas adyacentes, ocupado aquellas que estaban en la línea de fuego de la tribuna de oradores. El servicio ya había montado su dispositivo perimetral: un cordón exterior con tiradores en los techos y agentes que vigilaban las ventanas y los lugares altos; uno intermedio que vigilaba a los asistentes y a cualquiera que se encontrase a tiro de pistola; el cordón interior, con los agentes junto a las sogas y en torno de Kerry: el lugar donde era más probable que las cosas se pusieran "calientes", como decía Peter Lake.

En la tribuna junto a Peter, Clayton vigilaba al pool de la prensa con sus micrófonos y cámaras; el prado atestado de partidarios con carteles de "Kilcannon presidente"; el palco para el resto de los periodistas; a un costado, los espontáneos, los curiosos, los hostiles. Para Clayton, había demasiados hombres con expresiones hoscas y ojos implacables, demasiados carteles como el que decía, "Eliminemos a Kerry Kilcannon". El aire estaba cargado de tensión.

—Stacey Tarrant —murmuró Peter—. El aniversario de la muerte del hermano. Un discurso sobre el control de armamentos. Para los chiflados, es como la alineación de los planetas. —Miró hacia la multitud. —Esos tipos son los de las milicias y el club de tiro, los que siguen a Sarah Brady a todas partes y tratan de intimidarla. El Internet está repleto de frases como, "Que cada dueño de un fusil le dé a Kerry Kilcannon el recibimiento que se merece". No sé si sabías, Clayton, que tu jefe es un totalitario de izquierda.

Clayton se volvió para mirarlo: —¿Kerry dijo por qué se negaba a usar el chaleco?

Peter contempló la multitud: ojos grises atentos en un rostro que inspiraba confianza.

—Lo único que dijo fue, "No sirve para nada si me disparan a la cabeza, ¿no?". Es lo más próximo a una mención de su hermano que le he escuchado. —Se volvió hacia las casas adyacentes. —En cierto sentido tiene razón. Un tipo armado y bien entrenado, como esos chiflados que andan por ahí, podría acertarle desde cien metros. Pero no cuando yo estoy de turno.

Al contemplar el rostro ávido de una estudiante universitaria con un cartel, Clayton percibió el abismo entre la euforia de la multitud y sus propios miedos.

—¿Qué puede fallar?

Peter tomó aliento: —¿Aparte de un tirador? Muchas cosas. Una falla en un detector de metales. Un miembro de un grupo privilegiado, como la prensa o el personal de campaña, por el cual responde tu gente pero que no es quien dice ser. Verificamos las credenciales de la prensa y la identidad de todos los que rondan en torno de la campaña. Pero si ustedes no avisan con tiempo... —Se encogió de hombros. —Puede suceder. Sobre todo si es alguien a quien no le importa vivir o morir.

A pesar suyo, Clayton se volvió hacia el borde posterior de la tribuna.

Ahí esperaba la ambulancia. En su primer encuentro, Peter había explicado el plan para el caso de un atentado. Los agentes más próximos cubrirían su cuerpo, los demás permanecerían en sus puestos: podía haber un segundo tirador, y Malcolm X había muerto porque sus guardaespaldas, distraídos por una maniobra diversionista, no habían sabido protegerlo. Tratarían de detener al asesino —en lo posible con vida— y llevarían a Kerry a la ambulancia. En cada acto, el servicio sabía cómo llegar al más cercano; a menor tiempo, mayores posibilidades de salvarlo si la herida no era mortal. Pero como había insinuado Kerry, no hubo manera de salvar a James Kilcannon.

—Stacey Tarrant —dijo Peter—. ¿Cómo la consiguieron?

Clayton se volvió: —Ella piensa que Kerry debería ser presidente. Yo le dije, "Dick Mason tiene su esposa e hijos. Kerry te tiene a ti". Entonces aceptó.

Peter no respondió.

Clayton contempló a la multitud que crecía a medida que se acercaba la hora.

Sobre todo si es alguien a quien no le importa vivir o morir.

Peter se refería al asesino, no a Kerry. Pero existían ciertos factores que Clayton no podía revelar: A pesar de sus consejos, Kerry había apoyado un proyecto contra la libre venta de armas, que iría a votación en breve; con ello había despertado el encono del lobby armamentista. A pesar de sus ruegos, estaba resuelto a realizar *este* acto en *este* lugar. La sospecha que atormentaba a Clayton era que tanta insistencia obedecía a un espíritu suicida, a la necesidad de enfrentar el peligro, a la convicción de que sólo la muerte lo haría digno de su hermano o del coraje de Bridget Musso.

Cualesquiera que fuesen las razones, Clayton sabía desde la campaña en Nueva Hampshire que Kerry no se retractaría.

La rama local de la Alianza por las Armas había invitado a los candidatos a un foro público en Manchester para explicar sus posiciones con respecto al control de armamentos. Los seis republicanos habían aceptado. Dick Mason se había disculpado: en un Estado donde la tradición de poseer armas era tan vigorosa, sus posiciones a favor del control, aunque tibias, le jugarían en contra.

—Pero qué soberbios —dijo Kerry a Clayton—. Soy *candida-*

to presidencial y estos monomaníacos quieren que nos arrastremos a sus pies. ¿Qué quieren que les diga? ¿Que lo que mata no son las armas sino *las hondas*?

Clayton asintió: —Les diré que estás ocupado.

Kerry se volvió hacia él, indignado: —No, iremos.

Era una noche fría de enero; al caminar desde la furgoneta hacia el enorme salón de reuniones, sus pies crujían sobre la escarcha y su aliento formaba nubes de vapor. El dirigente local Walt Rogers, un hombre de cabellera plateada que miraba a Kerry sin disimular su disgusto, lo acompañó a una tribuna con una hilera de sillas plegables donde los otros seis candidatos aguardaban "como prisioneros a punto de ser ejecutados", murmuró Kerry.

Clayton se quedó en el sector de prensa junto a los camarógrafos. El moderador presentó a los republicanos uno por uno. Los cinco primeros emplearon sus argumentos más racionales para abogar por la prohibición de venta de armas a los criminales y la autorización para el resto de la humanidad. Dos abogaron por la derogación de la cláusula que prohibía la venta de armas de guerra. El sexto arrancó una ovación de pie al proclamar: "Si el rey Jorge hubiera impuesto el control de armas, nuestra capital aún estaría en Londres. Pero la divisa de los patriotas sigue siendo, 'Cabalguemos al son de los fusiles'."

Cuando Rogers presentó a Kerry, hubo algunos aplausos tibios, silbidos y abucheos.

Kerry miró al auditorio con toda calma: —Me imagino que abucheaban al rey Jorge porque yo hasta ahora no he dicho nada. —Sonrió: —No se preocupen, ya tendrán sus oportunidad. Ahora, denme la mía.

Se hizo silencio y Kerry se volvió para mirar a los demás candidatos: —Durante una hora he visto cómo seis hombres inteligentes tratan de demostrar que no existe el problema de la violencia armada. Creo que mi vergüenza ajena debe de ser tan grande como la vergüenza propia de ellos. —Miró al último orador y sonrió con malicia: —Salvo para Pat, claro. Con frases como "a la carga" compensa el servicio militar que no cumplió en Vietnam. Y, claro, tiene que pensar en el voto de los milicianos.

El auditorio escuchaba en silencio, debido acaso a tamaña muestra de insolencia.

—Antes de que me olvide —dijo con fingida ingenuidad—, ¿dónde está Dick Mason? ¿Escondido con el rey Jorge? ¿O cabalgando al son de los fusiles? —Hubo algunas risas, el reconocimiento de un tanto a favor. —Bueno, parece que deberé arreglármelas sin su ayuda.

"Soy candidato a presidente de Estados Unidos, no a presidente de la Alianza por las Armas. Mi única obligación es decir la verdad tal como yo la entiendo. —Suavizó el tono. —Ustedes conocen la historia de mi vida. Nadie puede dudar de lo que pienso sobre el control de armamentos ni de mi derecho a pensar así, por más que no lo comparta. Pero ya que me invitaron, se los explicaré.

"Hay demasiada violencia irracional en el país por causa de las armas. Recordarán que hace tres semanas, un hombre entró con un arma de guerra a una guardería en Manhattan y mató a seis niños. Uno de ellos era su hijo. Un arma cuyo único objeto es matar gente con la mayor rapidez. *Seres humanos*, no venados ni liebres. En este caso, niños. —Una vez más, miró a los otros candidatos. —Mis seis amigos aquí presentes saben que ese hombre no era un criminal condenado. Nada de lo que ellos proponen hubiese evitado esa tragedia.

"Para mí, el derecho a la vida está por encima del derecho de poseer el arma que uno desee. Y ninguna condena posterior devolverá los niños muertos a sus padres. —Kerry hizo una pausa y se irguió. —Quien se opone a una ley para limitar el tráfico irracional de instrumentos de muerte, se hace responsable de tragedias como ésta. Si llego al gobierno, una de mis prioridades será impedirlo por todos los medios.

"Durante los próximos meses explicaré cómo pienso hacerlo. Así que presten atención. —Se volvió hacia Walt Rogers y sonrió amablemente: —Gracias por la invitación —dijo, y bajó de la tribuna.

Tras un momento de silencio, la hostilidad del auditorio lo golpeó con silbidos y abucheos. Lo rodearon los agentes y los periodistas.

—Apuesto a que los seis tipos desearían estar en mi lugar —dijo al oído de Clayton—. Yo me puedo retirar.

Clayton miró a su alrededor. Vio rostros pétreos y otros deformados por el odio y la furia. Un hombre flaco de bigote grueso y gorra militar de combate gritó, “Estás muerto, Kilcannon”. Kerry aparentemente no lo escuchó. Su lividez sugería que había percibido el odio, que el precio de su franqueza era el miedo que sentía.

Los agentes lo llevaron rápidamente a la furgoneta.

Ocuparon el asiento trasero con Kevin Loughery, en silencio. Clayton pensó que habían perdido muchos votos, acaso la primaria. Kerry interrumpió sus pensamientos:

—Dick Mason acaba de perder una oportunidad —murmuró.

Más adelante, en Florida, cuando empezó a dar vuelta la torta, Clayton tuvo que concederlo. Pero nunca sabía hasta qué punto las decisiones de Kerry obedecían a impulsos, a una intuición política infalible o a sus fantasmas...

Ahora, miró a Stacey Tarrant que subía al escenario.

Delgada y erguida, aguardó que cesaran los aplausos y luego dejó que se prolongara el silencio durante un lapso que pareció aun mayor. Sólo se escuchó un grito remoto, burlón: “Bajamos a uno, señora, sólo falta uno más”.

Stacey lo miró fijamente y de nuevo se hizo silencio, más pesado después de la interrupción.

—Muchos de ustedes son sobrevivientes de tragedias con armas que tuvieron que rehacer sus vidas —dijo—. Kerry Kilcannon lo conoce en carne propia.

Un comienzo elegante, pensó Clayton; quedaba tácita la frase de que también ella lo conocía en carne propia.

—Hoy quise acompañar a Kerry —prosiguió—. Y Kerry quiso acompañarlos a ustedes. —Se volvió hacia él y concluyó: —El presidente que merecemos, Kerry Kilcannon.

SIETE

En el palco de la prensa, Lara estaba más cerca de los manifestantes hostiles que de Kerry. *¿Por qué serías candidato presidencial?* Era algo que siempre había querido preguntarle. Lo pensaba mientras cenaban, cuando contemplaban el atardecer en Martha's Vineyard, al despertar por la mañana y contemplar su rostro dormido, su pecho que se alzaba regularmente al compás de la respiración. Pero no era su esposa. Tenía su propia vida, la de una periodista; no estaba en posición de definir la de *él*.

Kerry dio un paso al frente. "Llegó tu turno", exclamó la misma voz brutal en medio de los aplausos. "Tu turno."

En medio de su miedo y su furia, Lara trató de conservar sus instintos de periodista. En todo caso, Kerry era un político con sentido práctico. Consciente de las emociones que era capaz de provocar, había elegido ese lugar, acaso porque sabía que vendrían los manifestantes hostiles.

—Hoy es el aniversario de una muerte —dijo en tono suave para comenzar.

La multitud calló.

—Se llamaba Carlos Miller —prosiguió—. Tenía nueve años. Fue asesinado en este parque por un racista armado con una AK cuarenta y siete.

"Murió, como sucede diariamente en el país, amado por su familia, apenas conocido por los demás, olvidado rápidamente por la prensa. —Hizo una pausa y alzó la voz. —La carnicería es tan grande, que sólo un asesinato en masa o la muerte de una celebridad nos llama un poco la atención.

"El año pasado más de cuarenta mil norteamericanos fueron muertos por armas de fuego. Ciento diez personas *por día*. —Kerry bajó la voz. —Uno de ellos fue Carlos Miller, hace exactamente un año.

"Lo que mata no son las armas sino *la gente*, dicen los partidarios del armamentismo sin restricciones. Así que veamos, en el mundo, cuántas personas mataron a otras personas, por ejemplo, con armas cortas.

"Treinta y seis en Suecia.

"Treinta y tres en Gran Bretaña.

"Ciento veintiocho en Canadá.

"Trece en Australia.

"Dieciséis en Japón. —Hizo una pausa. —Y en Estados Unidos, treinta *mil* cuatrocientos noventa y cinco.

"En *nuestro* país, personas con armas cortas cometieron más de uno coma un millón de crímenes violentos.

"En *nuestro* país, las armas son la principal causa de muerte de varones negros menores de treinta y cinco años.

"En *nuestro* país, el cincuenta y tres por ciento de las víctimas de asesinatos conyugales murieron de heridas causadas por armas de fuego.

"En *nuestro* país, la epidemia anual de heridas de bala, provocada en gran medida por armas cortas, es diez veces más alta que la epidemia de polio en cualquier año de la primera mitad del siglo XX.

La rápida enumeración de cifras tenía un efecto brutal, pensó Lara. Había acallado a los hostigadores.

—¿Cuál es la causa de esta masacre terrible? —preguntó Kerry—. ¿Los norteamericanos somos menos civilizados que los japoneses, los australianos o los suecos? ¿Consideramos que el asesinato en masa es un buen precio para gozar del derecho irrestricto de comprar y vender armas? —La voz de Kerry era casi amable: —¿La vida de Carlos Miller es un buen precio?

"Nada de eso. Las tragedias suceden porque a pesar de los deseos de la gran mayoría, nuestras medidas para controlar la circulación de las armas son de las menos eficaces del mundo. Por eso debemos agregar algo más, por respeto a Carlos Miller y las innumerables víctimas de la violencia irracional. —Entonces Kerry se volvió hacia los acosadores y alzó su voz con furia: —El concepto de que James Madison redactó la Carta de Derechos para permitir que racistas, psicópatas y locos furiosos maten a hombres, mujeres y niños inocentes, sea con armas de guerra o armas cortas, es una de las ideas más repugnantes que una minoría irresponsable haya hecho tragar a sus víctimas en potencia.

La oleada de emoción sobresaltó a todos. Los partidarios de Kerry vociferaban su apoyo; los acosadores trataban de acallar sus gritos y sus caras estaban deformadas por el odio. Un hombre menudo y gordo, parado sobre una silla plegable, vociferaba por un megáfono: *"¿Dónde está tu hermano?"*. Su odio era tan visceral que Lara lo sintió en su piel.

—*No* —susurró Lee McAlpine. Lara se volvió para mirarla: su pose habitual de indiferencia se había desvanecido; sus facciones denotaban angustia.

"Al diablo con la política —murmuró Lee—. No va a vivir para ser presidente y no quiero estar presente cuando suceda.

Instintivamente, Lara volvió la vista a los techos y nuevamente a Kerry: remoto, casi frágil, el centro de las pasiones.

¿Por qué?, le preguntó. *¿Por qué?*

—En la segunda mitad de este siglo —dijo Kerry en medio de la cacofonía—, hombres armados nos robaron el futuro al asesinar a nuestros mejores dirigentes: Martin Luther King y Robert Kennedy, en un solo año trágico. Día tras día, muerte tras muerte, matan nuestros sueños al matar a las personas que amamos.

"Basta.

Bruscamente, su voz se alteró otra vez. A Lara le pareció lírica, elocuente, un poco irlandesa.

"Hoy les pido que hagan suyo un sueño tan poderoso que nadie puede matarlo, tan importante que nadie debe permitir que muera: erradiquemos el dolor causado por las armas de guerra y las armas cortas ilegales, así como hemos erradicado la viruela.

Kerry hizo una pausa para que la multitud absorbiera sus palabras: —En Nueva Hampshire —dijo—, les prometí un programa. Ahí va.

"Primero, todo poseedor de un arma debe tener una licencia, que le será otorgada al cabo de un curso sobre uso de armas y un examen de seguridad...

Una vez más se alzó el coro de silbidos y abucheos.

"Es lo que hacemos con los autos —gritó—. ¿Un borracho armado es menos peligroso que un borracho al volante?

Los partidarios de Kerry agitaron los carteles para alentarlo.

"Segundo —prosiguió con voz firme—, debemos prohibir las armas cuyo único propósito es matar personas: armas de asalto, revólveres baratos, balas que matan policías. —Se volvió hacia los acosadores. —Un deportista no usa armas capaces de matar veinte ciervos, o veinte personas, en menos de treinta segundos. Un tirador no necesita una bala diseñada para destripar a un hombre.

—Las balas son para frenarlo a *usted* —vociferó el hombre del megáfono.

—No —dijo Kerry con calma—. Las *leyes* son para frenarlo a *usted.*

Se volvió hacia sus seguidores: —Se debería penar la venta de un arma a quien no estuviera autorizado a portarla.

"Pero eso nos lleva al corazón del problema: Robert Kennedy y Carlos Miller fueron asesinados con armas compradas y vendidas ilegalmente. Para poner fin a la carnicería, hay que terminar con los traficantes de armas. Esto es lo que propongo.

Nuevamente miró a los acosadores: —Limitaría las compras a un arma por mes para que los traficantes ilegales no pudieran revender en cantidad.

"Obligaría a los fabricantes a instalar un código en cada arma, algo así como una alarma, para que sólo la pueda usar el dueño autorizado. Por último, perseguiría a los que acumulan armas para la venta ilegal, para el crimen organizado y para las llamadas milicias...

Esta vez se alzó un rugido de furia primitiva; detrás de la barrera, los acosadores alzaron puños crispados y carteles. Uno de éstos, cerca de Lara, decía: "Acabemos con Kilcannon, no con las armas".

—Quiere que lo ataquen —murmuró Lee—. ¿No sabe que estos tipos están locos?

Tensa, Lara se cruzó de brazos: —Evidentemente es lo que quiere. Todo el mundo los verá en los noticiarios.

Lara advirtió que los agentes estudiaban constantemente a los acosadores alborotados. La voz de Kerry se alzó sobre sus gritos:

—Todo poseedor de más de diez armas debe tener licencia para poseer un arsenal. Sin licencia no hay colección de armas: un crimen liso y llano. Y el que vende ilegalmente una sola arma pierde la licencia.

—Que se vaya —gritó uno—, e inmediatamente se alzó el coro: —Que se vaya, que se vaya.

—¿Quién se opondrá a esto? —dijo Kerry—. Muy pocos. El noventa por ciento de los norteamericanos apoya la prohibición de armas de guerra, el ochenta por ciento la regulación de armas cortas.

"Hay una epidemia de muerte porque nuestro gobierno se ha dejado amedrentar y sobornar por un *lobby* poderoso que valora las armas más que la vida.

Lara alzó la vista a los tejados.

—Kilcannon, te vamos a matar —vociferó el hombre del megáfono.

Kerry lo encaró: —¿Cree que con eso va a remediar algo? —preguntó—. Si así fuera, el mundo aún estaría dominado por nazis, comunistas, dictadores, por todos los que trataron de asesinar la verdad y fueron a parar al basural de la historia. —Hizo una pausa y prosiguió con voz mesurada, pero embargada por la pasión:

—Somos muchos los que nos hemos comprometido a no descansar hasta terminar con la violencia. Cada vez que se produce un asesinato, nacen varios de los nuestros. La muerte de *uno* de nosotros sólo acerca el día en que se ganará la pelea donde se debe: en las urnas, el Congreso, la presidencia misma.

Una vez más miró a sus seguidores: —Por Carlos Miller y por todos nuestros muertos, tenemos mucho que hacer.

La ovación tapó a los abucheos, los silbidos, las amenazas. Kerry se hundió en la multitud para estrechar manos, conversar con familiares de las víctimas, mirar a cada cara como si estuviera a solas con ella.

Vuelve al auto, imploró Lara en silencio.

Lee McAlpine soltó el aliento: —Bueno...

Lara sintió la humedad en su frente, el latido de su corazón: —Tengo que prepararme —dijo, y se alejó en busca del camarógrafo.

Diez minutos después se colocó sobre el césped del prado frente a la cámara. Steve Shaffer, su productor, conversaba amablemente con Nate Cutler.

Estaba convencida de que el subtexto de la historia de Nate sería cómo la amante de Kerry informaba sobre la campaña. *Newsworld* la tendría bajo la lupa, analizaría cada palabra. Para la prensa, siempre interesada en sí misma, su caída sería tan apasionante como la de Kerry: Lara Costello, la estrella en ascenso de la NBC, ahora motivo de vergüenza. Se estremeció al sentir la brisa fresca sobre su piel sudorosa.

Olvidó a Nate y repasó sus apuntes. Escuchó la voz del técnico en el audífono: "¿Lista?"

Asintió: —El pie —dijo por el micrófono— es "contrapunto con sus acosadores".

Se enderezó, miró derecho a la lente y comenzó:

—En un discurso acosado por los gritos furiosos de los partidarios del armamentismo, Kerry Kilcannon hizo un fervoroso alegato por una sociedad libre de armas cortas y de guerra. Su propuesta es acaso la más amplia jamás presentada por un congresista: obligación para todos los poseedores y coleccionistas de obtener una licencia, prohibición de armas de guerra, revólveres baratos y balas, prohibición de vender armas a personas con un pasado de violencia, no sólo a los condenados por crímenes.

Era el momento del análisis.

—En el corto plazo —prosiguió—, parece difícil que alguno de estos proyectos se convierta en ley. Pero Kilcannon compensó hábilmente su apoyo a la pena de muerte, expresado anteriormente, con una posición que atrae a los sectores moderados. Al mismo tiempo, hizo gala de su habilidad para hacer contrapunto con sus acosadores...

En el camión de sonido empezó a girar la cinta. Lara escuchó los gritos de los fanáticos y luego la voz de Kerry.

"En la segunda mitad de este siglo, hombres armados nos robaron el futuro al asesinar a nuestros mejores dirigentes..."

—Hoy se cumplió el decimosegundo aniversario de la muerte de James Kilcannon —dijo Lara a la lente—. Kerry Kilcannon no lo mencionó. Pero no fue necesario. Desde la presentación de Stacey Tarrant hasta el cierre en medio de la multitud, dejó un mensaje claro: "Soy un candidato con un mensaje moral y ocupo el lugar de mi hermano".

"Lara Costello, noticias NBC, con la campaña de Kilcannon en Sacramento.

Al finalizar, se quedó pensando unos instantes.

Sabía que la conclusión del informe desagradaría a Kerry: lo golpeaba en un punto sensible. Pero ningún periodista dejaría de mencionarlo y estaba demasiado conmovida por el discurso.

—Muy bueno —dijo Steve Shaffer.

Se quitó los audífonos y se volvió hacia él. Nate seguía ahí.

—Perfecto —opinó—. Diste en el clavo sobre su política y el simbolismo que buscó.

Lara lo miró a los ojos: —Es mi trabajo —dijo, y le volvió la espalda para conversar con el camarógrafo.

OCHO

Escoltado por los agentes Joe Morton y Dan Biasi, Kerry fue hacia su limusina. A cada paso recordaba que debía caminar lentamente, fingir despreocupación. Pero cuando se sentó en el interior y descubrió que no lo aguardaba otro político sino Clayton, dejó que lo embargara el alivio.

Clayton estaba callado. Tomaron la autopista hacia el aeropuerto, causando atascos en las rampas de ingreso bloqueadas por policías en moto. Al mirar por las ventanillas, Kerry imaginó la ira impotente de los que volvían a sus casas y se les hacía tarde para la cena en familia.

—Espero que hayas puesto esos adhesivos de "Mason presidente" en los parachoques —dijo a Clayton.

Éste rió sin humor.

—No es mala idea —dijo—. Así no dispararían. Ya que te niegas al chaleco.

¿No entiendes?, pensó. Pero al volverse hacia Clayton para demostrar su enfado, recordó que su amigo entendía muy bien.

—No permitiré que me cambien —dijo.

—¿A quién no le permitirás? —replicó Clayton—. ¿A Peter Lake y los agentes que tratan de impedir que te maten? Cada vez que te vas entre la multitud, dificultas su trabajo.

—No era una multitud, *carajo*. Algunos perdieron sus seres queridos, ¿y no debo estar con ellos? ¿Entonces para qué me presento?

—Creía que para llegar a la presidencia —dijo Clayton, sombrío.

—Ahórrame la psicología barata —gruñó Kerry, pero enseguida se dominó—. Fue un día duro.

—Eso *lo sé*. ¿De qué te sirve arriesgar la vida?

Kerry se acomodó contra el respaldo: —No se puede ser candidato a presidente y esconderse de la gente —dijo—. Pero mira lo que pasó.

"En Nueva Hampshire, cuando nadie me daba posibilidades de ganar, no teníamos semejante escolta. Podía hablar con la gente, ver las caras. Ahora estoy rodeado por agentes, periodistas, asesores.

"Vivo en una burbuja: limusina, avión, hotel... Las últimas personas de verdad con las que estuve eran productores cinematográficos de Beverly Hills, todos ricos, y no les pedí votos sino plata. —Se volvió hacia Clayton: —Cuando te enteras de lo que piensa la gente por las encuestas y las intercepciones en los centros de compras, dejas de ser real. Te conviertes en promotor de un producto ajeno.

—Pero hoy sí conociste unos tipos reales. Como el psicópata del megáfono.

Kerry se volvió hacia la ventanilla. La penumbra se convertía en un ocaso gris y brumoso; a la distancia, las luces de Sacramento eran apenas visibles.

—Me pregunto por qué hay tipos así —murmuró—. Deben ser muchas razones. Como el sujeto que mató a Jamie.

Qué extraño, pensó. Doce años después, aún no podía pronunciar el nombre de Harry Carson. Tal vez, el sueño...

—Razón de más para dejar de jugar con la muerte —dijo Clayton—. Sería muy bueno si mañana mismo pudieras fundir todas las armas y convertirlas en anaqueles metálicos de bibliotecas públicas. Pero no puedes. Deberás vivir un tiempo más.

—Tal vez no tenga ese tiempo —replicó Kerry, encarándolo—. Sería peor que moderara mis posiciones a la espera de lo que va a suceder.

Clayton lo miró alarmado, y entonces comprendió: —¿Cutler?

Kerry asintió: —Veo lo que nos hace a Lara y a mí y me cuesta distinguirlo del amigo con el megáfono. Políticamente se parecen bastante. —Su voz, aunque suave, era cortante: —*Newsworld* debe pensar que es muy importante para el futuro de la nación.

Clayton se tomó las manos sobre el estómago.

—Cutler acorraló a Kit. Quiere una reunión exclusiva contigo para discutir lo que llamó un asunto personal. Dice que te dan tres días. Caso contrario, publicarán lo que tienen.

Volvió la furia, más fuerte que nunca:

—Ah, ¿sí? ¿Sin decir cuál es la pregunta? Dile a Kit que espere. Ya volverá, estoy seguro. Y ganaremos tiempo.

Clayton lo miró: —Si no has tomado una decisión, ganar tiempo no servirá para nada.

Kerry miró al piso: —¿*Mason* hubiera hecho lo mismo? —preguntó por fin. —¿Lo hará si llega al gobierno? No: irá al entierro de una pobre víctima, abrazará a los sobrevivientes. Y después seguirá con el tema que según las encuestas sea el menos peligroso. Como educar a los niños del preescolar en la forma correcta de andar por la acera. —Alzó la vista: —Quiero esos avisos, viejo. No perdamos esta elección.

La mirada de Clayton era implacable: —En ese caso tendrás que mentir.

Kerry no respondió.

—Pienso en Lara —dijo después de varios minutos—. Esperando que yo decida. Por los dos.

Los ojos de Clayton estaban velados, acaso por una ironía que era innecesario expresar en voz alta.

—Hay algo más —dijo—. Acerca de Mason.

—¿Qué pasa con él?

—Un dato de un agente de policía en Darien, donde se inició en política. —Clayton bajó la voz. —Le pegó a la mujer.

Lo embargó el estupor: —¿A Jeannie?

—Llamó a la policía y presentó una denuncia. Mason hizo lacrar el expediente.

Kerry soltó el aliento.

—¿Sabemos si volvió a hacerlo? —preguntó después de unos instantes—. ¿Y dónde está ese expediente?

—Está archivado —dijo Clayton con tono impasible—. Si Mason es culpable de violencia doméstica, siquiera una vez, es hombre muerto. O al menos, gravemente herido.

—*Jeannie Mason* —murmuró Kerry—. Habrá sido hace años.

—Más de veinte. Estamos investigando en todos los pueblos donde han vivido desde entonces para ver si hay algo más reciente. Salvo que des la orden de pararlo. —Hizo una pausa. —Si Mason filtró la historia de Lara a *Newsworld*, este incidente bastará para que no se la dé a nadie más. Su gente querrá un acuerdo, siempre que aún puedan controlarlo. No tendrán opción.

—*Si* de veras fue Mason. No estamos seguros.

—¿Y la propuesta de debate? Es coherente con todo lo demás: los acosadores ayer, el vuelo de Mason a Boston, Lara. Tony Lord, que no está enterado de nada cree que Mason te persigue. —Su voz se volvió más enfática. —Si Dick le pegó a Jeannie, y lo hizo más de una vez, ¿a quién le importa *quién* filtró la historia de Lara? A la prensa, no.

—A *mí*, sí —dijo Kerry.

—¿Por qué? El resultado es el mismo. Él queda peor parado que tú. Sé que no te gusta —prosiguió, suavizando la voz—. A mí tampoco. Pero hay que ser prácticos. No mereces perder por este asunto de Lara. El país no lo merece.

Kerry volvió la cara. La excitación del discurso, esa mezcla demencial de euforia y miedo, se había disipado. Contempló las luces de la caravana que iluminaban palmeras y cuarteles, la pista aérea de Mather Field. En la pista se alzaba la sombra lejana de su avión, el *Shamrock*, que lo esperaba para llevarlo a San Francisco. Pero pensaba en Jeannie Mason y su familia, y también en su propia familia años atrás.

—El presidente tenía razón —dijo—. Uno cree que sabe lo que se necesita para ser candidato. Pero no lo sabe.

—¿Y bien? —dijo Clayton sin mirarlo.

—Soy católico, pero no soy un santo. A ver qué más puedes averiguar.

—Y bien —dijo Kate Feeney a Sean—, ¿cómo te fue?

La pregunta lo sobresaltó. Pensaba en el arma, en el vendedor legal que no pudo servirle, en el vendedor callejero de quien desconfiaba. A las nueve de la noche aún se encontraba en el local de Kilcannon después de todo un día de llamadas a desconocidos.

—No estuvo mal —dijo maquinalmente—. Pero hay muchos indecisos.

Kate frunció el entrecejo, pensativa: —Algunos de los míos dicen que decidirán después del debate. Eso es bueno para Kerry, ¿no te parece?

Sean asintió. Le era difícil hablar.

—Kerry viene mañana —dijo ella—. Eso nos vendrá bien.

Sean miró la mesa: —¿Podremos conocerlo?

—Me encantaría —dijo Kate con entusiasmo—. Es lo mejor para el país. Tan responsable y honesto. Y no es politiquero.

Responsable, pensó Sean con amargura. *Honesto.* ¿Qué sabía ella sobre ese aliado de los abortistas, violador de promesas, traidor a su religión? Se paró, hundió las manos en los bolsillos de sus tejanos.

Kate lo miró. En su expresión ingenua había algo de pena por su torpeza, pensó Sean... o acaso disimulaba su sospecha.

—¿Te quedarás a comer pizza?

Por un instante sintió la tentación de quedarse. Estar con ella, comunicarle el motivo de su silencio. Pero su propia desconfianza, su miedo al rechazo, lo golpeó como una bofetada en la cara.

—No —dijo—. Mañana vendré muy temprano.

Giró y se alejó.

Rick Ginsberg ocupaba el centro de un corrillo: escuchaba, asentía, daba instrucciones. Sean lo esperó a unos pasos; no quería mezclarse con ellos.

Finalmente, Rick lo vio. Se limpió las gafas con aire exhausto mientras la recepcionista de piel color caoba le decía que se agotaban los panfletos.

—Pediré más —dijo—. Mañana a primera hora.

La mujer, satisfecha, se alejó en busca de la pizza. Rick se calzó las gafas y lo miró con una sonrisa cómplice. *Esto no se termina nunca*, parecía decirle. *Tú sabes.*

—¿Qué hay, John?

—Bueno, nada. Sé que el senador Kilcannon vendrá mañana y me pregunto... —Miró las baldosas.

—Quieres que te presente —dijo Rick con paciencia—. Mañana no va a ser fácil. Habrá mucha gente en los actos, y tú eres tan bueno con el teléfono.

Sean lo miró: —Sería muy importante para mí.

Rick lo miró un instante: —Veré qué puedo hacer —dijo por fin.

Eran las nueve y media de la noche cuando los periodistas exhaustos llegaron al Hotel Saint Francis; pasó otra hora antes de que Nate pudiera recuperar su equipaje y llegar a su habitación. Por lo tanto, era la una y media de la mañana en Washington cuando llamó a la casa de su jefa. Al quinto timbrazo tomó la comunicación; su voz parecía ahogada y mareada.

Nate no se disculpó: —Tu mensaje dice "urgente".

—Sí —dijo Jane—, tenemos algo más. —Bruscamente su voz pareció despertar. —Sheila Kahn habló con un viejo vecino de Costello, un coronel retirado que detesta a Kilcannon y dijo que "conocía de vista al hijo de puta".

"Bueno, el hombre dijo que paseaba su galgo una hermosa mañana de primavera, cuando del edificio salió Kerry Kilcannon vestido con esmoquin. El coronel dice que Kilcannon lo vio y apartó la vista. Subió a un pauto viejo con patentes de Nueva Jersey y la insignia del Senado.

¿Habrá sido *esa* noche?, se preguntó Nate.

—¿Alguna vez los vio juntos?

—No, juntos no. Y sólo esa vez.

Nate se tendió de espaldas en la cama. No le sorprendía que el recuerdo fuera tan claro. Lara lucía tan esbelta y elegante con su vestido blanco de noche que su corazón se había detenido. Y entonces Nate decidió que ya no podía hacerse ilusiones y debía tomar una decisión.

—Eso habrá sucedido hace tres años —dijo—. ¿No es así?

—¿Cómo sabías?

—Lara y yo trabajábamos en el *Times*. Ella había invitado a Kilcannon a la cena de los periodistas acreditados en el Congreso: toda una hazaña para un novato. Pero no pensé que se encamaban.

—Pues, parece que sí. No fue inteligente de su parte ir a la casa de ella.

Nate recordó la primera vez que Lara habló de Kerry Kilcannon, meses antes de esa cena. ¿Cuándo iniciaron su aventura?

—No es suficiente —dijo por fin.

—Ya lo sé —replicó Jane con fastidio—. Pero sí para hacerle una pregunta o pescarlo en una mentira. ¿Cuándo lo verás?

—Kit Pace está dilatando las cosas —dijo Nate, irritado—. Cuando le dije que era privado, preguntó por qué debía molestarlo en un momento como ése.

—Porque eres tú —gruñó Jane—. Y porque es *Newsworld*, no un pasquín de cuarta. ¿No saben lo que somos capaces de hacer?

—Claro que sí. Le di un plazo de setenta y dos horas. —Hizo una pausa y adoptó un tono más agresivo. —Tal vez Lara habló con Kilcannon. Kit calcula que no podemos publicar sin hablar con ellos, y trata de ganar tiempo.

Se hizo silencio en el otro extremo de la comunicación.

—Tiene razón —dijo Jane por fin—. Y no tenemos tiempo. Dile a Kit que queremos hablar con él mañana y qué le preguntaremos. Por si olvidó lo que sabe. —Su voz se inflamó de furia justiciera: —Todo es contrario a la ética. Costello no es una periodista sino la quinta columna de Kilcannon. Se lo merece tanto como él.

NUEVE

A las once menos cuarto —las dos menos cuarto en Newark—, Clayton dijo a Carlie que la quería y cortó lentamente.

Era el acuerdo: Clayton podía llamarla a cualquier hora. Desde luego que lo echaba de menos, pero había algo más que ambos sabían: Clayton no dormía bien sin que ella le dijera que, por lo que sabía, las mellizas estaban bien. No importaba que ambas fueran universitarias; desde la muerte de Ethan, no preguntar por ellas era un acto de irresponsabilidad. Era algo más profundo que la superstición, mucho más que un hábito.

Esa noche, después de hablar de las mellizas, Carlie preguntó cómo estaba Kerry.

Los dos comprendían esa asociación de ideas. Cuando estaban en el hospital donde agonizaba Ethan, Kerry se había quedado con ellos. Clayton había revelado a su esposa el secreto más profundo de la vida de Kerry y cómo había comenzado. Dos días antes, cuando él habló del regreso de Lara, ella había suspirado largamente. No por la política sino por el hombre.

Vuelve a Washington, le habían dicho después del entierro de Ethan. *Estaremos bien...*

¿Hubiera sucedido si Kerry hubiese permanecido con ellos? Eso era pura especulación retrospectiva. Ellos, y tal vez el mismo Kerry, no sabían nada.

Desvelado, Clayton encendió el televisor; sobre su cama había desparramado las encuestas de esa noche.

En cinco minutos de navegación por los canales vio dos avisos de "Mason presidente" que subrayaban su "apoyo consecuente al derecho de toda mujer a elegir". En el canal local de la cadena CBS apareció Mason.

El vicepresidente había regresado de Boston a San Francisco la noche anterior. El noticiario lo mostraba en un desayuno con empresarias. A la vista de Clayton, levantó los ojos del texto que estaba leyendo y dijo: *"Quiero subrayar algo que he dicho mu-*

chas veces: la oportunidad económica para las mujeres va de la mano con la libertad reproductiva..."

Sonó el teléfono.

—¿Viste las cifras? —preguntó Jack Sleeper sin preámbulos.

—Sí, las vi. Tres por ciento abajo en todo el Estado. Pero Kerry estuvo muy fuerte todo el día. Dijo que pasemos el aviso donde le disparan. Frank está enterado.

—Gracias a Dios —dijo Jack con fervor—. Joder, con eso Kerry puede ganar todo. La primaria y la presidencia.

Si no fuera por *Newsworld*, pensó Clayton. El alivio del encuestador era tan evidente que se alegró de que ignorara todo.

En la pantalla, elegantes empresarias se ponían de pie para aplaudir a Mason.

"Para muchas de las asistentes —dijo la voz del periodista— *lo más importante fue que Mason vinculara el progreso económico con la libertad reproductiva..."*

—Viste los avisos de Dick —dijo Clayton—. Eso que dice sobre la libertad para elegir.

—Él ve lo mismo que nosotros, Clayton. Entre las mujeres pro—aborto, estamos cada vez más retrasados. Tres puntos más en San Francisco —dijo el encuestador con firmeza—. Yo tuve razón anoche. Hagamos un acto a favor del aborto en San Francisco, donde estamos peor.

Clayton miró las cifras. Estaba fatigado.

—Hablaré con la senadora Penn. San Francisco es su ciudad, y necesitamos su ayuda.

Sean Burke no podía apartar los ojos de la pantalla.

En mangas de camisa, frente a un auditorio de agricultores, decía exactamente lo que Sean sentía en lo más profundo de su ser. *"Estoy seguro* —decía Kerry— *que alguien que resuelve quitarle la vida a otro ser humano debe perder el derecho de vivir..."*

Él comprende —pensó—. *Sabe que voy por él, que la ley de Dios impone la pena de muerte a los asesinos de niños. Que su propia muerte es el castigo merecido.*

Sean, absuelto, se estremeció.

Apareció otra imagen. Kerry estaba en un parque y cada palabra suya era una acusación.

"El concepto de que James Madison redactó la Carta de Derechos para permitir que racistas, psicópatas y locos furiosos maten a hombres, mujeres y niños inocentes, sea con armas de guerra o armas cortas, es una de las ideas más repugnantes que una minoría irresponsable haya hecho tragar a sus víctimas en potencia..."

En ese momento tuvo un ataque de náuseas.

Corrió al baño. Inclinado sobre el lavabo, con el cuerpo estremecido por las arcadas, escupió saliva con sangre. La voz de Kerry lo acusaba.

Se secó la cara. La lección de la vida, recordó, era que no debía confiar en nadie. Ni menos aún en ese chico de la calle que había prometido conseguirle una pistola.

Se enjuagó la boca y tragó un comprimido para la acidez.

El cuchillo estaba en la valija. Lo había comprado sin saber bien por qué, solamente porque le agradaba sentir su peso en la mano.

Pasó frente al televisor. Al abrir la puerta del ropero, imaginó que estaba encerrado ahí y escuchaba la voz furiosa de su padre.

"*¿Cree que con eso va a remediar algo?*", preguntó Kerry.

Con dedos temblorosos, Sean guardó el cuchillo en el bolsillo interior de la chaqueta.

Kerry contempló el rostro de Lara en la pantalla.

"*En el corto plazo* —dijo—, *parece difícil que alguno de estos proyectos se convierta en ley. Pero Kilcannon compensó hábilmente su apoyo a la pena de muerte, expresado anteriormente, con una posición que atrae a los sectores moderados. Al mismo tiempo, hizo gala de su habilidad para hacer contrapunto con sus acosadores...*"

El impacto fue tan intenso que por un instante pensó que podría responderle. *¿Desde cuándo eres tan cínica?*, quería preguntarle. *¿Me has olvidado tanto que reduces lo que digo a una cuestión de habilidad para compensar?*

¿Cómo pudiste presentarte?, imaginó que Lara preguntaba a su vez. *¿No sabías lo que podía suceder?*

La pregunta tácita siempre había estado ahí. La veía en sus hijos a la mañana siguiente de la última noche fatal que hicieron el amor, cuando el huracán había pasado y en el mundo reinaba el silencio. La percibió en los dedos que acariciaban su cara.

Kerry ocupó la pantalla.

"*En la segunda mitad de este siglo, hombres armados nos robaron el futuro al asesinar a nuestros mejores dirigentes...*"

Por *esto*, le respondió ahora. Y por ti.

Ese fin de semana final, ella no respondió al teléfono. Kerry perdió la cuenta de la cantidad de veces que la llamó desde su hotel: en un momento, el dolor y la desesperación habían matado lentamente la esperanza, hasta que tuvo la certeza terrible de lo que había hecho. Finalmente, el mensaje en su contestador. La voz cansada, abatida. Para decirle que era el fin. Que sus sentimientos no importaban. Que por el bien de ambos, jamás volvería a verlo.

Como si fuera otro, Kerry había bajado a pronunciar el discurso prometido. Mientras hablaba, otra muerte se producía en su interior.

Ahora estaba *ahí*, en ese hotel. Sola.

Por favor, Kerry, no trates de comunicarte conmigo. Se acabó.

Volvió a pensar en los últimos dos años: la decisión de postularse, la deuda con Clayton y todos los que creían en él. Y por si eso no bastara, se sumaba el respeto por sus deseos y la cuasi certeza de que, con todo lo que había sucedido y estaba ocurriendo ahora, ella se espantaría al escuchar su voz.

La voz de ella llenó la habitación.

"Hoy se cumplió el decimosegundo aniversario de la muerte de James Kilcannon. Kerry Kilcannon no lo mencionó. Pero no fue necesario. Desde la presentación de Stacey Tarrant hasta el cierre en medio de la multitud, dejó un mensaje claro: 'Soy un candidato con un mensaje moral y ocupo el lugar de mi hermano.'."

Kerry apagó el televisor y las luces.

A solas en su cuarto, Lara lloraba sin poder contenerse. Como si hubiera gastado todas sus fuerzas en aquellos que la miraban cuando miraba a Kerry, ahora estaba agitada.

No vivirá para ser presidente, había dicho Lee McAlpine.

Y aunque viva, pensó Lara, tal vez no llegue a ser presidente. Por lo que hubo entre ellos.

Te amo, había imaginado que le decía. *Quiero estar contigo.* Mil veces lo había imaginado, cuando era tarde. Que era egoísta, cualquiera que fuese el costo.

También ahora. Como una niña que estaba disgustada con la historia que le habían contado y quería cambiar el final.

Salvo que ésa era la historia de ambos —de ella y Kerry— y el final lo había escrito ella.

WASHINGTON, D.C.

mayo de 1996 — abril de 1997

UNO

El día que conoció a Kerry Kilcannon, Lara Costello sintió que despertaba interés y bastante curiosidad.

Aunque era nueva en el Congreso, las grandes figuras políticas habían dejado de amilanarla; su experiencia en California le había enseñado a detectar el fraude y la retórica, y sabía cómo las poses políticas afectaban al común de la gente. Lara sobresalía entre muchos colegas por su capacidad para concentrarse en el paisaje interior de los personajes. Y era en parte por eso que se encontraba en ese atardecer de primavera rondando cerca del ascensor "exclusivo para senadores" mientras el Senado debatía una enmienda constitucional que castigaba la profanación de la bandera. Ahí no había sutilezas, pensó; era fascinante observar cómo cada uno se retorcía para no parecer antipatriota. Con una o dos citas, terminaría su nota.

Se abrió la puerta de la sala, salió Ted Kennedy seguido por Kerry Kilcannon.

—Acá lo que hace falta —murmuró Kilcannon—, es la pena de muerte obligatoria. Nada de "la tercera profanación es la vencida".

Kennedy giró y al ver la sonrisa maliciosa de su colega, empezó a reír. Era una linda escena, pensó Lara: dos irlandeses, en la sombría elegancia del Senado, bromeaban sobre las vicisitudes de su trabajo. ¿A cuál de los dos abordaría? Entonces Kennedy fue hacia la sala y Kilcannon hacia el ascensor.

—Senador —dijo—. Soy Lara Costello del *New York Times*.

Kilcannon se detuvo. No era alto: medía menos de un metro con setenta. Pero le llamó la atención su aspecto juvenil —el pelo revuelto, el físico delgado de un adolescente que aún no ha adquirido cuerpo de hombre— y la notable contradicción con sus ojos: grandes iris celestes con destellos verdes que creaban la sensación perturbadora de un hombre del doble de edad en cuanto a experiencia. Era una ilusión, pensó Lara, que conocía su historia.

—Usted es nueva aquí —dijo, y le tendió la mano. Era fresca, seca.

—Dos semanas —dijo Lara.

Kilcannon sonrió: —En dos más estará hastiada. —Dio unos pasos y oprimió el botón del ascensor "exclusivo para senadores". —¿En qué le puedo servir? Si es que sirvo para algo.

—Quería preguntarle sobre la enmienda de la bandera.

Fingió una mueca de desagrado: —¿No basta que deba *votar* sobre esto? ¿Además tengo que *pensar*?

Lara no sabía si se burlaba de ella, si demostraba el sentido del humor algo caprichoso de alguien dispuesto a reírse de sus propios dilemas o si se negaba lisa y llanamente a responder.

Aventuró una opinión: —Nunca observé que votar fuera lo mismo que pensar. Me gusta la gente que hace las dos cosas y aún más la que hace saber lo que piensa.

Kerry inclinó la cabeza: —Ajá. Bueno, por qué no me acompaña al Edificio Russell.

Entraron en el ascensor. Juntos bajaron a las entrañas del Congreso, los pasillos subterráneos grises que conducían a la estación del metro. Con paso rápido, Kilcannon la condujo a un minivagón abierto. Trasuntaba energía, pensó Lara; no era la elegancia del atleta sino un vigor inquieto. Pero al sentarse frente a ella, Kilcannon se hundió en el mutismo. Parecía estar preocupado por algo.

El vagón se puso en marcha.

—La enmienda —dijo Lara.

Kilcannon alzó la vista: —Ah, sí. ¿Sabe cuántos casos de profanación hemos tenido desde el año de la independencia?

—No.

—Unos cuarenta. Es decir, uno cada cinco años. No es lo que se llama una epidemia. —Kilcannon se encogió de hombros como si pensara en voz alta. —Esto es una maniobra diversionista. Es más fácil que alimentar a los niños o brindarles atención médica. Más económico. Y cuando se descubre que uno ha servido a los intereses de las tabacaleras, como sucede con varios de los patrocinadores del proyecto, es conveniente demostrar un poco de patriotismo.

Sorprendido por semejante alarde de franqueza, Lara sacó su cuaderno y empezó a tomar apuntes.

—¿Quiere decir que se opone? —preguntó secamente.

Kilcannon no sonrió: Más de un millón de personas —respondió— murieron por esta bandera, no porque les pareciera bonita sino por lo que representa. Por ejemplo, el derecho de decir lo que uno quiera, aunque sea algo irreflexivo o francamente estúpido. —Tras una pausa, agregó con humor: —Como demostraré mañana cuando me pronuncie en contra.

Su renuencia había sido una pose, pensó Lara. Una prolongación del chiste.

—¿Cree que ganará? —preguntó.

—Por supuesto. La enmienda requiere una mayoría de dos tercios y la mayoría de mis colegas piensan que es una mala idea. Sólo se trata de elegir a los afortunados que tendrán la oportunidad de decirlo. —Sonrió ampliamente—. Imagínese, la compentencia es feroz.

El vagón se detuvo bruscamente. Kilcannon se dirigió al ascensor con paso rápido, seguido por Lara.

—Siendo así, ¿por qué quiere destacarse?

—Ah, siempre quise ser un héroe de los abogados defensores de los derechos cívicos. Dispuesto a morir por mis principios. —Inclinó la cabeza con aire interrogativo: —Se lo digo *off the record*.

Lara titubeó: —Está bien.

—Porque puedo encubrir a mis colegas a un costo menor para mí. —Cuando llegó el ascensor, abrió la puerta, dejó pasar a Lara y se apoyó contra una pared. —El pueblo de Nueva Jersey no pedirá mi remoción por una cosa *así*. El senador, digamos, por Idaho, no puede decir lo mismo. Y si los republicanos me acusan de venderme al comunismo... bueno, nunca les caí bien. —Hizo una pausa y la miró con curiosidad: —Pero todo esto usted ya lo sabe.

Claro que lo sabía; ya calculaba lo que significaría para Kilcannon la gratitud de sus colegas, sobre todo si eran verdaderos los rumores muy difundidos acerca de sus ambiciones presidenciales. Pero no era prudente decirlo.

—Me parece haber escuchado algo así —respondió—. Claro que Sacramento es la capital nacional del coraje político.

Se abrió la puerta estruendosa y salieron a los pasillos de mármol del Edificio Russell.

—¿Viene de California?

—Sí. —Lara ya se alejaba hacia la salida. Tenía las declaraciones que necesitaba y debía enviar su nota. —Nacida, criada y educada allá.

—Y por lo que sé, el apellido Costello es irlandés.

—En efecto, por el lado de mi padre. Mi madre es mexicana.

Se detuvieron en la puerta: —O sea que usted no puede ser republicana —dijo Kilcannon con fingida agresividad.

—Soy totalmente objetiva —dijo Lara con una leve sonrisa—. No tengo convicciones, sentimientos ni opiniones. Como todos los periodistas. —Le tendió la mano: —Gracias por su tiempo, senador. Me ayudó mucho.

—*De nada* —respondió en español. Se volvió para contemplar la calle, la luz, los árboles, los prados. Lara aprovechó la ocasión para estudiarlo un poco más. Tenía una cicatriz cerca del ojo izquierdo; sus facciones eran huesudas, pero finas. No era apuesto en un sentido convencional, pensó; la aureola del presidente en potencia lo hacía parecer más impresionante de lo que era. Eso y sus ojos, que trasuntaban una profunda intuición, secretos profundos. Agitado por la brisa, su pelo tomó un tinte rojizo bajo la luz.

—Un día nada feo —dijo—. Y yo en el Senado, escuchando *eso*. Una hora más cerca de la tumba, ¿y para qué?

Lara no supo qué responder, ni si debía hacerlo. La miró otra vez: —Tal vez no le haga falta. Pero si alguna vez quiere pasar medio día conmigo, ver cómo funciona todo esto, llame a mi asistente. —Sonrió: —No es para publicar sino para orientarla. Así puedo decir lo que me venga en gana.

Una vez más, la sorprendió.

—Me gustaría —dijo Lara.

Kilcannon asintió con vigor: —Entonces, nos veremos —dijo, y se fue.

—Acepta la oferta —dijo Nate Cutler a Lara—. Una relación como ésa sólo puede ser beneficiosa.

Lara acercó su silla al escritorio de Nate, encerrada en un rincón de la conejera. Apenas lo conocía; a primera vista creyó ver en él la mirada reconcentrada, ascética, de un jesuita o un tirabombas. Pero Lara advertía que Nate combinaba la experiencia con la imparcialidad y el sentido común.

—Como en esa edad de oro que tanto recuerdan nuestros colegas mayores y blancos —dijo—. Cuando un senador famoso les servía un trago en su oficina y hacía revelaciones *off the record*. Camaradería masculina en la sede del poder.

Nate se encogió de hombros: —Una relación como ésa no tiene nada de malo. Puedes aprender mucho, si no pierdes de vista quién eres. Y quién es él.

Lara inclinó la cabeza: —Seguramente es una impresión falsa, pero crea la sensación de que las consecuencias le importan un bledo. Que no se va a tomar la molestia de tratar de engañarme.

Nate sonrió: —Bien dicho. Lo que nunca pude determinar es si lo hace por principios o por soberbia.

—¿Cómo adquirió tanta influencia? ¿Por el apellido?

—El apellido lo trajo hasta aquí. Al principio parecía que se le trababa la lengua, todos pensaban que era el caso típico del hermano menor metido en camisa de once varas. Después me di cuenta de que sólo observaba la escena: no se le pasa detalle y en poco tiempo descubrió cómo funciona el Senado. Tiene intuición política. Además, trabaja como un perro, y eso aquí se respeta.

Hizo una pausa para reflexionar: —Otra cosa a su favor es la pasión. Cuando por fin dejó oír su voz, fue para defender a los que consideraba más débiles: los niños, las minorías, los trabajadores desplazados por las nuevas tecnologías. Es un orador de primera, y cuando algo le interesa sabe ser implacable. No sé de dónde le viene todo eso. —Nate la miró con curiosidad: —¿Qué piensas tú de él? Quiero decir, como persona.

—Qué sé yo. —Se tomó unos segundos para poner orden en sus ideas. — A veces no me daba cuenta si hablaba con un político o un personaje de novela. Uno empieza a preguntarse en qué está pensando, y se distrae.

Nate sonrió: —Nunca se sabe hacia dónde va a disparar. Franqueza con algo de capricho: el claroscuro de los irlandeses. Uno cree conocerlo y entonces se da cuenta de que no lo conoce en absoluto. —Nate se quitó las gafas de marco metálico y las inspeccionó en busca de manchas. —Últimamente pienso que en realidad no es un hombre complejo sino la suma de cuatro o cinco sencillos.

—¿Cómo?

—Dos ejemplos. El año pasado fui a una conferencia suya en Georgetown, sobre programas de capacitación laboral. Todo muy abien, pero de repente se sale del texto para hablar sobre los aborígenes norteamericanos: falta de escuelas, síndrome de alcoholismo fetal, años de abandono y promesas violadas por los blancos, un bebé enfermo al que ha visto. Y el recuerdo es tan fuerte que parece trastornado: no está aquí sino allá. —Nate se calzó las gafas. —Indios. ¿Cuántos votos representan?

"Y después tenemos a Kerry el implacable. Ése aparece poco, pero de vez en cuando lo ves. —Se interrumpió, miró su reloj; estaba tan metido en su trabajo que parecía tomar el tiempo hasta en las conversaciones informales. —¿Recuerdas esa noticia de la semana pasada? ¿Sobre el ex fiscal de Newark que dio con los huesos en la cárcel?

Lara sonrió: —¿Un político de Newark a la cárcel? Eso sí que es noticia.

—¿Sabes quién cazó a *este* político en particular? Kilcannon.

—¿Por qué? ¿Cómo?

—Antes de que mataran a su hermano, Kilcannon trabajaba para ese tal Vincent Flavio. Y por alguna razón le tomó inquina.

—Sus ojos brillaban a medida que entraba en calor con su relato. —Kilcannon espera cuatro años a que llegue un demócrata a la Casa Blanca, entonces hace designar fiscal a un amigo suyo, un negro que dirigió su campaña para el Senado. Parece que el acuerdo era que si le conseguía el puesto a su amigo Slade, éste no descansaba hasta reventar a Flavio.

"Lo persiguió durante tres años. En el primer juicio fue anulado por falta de acuerdo del jurado. En el segundo, les dieron diez años de cárcel, a Flavio y su compinche. Cuando le pregunté a Kilcannon qué pasaba, su respuesta fue, textualmente, "El progreso también llega a *Newark*".

Lara sonrió: —¿Y este Flavio era un ladrón?

—Parece que sí. Pero a ciertos demócratas no les gusta la historia. Hablan del revanchismo de Kerry Kilcannon. Y él jamás opina sobre rumores. Ni da explicaciones.

Lara jugueteaba con uno de sus aretes. "Cuando un tipo es tan esquivo como Kerry Kilcannon —pensó— la gente inventa sus propias verdades.

—Tal vez algún día le pregunte —dijo a Nate.

DOS

A las nueve de la mañana, unas dos semanas más tarde, Lara se presentó a la recepcionista de Kerry Kilcannon y se acomodó en un mullido sillón de cuero.

—El senador saldrá enseguida —dijo la joven.

Lara estudió el lugar. La recepción era elegante, con techos altos, espejo de marco dorado, dos arañas de cristal. Pero las paredes estaban desprovistas de esas fotos vanidosas de los hombres públicos; tampoco había retratos de una esposa, padres, hijos o de James Kilcannon. A juzgar por lo que se veía, podía tratarse de un huérfano.

Se volvió hacia la puerta, donde un joven pálido vacilaba sin atreverse a entrar.

La mirada de sus ojos oscuros era oblicua y huidiza, como si no pudiera mirar a nadie sin hacerle perder la calma y perderla él mismo. Su cara estaba húmeda y la chaqueta deportiva, demasiado corta para él, parecía prestada.

—Vine a ver al senador Kilcannon —dijo con voz trémula.

La joven pareció ponerse tiesa: —¿Tiene una cita? —preguntó con suspicacia.

El hombre meneó la cabeza. Tenía apenas veinte años, pensó Lara; el pelo estirado, mal recortado; camisa y pantalones casi andrajosos. Le temblaban las manos.

La recepcionista frunció el entrecejo: —El senador tiene la agenda completa. Si me dice su nombre...

—*No*. —Crispaba la mandíbula y su voz suplicante era apenas un susurro. —Debo verlo. *Por favor*.

Bruscamente la piel morena de la recepcionista se cubrió de sudor. Tomó el teléfono. Lara percibió su miedo instintivo, la sombra del asesinado James Kilcannon.

Lara giró la cabeza al oír que se abría una puerta lateral. Era Kerry Kilcannon, en mangas de camisa, que salía a recibirla.

Al instante advirtió la aprensión de su colaboradora, luego el motivo. El hombre se quedó tieso, clavó en Kilcannon una mirada ávida de reconocimiento; Lara pensó que debía llevar una vida puramente interior, concentrada en una figura pública. Kilcannon avanzó para interponerse entre el hombre y la recepcionista.

—¿En qué podemos servirle? —preguntó.

El joven parpadeó, tragó saliva. Mudo, introdujo la mano en el bolsillo interior de la chaqueta.

Lara miraba su mano. La recepcionista empezó a pararse. Kilcannon no se movió.

El hombre extrajo un panfleto.

Lara pudo ver la cubierta: un dibujo horrible de un aborto en estadio avanzado, el cráneo aplastado de un feto. Lo tendió hacia Kilcannon y sus ojos se llenaron de lágrimas.

—¿Cómo es posible que abandone a los niños? —dijo.

La vista de Kilcannon se paseó del panfleto a los ojos trastornados del joven. Creció el silencio mientras el joven pálido y el senador se miraban fijamente.

Dos agentes uniformados alteraron el cuadro al irrumpir en la oficina. Kilcannon se sobresaltó como si despertara de un sueño.

—No hay problema —dijo—. Vino a entregarme un papel.

Un agente tomó al joven del brazo. Su aspecto era patético, pensó Lara. Abrió la boca sin poder hablar.

Kilcannon no dejó de mirarlo mientras se lo llevaban.

Bruscamente se acordó de Lara: —Perdone la espera —dijo con buen humor—. El espectáculo nunca cesa.

Agradeció a la recepcionista y condujo a Lara a través de una serie de oficinas ocupadas por colaboradores hasta la suya.

—Parecía un poco chiflado —dijo Lara mientras caminaban—. ¿No le preocupa su seguridad?

La miró con una sonrisa irónica: —Usted sí pasó por el detector de metales, ¿no?

—Sí.

—Él también. Y todo el mundo, salvo que alguien se distraiga. —Puso el panfleto sobre su escritorio y le indicó una silla. —A veces vienen visitas inesperadas, y algunas poseen cierto encanto. Actualmente estoy tratando el caso de un veterano de la Segunda Guerra Mundial, un hombre de ochenta y cinco años que quiere una pensión completa por invalidez. En su caso, impotencia. —Su tono se volvió irónico. —Fue herido en Italia, en 1944, cuando un balón de fútbol hizo impacto en su zona inguinal. Le pregunté cuándo se había vuelto impotente. Me dijo que fue hace dos años.

—Un caso de impotencia gradual, digamos.

—Sumamente. Y tuve que apelar a toda mi delicadeza para

insinuar que se debía a la edad, no al impacto de un balón de fútbol cuarenta y dos años y seis hijos atrás. ¿Pero para qué existe un senador, si no es para tomar decisiones difíciles?

Lara sonrió. Empezaba a comprender que una de las facetas de su personalidad era el conocimiento de la comedia humana y la conciencia del lugar que ocupaba en el elenco de los personajes. Pero su sentido del humor también servía para restar dramatismo a los asuntos que podían adquirir un matiz personal. En su oficina exhibía solamente tres fotografías: una mujer canosa, parecida a James Kilcannon; un hombre de rostro enérgico, ojos astutos y pelo rojizo; una familia negra: padre robusto, madre esbelta, mellizas adolescentes de mirada alegre, un muchachito hermoso de apenas cuatro años.

—¿Son sus padres? —preguntó Lara.

—Mi madre. —Su voz era tierna. —El hombre es Liam Dunn, mi padrino. Mi maestro en política y muchas otras cosas.

"No hay fotos de papá ni del hermano —pensó Lara—. Ni de Meg Kilcannon."

—¿Y esa familia?

—Amigos. Clayton es fiscal en Newark.

Lara titubeó y decidió arriesgarse: —El hombre que hizo procesar a Vincent Flavio.

Aunque su mirada se volvió fría, Kilcannon no demostró sorpresa: —Y lo mandó preso.

Su tono decía a las claras que no era tema de discusión. Tomó el panfleto descuidadamente, lo estudió en silencio, su mirada se volvió pensativa. "Nate Cutler tiene razón —se dijo Lara—: Kilcannon está aquí, pero su mente se ha ido a otra parte."

Se paró bruscamente como si algo le molestara: —Vamos —dijo—, le explicaré la agenda mientras vamos en camino.

Las nueve horas siguientes fueron un torbellino de actividad: reuniones de subcomité; encuentros con asesores para tomar decisiones inmediatas sobre proyectos y enmiendas; entrevista con CBS sobre la estrategia del gobierno para salir del atolladero en Bosnia; una visita del canciller de Vietnam durante la cual Kilcannon exhibió gran tacto, escuchó mucho y habló poco; conferencia de prensa en el jardín para apoyar la financiación de comedores escolares; visita privada a la oficina del vicepresidente —con quien se sabía que Kilcannon mantenía diferencias políticas y de temperamento— para analizar, especuló Lara, su papel en la inminente convención del partido; almuerzo en el comedor del Senado con un grupo de escolares de Nueva Jersey, algo que Kilcannon pareció disfrutar, aunque la conversación versó principalmente sobre las penurias del equipo local de fútbol norteamericano.

Lara advirtió que era menos locuaz en la intimidad que en público. Pero su sentido del humor era siempre filoso y prestaba a cada interlocutor su máxima atención. Los colaboradores lo llamaban Kerry —algo poco habitual en el Senado— y demostraban tanta energía y dedicación como él. Con el paso de las horas, fue creciendo en ella la impresión favorable que le causaba: poseía una memoria excelente, pasaba de un asunto a otro sin esfuerzo aparente, hacía preguntas lúcidas y tomaba decisiones rápidas y certeras. "Es un mecanismo de defensa —dijo—. Así no tengo que pensar."

Para su sorpresa, el día resultó interesante y además divertido. La presentó amablemente a todos sus interlocutores. A veces parecía preocupado y luego, al recorrer rápidamente algún pasillo con sus asesores, la sorprendía al anticiparse a los temas que habían despertado su curiosidad. Con eso parecía decirle que la consideraba una persona inteligente. "Después de todo —dijo con una sonrisa—, tuvo que cubrir a Willie Brown." A las seis de la tarde la dejó al cuidado de su jefe de oficina para correr al salón de sesiones.

Dos horas más tarde, en compañía del asistente, escucharon a Kilcannon denunciar en una entrevista televisada las violaciones de los derechos humanos en China.

—¿Por qué será —preguntó el senador— que cuanto menores son nuestros intereses en determinado país, mayores son nuestras denuncias a las violaciones de los derechos humanos? ¿Acaso la libertad de prensa se mide en términos de rentabilidad por acción?

Esa pregunta filosa, pensó Lara, disgustaría al gobierno y en particular a Dick Mason. Se preguntaba qué se proponía Kilcannon cuando éste entro en su oficina, solo, la chaqueta colgada sobre un hombro.

La miró, atónito: —¿Todavía por aquí? ¿No está cansada?

Lara sonrió: —Tiene razón, senador. El espectáculo nunca cesa.

Con una sonrisa enigmática, miró su reloj y aparentemente tomó una decisión: —En mi caso, cesa cuando tengo hambre. Lo menos que puedo hacer es invitarla a cenar.

El auto de Kilcannon era un antiguo Ford Taurus ennoblecido por las placas oficiales otorgadas al senador por Nueva Jersey. El ruido del encendido, similar al de un sacapuntas eléctricos, le provocó una mueca de horror fingido.

—Hay gente que piensa que estamos en esto para ganar dinero —comentó—. Si uno piensa en las horas de trabajo y les suma la pérdida de intimidad, no somos muy buenos negociantes, que digamos.

Kilcannon enfiló hacia la avenida Pennsylvania. A sus espaldas se alzaba la cúpula del Capitolio, deslumbrante en el crepúsculo. Una verdadera postal.

—¿Y por qué se esfuerzan tanto por seguir?

—¿Pregunta en general? En parte porque nos interesa hacer el bien, más de lo que muchos suponen. Es uno de los aspectos más deprimentes de la política en los 90: el desdén que parecen sentir muchos ciudadanos por nosotros. Nos consideran figuras innecesarias, mezquinas, interesadas solamente en nuestros propios pellejos. Claro que la prensa alienta esa imagen. Lo peor es que tenemos una cultura política de "tirar a matar" basada en el escándalo permanente, donde se trata no sólo de vencer al del partido contrario sino de destrozarlo con ataques y contraataques. Perdí la cuenta de los fiscales especiales. —Su voz adquirió un tono pensativo, autocrítico. —Pero también es perniciosa la sensación abrumadora del propio poder e importancia, reforzada de mil maneras. Si uno no se cuida, se vuelve un hábito.

—¿Cómo se evita?

—Mi amigo Bill Cohen escribe. Dice que le ayuda a conservar el sentido de las proporciones. Yo no tengo sus dotes. —Calló unos instantes. —Para otros, diría que es la familia.

¿Se refería a los hijos? Porque Kilcannon era casado.

—¿Y *usted* qué hace para conservar el sentido de las proporciones?

Se encogió de hombros: —Otras cosas. Que no tienen nada que ver con este lugar.

—¿Por ejemplo?

—Obras de bien. Caridad. —En la oscuridad no pudo ver su expresión. —Pero si las revelara, entonces sí tendrían que ver con este lugar, ¿no? Otro senador ambicioso que trata de crearse una imagen de ser humano sensible.

Tiene razón, pensó Lara. Pero también era posible que sólo tratara de seducirla con una franqueza cuidadosamente planificada. Esas dudas, comprendió, reflejaban la brecha entre el político y el periodista —concretamente, entre el senador Kerry Kilcannon y la periodista Lara Costello del *New York Times*—, en virtud de la cual toda interacción era un arma de doble filo, un preludio a la manipulación o la deslealtad. Así sucedía con las relaciones entre políticos. Washington era un lugar sin refugio para Kerry Kilcannon.

—Usted debe de ser un hombre bastante solitario —se arriesgó a decir—. Si siempre es tan cauto en sus expresiones.

Vio su sonrisa sardónica en el resplandor plateado de unos faros que venían de frente.

—Pensé que era periodista —dijo—. Ahora resulta que es psiquiatra.

El tono insinuaba que se había extralimitado; percibió la condescendencia detrás de la sonrisa.

—Era una pregunta evidente, senador. Pensé que conversábamos como personas normales.

Pasaron en silencio frente al obelisco del monumento a Washington y la Elipse; entre los árboles asomaba la Casa Blanca, una imagen tan conocida y a la vez tan remota detrás de la cerca de hierro forjado y las barricadas de la avenida Pennsylvania.

—Qué extraño —murmuró—. Últimamente me escucho hablar y parezco mi hermano. Uno podía pasar la vida con él sin saber qué pensaba. Ni qué sentía.

Esta vez la sorpresa fue mayúscula; se sabía que Kilcannon jamás se refería a su hermano. Había en la disculpa velada una cierta nostalgia, un matiz de reflexión perpleja. Decidió que lo mejor era dejarlo en paz por el momento.

—¿Solitario? —dijo por fin—. Sin duda. Uno conoce a sus colegas, pero no muy bien. Casi todas las relaciones se basan en cálculos de coste y beneficio. Así uno pierde humanidad. Y también porque es el centro de las miradas de mucha gente: asesores, partidarios, periodistas. Es fácil visualizarlos desde el punto de vista de las necesidades propias.

"Pero es así como lo ven a uno. El caso de la prensa es el más evidente, pero no el único. No hay un político local que no tiene *alguna* anécdota sobre lo bien que te conocen, el favor que te hicieron... algo, verdadero o falso, que les da derecho a usar tu nombre.

"La mayoría tiene buenas intenciones. Pero el nombre y el prestigio se convierten en moneda de trueque. —Miró brevemente hacia la Casa Blanca. —Y la cosa empeora a medida que uno asciende en la escala. Nadie en su sano juicio lo ignora.

Lara se volvió para mirarlo: —¿Quiere decir que no se postulará para la presidencia —preguntó sin disimular su escepticismo—. ¿Ni siquiera en el año dos mil, digamos?

Sonrió un poco: —Puede creerme o no, pero pienso que estoy en mi sano juicio. Desastres aparte, el presidente va a ganar la reelección este año, lo cual dejará a Dick Mason muy bien parado para el 2000. Si eso cambia, será por causa de factores que no puedo prever. O controlar.

—¿Y esa pulla sobre China?

—Me pareció que era lo correcto. De vez en cuando trato de hacerlo. —Dobló una esquina y se detuvo frente al restaurante—. Es algo que me dejó Jamie. No una herencia sino una lección.

—¿Cuál es? —preguntó Lara, nuevamente sorprendida.

Kilcannon miró por el parabrisas como si hablara solo:

—Que yo recuerde, Jamie siempre tenía un objetivo y se creía el amo de su destino. Creo que jamás imaginó que pudiera sucederle lo que pasó. —Meneó la cabeza lentamente. —Aprendí de él lo que no le fue dado aprender: no hay que planificar ni jugar siempre a lo seguro. Porque uno sólo es amo de sí mismo.

En la quietud del auto, Lara experimentó una sensación fugaz de intimidad; por algún capricho de las circunstancias —la hora avanzada, tal vez porque lamentaba su condescendencia anterior— Kerry Kilcannon le había permitido vislumbrar su yo interior. Entonces se acercó el playero del estacionamiento, y Kilcannon se volvió hacia ella como si nada hubiera sucedido:

—Vamos —dijo—. Pienso en los calamares fritos y se me hace agua la boca.

TRES

Kinkead tenía un local aireado, camareros atentos y entradas bien servidas, sobre todo de pescado. La joven recepcionista reconoció a Kilcannon; les dio una mesa en el segundo nivel, en una esquina alejada de las miradas.

—El poder —dijo Lara— es conseguir mesa sin hacer una reserva.

Kilcannon sonrió. Finalizada la actividad pública, parecía más distendido; la ausencia de personas que se disputaran su tiempo debía de ser un lujo.

—Ahora que nos sentamos —dijo—, estoy cansado de ser yo. Sé todo lo que hay que saber sobre mí, y si me olvido de algo puedo leer el *Times*. En cuanto a usted, sólo sé que siente curiosidad acerca de por qué la gente es como es. En la medida que uno pueda saberlo.

Tú lo sabes, pensó Lara, *o tratas de averiguarlo.*

—¿Qué puedo decirle —finteó— que puedo permitir que sepa?

Su risa suavizó la réplica: —Por qué acosa a las autoridades de la nación, pone sus motivos en tela de juicio, descubre verdades atroces. ¿No había una *facultad de derecho* cerca de su casa?

—Eso sí que es condescendencia, senador. La verdad es que sí: la de Stanford. Pensé en ir allá. Pero tenía que trabajar.

La respuesta tan franca borró su sonrisa:

—¿Por qué? Una persona tan inteligente seguramente podía conseguir una beca.

Lara asintió: —Ése no era el problema. Tuve becas de estudios desde el segundo grado. Pero tenía que ganar dinero en lugar de recibirlo.

En ese momento llegó el camarero, un hombre robusto y barbudo con acento australiano. Eligieron sus entremeses y después de consultar con Lara y descubrir que el camarero sabía más que ellos dos sobre vinos, optó por un chardonnay australiano. Fue apenas después de la segunda copa que reanudó el interrogatorio:

—Así que estaba cansada de no tener plata.

No, pensó Lara. *Hubiera dado mucho por estudiar derecho en Stanford.* Pero no estaba segura de querer decírselo: parecía una confesión de debilidad. Tal vez fue su paciencia, su quietud, el hecho de no sentirse incómodo por el silencio. O incluso la segunda copa de vino.

—Estaba cansada de que mi *mamá* no tuviera plata.

—¿De qué vive ella?

—De asear casas ajenas y cuidar chicos ajenos. Además de criar los cuatro suyos. —A pesar del tiempo transcurrido, no podía hablar de los sacrificios de su madre sin sentir emoción, ni imaginar las caras de sus hermanos sin afecto. —Los quiero a todos —añadió—. Cuando la vida es dura, hay poco lugar para la rivalidad entre hermanos. Todos se apoyan, todos quieren que los demás salgan adelante.

—¿Y su papá?

Era un hombre alto con ojos como los míos, pensó Lara, *y en mis recuerdos es más joven que tú ahora.*

—Qué sé yo. Se fue con otra mujer cuando yo tenía siete años. Tal vez estaba lo bastante sobrio para saber lo que hacía. —Se encogió de hombros con aire de indiferencia. —Me costó un esfuerzo, pero lo convertí en una figura sin importancia.

Percibió la mirada escrutadora de Kilcannon.

—Eso me parece imposible —dijo—. Es mejor preguntarse cómo lo afectó a uno que hacer de cuenta que no fue nada.

No la juzgaba; sólo demostraba interés. Bruscamente se dio cuenta de lo insólito de la conversación; para congraciarse, los políticos ofrecían lo que en su opinión uno deseaba de ellos: algo de sí mismos, un bocadillo predigerido para facilitar el consumo. Ningún político le había pedido a Lara que le hablase *de ella*.

—No es lo que se dice un concepto profundo —prosiguió—. Pero a veces pienso que la gente se vuelve más peligrosa, para sí y para los demás, cuando niegan el efecto de su pasado sobre su presente.

Estaba segura de que el concepto era más importante de lo que él quería reconocer: fuese por causa de su hermano o por sí mismo.

—Creo recordar un verso de Wordsworth —dijo Lara—. El niño es el padre del hombre.

—Sí, lo conozco. —Sonrió brevemente. —Era difícil convivir con mi padre. La verdad, todavía lo es.

Lara sonrió a su vez ante la observación enigmática: —La verdad es que ha dado en el blanco de uno de mis prejuicios. Si hay algo que no quiero, es ser como mi madre, que mi padre sea el modelo de mi esposo. Si alguna vez lo tengo, voy a exigir conocimiento de sí mismo contra entrega.

Kilcannon rió: —¿Cuántos años tiene? ¿Veintisiete, veintiocho? Tal vez tenga que esperar un poco.

—¿Lo dice por experiencia?

—Por supuesto. —Sin dejar de sonreír, suavizó el tono. —A los veintiocho años ya era hombre casado y más ignorante que ahora. Si no me cree, pregúntele a Meg.

Era la primera alusión a su esposa, y aunque amable, poco reveladora.

—¿Y *ella* quiere que usted sea presidente?

—¿Meg? Está obsesionada con eso. Algunas nenas quieren ser Miss Universo, otras quieren ser astronautas. La fantasía de Meg es llegar a Primera Dama. Para eso está dispuesta a sacrificarlo todo, incluso a mí.

Lara sonrió amablemente. Una respuesta tan absurda era como ocultarse sin desaparecer de vista: puesto que todos sabían que los Kilcannon tenían un matrimonio de casas separadas, él estaba preparado para evadir las preguntas. Pero la tarea de ella era hurgar en los recovecos de su vida.

—O sea que no le gusta —insistió.

—¿A usted le gustaría? Usted vive su propia vida; Meg también. Es una de las razones por las que la política es un oficio tan duro.

Con eso no iban a ninguna parte, pensó Lara. Sus defensas eran demasiado eficaces para que las venciera un periodista más. Y acaso la verdad no era más compleja que la de otros cien matrimonios de legisladores, basados en acuerdos entre hombres y mujeres que buscaban un equilibrio entre la vida individual y la de pareja. Lo único desusado en el caso de Kilcannon era la falta de hijos, y no era fácil indagar en ello.

—Bueno, pero esa es una de las razones por las que me hice periodista en lugar de abogada. Para ayudar a la familia.

—¿Todavía lo hace?

Asintió: —Por un tiempo más. Mi hermanita Tiffany irá a la universidad el año entrante.

—Tiffany Costello —dijo Kilcannon con una sonrisa—. ¿Existe una Santa Tiffany?

—Su segundo nombre es Juana, como la de Arco, así que estamos salvados. —Bebió un sorbo de vino. —A mamá le encanta el cine. Cuando yo nací, había visto *Doctor Zhivago.* Me llamó Lara, por la mujer con la que él vive ese romance tan triste. —Dejó la copa y sonrió. —Después de lo que hizo mi padre, creo que hubiera preferido llamarme Hester Prynne.

—Un libro triste, *La letra escarlata* —dijo Kilcannon—. Y una pésima película.

Les sirvieron la cena. Cuando él intercambiaba un poco de sus calamares por un trozo del atún de ella, el camarero volvió a llenar sus copas de vino.

—Todavía no me ha contado cómo llegó a ser periodista.

Lara se arrellanó, contempló las luces y sombras del restaurante, se dejó embargar por el resplandor del vino.

—Pero sí todo lo demás.

—Sí. Por eso, para tener el cuadro completo.

Alzó los ojos al techo: —"Cómo llegué a ser periodista", por Lara Costello. Llegué a ser periodista porque...

—¿A ver?

—Porque cuando era chica, me gustaba leer. De todo, incluso el diario. Lógicamente, eso me convertía en el cráneo de la familia. El cura de nuestra parroquia en San Francisco me consiguió una beca para una de las mejores escuelas de la ciudad, el Convento del Sagrado Corazón, hasta el final del secundario. En una escuela para mujeres, lógicamente desarrollé una gran vida interior. La escuela me alentó a que escribiera para sublimarla. —Sonrió. —Mientras escribía relatos malos y soñaba con ser Gabriel García Márquez, me convertí en la periodista estrella del diario de la escuela. Y al final la realidad se impuso a la fantasía.

—¿Está segura? ¿No será que encontró la manera de combinarlas?

Lara meneó la cabeza: —La ficción no da de comer. El que no tiene plata lo sabe. Aun en la secundaria.

—¿No le gustaría volver y dedicarse a otra cosa?

—No. Me gusta el periodismo. Si volviera a alguna parte, sería al punto de partida.

Kilcannon dejó el tenedor: —¿Por qué? Aquí tiene un muy buen puesto.

—Es la manera de pensar de los barrios residenciales. —Pensó que ya había dicho demasiado, y para colmo a un posible adversario, a quien apenas conocía. Pero la otra cara, se dijo, era que la amistad de Kerry Kilcannon, bien llevada, sería una gran ventaja para un periodista. —Creo que la política es importante —prosiguió—. Y el *Times* es el mejor diario. Son buenas razones para estar aquí. Otra es que, para alguien que se crió como yo, es absurdo rechazar un ascenso.

—¿Pero qué preferiría?

—Escribir más sobre la gente y sus necesidades, no tanto sobre los políticos. —Vació la última copa de vino. —Cuando trabajaba para el *Chronicle*, escribí una serie de notas sobre los trabajadores migrantes. Yo hablo bien el español. Escribí sobre las condiciones de trabajo, y ahora el sindicato vuelve a ser fuerte.

"Con eso llamé la atención y gané un premio. El problema es que ahora, cuatro años después, sigue siendo el trabajo mío que más me gusta.

Lara lo dijo con toda convicción. Kilcannon la miraba fijamente sobre la mesa.

—Si es verdad —dijo después de una pausa—, no querrá seguir pensando así dentro de cuatro años. Se diría que ha hecho bastante por los demás.

Para su sorpresa, el comentario la emocionó. Se preguntó si también se refería a sí mismo. Y en ese momento comprendió algo que la conmocionó aún más: había disfrutado de la compañía de Kerry Kilcannon más que la de cualquier otro hombre que hubiese conocido recientemente. Todos eran demasiado jóvenes, estaban demasiado preocupados por sus carreras y ansiosos por llevarla a la cama. Le parecía insólito sentirse cómoda con un senador conocido, salvo que él también se sentía cómodo. Y puesto que era casado, no representaba *esa* clase de problema.

—Es lindo —dijo— que a una la absuelvan del pecado de egoísmo.

Volvió a sonreír. Cuando el camarero trajo la adición, Lara quedó sorprendida.

—Démela —dijo.

Kilcannon meneó la cabeza: —La pago con fondos de campaña —dijo—. Aportes del extranjero.

—Por fin tengo una historia.

Salieron de restaurante y se pararon un momento en la acera. Era una noche tibia, con olor a lluvia.

—¿Puedo alcanzarla a alguna parte? —dijo Kilcannon.

En ese momento sonaron sus alarmas interiores: tal vez había perdido la noción de distancia.

—No, tomaré un taxi. Usted ha tenido un día muy largo. —Le tendió la mano. —Gracias, senador. Disfruté de la orientación. Y de la cena.

Kilcannon hizo una mueca de fingido disgusto: —Me llamo Kerry —dijo—. Suerte, Lara, cualquiera que sea su decisión.

CUATRO

Lara no tuvo ocasión de pasar algún tiempo con él hasta agosto de 1996, en la convención del Partido Demócrata en San Diego.

Nunca había asistido a una convención, y su reacción oscilaba entre el asombro y la hilaridad. En torno del moderno centro de convenciones había seguridad por todas partes: policías en motos, calles cerradas, autos detenidos en busca de explosivos. En las calles, manifestantes contra el aborto mantenían una vigilia constante y denunciaban a los delegados como "asesinos". El interior del salón era otro mundo, aislado del exterior y surrealista: globos y baterías de reflectores que pendían de las vigas; palcos en lo alto para las cadenas de televisión: NBC, ABC, CBS, Fox, CNN, C-SPAN; suites especiales para grandes contribuyentes y lobbistas que después de atiborrarse de alcohol y canapés salían a contemplar el vano espectáculo como romanos en el circo. Y *era* vano en verdad, escribió Lara; los congresales se abrazaban e intercambiaban direcciones como en cualquier otra reunión, casi sin escuchar la retórica hueca sobre el partido que prometía "prosperidad para todos". El único propósito era volver a coronar al presidente y a Dick Mason con el menor jaleo posible; el único problema se llamaba Kerry Kilcannon.

Lo vio en el salón de reuniones, rodeado de congresales que querían estrecharle la mano, pedirle el autógrafo o simplemente tocarlo. Lo rodeaba una carga eléctrica que confirmaba la opinión de Dick Mason: Kerry se disponía a disputarle la candidatura presidencial cuatro años después. Los secuaces del vicepresidente habían castigado a la delegación de Nueva Jersey, anticipándose a los pecados de Kerry, con esas medidas tan mezquinas como elocuentes que podía tomar un funcionario para demostrar quién tenía el poder: habitaciones de hotel malas y alejadas del salón del congreso; escasas invitaciones a las fiestas y otros actos; salones de reunión pequeños.

Pero el gran pecado de Kerry era su negativa a someter su

discurso a la aprobación de los asesores de Mason. Por eso, y a menos que cediera, le darían apenas diez minutos la noche del martes, después de finalizada las transmisiones en vivo de la televisión. Era "un lugar especial en el purgatorio mediático", como dijo Nate Cutler a Lara.

Ahora, al ver que se acercaba Kerry, corrió entre dos delegados y lo encaró, grabador en ristre.

Kerry la miró con una sonrisa sardónica y alzó la vista a los palcos de la televisión.

—Como una platea para los poderosos, ¿no? Piense en la cantidad de trabajadores migratorios que podrían alimentar.

Como siempre, pensó Lara, emplea la ironía para expresar una idea seria.

—Senador, me han dicho que se aloja en un hotel de Tijuana.

Su risa parecía auténtica: —Sí, hasta que nos consigan algo peor.

La verdad es que no te importa, pensó Lara. *Crees que Mason está asustado y disfrutas al estar en desventaja.*

—¿Cree que el vicepresidente tuvo algo que ver?

Kerry miró al cubo de pantallas que pendía sobre el salón y magnificaba las imágenes indicadas por los asesores del presidente. La imagen del momento era Dick Mason en el palco VIP con Jeannie y sus tres hijos, agitando el brazo, la cara iluminada por una sonrisa de verdadero placer. La expresión de Kerry era enigmática.

—¿Por qué habría creer eso? —replicó—. Me parece que el vicepresidente de los Estados Unidos no tiene tiempo para ocuparse de reservas de hotel.

Era una pregunta subversiva por su misma ingenuidad, pensó Lara; uno podía interpretarla al pie de la letra, como si se descartara esa posibilidad, o como un comentario tácito sobre la vacuidad de la investidura y la mezquindad de quien la ejercía.

—¿Y no le parece que sus problemas con la lista de oradores están relacionados con el año 2000?

Kilcannon aún contemplaba la gran cabeza electrónica de Dick Mason.

—¿Quiere decir, si me vigila el Gran Hermano? —La miró y adoptó un tono distinto, más serio. —Si se tratara de habitaciones de hotel o ambiciones personales me hubiese quedado en casa.

—¿De qué se trata, entonces?

—De los problemas que nos afectan. El presidente y el vicepresidente tienen que ganar las elecciones. Yo estoy para apoyar esa campaña. Lo que pasa es que tenemos distintas prioridades. No me dediqué a la política para tener un puesto o asegurarme un espacio de televisión en horario central. El pueblo espera otra cosa.

—¿Se lo dijo al vicepresidente?

—Bueno, creo que él lo sabe. —Kilcannon sonrió y añadió: —Me alegro de verla. —Y se alejó para estrechar manos y hablar por los micrófonos que alzaban hacia su boca. Fue mucho después, cuando ya se conocían bien, que Kerry le habló de su conversación con Dick Mason una hora antes del encuentro con ella.

A pedido de Mason, se reunieron en la intimidad, sin la presencia de asesores.

Estaban en la suite de Mason, a dos cuadras del salón de sesiones. El Sol del ocaso iluminaba los arreglos florales enviados por amigos sinceros. Kerry contempló las flores.

—No sabía que habías muerto, Dick. Nadie me avisó. Y se te ve tan sano.

Mason rió de buena gana; las arrugas en torno de sus ojos celestes expresaban cuánto disfrutaba el sentido del humor de Kerry y el aprecio que sentía por éste.

—Es la vida sana, Kerry. Y los viajes cortos.

—Claro —dijo Kerry con una sonrisa—. Perdona que te haya hecho esperar. Es la hora pico en Tucson. —Se sentó frente a Mason. —Pues bien, aquí estamos como un par de escorpiones. ¿Para qué?

El vicepresidente se acomodó en su sillón, juntó las manos y lo miró con encantadora sinceridad.

—El presidente y yo queremos un partido unificado. Y después tal vez yo quiera ser presidente. Prefiero tenerte de aliado que de adversario.

—Pero antes querías llamarme la atención.

La boca de Mason sonrió, no así sus ojos.

—Son miles de delegados, decenas de gobernadores, diputados y senadores que claman por un espacio en horario central. Y tú eres el único que insiste en decir lo que se le da la gana en lugar de cumplir tu papel en un mensaje coordinado.

Kerry lo miró a los ojos: —En realidad, yo no pedí hablar, Dick. Y no me necesitas para leer el tramo del mensaje que me habías reservado, que si no me equivoco es el de reinventar el seguro social. Sobre todo, porque no coincido.

Mason se inclinó hacia él; conocía mil poses y expresiones, pensó Kerry, para indicar cuánto le interesaba una conversación.

—Sí que te necesitamos. Tu voz se escucha en el Senado. Representas una tradición...

—Ah, eso.

—*Eso*, sí. Tu apoyo tiene un gran peso simbólico. —Su voz se volvió suave, sincera. —La primera vez que me postulé para el Congreso, tu hermano hizo campaña por mí. Lo admiré mucho, y también a ti. Estoy convencido de que Jamie hubiera dejado de lado las diferencias que puedan existir.

Kerry tuvo que reconocer que lo había tocado; una parte de él siempre se sentiría inferior a Jamie, dudaría de sus instintos. Le retorcía las tripas que Dick tuviera la astucia para descubrirlo, a la vez que detestaba su actitud condescendiente, basada en la convicción de que ese conocimiento le haría cambiar de opinión.

—Pero yo no soy Jamie. —Hizo una pausa y por una vez trató de entenderse con Mason en un nivel más profundo. —Cuando ocupé su lugar, me di cuenta de que no podía ser él. Sólo podía tratar de imbuir al horrible accidente del significado que me pareciera mejor.

"Si yo hubiera aspirado a esta clase de vida, entonces sí, tu propuesta tal vez me hubiese parecido sensata. Pero cuando tratas de usar a Jamie para hacerme retroceder, sólo demuestras que no me conoces.

Por primera vez vio un destello de duda en los ojos de Mason, el temor de que el conocimiento de sus propias motivaciones no le permitiría comprender las de Kerry.

—Escucha —dijo, tratando de convencerlo—, todos sabemos que la financiación de las campañas es un problema terrible. Pero el otro partido es peor; hasta que lo resolvamos, cada centavo que recaudamos es para nuestra propia defensa. ¿Y qué me dices de nuestros amigos sindicalistas y todo lo que recaudan para nuestra publicidad? Criticar nuestros métodos de recaudación en un discurso ante la convención cuando necesitamos recaudar aún *más* para las elecciones de noviembre es como cortarnos las pelotas con un cuchillo de cocina.

—¿Estás seguros de que todavía las tenemos? —replicó Kerry. Advirtió que Mason se ponía furioso por primera vez y alzó la mano: —Estás a punto de meter la pata, Dick. Tu gente tiene tanto hambre de dinero que no les importa de dónde viene ni cómo lo consiguen. Un buen día te vas a despertar y te vas a encontrar con Saddam Hussein en la cama entre tú y Jeannie.

"Los votantes creen que nos dejamos sobornar; que los métodos de recaudación son una versión un poco más elegante de los sobornos que he visto en Newark. ¿Cuándo tendremos las bolas suficientes para cambiar eso? —Bajó la voz. —Si las cosas no cambian rápidamente, a nadie le va a importar *quién* es el próximo presidente. Salvo a ti, tal vez.

—Es fácil decirlo —dijo Mason con dureza— desde la seguridad de una banca en el Senado. Es más difícil cuando quieres llegar al gobierno y la alternativa es entregarlo a los reaccionarios que viven citando la Biblia. —Hizo una pausa. —¿Qué quieres ser en la vida? ¿Un francotirador en las tribunas como Jerry Brown, una bomba de estruendo en la selva? ¿O alguien que ayuda a tomar las decisiones difíciles y que tiene la suficiente sensatez para saber lo difíciles que son?

Mason hizo una pausa para poner orden en sus pensamientos y recuperó su tono persuasivo, paternal: —Ganaré la candidatura en el 2000, Kerry. Jamás la perdió un vicepresidente en funciones, jamás. La duda es si me obligarás a excluirte para proteger mis intereses o si tú te harás la pregunta más conveniente para ti.

—¿Y cuál es esa?

El vicepresidente sonrió: —Cuando Dick Mason sea presidente, ¿quién ocupará *su* puesto actual?

Kerry miró en silencio al hombre de rostro agradable que le imploraba que fuese tan práctico como él. Se distrajo y vio otra imagen, más desagradable: dos hombres de intenciones nobles, atrapados por la incomprensión, llevados por las circunstancias a destrozarse mutuamente. *No es lo que quiero*, pensó, pero en ese momento aflojar la presión no servía a sus intereses y convicciones.

—Lo lamento —dijo—. Y te agradezco la franqueza. Pero aceptaré cualquier horario que me hayan reservado.

Mason frunció el entrecejo y meneó la cabeza: —Yo también lo lamento, Kerry. Por los dos. Pero cuatro años es mucho tiempo.

—Es verdad.

Se pararon, se estrecharon las manos y en ese momento Kerry escuchó el ruido de la puerta. Se volvió.

Era Jeannie Mason, con un traje sastre celeste que hacía juego con sus ojos y la cabellera rubia recientemente cortada. Al verlo sonrió con verdadero afecto.

—Hola, Kerry. —Lo besó en la mejilla y luego se apartó para mirarlo. —No te he visto desde la última vez que te negaste a alejarme de todo esto. ¿Cómo estás?

Sonrió a su vez: —Bien. Según Dick, me estoy transformando en Jerry Brown.

Jeannie sonrió con malicia; aunque había pasado los cuarenta, todavía le recordaba a una reina de los estudiantes con un filoso sentido del humor.

—¿Jerry Brown? Creo que nunca escuché hablar de él.

Kerry soltó una carcajada: —Precisamente lo que dice Dick.

—Bueno, así es la convención. Despierta los mejores sentimientos en la gente. —Su sonrisa se desvaneció en parte. —¿Meg vino contigo?

—No, está en casa.

A su lado, Dick fingía una sonrisa divertida, pero la mirada de Jeannie se volvió seria y, le pareció a Kerry, bondadosa.

—Quiero que mi próxima vida sea como la de Meg —dijo.

—Se lo diré —dijo Kerry con una sonrisa—. Pero al dirigirse nuevamente al salón de reuniones, no pensaba en su futuro ni en su discurso del día siguiente. Sentía envidia de Dick Mason y lo embargaba la sensación de soledad.

CINCO

A la mañana siguiente, antes de las nueve, Kerry habló con tres delegaciones distintas y prometió participar en sus campañas locales. Lara lo seguía. En todos sus discursos aludía burlonamente a sí mismo como la "versión demócrata del hombre que está con todos", un ataque disimulado a Mason que provocaba las risas de la audiencia.

Si Kerry no se disponía a postularse, pensó Lara, en todo caso lo que hacía era más que suficiente para poner nervioso a Mason: era la figura más popular y visible de la convención y su agenda estaba atestada de reuniones con congresales y dirigentes de todo el país. Mostraba todas las características del futuro candidato: la actividad frenética, cubierta por los medios; dos asistentes que se ocupaban de hacerlo llegar a tiempo a todas partes y recordarle los nombres; el aplauso espontáneo de los mirones cuando aparecía en el vestíbulo del hotel; incluso ese aire de audacia alegre que llevaba a todas partes. A pesar de sus pretensiones de conservar la imparcialidad, Lara se sentía decepcionada y un poco cínica. Empezaba a pensar que ese aire tímido era una afectación; hacía lo mismo que cualquier político ambicioso en una convención, solo que un poco mejor.

Por eso mismo le parecía tan llamativa la ausencia de Meg Kilcannon. La política era una actividad perversa, sobre todo en una convención, donde la apariencia era el valor supremo, la difusión de rumores una actividad legítima y la debilidad de uno la oportunidad de otro. Dondequiera que fuese, un operador de Kilcannon lo miraba desde el auditorio; dondequiera que fuese el vicepresidente —cuya agenda era igualmente atareada—, su hermosa esposa lo acompañaba. En ese ambiente de tensión casi indisimulada, era inevitable que la comparación perjudicara a Kerry. "¿Dónde está su esposa" —escuchó preguntar a una delegada tejana—. "Necesitamos un candidato con *familia*, no con un *arreglo conyugal*."

A las nueve y media lo vio salir de una reunión en el hotel, la cuarta del día, y murmurar algo a un asistente.

El joven, aparentemente desconcertado, quiso objetar: el senador tenía compromisos, dijo. Kerry lo hizo callar con una mirada fría, luego dijo amablemente:

—Está bien, si quieres, llámame rebelde. Pero me voy.

Se alejó, perseguido por Lara.

—¿Adónde va? —preguntó.

Giró la cabeza: —A Watsonville —dijo sobre su hombro—. Venga, si quiere.

Lara quedó estupefacta. Watsonville estaba unos setecientos cincuenta kilómetros al norte, en la zona rural cerca de Salinas; conocía el lugar porque había escrito esa serie de notas sobre los trabajadores migratorios.

—¿Y por qué irá *allá*?

—Para impresionarla a usted, claro. —Abrió la puerta de vidrio y salió a la acera entre las palmeras, bajo la luz brillante de la mañana. Con las manos en los bolsillos, buscaba una limusina. —Hay un acto del sindicato agrario. El presidente del sindicato llamó ayer, y he decidido que es donde quiero estar.

—¿Y sus compromisos?

—Qué me importan un par de delegados ofendidos. Ésta es la oportunidad para certificar mis credenciales de centrista. —La miró, y su expresión era seria. —Piense lo que quiera, Lara, como cualquier periodista. Ni un dirigente importante del partido aceptó concurrir. Además, me estaba ahogando allá adentro.

De modo que *eso* era lo que pensaba la noche anterior al contemplar los palcos de lujo. *Como una platea para los poderosos*, había murmurado. *Piense en la cantidad de trabajadores migratorios que podrían alimentar.* Pero Lara no podía descubrir si ese viaje súbito era un acto impulsivo, de conciencia, político... o una extraña combinación de todos ellos.

Una limusina paró frente a ellos y el conductor bajó a la acera.

—¿Viene? —preguntó Kerry.

Lara advirtió que hablaba en serio: —Tengo que avisarle a mi jefe.

El conductor abrió la puerta trasera.

—Puede hacerlo desde el auto —dijo Kerry.

Una hora más tarde, volaban en un pequeño jet privado, a solas en la cabina trasera que se estremecía con el horrendo rugido del motor. Kerry se aflojó la corbata y sonrió:

—Al fin libre.

Parecía estar alegre, pensó Lara; se dejaba llevar por esa despreocupación que lo hacía parecer más joven: el rebelde del colegio, que faltaba a clase de religión para ir al estadio de béisbol.

—Así que se escapa —dijo—. Como Dustin Hoffman en *El graduado*.

Rió: —Parece que las mujeres de la familia Costello están obsesionadas por el cine. —Se acomodó en el asiento y bebió un sorbo de zumo de arándano. —¿Sabe dónde me esperaban para almorzar? En una fiesta para delegados auspiciada por una tabacalera, en el viejo yate de John Wayne. Ahora, ¿estoy confundido, o el viejo vaquero murió de cáncer pulmonar? En todo caso no lo mató una bala enemiga.

—Pero dejó un lindo yate.

—Así es. El problema de los tabacaleros es que no tienen sentido de la ironía. Y venden su producto a los niños y al tercer mundo porque su clientela tradicional se les muere... y lo digo literalmente. "La muerte, un subproducto contraproducente." —Se le borró la sonrisa y añadió con voz suave: —Así pueden comprar unos cuantos políticos más. Con lo caras que son las campañas, los políticos no nos vendemos por monedas.

Ese comentario mordaz, el brusco cambio de ánimo parecían indicar un pensamiento oculto. Pero eso ya no la desconcertaba. A través de las ventanillas ovaladas contemplaron las sierras costeras de California, cubiertas de una hierba dorada en el verano.

—Bueno —dijo después de un rato—, ¿va a explicarme por qué lo hace?

Aún contemplaba el terreno, el paisaje sereno bajo el rugido del motor.

—Queda tan poco idealismo —dijo—. En los 90 estamos a años luz de los tiempos de César Chávez y la causa romántica de los cosechadores. El que quiere uvas, come uvas.

"Los trabajadores del campo siguen siendo pobres. Los empresarios agroindustriales los explotan y la industria de los enlatados los paraliza con la amenaza de trasladarse al otro lado de la frontera. Tal como usted dice en sus artículos.

—¿Los leyó?

—Qué maravilla, los archivos electrónicos. —Kerry se volvió hacia ella. —Son buenos... y acertados. Cuatro años después, las condiciones casi no han cambiado. Pero eso nos importa a muy pocos.

En Lara, el escepticismo disputaba la palma con la sorpresa. Estaba habituada a que los políticos —en especial los hombres— elogiaran su lucidez. Pero si Kilcannon quería halagarla, llegaba a extremos impensados.

—Usted sabe lo que escribirán —dijo—. Que se prepara para confrontar a Mason en las primarias de California. Y que está tratando de montar una especie de coalición minoritaria.

Se le escapó un suspiro: —Otros dirán que soy temerario. El problema de la política es que uno pierde el derecho de que lo crean sincero, aunque lo sea. —La miró: —¿Es eso lo que escribirá *usted*?

Lo miró a los ojos: —Por ahora me dedico a observar.

La estudió durante unos instantes. Sus ojos eran el rasgo más notable, pensó Lara; sin embargo, no sabía cómo interpretar esa mirada que la abarcaba por entero.

—Bueno —dijo por fin—, en el fondo, no tiene importancia.

—¿Entonces por qué me invitó?

Kerry titubeó y sonrió: —Si no la hubiera invitado, ¿cree que el *Times* hubiera enviado un periodista al acto?

O a verte a ti, pensó Lara. Pero ya no estaba tan segura de que sus motivaciones fuesen tan transparentes o sencillas: la invitación parecía tan impulsiva como el viaje.

—Puede que no —respondió.

Asintió él, y volvió a mirar por la ventanilla.

—Y sobre la cuestión presidencial —dijo después de un rato—, más latinos deberían votar. Muy pocos lo hacen.

El avión inició el descenso, el motor bajó las revoluciones. Hasta el aterrizaje no volvieron a hablar.

El acto se realizó en un campo yermo cerca de Watsonville —árido y polvoriento como en un relato de Steinbeck—; a la distancia, en los campos de fresas, apenas se divisaban las camisas blancas de los cosechadores en la bruma temblorosa provocada por el calor. No había mucha gente, apenas unos miles de trabajadores y jóvenes que desafiaban el calor. Lara lamentaba llevar vestido y medias en lugar de tejanos. Pero en su simpatía por los trabajadores y su interés por Kerry Kilcannon, no echaba de menos la caverna climatizada de la convención, con los delegados bien alimentados, la música inocua, las luchas implacables.

Tal vez él siente lo mismo, pensó. En mangas de camisa, rodeado de sindicalistas, parecía estar en su salsa, sin la torpeza del político en territorio extranjero. Su presencia había atraído a los medios locales, pero cedió el centro de la escena al dirigente sindical, Raúl Guerrero. Cuando le llegó el turno, pronunció un discurso sencillo.

—Vine porque es lo correcto —dijo para empezar.

”Los trabajadores del campo necesitan mejores salarios. Necesitan más riego e instalaciones sanitarias. Atención médica, jubilación y el derecho elemental de negociar sus contratos. Todas las cosas que hacen a la dignidad del trabajo.

"Sus hijos necesitan escuelas. Necesitan instalaciones sanitarias y la esperanza de una vida mejor. Todas las cosas por las cuales vale la pena trabajar.

Hizo una pausa para estudiar a la audiencia antes de proseguir: —Durante demasiado tiempo hemos tolerado la explotación de inmigrantes, legales o no, por empresas ávidas de ganancias y políticos que buscan votos. Pero si la historia nos enseña una lección, es que los que evocan lo mejor que hay en nosotros derrotan a los que buscan lo peor.

"Los aquí presentes lo saben. Si cada uno hace lo que sabe hacer mejor —organizar, boicotear, reunir fondos, presionar a las autoridades—, mañana seremos más y el mes que viene estaremos mucho más cerca...

Finalizado el discurso, se hundió en la multitud, no sólo para estrechar manos sino también para escuchar y hablar en torpe español. Parecía sentirse liberado de la tiranía de la agenda y la repetición que agobia a los políticos. Pero Lara no pudo dejar de pensar que si alguna vez decidía competir con Mason, necesitaría a los votantes de las minorías, aquellos a los que el vicepresidente no llegaba. Sobre todo en California.

Eran las cinco y media cuando volvió a reunirse con Kerry.

—Vamos —dijo con una sonrisa—. Me esperan para otro discurso. En San Diego.

SEIS

Cuatro horas después, a las nueve y media, Kerry Kilcannon ocupó la tribuna de oradores.

En el este, había pasado la medianoche; las cadenas nacionales de televisión habían dejado de transmitir horas antes. Observando desde el palco de la prensa con Nate Cutler y Lee McAlpine, Lara veía que los delegados estaban cansados. Pero nadie podía prever el discurso de Kilcannon, y su visita sorpresiva al acto sindical parecía haber despertado emociones embotadas por una letanía de lugares comunes tan soporífera que, como decía Lee, "en todo el país se escuchaba el chasquido de los televisores que se apagaban". Con su actitud, pensó Lara, Kerry simbolizaba el anhelo de muchos delegados: audacia, convicción, espontaneidad. En cambio, era difícil comprender cuánto de cálculo había en ella.

—*Ke-rry...*

El coro comenzó en la delegación de Nueva Jersey y se extendió lentamente.

—*Ke-rry...*

Algunos se ponían de pie. Kerry sonrió tímidamente y alzó la mano.

—*Ke-rry, Ke-rry, Ke-rry...*

—Por favor —dijo—. Hay gente que quiere dormir...

Hubo un coro general de risas. Visto desde el palco, Kerry era una figura remota, pero su sonrisa era muy visible en la pantalla.

—Hablando en serio —añadió—, les agradezco que se quedaran despiertos conmigo...

Más risas. Junto a Lara, Lee McAlpine sonrió: —Tal vez debería agradecer a Dick Mason —murmuró.

Kerry alzó la mano otra vez: —Tengo diez minutos hasta que apaguen las luces —dijo secamente—. Trataré de ser sintético.

"Quiero hablar en apoyo del presidente y el vicepresidente.

Ellos merecen todos nuestros esfuerzos. Yo comprometo el mío para asegurar su reelección.

Kerry dejó que se extendieran los aplausos, la sensación tranquilizadora, y agregó: —Pero también quiero hablar sobre el futuro.

—Bueno —dijo Lara—, una verdadera muestra de apoyo fervoroso.

Kerry se concentraba: —Hay una gran brecha en el país. El pueblo desconfía de los dirigentes. Cree que manipulamos sus emociones y mentimos sobre sus problemas.

"Muchas veces tiene razón al pensar así.

Ahora lo escuchaban en silencio, sorprendidos e interesados, pensó Lara.

—La gran mentira del otro partido —dijo Kerry con ironía— es que si se reduce el presupuesto de la seguridad social, la ayuda exterior y el apoyo a las artes, tendremos un presupuesto equilibrado y una vida mejor. Y si eso no alcanza, basta con apretar los torniquetes a los inmigrantes.

"*Nosotros*, en cambio, nos engañamos pensando que con impuestos sobre la riqueza y recortes en el presupuesto de defensa se salvan la salud pública y la seguridad social sin costo para nadie.

"Más y más personas comprenden que no es así. Pero no creen que tengamos un programa para cambiar las cosas. Ya no saben bien qué representamos.

Nate silbó suavemente. Los delegados de Connecticut —partidarios de Mason— parecían inquietos. Pero Lara advirtió que crecía la comunión de Kerry con su auditorio.

—Para que este partido merezca ser gobierno —prosiguió—, debemos asumir ciertas verdades que distinguen a una sociedad solidaria de una sociedad egoísta e insensible.

"Que la discriminación racial aún existe y debemos actuar con coraje para combatirla hasta el final.

"Que los hombres y mujeres *gay* no están embarcados en una cruzada para cambiar las conductas de los demás, y que protegerlos de la violencia y la discriminación no es un acto inmoral sino moral.

Los delegados, absortos, lo miraban fijamente. En el palco, los periodistas escuchaban en silencio.

Kerry prosiguió con voz dura como el tableteo de una ametralladora:

—Que las armas son demasiado accesibles y matan demasiada gente.

"Que demasiados hijos carecen de atención médica y educación.

"Que sus padres tienen trabajos que no les permiten progresar.

”Que demasiadas vidas están deformadas por la violencia dentro y fuera de nuestras familias.

”Que nuestra prosperidad depende excesivamente de salarios bajos y sueños frustrados.

”Que, en última instancia, *somos* una familia, obligados por la decencia y nuestros propios intereses a interesarnos por la suerte de todos los norteamericanos.

Aunque hablaba ante miles, su tono era directo, íntimo. Lara no tenía la impresión de un orador que esperaba ser interrumpido por aplausos.

—Ningún tema provoca divisiones tan enconadas como el aborto. Pero a mí me parece que es un gran ejemplo nuestra estrechez mental y dureza de corazón.

”A nuestros adversarios, quien hacen de su posición una prueba de fuego de la integridad, a la vez que quieren reducir los presupuestos de ayuda a los niños más pobres y los adultos más débiles, cito las palabras del cardenal Joseph Bernardin: “Los que pretenden defender el derecho a la vida de los más débiles deben ser los primeros en defender la calidad de vida de los menos poderosos, los ancianos y los jóvenes, los hambrientos y los sin techo, el inmigrante indocumentado y el obrero desocupado.”

”Y a los que defendemos el derecho de la mujer a optar por el aborto, les digo que también debemos dar a la mujer el derecho de optar por tener hijos, los cuales tendrán todas las oportunidades para vivir bien.

”Si además de decir estas cosas actuamos en consecuencia —prosiguió—, tal vez recuperemos la confianza perdida. Pero jamás tendremos libertad para actuar en consecuencia si no enfrentamos otra realidad: la corrupción total de los métodos de recaudación de fondos para las campañas.

Hizo una pausa para contemplar los palcos y las suites de lujo, y su voz restalló como un látigo:

—¿Cómo podemos inspirar confianza si lo mejor que podemos decir por nuestro partido es que el otro es peor? No es casual que el pueblo esté hastiado.

El auditorio escuchaba en silencio; atónito, pensó Lara, por tanta franqueza y por el pedido implícito de que el presidente y Mason se pusieran a la cabeza. Kerry se irguió y miró a la audiencia:

—La mitad de los ciudadanos han dejado de votar. —Su voz era cortante, furiosa. —¿Qué queda por decir? ¿De qué otra manera pueden expresar su desesperanza?

”Se trata de la *libertad*, dicen los lobbistas. ¿Pero cuántos de *ustedes* son libres de gastar diez mil dólares para ejercer influencia sobre un partido político.

”Esto es libertad para corromper, y poco a poco está destruyendo nuestra democracia.

—Ahora sí que sacó los pies del plato —murmuró Lee McAlpine.

—Tenemos el imperativo moral de poner fin a esto —dijo Kerry—. Y el principio del fin es una enmienda constitucional que diga: “Ninguna disposición constitucional le impedirá al Congreso aprobar leyes que regulen la financiación de las campañas para los puestos electivos federales.”

“Si aprobamos esta enmienda, los lobbistas y políticos se quedarán sin escondite ni pretextos. Si se oponen, tenemos derecho de saber qué proponen a cambio.

La propuesta era una nueva sorpresa, al menos para Lara, y una jugada de riesgo; enmendar la Constitución parecía un paso excesivo y difícil. Pero en la pantalla, una delegada negra de Illinois formaba con la boca la palabra “sí”.

Para concluir, Kerry imploró con pasión: —Nos enorgullecemos del pasado de nuestro partido. Pero sólo podremos enorgullecernos del futuro si devolvemos el gobierno al pueblo norteamericano.

”Pido a todos que me acompañen en este esfuerzo...

Tras un momento de silencio comenzaron los aplausos, que reverberaron hasta las vigas. Los delegados aplaudían, zapateaban, se trepaban a las sillas para aclamar a un dirigente que —siquiera por un momento, cuando la mayoría de sus compatriotas dormían— había transformado la convención. Al cabo de varios minutos no mostraba señales de terminar.

—Impresionante —dijo Lee McAlpine—. Un político que dice algo en sus discursos.

Nate miraba su reloj para tomar el tiempo a los aplausos: —Que lo disfrute mientras pueda —dijo—. Mason lo degollará a la primera oportunidad. Y si Kilcannon quiere ser candidato, ¿de dónde vendrán los fondos?

Lee lo miró de frente: —Claro que se va a postular. Y el dinero lo conseguirá en alguna parte. Para eso tiene el apellido.

Algo más que el apellido, pensó Lara. Le parecía recordar a un James Kilcannon apuesto, elegante y cauto. Kerry era un hombre con pasión, peligroso, dispuesto a cambiar el partido y desafiar el sistema, y podía quedar destruido al intentarlo. Si decidía postularse, lo cual le parecía probable, se dejaría llevar tanto por sus emociones como por su fría lucidez. Al contemplarlo, una figura pequeña en medio de un torbellino generado por él, la embargó una sensación nueva y desconcertante: miedo por Kerry Kilcannon.

—*Tal vez* se postule —dijo a sus colegas—. Pero me parece que lo sabrá apenas un minuto antes que nosotros.

* * *

Durante los días siguientes, Kerry volvió a dejarse llevar por el ritmo de la convención, con sus discursos y entrevistas, mientras Lara aguardaba su turno. Al leer los boletines de prensa advirtió que repetía un mantra: "No tengo planes para postularme en el 2000. Mi discurso se refirió a las políticas, no a las personalidades. Espero ayudar al presidente y al vicepresidente a completar con éxito su segundo período". Eso fue lo que le dijo a Lara el jueves por la noche, con evidente cansancio y hastío.

Lo encontró en la sala de prensa adyacente al salón. El presidente y Mason acababan de pronunciar sus discursos de aceptación de la candidatura, cuidadosamente elaborados para minimizar los riesgos. Los congresales abandonaban lentamente el salón en un ambiente de anticlímax, como el aire al escapar de un globo.

—¿De veras? —dijo Lara—. Cualquiera diría que usted fue el centro de la convención.

Se encogió de hombros con reticencia, como si estuviera cansado del tema.

—Si es así, es bastante triste, ¿no? —dijo por fin.

—Pero supongamos que decide postularse —insistió—. Más adelante. Si tiene que recaudar millones, ¿no habrá un problema de credibilidad? ¿Y el dinero de los sectores interesados no será para Mason?

Kerry la miró de reojo: —¿Qué le hace pensar que me interesa?

—Tiene que interesarle. Usted no ganó dos veces en Nueva Jersey por ser virgen. ¿Qué me dice de los aportes que recibió de los abogados litigantes y los sindicatos docentes?

Un destello apareció en los ojos de Kerry: —¿Y eso basta para definirme? —Hizo una pausa y prosiguió con voz inexpresiva: —Ustedes los periodistas están tan tranquilos. Nos miran desde la tribuna, donde todo lo que decimos es cínico y egoísta y el único riesgo es el de creernos. —Súbitamente se paró, metió las manos en los bolsillos, la miró. —Hizo bien hace unos años, Lara. Escriba sobre la gente de verdad, no sobre nosotros. Así *usted* también será de verdad.

Ofendida por su tono, replicó airada: —Si no tiene ganas de responder preguntas, dígalo de una vez.

La miró fijamente, sus hombros cayeron: —Perdóneme —dijo—. Fui injusto con usted.

Se desvaneció la ira y en su lugar quedó una sensación de desconcierto: no entendía por qué se había sentido tan ofendida y molesta.

—Vamos a caminar un poco —dijo—. ¿De acuerdo?

Sin esperar respuesta, Kerry salió de la sala. Ella titubeó un instante y lo siguió.

Atravesaron en silencio los salones del entrepiso, entre los últimos corrillos de lobbistas, delegados y políticos. Un congresista de Pennsylvania, un hombre mayor de gafas, pidió unos minutos con Kerry. Lara lo vio escuchar con atención, mirándolo a la cara, y luego palmearle el hombro.

—¿Qué pasó? —preguntó después.

Kerry se encogió de hombros: —Quiere que lo apoye en las elecciones. Tiene problemas en su distrito y está asustado. Eso siempre se ve en los ojos. —Había comprensión y a la vez desconcierto en su voz, pensó Lara. Como si dijera que había cosas peores que perder una elección, y él las conocía.

Salieron al aire tibio de la noche subtropical. Bajo la luna llena, militantes antiabortistas montaban guardia con sus carteles de bebés abortados; afortunadamente, eran casi invisibles en la oscuridad.

—No puedo imaginarlo —murmuró Kerry.

—¿El aborto?

—Creo que sería terrible. Saber que un hijo mío... —No pudo terminar la frase.

Lara lo miró: —Pero no estaría solo.

No respondió. Pasearon entre los enormes hoteles, grillas de luz bajo el cielo cruzado de nubes. Después de un rato encontraron un banco en el muelle de madera a la sombra de los yates alquilados. Kerry contempló el puerto, un charco de tinta; escuchó los ruidos de las fiestas de despedida mezclados con los del oleaje.

—Si de veras quiere saberlo —dijo por fin—, le diré lo que creo que estoy haciendo. Esto es *off the record.*

Lara asintió.

—Mason es un político táctico —dijo Kerry—. Reacciona a las presiones, no se deja guiar por convicciones profundas. Si llego a atraer a los sectores a los que él no llega, tal vez empiece a tomar en serio las cuestiones como la reforma de la campaña o los problemas de los barrios marginales, sólo para quitarme apoyo. En ese caso, habré puesto en marcha al partido sin necesidad de postularme.

—¿Lo cree posible?

—Tal vez. —Su mirada seguía perdida en algún punto ni lejano ni remoto. —El problema de las confrontaciones consiste en elegir bien los temas a debatir. Si no, sólo soy un irlandesito pendenciero que quiere armar camorra. Y eso no me gusta.

Había un matiz de duda en su voz, pensó Lara: tal vez le preocupaba su afición por la pelea.

—Y cree que uno de esos temas es la reforma de las campañas.

—Así es. Esta gente quiere ganar sin pronunciarse sobre nada. Así se crea un vacío político, y esa clase de vacío tiende a llenarse con escándalos; en este caso, la forma de recaudar fondos. —Kerry sonrió: —Para esta fecha del año entrante, con ayuda de amigos como yo, Dick será un campeón de la reforma. Sobre todo si ustedes cumplen con su tarea.

Lara no había previsto un análisis tan frío.

—Pero la reforma constitucional...

—Es como empujar una gran piedra cuesta arriba, y mañana todos los profesores de derecho constitucional van a poner el grito en el cielo. Pero podría suceder, a falta de otra cosa. De modo que veamos qué se les ocurre al presidente y Dick y, en ese caso, si la Corte Suprema decide que es constitucional. —Su tono se volvió irónico: —Sus señorías se hacen pasar por vírgenes, pero leen los periódicos como todo el mundo. La amenaza de una enmienda podría servir de acicate.

Su expresión era reflexiva y muy serena.

—¿Y si Mason no responde?

—*Algo* tendrá que decir. Si no, ¿cómo justifica su candidatura? ¿Dirá que ahora le toca a él? —Kerry la miró: —El mundo está lleno de ex estadistas que se creían imbatibles. Después de años en funciones, la gente de Dick se ha vuelto haragana: complaciente, lerda en las reacciones, interesada sólo en defender su terreno. No sé cómo les iría en una campaña contra activistas de base, enchufados en sus comunidades y convencidos de lo que hacen.

Lara lo miró a los ojos: —Y convencidos de lo que *usted* les dice. Porque tendría que ser usted. No queda otro.

Kerry contempló el muelle, los ojos entrecerrados. Lara escuchó los ruidos del agua que lamía los pilotes.

—Para entonces podría haber otros, Lara. Quién sabe dónde estaremos dentro de cuatro años. —Su tono era pensativo. —Ser presidente era el sueño de Jamie. No tiene por qué ser el mío.

Una vez más, Lara creyó escuchar el tono de duda y se preguntó si, a pesar de sus negativas, la demarcatoria entre su vida y la de su hermano era tan nítida. Advirtió que estaba sumido en sus pensamientos y tuvo que darse ánimos para hacerle la última pregunta.

—¿Y su esposa, Kerry? ¿Qué papel cumple en todo esto?

La miró a los ojos. Ella intuyó que ensayaba la respuesta habitual: que en las parejas de su generación era frecuente que cada uno tuviera su propia carrera y su vida. Entonces él apartó la vista y respondió en un susurro:

—Bueno, si gano la presidencia, creo que vendrá a la ceremonia del juramento.

SIETE

Dos meses después murió Liam Dunn; como al padre de Kerry, lo mató un ataque cardíaco fulminante.

Se había levantado temprano, dijo la madre de Kerry, para dar su paseo habitual por Vailsburg, inspeccionar el estado de parques y calles, de las casas abandonadas y las que se deterioraban; en algunos casos, el de las personas que las habitaban. Como siempre, sus pasos lo llevaban finalmente al Sagrado Corazón, donde pedía a Dios sabiduría para ser un hombre recto en un mundo complejo. Luego había ido en su auto a la sede del partido en el centro de la ciudad y había muerto detrás de su escritorio.

—¿Puede haber una mejor manera de morir? —preguntó su madre.

—Ninguna. —Pero después de cortar, Kerry pidió que no le pasaran llamadas y se quedó solo en su oficina del Senado, el puesto que antes había sido de su hermano y que le consiguió Liam Dunn.

Sabes bastante de política, Kerry. Yo te enseñé. Lo que nunca entendiste es hasta dónde eres capaz de llegar.

Meneó la cabeza lentamente; en su corazón sentía un gran hueco.

Algo se agitó en la mirada de Liam: *Tu madre...*

No podía mirarlo. Sintió la manaza sobre su hombro: Si quieres pelear, Kerry, debes aprender a hacerlo.

Por un instante, tan vívido como si hubiera sucedido ayer, Kerry volvió a ser un niño que temía a su padre y temía por su madre, tan solitario como lo era en ese momento el senador Kilcannon.

Ay, Liam. ¿Cuándo fue la última vez que tomé el teléfono para llamarte? ¿Hace tres semanas?

Sus ojos se llenaron de lágrimas.

Tenías tus propios hijos, por eso nunca pude decirte cuánto te quiero. ¿Lo sabías? ¿Lo sabes ahora?

Apoyó la frente sobre sus manos y cerró los ojos. El mundo se desvaneció.

Se sobresaltó al escuchar la campanilla del teléfono. Tomó el auricular, enfadado.

—Perdona la interrupción —dijo la recepcionista—. La señorita Costello está aquí, dice que sólo necesita unos segundos.

No respondió.

—¿Kerry?

—Bueno, que pase.

Se enderezó y miró la puerta. Lara entró, dio unos pasos y se detuvo. Apoyó las manos sobre el respaldo de una silla. Su mirada era muy seria; no intentó sentarse.

—¿Qué pasa?

Tomó aliento: —Leí la noticia en un cable de agencia. Lo de su amigo Liam Dunn. —Su tono no era indiferente ni presuntuoso. —Tenía que venir al Congreso y quise darle mi pésame.

Kerry se dio cuenta de que no estaba preparado. Ni para esas palabras sencillas ni para la mirada solidaria de Lara, desprovista de toda curiosidad.

—Gracias —balbució—. Estoy descubriendo lo duro que es.

Lara asintió: —Yo nunca perdí a un ser querido. Quiero decir de esta manera.

Se refiere a su padre, pensó Kerry. Tal vez también a Jamie.

Inclinó la cabeza y lo miró sin saber bien qué hacer: —Bueno, creo que debo dejarlo en paz.

Kerry recordó sus modales y se paró: —Agradezco sus condolencias. De veras.

Sonrió tímidamente: —Sí, comprendo.

Cerró la puerta suavemente.

Quería que ella se fuera, pensó. Pero ahora el silencio era opresivo y la sensación de soledad más fuerte que nunca.

Apoyó las palmas sobre la mesa y clavó los ojos en el secante verde.

Tenía mucho que hacer. Llamar a la viuda de Liam y a su hijo mayor. Averiguar cuándo sería el funeral y qué necesitaban. Y desde luego, llamar a Meg para decirle que volvería a casa.

Lo hizo. Luego se sentó y con muchos titubeos, enmiendas y tachaduras redactó un borrador de declaración: las palabras que debía decir un senador ante la muerte de un dirigente de su partido.

Lara asistió al funeral de Liam Dunn con el corresponsal local del *Times.* Sin duda era una noticia de interés, ya que Liam Dunn había sido un dirigente importante en Nueva Jersey y el mentor de Kerry Kilcannon; moría un hombre y terminaba una época.

La iglesia del Sagrado Corazón estaba llena como pocas veces en los últimos tiempos. Había ofrendas florales de amigos, comerciantes y hasta de una taberna en Irlanda. El gobernador y el alcalde ocupaban la primera fila junto con varios congresistas. Al lado de la familia Dunn se encontraba el senador Kerry Kilcannon junto con una mujer mayor, bien parecida y demacrada, y otra más joven, bonita, de pelo castaño: su madre y su esposa, pensó Lara. Advirtió que Meg no hablaba ni se volvía para consolar a su esposo.

El sacerdote pronunció un responso sentido; luego el hijo mayor, un irlandés robusto y canoso, lo recordó como esposo y padre. Kerry tomó la palabra para recordar el hombre público.

—En Vailsburg —dijo con una sonrisa—, todos contábamos con que Liam Dunn haría lo mejor por nosotros. En mi caso creo que exageró un poco.

Hubo risas suaves ante esa muestra de humildad irlandesa y también por lo que había significado Liam para todos. Luego la expresión de Kerry se volvió más seria:

—Pero me dejó a mí, y a todos nosotros, algo más que un legado de solidaridad: la convicción de que, a pesar de todo lo que vemos y escuchamos, la política puede ser una aventura honorable.

"“Decir la verdad cuando las cosas se ponen difíciles: para eso existe el capital político”, me dijo una vez.

Hubo un nuevo murmullo de risas.

—Liam sabía que en política el coraje y el sentido práctico no siempre son enemigos, que uno sin el otro son insuficientes. Asimismo, Liam, el hombre práctico y el valiente, sabía y decía que negros y blancos *nunca* deben ser enemigos.

El silencio era total; los asistentes de ambas razas asentían.

—Somos afortunados de que el coraje y el sentido práctico del dirigente se vieran iluminados por la rectitud. Así era Liam Dunn. —Ahora su voz remedaba la tonada irlandesa: —“Si haces lo correcto, Kerry, las cosas suelen terminar bien. Pero sólo lo primero depende de ti. Y a veces, ir a la cama con la conciencia tranquila se convierte en una lucha cotidiana...”

Lara vio que muchos ojos se llenaban de lágrimas, y para su sorpresa se sintió conmovida por la muerte de un hombre al que no había conocido. La evocación de Kerry era brillante, pensó. Al recordar la vida de Liam, muchos podían comprender lo que no habían reconocido hasta entonces: que había sido capaz de cruzar la barrera racial.

En ese momento su mirada se cruzó con la de Kerry.

Había en ella una tristeza insondable. En ese momento, Lara creyó comprenderlo mejor: sus aspiraciones, sus convicciones iban mucho más allá de un hermano asesinado. Y entonces sintió simpatía por él; era tanto lo que tenía en su interior que no podía comunicar a los demás.

—En la lucha cotidiana —dijo Kerry en conclusión—, Liam fue el mejor de todos.

Desde la iglesia todos fueron a la casa de madera de dos plantas donde Liam había vivido toda su vida. Los periodistas eran bienvenidos, le dijo Denis, el hijo de Liam; su padre respetaba a la prensa y comprendía su trabajo. "E incluso estimaba a algunos de ustedes", añadió con una sonrisa socarrona. Y así Lara se quedó hasta muy entrada la noche, bebiendo whisky irlandés, conversando con vecinos y políticos locales, escuchando a una banda irlandesa y también relatos sobre Newark y Vailsburg cuando los senadores Kilcannon eran niños. "Ese Jamie —dijo una anciana—, era capaz de correr como el viento y seducir hasta los pájaros. Y con esa sonrisa parecía un astro de cine."

La casa estaba atestada de gente —jóvenes y viejos, hijos y nietos— y las mesas estaban cubiertas de comida, bebida y fotos de Liam. Reinaba una mezcla de sentimientos tan compleja como la misma muerte —coraje, nostalgia, tristeza—, y las risas se mezclaban con las voces suaves que narraban recuerdos. Lara no tuvo oportunidad de acercarse a Kerry. Atrapado en su papel de hombre público, estrechaba manos, escuchaba quejas y consejos, se condolía con aquellos cuyo pesar era más importante debido a la presencia de un senador. Lara advertía su tristeza. Hablaba suavemente, intercambiaba caricias y sonrisas. No le dejaban tiempo para estar con su esposa.

Meg le pareció desconcertante.

No era la mujer discreta del funeral. Aquí se mostraba animada, buscaba a sus amistades, demostraba cordialidad y energía, a la vez que se distraía rápidamente de cualquier conversación, sonreía con frecuencia. Era lo contrario de Kerry, que se demoraba para hablar con cada uno y miraba sus interlocutores a la cara. Pudo presentarse a Meg junto a la mesa.

—Perdone —dijo—, creo que usted es Meg Kilcannon, la esposa del senador. Me llamo Lara Costello.

Meg tardó un segundo en volverse, como si la hubieran sorprendido en un mundo propio.

—Vengo de Washington —dijo Lara—. Soy corresponsal del *Times* en el Congreso.

La mirada cordial de los ojos de Meg se desvaneció rápidamente: —Ah, qué interesante. ¿Qué la trae por aquí?

—Vine al funeral de Liam Dunn. Ya que el senador y él parecían tan amigos.

Meg asintió: —Kerry lo quería mucho.

Era una respuesta razonable, pensó Lara. Pero el tono era distante, como si comentara un rumor en lugar de un hecho que conocía bien y la afectaba. Entonces Meg sonrió y se alejó en busca de mejor compañía.

Era hora de despedirse, pensó Lara.

Echó una mirada a su alrededor en busca de Kerry, con la esperanza de poder hablarle. En ese momento conversaba con una pareja negra; Lara había visto la foto en su oficina. Kerry parecía fatigado. Con la cabeza gacha, murmuró unas palabras, y la mujer lo besó en la mejilla. El hombre le palmeó el hombro como si se despidiera, y Kerry salió solo.

Desconcertada, Lara se despidió de Denis Dunn y salió a la noche.

En el jardín delantero, una figura delgada en mangas de camisa contemplaba la Luna.

Vaciló, se acercó y se detuvo a unos pasos de él. Kerry no se volvió.

—Liam tuvo una larga vida —murmuró—. Así y todo...

Lara vio su cara húmeda de lágrimas.

—No sé qué hubiera sido de mí si no fuese por él, Lara. Cuando tenía nueve años... —Se le quebró la voz. —No sé tomarme la muerte con filosofía. Debe de ser una debilidad.

Los dedos de Lara rozaron la manga de su camisa.

—No es una debilidad —dijo.

OCHO

Después de la muerte de Liam, Lara advirtió un cambio sutil en su relación con Kerry Kilcannon.

Jamás hablaban de Liam ni de la noche de su funeral. Pero para Kerry ella parecía haberse convertido en algo más que una periodista. Y para ella, habían ingresado en esa zona ambigua de la amistad en la cual un político y un reportero se utilizan mutuamente para sus propósitos, pero al mismo tiempo el egoísmo se ve moderado —y embarullado— por una auténtica estima. Crearon una serie de reglas tácitas: las conversaciones personales no eran para publicar; el disimulo estaba prohibido; cada uno llamaba al otro cuando tenía un dato útil para comunicarle. Lara tenía acceso a su oficina; cuando Kerry se sentía inquieto, paseaban por la zona del Capitolio.

—Te has convertido en la especialista en Kilcannon —dijo Nate—. Si tienes mucha suerte, serás corresponsal en la Casa Blanca.

Kerry, que conocía bien el ambiente periodístico, solía tomarle el pelo con eso: —Si decido que no seré candidato —dijo—, podrá cultivar la amistad de Dick Mason.

—Avíseme con tiempo —respondió—. Pero Kerry le interesaba con su mezcla de tenacidad y susceptibilidad, fatalismo y astucia.

—Es como un trabajo en curso —le dijo a Nate mientras bebían una copa en el Monocle—. O una casa a la que le agregan cuartos.

Nate se quitó las gafas para inspeccionarlas en busca de manchas; era un tic nervioso, acaso un indicio de timidez, pensaba Lara.

—¿Alguna vez habla de su esposa?

—No, la verdad es que no.

Nate la miró con una sonrisa astuta: —Ocho años a solas en Washington es mucho tiempo. ¿Crees que tiene una pareja oculta?

—No he visto el menor indicio —replicó con cierta aspereza—. Además, Kerry Kilcannon cree de veras en el pecado. En *este* ambiente, es parte de su atractivo.

Lara pensaba que los motivos trascendían el concepto católico de la culpa. Deseaba de todo corazón ser bueno, como hombre y como político, y dudaba de serlo. Violar su sentido moral era como infligirse una herida; por inconsciente que fuese, Meg Kilcannon se beneficiaba con ello y Lara también. Era un motivo más para estimarlo, pero también le provocaba tristeza.

—¿Y usted algún día quiere tener hijos? —le había preguntado Kerry el día anterior.

Sentados sobre el césped en la ladera bajo el Capitolio, disfrutaban del primer calor de la primavera; Lara había traído sándwiches y entre bocados preguntaba por qué el Senado demoraba una ley de ayuda a los damnificados por inundaciones en Dakota del Norte. La conversación había girado luego sobre una gran noticia de ella: era tía por primera vez.

—No puedo creer que sea pariente de esta pulga —dijo Lara.

Kerry rió y le hizo esa pregunta con curiosidad de amigo.

—¿Yo? —Contempló los cerezos en flor mientras trataba de hallar una respuesta sincera. —Creo que sí. Pero tengo miedo.

Kerry inclinó la cabeza: —¿Miedo? ¿Por qué?

—Porque si le doy demasiada importancia, tal vez me case antes de tiempo. Tengo veintiocho años. Necesito ser independiente, levantarme a la mañana por mis propias razones. —Y añadió en tono pensativo: —Creo que estoy pensando en mi mamá. Nosotros éramos la única razón para que se levantara.

—¿Y tiene que ser una cosa o la otra?

Preguntaba en tono serio, con sinceridad; seguramente era un tema importante para él.

—Supongo que dependerá en parte de mi pareja. Cosa que todavía no he resuelto.

Kerry callaba. Jamás le había preguntado sobre su vida social y ella nunca hablaba de eso.

—Bueno —dijo por fin—, gracias a Dios que puede decidir. A su edad, mi madre creía que otros habían tomado esa decisión por ella. Y tenía razón.

Lara sabía por instinto cuándo otro se sentía herido; recordaba el día, cuando tenía diez años, en que volvió a su casa para descubrir que su padre las había abandonado; que no la quería a ella ni a su madre lo suficiente para advertirles de su partida. El mismo instinto le indicaba que no debía preguntar sobre Michael Kilcannon, pero perversamente la impulsó a hacer otra pregunta:

—¿Y usted, Kerry? ¿No quiere tener hijos?

Kerry arrancó una brizna de hierba: —Sí, pero no sucedió. Y la política...

Parecía perturbado. *¿Si quiere hijos*, estuvo a punto de preguntar, *por qué no los tiene?*

Él pareció leer sus pensamientos: —Por lo menos puedo ser padrino de los chicos de Clayton y Carlie —dijo—. Y hay un chico aquí al que veo cada vez que puedo. Tiene cinco años.

—¿Lo ve?

—Lo llevo a pasear. Los domingos a la tarde cuando estoy aquí.

Era una verdadera primicia, pensó Lara.

—¿Lo mantiene en secreto? —preguntó—. Porque nunca leí nada sobre eso.

Kerry se encogió de hombros, molesto: —No es algo que sale en los diarios.

En ese momento sintió una gran curiosidad, como si acabara de descubrir una pieza más del rompecabezas.

—¿No permite que nadie lo acompañe? —dijo impulsivamente.

Bajó un instante los párpados y luego la miró a los ojos: —Si alguien escribiera sobre esto, el tema no sería Kevin. Y creo que no quiere compartirme con nadie. —Suavizó la voz. —Lo más triste es que se necesita tan poco. Un adulto que demuestra un poco de interés puede ser una gran cosa, pero muchos chicos ni siquiera tienen eso.

—¿Cómo conoció a Kevin?

—Estaba de visita en una guardería. Cada vez que me daba vuelta, él estaba ahí, mirándome. —Kerry meneó la cabeza como si volviera a verlo. —A veces basta mirar a un chico a los ojos para descubrir que tiene problemas. Kevin no tuvo que abrir la boca.

Lo dijo con un tono inexpresivo que solía adoptar cuando quería tomar distancia de sus sentimientos.

—¿Qué hace cuando no está aquí?

—Lo llamo. Una vez que uno empieza, no puede tomarlo como un simple hobby.

¿Qué hubiera significado para ella, pensó Lara, tener un padre que la quisiera lo suficiente para llamarla de vez en cuando?

—Qué bueno que sea tan responsable —dijo.

—Se puede hacer tanto daño... —Entrecerró los ojos como si lo asaltara un recuerdo lejano. —Hace diez años, cuando era fiscal, un chiquillo se apegó a mí. Yo lo atraje. —Bajó la voz: —Aprendí a no crear demasiadas expectativas y a identificar las que podía cumplir.

Era un recuerdo penoso, pensó Lara.

—Yo diría que es bueno con los chicos, Kerry. La verdad es que me parece que tiene pasta de padre.

De perfil, su rostro era inexpresivo; Lara intuyó que no sabía si responderle o no.

—En determinado momento —dijo por fin—, Meg decidió que no quería tener familia. Tal vez piensa que la política empeora las cosas... no todas pueden ser como Jeannie Mason. —Se volvió para mirarla: —¿Se imagina a *usted* en el papel de Jeannie?

Lara se preguntó hasta qué punto debía ser sincera.

—No. Pero no me imagino casada con un político.

—Es precisamente el caso de Meg. —Había en su voz un matiz irónico que siempre aparecía como respuesta a la tristeza, a los giros inescrutables del destino. —Dicho de manera superficial, entré en política debido a un accidente. Algo que Meg se niega a compartir.

Lara contempló al hombre de aspecto juvenil a los treinta y nueve años y trató de imaginarlo nueve años antes, en el momento de la muerte de su hermano.

—Y el precio que paga...

—Es tener una esposa que no quiere dejar su vida: carrera, amigos, previsibilidad, para ocupar un papel secundario en la de otro. ¿Y quién puede reprochárselo? —Como si pensara en voz alta, añadió suavemente: —La verdad, Lara, es que me siento culpable por haber venido aquí cuando debía ocuparme de mi pareja y siento rencor hacia Meg por hacerme sentir culpable. No sé a quién echarle la culpa ni si eso cambia las cosas.

¿Y cómo será el año entrante?, se preguntó. O el siguiente: en los comienzos de su segundo período el gobierno era acosado con acusaciones de recaudación ilegal de fondos y crecía la posibilidad de que Kerry desafiara a Mason.

—¿Y si decide postularse?

—El costo humano será mucho mayor para Meg y para mí —dijo con tristeza—. Un amigo me dijo que desear algo con demasiadas ganas es terrible. El que quiere ser presidente conoce la verdad de esa afirmación. —La miró a los ojos: —Usted es parte del costo... usted y sus colegas de la prensa. Si yo fuera candidato, escarbarían en mi matrimonio con Meg hasta no dejarnos un hueco donde ocultarnos.

Lara le devolvió la mirada: —A nadie le gusta —dijo serenamente—. Ni a ustedes ni a nosotros. Pero Nixon y Gary Hart cambiaron las reglas del juego. No sabemos cuáles son las decisiones que el presidente deberá tomar, pero sí podemos conocer al hombre que deberá tomarlas y cuáles serán sus patrones.

Kerry meneó la cabeza y sonrió: —Para usted es fácil decirlo porque nunca estará en el otro extremo del telescopio.

—Porque nunca querría estar ahí. Pero el que se postula para presidente, sí. —Suavizó el tono: —¿Cree que eso le impedirá postularse?

Kerry contempló el prado, las sombras que se alargaban al atardecer.

—Debería... —Calló durante varios minutos. —Después de que me hirieron y después que mataron a Jamie, me pregunté por qué había sucedido así. Por qué no era yo el muerto. Desde entonces, cada día me parece un regalo. Y entonces me pregunto: ¿Qué haces para merecerlo? ¿Y qué *debes* hacer?

Ay, Kerry, tu vida debería ser mucho más que eso, pensó Lara Le rozó el brazo:

—Creo que usted pagó sus deudas, Kerry. Merece vivir su propia vida.

Cuando al principio no la miró ni respondió, Lara pensó que se había extralimitado.

—La vivo en parte —dijo, pensativo—. Vine aquí como hermano de Jamie y me convertí en mí mismo. Pero a veces me falta algo.

Lara tuvo una sensación extraña, como un rastro de nudo en la garganta. Entonces Kerry miró su reloj y con eso alteró el clima que se había creado:

—Tengo que irme —dijo.

NUEVE

Unos días después, Lara pasó por su oficina:

—Vengo a invitarlo a salir.

Kerry inclinó la cabeza; con la camisa arremangada y la corbata suelta, no tenía aspecto de senador sino del joven fiscal atareado que había sido años antes.

—¿A cenar y al cine? ¿O a un *programa periodístico* por televisión?

Lara sonrió: a la cena de los periodistas acreditados en el Congreso. Dentro de seis semanas. Es como invitar a Brad Pitt a un baile de graduación en 1999. Pero sé que usted es uno de los más populares, y tendrá tiempo de sobra para alquilar un esmoquin.

—*Tengo* un esmoquin —dijo como si lo hubiera herido en su dignidad, y añadió en tono burlón—. ¿Qué pasa, no tiene novio?

—¿Quiere que me acompañe el tipo con el que estoy *saliendo*? —preguntó con fingido horror—. La gente pensaría que no conozco a nadie. Y usted está en lo más alto de la cadena alimenticia.

Kerry rió: —Aquí, dentro del anillo de circunvalación, vivimos en una sociedad enferma. Usted ya conoce las reglas, Lara: váyase antes de que sea tarde.

Asaltada por una duda repentina, preguntó: —Si usted espera a Meg...

Meneó la cabeza: —No, no se preocupe por eso. Estas cosas ya no le atraen. —Sonrió otra vez: —Acepto la invitación con mucho gusto.

Al salir, Lara se detuvo un instante en la escalinata del Edificio Russell a saborear la tibieza del aire primaveral.

Será entretenido pasar una velada con él, pensó, en un mundo que conocía tan bien. Mucho, muchísimo mejor que salir con un chico.

* * *

Kerry la llamó cuando faltaban cinco días para la cena.

Al escuchar sus primeras palabras, Lara se dio cuenta que había sucedido algo horrible.

—Perdóneme —dijo—, pero hubo un problema. Estoy en Newark y no sé si volveré a tiempo para la cena. Si quiere invitar a otro.

Decepcionada, preguntó instintivamente: —¿El problema es con Meg?

—No, no. Meg está bien. —Y dijo con tono exhausto—: Clayton y Carlie tienen un hijo de cinco años, Ethan. Trepaba un árbol en el jardín y se cayó, no se sabe cómo. Se desnucó.

La noticia de la tragedia fue como un golpe en la boca del estómago.

—¿Está vivo? —preguntó suavemente.

Escuchó que Kerry tomaba aliento: —Sí. Por ahora, es lo único que esperan. Sobrevino un largo silencio hasta que Kerry añadió: —Quedó paralítico, Lara.

Fue como recibir otro golpe. Iba a preguntar si podía hacer algo por él, pero se contuvo: no conocía a los Slade ni tenía cabida en ese aspecto de la vida privada de Kerry.

—Me apena tanto...

—No sabe lo que es... —Se interrumpió, y prosiguió: —Están aquí en el hospital, esperando, mientras su hijo está en una carpa de oxígeno sin moverse y casi sin respirar. Sólo puedo acompañarlos mientras quieran que esté con ellos.

"¿Qué se puede decir cuando no alcanzan las palabras?", se preguntó Lara.

—No se preocupe por la cena —dijo por fin, y añadió—: Y llámeme cuando pueda. Es decir, si quiere...

—Sí. —Su voz era casi inaudible. —Tengo que cortar.

Lara cerró los ojos. En ese momento tuvo una imagen extraordinariamente nítida de Kerry al serenarse y recorrer el pasillo lúgubre de un hospital para acompañar a sus amigos en el momento de dolor.

Cuando volvió a llamarla, Ethan Slade había muerto.

Era la mañana de la cena de los corresponsales. Le dio la noticia con voz inexpresiva.

Sentada detrás de su escritorio, Lara bajó la voz para que no la escucharan Nate y los demás colegas.

—¿Cómo están sus amigos?

—Como es de esperar. —Hizo una pausa. —Hubieran preferido cualquier cosa con tal de que no muriera. No sé cómo se supera esto.

Estaba totalmente desanimado. Ni siquiera su propia experiencia con la muerte lo había preparado para una cosa así.

—Lo lamento tanto —dijo—. También por usted.

—En el funeral me di cuenta de que debía dejarlos. Ciertas cosas, no quería que nadie las presenciara, ni siquiera yo.

Una vez más, percibió cuánto amaba a esa familia, su sensación de soledad desesperanzada.

—¿Dónde está? —preguntó.

—Aquí, en Washington. Tenía cosas que hacer y es mejor que estar sin hacer nada. —Y tras una breve pausa añadió: —Si no me ha reemplazado, iré con usted esta noche.

Lara titubeó, sorprendida de que quisiera hacerlo y por su propio deseo egoísta de verlo.

—¿Está seguro? —preguntó—. Después de lo que pasó, parece mucho pedir.

—Al contrario —dijo—. Creo que me hará bien.

Lara sintió alivio, o tal vez era la sensación agradable de ayudar a alguien a quien estimaba.

—Finalizaremos la velada temprano —prometió.

El salón de banquetes del Grand Hyatt estaba atestado: varios cientos de hombres de esmoquin y mujeres vestidas de fiesta miraban en derredor para ver quién estaba con quién. El *Times* había reservado varias mesas para sus corresponsales y los invitados de éstos, que incluían al secretario de la Defensa, el embajador ante las Naciones Unidas, el gobernador de Nueva York, un prominente actor británico que iniciaba su carrera política y, junto a Lara, el senador Kerry Kilcannon.

Su ojo clínico advirtió que estaba algo tenso y fatigado. Pero era un excelente contertulio, un conversador ingenioso, y rió con ganas durante el discurso que un comediante pronunció a la hora del café.

—Cuando veo a Netanyahu y Arafat —dijo—, comprendo mejor ciertas cordiales amistades de nuestra historia política reciente... como la de Dick Mason y Kerry Kilcannon.

Esto provocó risas. Mason, que ocupaba una mesa próxima, se paró y le hizo una reverencia exagerada. Kerry hizo un avión de papel con su servilleta, lo lanzó hacia él y fingió estupor al ver que no alcanzaba el blanco.

—Era un modelo del bombardero B-2 —dijo en alusión a la política armamentista del gobierno, y esto provocó más risas. Con una sonrisa maliciosa, Jeannie Mason recogió el avión y lo entregó a su esposo, mientras el comediante decía: —Señor vicepresidente, el senador Kilcannon lo invita a jugar en su casa. ¿A que no sabe la dirección?

Kerry miró a la tribuna y sonrió, pero su mirada estaba puesta en otra parte. Esa noche, pensó Lara, no le interesaban sus ambiciones políticas ni los ritos de la capital.

—Si lo prefiere, podemos evitar el baile después de la cena —le susurró al oído.

Cuando se volvió hacia ella, Lara tuvo la sensación de que compartían un momento muy íntimo en medio de un suceso muy público.

—¿Puedo alcanzarla hasta su casa?

Asintió: —Me encantaría.

Cuando terminó la cena, salieron del salón a la noche fresca. Lara sintió orgullo de estar con él y a la vez cierta culpa por su egoísmo.

—¿Cómo están los Slade? —preguntó.

Kerry entregó el talón al empleado de la playa de estacionamiento. La miró y meneó la cabeza lentamente:

—Fue muy duro.

Esa frase dicha con aparente desapego llevaba el peso de sus emociones y transmitía algo de su soledad. Hicieron la mayor parte del trayecto en silencio.

Lara vivía en una casa de ladrillos reciclada a la vuelta de la avenida Connecticut. Para su sorpresa, Kerry encontró un hueco donde estacionar. La miró.

—Gracias, Lara. Por invitarme y por abandonar la fiesta.

Ella titubeó: —¿Le gustaría un café?

Kerry bajó la vista, reflexionó unos instantes y la miró: —¿Tiene coñac?

Lara ocupaba un pequeño apartamento del segundo piso: sala, cocina pequeña, un dormitorio que recibía el sol por la mañana. Puesto que enviaba parte de su sueldo a la familia, los muebles eran escasos, pero lindos y de buena calidad. Al entrar con Kerry, descubrió con sorpresa que esperaba que le gustara.

Él miró a su alrededor con indisimulada curiosidad, como si quisiera conocer ese aspecto de su vida.

—¿Y bien? —preguntó ella.

Se volvió: —Pensaba que es mucho más bonito que mi primer apartamento en Newark. Y que el de aquí. —Sonrió: —A los treinta y nueve años sigo viviendo como un universitario.

—Siempre joven —dijo Lara, y fue a la cocina.

Sirvió el coñac en copas de vino. Cuando volvió, él estaba sentado en el sofá. Se detuvo un instante; la presencia de Kerry Kilcannon en su apartamento la perturbaba. Lara le entregó la copa, se sentó en una silla frente a él, dejó su coñac sobre la mesa y esperó a que bebiera un sorbo.

—Cuénteme sobre los Slade —dijo—. Después de su llamada.

Kerry contempló la copa en sus manos: —Ethan murió una hora después. —Meneó la cabeza. —Y al ver a Clayton y Carlie a su lado...

"A la mañana siguiente lo llevamos al velatorio. Los dos parecían autómatas: hablaban en voz baja, eran muy precisos en sus instrucciones sobre el servicio. Muy tranquilos hasta que volvimos al auto. Entonces Carlie se derrumbó. —Kerry cerró los ojos. —Dijo que no quería dejar solo a Ethan. Clayton se sentó con ella en el asiento trasero para abrazarla y yo los llevé a su casa.

"Cuando llegamos, Clayton se paró frente a la casa, una hermosa construcción estilo Tudor que compraron con tanto esfuerzo. Evidentemente, estaba pensando que si hubiera comprado otra casa... —Kerry bebió un buen sorbo. —Así que lo abracé y él apoyó la cabeza sobre mi hombro. No dijimos una palabra.

Su voz, suave y muy triste, evocaba el dolor de los Slade.

—¿Y el funeral no los consoló un poco? —preguntó—. A veces sirve.

—En este caso, no. La verdad es que no sé qué los hubiera consolado. —Kerry la miró. —El sacerdote lo intentó. Pero las mellizas estaban desoladas. Ethan era su hermanito mimado. Carlie no dejaba de llorar y Clayton no lloró en ningún momento.

"Hasta que volvimos a la casa estaba como perdido, sin hablar, sereno. Entonces tomó una sierra eléctrica, salió al patio y metódicamente redujo el árbol a leña. Carlie lo miró mientras pudo soportarlo. —Kerry hizo una pausa, se crispó al recordarlo. —Esta vez la abracé a ella.

Sólo una vez había visto las emociones de Kerry al desnudo, en el funeral de Liam Dunn. Pero aquél había sido un encuentro fortuito; éste, no. Esta vez había acudido a ella.

—¿Su matrimonio sobrevivirá a esto?

—Creo que sí. Tienen dos hijas, llevan veinte años de casados. Se aman y han pasado por muchas dificultades... —Su voz se volvió inexpresiva. —El funeral, Lara. Tal vez nunca llegue a entender la muerte de un chico de cinco años. Pero me pareció una ceremonia hueca e insuficiente, como suelen ser los ritos. Recordé mis sentimientos durante la cena organizada por el presidente del partido para honrar la memoria de Jamie: un acto hueco, sin sentido, un discurso plagado de lugares comunes. Pensé cómo se hubiera reído él de algo tan inhumano.

Ella miraba al hombre delgado de pelo marrón rojizo, ya no un senador sino alguien que era parte de su vida.

—¿Y qué sintió cuando perdió a su hermano?

La miró fijamente, y por un instante pensó que desviaría la conversación.

—Una experiencia enaltecedora —respondió—. Claro que sí. Me pidieron que ocupara el lugar de Jamie. Yo me sacrifiqué por amor a él y sentido del deber. ¿No es eso lo que dicen mis asesores de prensa?

—Pero lo que no dicen —se aventuró a decir Lara— es que usted no lo quería demasiado.

Hizo girar el coñac en la copa.

—Todo es tan complicado —dijo por fin—. Lo era entonces y lo es todavía.

"Ahí estábamos, Jamie muerto y yo atrapado en mi ambivalencia. Tal vez hasta sentía envidia. Aunque detestaría ser un tipo sin corazón como Jamie tanto como ser insensato y brutal, como nuestro padre. —Esa declaración llana la sorprendió; todas las defensas de Kerry habían caído. —Todo eso que he dicho sobre la política, la pérdida de la identidad, las anteojeras de la ambición, el sacrificio de los seres queridos: para mí, Jamie representaba todo eso, y lo peor de todo era que lo sabía.

No podía contener su curiosidad: —¿Entonces, por qué ocupó su lugar? ¿Y por qué se coloca en posición para disputar la presidencia?

La miró con una sonrisa sardónica: —¿Conoce la teoría sobre el sentimiento de culpa del sobreviviente? Jamie hubiera llegado a la presidencia, y el heredero de la corona tiene que demostrar que es digno. A veces me parece que Clayton también lo cree. —Se serenó: —Pero es más complicado. Porque al aceptar este puesto, descubrí que estaba orgulloso de hacerlo. Por mí, no por él.

"Entonces me pregunto si en el fondo no quería lo mismo que él. Si Jamie era mejor o si somos más parecidos de lo que yo pensaba. —Meneó la cabeza. —¿Y cómo era él, si nunca me permitió acercarme?

"No conozco las respuestas. Y hay una que no quiero conocer. —La miró otra vez. —Si pudiera resucitar a Jamie y perder todo lo que conseguí con su muerte, ¿lo haría?

La brutalidad de esa confesión, del dolor que trasuntaba, la dejó sin palabras. Kerry parecía avergonzado.

—Vea cómo son las cosas —dijo con desdén—. El hijo de Clayton ha muerto y resulta que yo no hago más que desvariar sobre Jamie. En el fondo, sobre mí. —Suavizó la voz. —Parece que perdí el hábito de ocultar mis sentimientos de usted. O de querer hacerlo.

Súbitamente, Lara tuvo conciencia de todo: de la distancia entre ambos, la luz suave, la frescura del aire en sus hombros descubiertos.

—¿Con quién habla de estas cosas? —preguntó.

Apartó la mirada y tardó un rato en responder: —Es difícil hablar de esas cosas. Con quien sea.

Lara lo miró otra vez, vacilando entre la necesidad de ser cauta y el deseo de abrazarlo.

—Puede hacerlo conmigo, Kerry. Cuando quiera.

Sus miradas se encontraron hasta que Kerry apartó la suya. Bruscamente se paró, intentó sonreír.

—En ese caso, será mejor que me vaya, Lara. No quiero abusar de su paciencia.

Desconcertada, no supo qué contestar.

—No tiene por qué irse —dijo por fin—. Todavía no. Salvo que...

Kerry la miró. Sus labios se separaron, como si lo hubiera sorprendido en medio de un pensamiento.

Lara se paró lentamente.

En sus ojos muy abiertos había una mirada de duda. Kerry sintió el latido del pulso en su garganta.

—No estoy seguro —dijo con esfuerzo— que comprenda lo que siento.

Percibió que estaba tan sorprendida y asustada como él.

—Creo que sí —dijo Lara.

Los separaban apenas unos centímetros, pero no se rozaban. Kerry contemplaba su cara, atónita, pálida y tan hermosa que casi no podía sostener la mirada.

—¿De veras? —preguntó. Entonces sus dedos le rozaron la nuca y ella cerró los ojos.

Sus labios eran suaves, tibios.

Kerry se apretó contra ella, buscando la frescura de su piel sobre la suya que ardía. Sus labios buscaban el hueco de su cuello y repetían su nombre.

Y después, quiso algo más.

¿Cómo no te diste cuenta?, se preguntó. Pero nada tenía importancia: ni Meg ni su carrera. Solamente ella.

Cuando bajó los breteles del vestido, acariciándole la piel con la yema de los dedos, Lara se estremeció.

—Espera —dijo—. Nos verán.

Se apartó y fue al dormitorio. Allí se volvió hacia él. El vestido había caído hasta la cintura.

Era hermosa.

—Nunca pensé —murmuró Kerry.

Logró sonreír, pero su voz temblaba: —Si no te acercas, Kerry, esto no va a suceder.

Apagó la luz con dedos torpes.

Se arrodilló en la penumbra del dormitorio, besó sus pezones, su vientre. Sus nervios se estremecieron de deseo.

Se tendieron entre las sábanas tersas y frescas. Y ella se apretó contra su cuerpo, mientras murmuraba, "Kerry", y él ya no se sintió solo.

Lentamente le acarició el pelo, la miró a los ojos.

¿Comprendes lo que siento?

Sí, comprendió Lara. *Claro que sí.*

La boca de él se deslizó hasta su vientre, y Lara perdió conciencia de todo.

El instinto se apoderó de ambos, un anhelo que parecía venir de meses. Se estremeció cuando él la penetró.

—Kerry —repitió. Entonces la oscuridad fue total y no pudo decir una palabra más.

Después se recostó contra él y se durmió.

Cuando despertó eran casi las dos.

Kerry se agitó, inquieto. Ella se sentía perturbada y a la deriva.

Todo había cambiado.

Sus pensamientos eran un collage: Meg, la culpa de él, la culpa que sentía ella misma. Todo lo que los separaba: las ambiciones de él, su carrera. La violación de las normas profesionales, los riesgos terribles que corrían al prolongar la relación. Y hasta tuvo tiempo para lamentar que, como reportera, jamás podría utilizar todos los datos que poseía sobre Kerry Kilcannon.

Qué extraño, pensó, creer que él intuía sus pensamientos. Y tenía la certeza, aunque él no lo había dicho, que jamás había sido infiel a su esposa. Así como él debía saber que ella jamás había tenido relaciones con un esposo infiel ni deseaba tenerlas.

Si me deseas mañana o pasado mañana, ¿qué responderé?

Permaneció tendida a su lado, desvelada, con miedo de hablar. En la oscuridad, sintió la caricia de sus dedos que se entrelazaban con los suyos.

LA CAMPAÑA

tercer día

UNO

Lara despertó poco antes del amanecer.

En la penumbra del cuarto de hotel, en la confusión de pasado y presente, Kerry estaba con ella. Sentía el torbellino de sus emociones, la caricia de sus dedos, el timbre suave de su voz.

Quiero verte otra vez, le había dicho.

Ahora pensaba que habían sido tan ingenuos. Temerosos pero inconscientes, si saber qué emboscadas les reservaba el tiempo.

Háblame sobre Meg, se escuchó decir.

No le dijo "no" ni "no podemos". Ni ninguna de esas palabras que les hubieran ahorrado lo que sucedió después.

Háblame de tu esposa. Dame una manera de estar contigo. La súplica de un millón de mujeres, menos astutas y conscientes que Lara. Pero no tan sabia como ahora.

Se levantó, fue a la ventana y abrió las celosías.

No estaba en Washington. Era el gran puerto de Oakland, el agua verde, las torres distantes de San Francisco al amanecer, los dedos plateados entre los hilos de bruma matutina. Una ciudad que amaba.

En una hora llamaría a su madre. La voz de Anna Costello se alegraría al escuchar la de Lara; las preguntas vendrían en rápida sucesión: las perspectivas de su nueva vida en Washington, el alboroto de la campaña, el reencuentro con colegas y amigos. Si su amigo el senador Kilcannon no había cambiado. Lara, que amaba a su madre, inventaría respuestas y luego preguntaría a su vez sobre sus hermanos, sobre Clara, su sobrina de tres años. Ahí no había secretos.

Por el bien de los dos, había protegido su secreto. Pero la habían traicionado.

Háblame de la campaña, diría su madre.

Temo por él, hubiera querido decirle. Tengo miedo de ser la causa de su caída, de lo que le vi hacer ayer. Tengo miedo de los fanáticos armados.

¿Dónde está tu hermano?, había vociferado el hombre gordo. Una voz alterada por el odio y la sinrazón.

Bastaría una sola.

Hubiera podido impedirlo. Hubiera podido decirle, *si estás dispuesto a enfrentarlo, yo también*. Pero no lo había hecho y ahora estaba sola y ahí estaba Kerry.

Se apartó de la ventana y abrió su maleta en busca de ropa limpia.

Nate dobló la ropa con una mano y la guardó en la valija mientras hablaba por teléfono.

—¿Qué hay de su esposa? —preguntó.

—Su ex esposa —dijo Jane Booth—. Por suerte, dada su reacción. Dime, ¿dónde estás?

—En el hotel. —Nate miró la bandeja con los restos de su desayuno: café, rodajas de pan, una tajada de melón que comió a medias. —Desayuné aquí para no usar el celular. ¿Entonces...?

—Entonces, Sheila llamó a la puerta y preguntó a la ex de Kilcannon si conocía a Lara Costello. Cuando puso cara de no entender nada, Sheila le explicó todo, hasta la fecha de los apuntes de la terapeuta. Entonces Meg se puso pensativa y dijo, "Parece que eso lo explica todo, ¿no?".

A pesar suyo, Nate sintió asco. Sorprender a una esposa desprevenida con los apuntes de la terapeuta de Lara tal vez era una buena técnica periodística, pero podía imaginar la cara de Meg Kilcannon, su sensación de que la habían traicionado.

—¿A qué se refería? —preguntó.

—Al divorcio. Kilcannon se lo pidió a la semana siguiente. Meg dice que la sorprendió. Supongo que sólo le dijo que era el momento de hacerlo.

—¿Y había llegado? ¿Cuando Lara ya volaba hacia África?

—Eso preguntó Sheila. "Usted no conoce a Kerry, dice que respondió Meg. Su capacidad de sentir culpa es infinita." Parece que está amargada —añadió Jane secamente.

—De eso estoy seguro —dijo Nate—. Lo suficiente para darnos sus declaraciones.

—Eso parece —dijo Jane en tono perverso—. El problema es que sólo sabe lo que le dijimos nosotros. Kilcannon sabe ocultar una aventura o las llamas de la pasión estaban tan apagadas que Meg no se dio cuenta de nada. Todo sigue dependiendo de ti, Nate.

No sólo de mí, pensó.

—Hablaré con Kit —dijo—. Esta mañana, si puedo.

Kerry miró las caras en torno de la mesa de café en la suite de Clayton: Jack Sleeper, Frank Wells, Kit Pace. Eran las siete de la mañana. Nadie había pronunciado el nombre de Lara Costello, que sin embargo era una presencia palpable.

—Durante las dos últimas noches las encuestas nos muestran en desventaja con las mujeres a favor del aborto —dijo Clayton—. Sobre todo en San Francisco. Jack quiere que hagamos un acto y Ellen Penn también.

—¿Cuándo? —preguntó Frank—. ¿Y qué?

—El qué es un acto en el que hablarán Kerry y las mujeres prominentes que lo apoyan —dijo Clayton—. Yo no sé si estoy de acuerdo: quiero ver las encuestas de esta noche antes de decidir. Pero tenemos un hueco en la agenda el domingo por la mañana después del debate. Podemos empezar con asistir a una iglesia del barrio negro y después ir al acto.

—¿Domingo a la mañana en San Francisco? —La mirada escéptica de Frank se posó en Kerry para comprobar si prestaba atención. —Nadie trabaja, el centro está desierto, tenemos apenas dos días para trabajarlo. Logística y la senadora Penn tendrán que hacer lo imposible para conseguir que venga la gente. Si no, quedamos al descubierto y la prensa se va a hacer un festín: "Fracasa acto con Kilcannon". —Miró a Kerry y suavizó el tono: —Se convertirá en una metáfora de todos tus problemas con la libertad de elección. No nos viene bien.

Kerry calló un instante y se volvió hacia Clayton: —¿Qué hace Mason?

Frunció el entrecejo: —Ayer habló ante dos grupos feministas, criticó tus posiciones sobre el aborto y la reforma de salud pública. Dijo que eres un tipo de riesgo. Hoy volvió a lo fundamental: apoyo de los sindicatos docentes, discurso ante empresarios del Valle de las Siliconas, salvar los bosques de secoyas...

—Sin perder un solo puesto de trabajo —dijo Kit, irónica—. No olvidemos eso.

—¿Qué querías que dijera? —terció Jack Sleeper—. ¿Que ningún árbol vale un puesto de trabajo?

—Pero Kit tiene razón —dijo Frank con una leve sonrisa—: Es la papilla de siempre. La ofensiva está en los nuevos spots de televisión: Kerry es inmaduro; no apoya el aborto; es un extremista. Todo dirigido a mostrar una imagen de Dick como el hombre sereno, probado, preparado.

Y fiel a su esposa, eso es lo que estás pensando, intuyó Kerry. Trató de imaginar a Jeannie Mason como mujer golpeada.

—Y bien —dijo Clayton—, ¿alguna idea sobre el acto en San Francisco?

—Aparte de una gran preparación —dijo Frank—, necesitarás voluntarios para traer la gente. Si no pueden...

Clayton asintió: —Llamemos a ese tipo en San Francisco, ¿cómo se llama? Ginsberg. Mick Lasker dice que es bueno.

—Preparemos todo —dijo Frank—. Pero no decidamos todavía. Tal vez podamos usar ese tiempo para algo más útil.

—Eso nos crea otro problema —dijo Clayton a Kerry—. El servicio de seguridad. Peter Lake detesta las cosas de último momento. Para él, la planificación es todo.

Kerry se sirvió café.

—Espera un día más. Hasta el martes cada minuto es fundamental, y un acto fracasado nos vendría muy mal. El servicio secreto tendrá que hacer lo mejor que pueda.

En el silencio de Clayton, Kerry escuchó un eco de la discusión de la víspera. Finalmente, su amigo se encogió de hombros:

—Le diré a Peter que lo estamos pensando. Tal vez tenga una buena idea sobre el lugar donde hacerlo.

Kerry bebió otro sorbo de café.

—Estaré en San Francisco esta mañana. ¿Hay alguna posibilidad de pasar por el cuartel de campaña?

Clayton frunció el entrecejo: —¿Una visita espontánea? Tendremos que prepararla y además avisar a Peter. Volarás a Los Angeles a la una, y el discurso en South Central es vital. No vale la pena alterar los planes para reunirse con los conversos.

Kerry asintió: —Eso lo entiendo, pero es gente que trabaja mucho y no tengo mucha oportunidad para agradecerles en persona. Y si vamos a pedirles que organicen un acto de la noche a la mañana...

—El discurso en South Central —interrumpió Jack Sleeper—. ¿Cuál es el tema?

Kerry miró a Clayton sobre el borde de la taza de café.

—Educación —dijo éste—. Inclusión. Estabilidad económica.

—Objetivos concretos y dignos, Clayton. —La voz y la mirada de Jack eran firmes. —Pero hay que hacer las cosas bien.

—¿Qué quieres decir?

—Que nos están haciendo una operación de tenazas. El control de armas aleja a los hombres. Hay que compensar esos votos con los de las minorías y las mujeres. Pero resulta que tenemos el problema del aborto. Y si Kerry se inclina excesivamente hacia las minorías, perderá demasiados votos blancos. —Se volvió hacia Kerry: —El voto negro tiende a ser matriarcal. Por eso la capacitación laboral y los programas alimentarios son buenos temas. No es necesario que pises una mina terrestre como la contratación preferencial.

Kerry sonrió: —¿Pero cómo hará la gente para distinguir entre Dick y *yo*? Salvo que siga siendo tan temerario como él dice que soy.

—¿Qué gente, Kerry? South Central sigue siendo un polvorín. Para muchos votantes sigue siendo sinónimo de la paliza de Rodney King a manos de la policía y el sobreseimiento de O. J. Simpson. ¿El solo hecho de ir allá no es suficiente?

Kerry se echó atrás en la silla y miró a todos. Por un instante vio la imagen de cinco mentes lúcidas atrapadas en el vacío, planificando la realidad como si fuera una partida de ajedrez.

—Si no podemos hacer campaña en South Central —dijo—, ¿adónde irá a parar el país? No hago esto por el solo placer de vencer a Dick Mason. ¿Cuándo fue la última vez que un candidato presidencial habló sinceramente sobre los problemas raciales en lugar de darnos la lata con perogrulladas?

—Una cosa es la sinceridad —dijo Frank Wells—. Otra cosa es el suicidio, que no le sirve a nadie: ni a ti ni a las personas que quieres ayudar, sean negras o blancas. ¿Crees que la contratación preferencial caería bien en el barrio donde naciste? Y la mayoría de tus adversarios dirían que defienden el más fundamental de los valores norteamericanos: la justicia.

—Eso ya lo sé —murmuró Kerry—. Lo sabes tú. Y Dick Mason. Y el mundo entero.

—Entonces, no cedas en tus posiciones —replicó Jack Sleeper—. Pero no dejes escapar más votos blancos. Sobre todo de las mujeres.

—Bueno, trataré de no echarlos por la borda. Después de todo, nos hemos esforzado tanto por ser blancos.

De reojo, vio la sonrisa de Clayton.

—Llamaré a San Francisco —dijo éste.

Kerry asintió: —Muy bien. Y diles que tal vez pase por ahí.

Al dejar el auricular, Sean Burke sintió una mano sobre su hombro.

Se sobresaltó. Lo asaltaron todos sus miedos: el fracaso, la cárcel, la claustrofobia. El encierro con animales y sodomitas, el odio de un mundo indiferente al asesinato de niños. Se volvió, pensando en la policía.

Rick Ginsberg sonrió: —No es para darte demasiadas esperanzas, pero tal vez el senador Kilcannon pase por *aquí*. Por este local.

Temblando de miedo, Sean no pudo responder.

—De veras —dijo Ginsberg—. Hoy.

A su lado, Kate Feeney se volvió: —¿A qué hora?

A las cuatro de la tarde, pensó Sean. Era la hora de la cita con el chico de la calle.

—Si es que viene —dijo Rick—, será alrededor del mediodía.

—Ay, no —gimió Kate—. A esa hora estoy anotada para la mesa en la plaza Union.

Rick la miró con pesar: —Lo lamento, Kate. Alguien tiene que hacerlo. Si encuentras quien te reemplace...

Por reflejo, Sean se palmeó la chaqueta militar sobre el bolsillo interior donde llevaba el puñal.

—Justamente tuvo que elegir el día de hoy —gimió Kate.

DOS

Desde el sector reservado a la prensa, Lara observaba cómo Nate Cutler acechaba a Kit Pace.

Eran las nueve y Kerry asistía a su primera actividad de la mañana. Se encontraban en el aula Boalt de la facultad de derecho de la Universidad de California en Berkeley. Kerry hablaba a los estudiantes de las minorías; Nate estaba de turno en el pool, un grupo de reporteros junto al costado de la tribuna, y trataba de acercarse a Kit. La jefa de prensa aparentaba no mirarlo: hablaba con los periodistas de los medios locales, les dispensaba los favores prometidos, tales como un dato o una entrevista exclusiva con Kerry. Con ello evitaba encontrarse a solas, siempre había varios cuerpos entre ella y Nate. Lara oscilaba entre el miedo y la admiración: la actuación de Kit era una pequeña obra de arte, compleja como un paso de ballet.

Mientras tanto, Kerry provocaba al auditorio: —Nuestro país exige muy poco a los jóvenes más inteligentes. Quiero decir, aparte de que paguen los préstamos para estudiar.

Esto provocó risas.

—¿No es suficiente? —preguntó un joven negro.

Kerry sonrió con malicia: —Para algunos es demasiado. Cuando John F. Kennedy les preguntó qué podían hacer por su país, no se refería al interés compuesto.

Aumentó el volumen de las risas.

—Pero justamente a eso voy —prosiguió—. Cuando se reciban de esta facultad, que dicho sea de paso está subsidiada con dinero público, la mayoría de ustedes podrá devolver los préstamos. Para muchos, el costo de su formación será una inversión para ocupar un lugar en la elite del país: los más ricos, educados y respetados. Sean blancos o de color.

Sentada detrás del auditorio, Lara vio cómo se agitaban en sus sillas plegables.

—A veces Kilcannon parece un suicida —le susurró Lee

McAlpine al oído—. ¿No debería hablarles sobre la justicia racial?

—No creo que lo haga —murmuró Lara—. Es gente acomodada. Miró rápidamente a Nate, que tomaba apuntes. Como si lo intuyera, Kit Pace dejó de alejarse de él.

—En la época de la Segunda Guerra Mundial —prosiguió Kerry—, creíamos que el sacrificio de todos por el bien común era el deber de todos los ciudadanos. Pero en algún momento durante el último medio siglo el ideal cívico desapareció de la vida pública.

Kerry hizo una pausa para estudiar al auditorio: —Una de las verdades más horribles de Vietnam fue la altísima proporción de pobres, negros y personas de escasa educación entre las víctimas norteamericanas Y uno de sus legados más horribles es el concepto elitista de que los únicos hombres y mujeres que deben servir a la nación son aquellos para quienes las fuerzas armadas representan un puesto de trabajo. Para decirlo en pocas palabras, las personas menos afortunadas que ustedes.

El joven negro que había interrogado a Kerry se crispó.

—Un país es más que un lugar donde vivir —continuó Kerry. La justicia es más que la garantía de conservar una mayor proporción de las ganancias.

"Sin duda, la justicia es equidad entre las razas, así como entre hombres y mujeres Pero también significa que los jóvenes en condiciones de hacerlo entreguen una pequeña parte de sus vidas, de sus pasiones, energías e ideales, a una causa común. Caso contrario, ahondaremos las divisiones que ya existen entre los Estados Unidos de los barrios marginales, las escuelas pobres y la desesperanza; y los Estados Unidos del shopping, el vecindario amurallado y la buena educación arancelada. La clase de educación que reciben *ustedes.*

Lee McAlpine se volvió e inclinó su cabeza hacia Lara: —Esto es de un descaro increíble —murmuró—, o una forma muy inteligente de no ser demagogo con las minorías.

Es mucho más sencillo, hubiera querido responder. *Cuando Kerry hace algo contrario a la ortodoxia, ustedes quieren reducirlo a una versión evolucionada de Dick Mason en lugar de un hombre con sentido de la ironía y la contradicción social, partidario de decir siempre la verdad.* La idea la sobresaltó: por un instante había dicho "ustedes" al pensar en la prensa.

Nate Cutler reanudaba la persecución de Kit Pace. Ahora sólo los separaba una reportera del *Los Angeles Times* que había echado un brazo sobre sus hombros y le hablaba al oído.

En la tribuna, Kerry estudió sus apuntes y alzó la vista.

—Lo que yo propongo es un servicio nacional obligatorio. Dos años, antes de cumplir los treinta, en un organismo, sea los Cuerpos de Paz, las fundaciones filantrópicas, las fuerzas armadas o una amplia gama de servicios públicos, que en opinión de cada uno sea el más adecuado para hacer su aporte a nuestro país y a una sociedad mejor.

—¿Demagogia? —dijo Lara a Lee—. Si no me equivoco, acaba de reinstaurar la conscripción.

—No espero que a todos les guste —dijo Kerry—. Pero les imploro que piensen en esto, no sólo por el bien del país sino por ustedes mismos. Porque nunca he conocido a nadie que enseñó a un niño a leer o hizo que un anciano se sintiera querido, y que pensara mal de sí mismo por eso. Así como no he conocido a nadie que se sintiera reforzado interiormente por volver la espalda a los necesitados. —Tras echar una nueva mirada al auditorio, dijo con voz más suave: —Como dijo Robert Kennedy a otra generación de estudiantes de Berkeley, en manos de ustedes, no en las de los presidentes o los líderes, están el futuro del mundo y la realización de las mejores cualidades del espíritu.

El joven que lo había interrogado se paró para aplaudir y los demás lo imitaron. En ese momento, Nate Cutler cazó a Kit Pace.

Lara los miró; lo vio inclinar la cabeza hacia Kit y murmurar unas palabras; aparte de hacer un gesto casi imperceptible, ella no respondió.

Bruscamente consciente de que Lee McAlpine seguía su mirada, se volvió hacia ella:

—¿Qué te pareció?

—Diría que se salió con la suya, ¿no te parece? —dijo con una sonrisa enigmática.

Lara asintió.

Salieron del auditorio a la luz del Sol. Apoyado contra el ómnibus de la prensa, Nate hablaba con Kit; sus gestos y expresión trasuntaban urgencia.

—Daría cualquier cosa por saber qué están diciendo —murmuró Lee.

Lara tuvo la misma sensación que antes: de alienación, miedo, vergüenza.

—Yo también —dijo.

Nate vio cómo los ojos de Kit se entrecerraban con ira contenida.

—¿Dónde lo conseguiste, Nate?

A pesar de la tensión, éste sonrió: —Vamos, Kit. Sólo quiero una entrevista.

—Y yo sólo puedo preguntarle si se dignará a honrar esta

mierda, que parece arrancada de la pared de un baño público. Después de todo, está en campaña presidencial. Eso ocupa bastante tiempo.

Nate la miró con dureza y bajó la voz: —¿Creen que podrán evitar que se sepa la verdad? Si tuvieron una relación, lo averiguaremos...

—¿Una relación? ¿Miradas cordiales? ¿Una salida a cenar?

—Uno no hace el amor en un restaurante, Kit. Si no, tendríamos más de lo que ya tenemos.

Su mirada se volvió opaca, remota: —Y esa era tu famosa pregunta —dijo con asco.

—Entre otras —murmuró Nate, cortante—. Ella está en el ómnibus, carajo. Cubre su campaña. Si se niega a responder, ésa será la historia, con todo lo demás que ya sabemos.

—¿Por ejemplo?

Nate sintió que le latían las sienes: —Te doy cuarenta y ocho horas, Kit. Una exclusiva con el senador.

Kit lo miró fijamente y asintió: —Te llamaré —dijo, y se alejó.

Cuando el joven congresista estadual estaba a punto de subir al auto con él, Kerry vio que Kit Place lo tomaba del brazo.

—Lo siento —dijo—. Debo hablar con Kerry.

Éste se disculpó con su invitado. Antes de que Kit se sentara a su lado, con una expresión seria, poco habitual en ella, comprendió el motivo.

Kit miró rápidamente a Joe Morton y Dan Biasi, sentados en el asiento delantero, aparentemente sin escuchar nada.

—Cutler está en el pool hoy —dijo—. Esto no puede esperar.

Era el momento que Kerry había anhelado que nunca llegara. Trató de imaginar qué pensaba Kit de él o cómo interpretaba la información recibida. Pero no podía preguntarle ni dar explicaciones.

Una vez más, Kit miró a los agentes:

—Nate me ha dicho los temas de la entrevista. Y dice que si no le das una exclusiva, tu negativa será parte de la nota.

Kerry miró por la ventanilla el campus de Berkeley del que se alejaba rápidamente.

—¿Cutler te aceptará como intermediaria?

—No —dijo Kit en tono franco y sin concesiones—. Ya ves cuál es el problema.

Kerry la miró y sonrió a pesar suyo: —Yo fui fiscal, Kit. Si no puedes probar la acusación, obliga a tu presa a mentir.

Kit asintió: —Si fue a tu casa o tú a la de ella. Cualquier cosa que te comprometa y que se pueda demostrar.

—Lo que se dice, los cuernos de un dilema —dijo Kerry, bajando la vista—. Si respondo que no, tal vez soy un mentiroso. Si respondo que sí, vino a mi casa, la pregunta es, ¿por qué? ¿A qué hora? ¿Cuándo se fue? Y así hasta el infinito.

Escuchó a Kit soltar el aliento.

—No estoy enterada de nada, Kerry, y no me importa. Ganamos un día y *Newsworld* me dijo qué quiere, tal como le exigí. Tengo que responderle a Cutler.

—*Cutler* —dijo con asco—. ¿No podemos demorarlo un poco más?

Kit frunció el entrecejo: —No lo sé. Pero el plazo no es arbitrario. *Newsworld* necesita la historia pasado mañana a más tardar para la edición del martes. Y para dejarla trascender el lunes, para que todos la lean.

Asintió, aunque aún se negaba a creer que su amor por Lara pudiese llevarlo a semejante situación. Que dos años de trabajos forzados que lo habían llevado al borde del agotamiento pudieran llegar a nada. Que sus esperanzas de ser presidente dependieran de sus respuestas a Nate Cutler.

—No puedo dejar de pensar en una frase que leí, Kit. El carácter se forja en la oscuridad. —Su tono era meditabundo. —Por eso me esfuerzo tanto por no mentir. En política, el que no conserva el sentido de la identidad está perdido. Ése fue siempre el problema de Dick Mason.

—Por eso es mejor que el presidente seas tú y no Mason, Kerry —dijo Kit con firmeza—. No importa lo que le digas a Cutler.

Durante un buen rato Kerry miró por la ventanilla mientras cruzaban el puente sobre la bahía hacia San Francisco.

—Dile a Cutler que lo recibiré el domingo —dijo.

TRES

Cuando la caravana llegó al barrio Mission District, el Sol brillaba sobre el parque Dolores y el verde brillante de las palmeras se perfilaba contra un cielo azul perfecto.

Lara y Lee McAlpine bajaron del ómnibus con sus colegas, cruzaron el parque hacia el palco de la prensa. La tribuna de oradores estaba flanqueada por viviendas cuyas ventanas tenían vista al parque. Era el paraíso de los francotiradores y la consiguiente pesadilla para el servicio de seguridad. Pero la multitud era grande y alegre, integrada principalmente por latinos, hombres y mujeres vestidos con tejanos y camisas o vestidos de algodón, conversando en inglés y español. Aquí y allá, niños que habían salido de sus escuelas agitaban banderines de colores alegres. Lara sonrió al ver un grupo de monjas: sabía que a Kerry le agradaría verlas.

—¿Viste la encuesta Field de esta mañana? —preguntó Lee—. Cuarenta y dos a cuarenta y uno para Mason, diecisiete indecisos. Dicen que podría ser la primaria de margen más estrecho.

—Depende de la concurrencia —dijo Lara—. Kilcannon tiene que lograr que voten las minorías, sobre todo los latinos.

Lee observó a la multitud que llenaba el prado: —Tres mil, por lo menos. No está mal.

Lara asintió: —¿Pero sabes qué me da pesar? Lo que le pasó al vecindario. El parque es un microcosmos: venta de drogas, asesinatos entre pandillas todas las noches, la gente honrada que tiene miedo de venir. Ya era así cuando yo estaba en el secundario, y empeora constantemente.

Kerry apareció sobre la tribuna en mangas de camisa.

Lara sintió el dolor que ya empezaba a conocer bien: la sensación de pérdida; el miedo por su seguridad. La extraña complicidad entre dos personas que no podían dirigirse la palabra, pero conocían la verdad sobre una relación que podía significar el fin de sus ambiciones. Entonces una supervisora distrital latina inició la presentación de Kerry, su voz amplificada ahogó el murmullo de la gente, y tres mujeres maduras alzaron una pancarta. El texto decía: “Senador, si un niño por nacer es una vida, ¿por qué cometer un asesinato?”

Por un instante, Lara se quedó paralizada. Luego se volvió hacia Kerry y trató de concentrarse exclusivamente en su tarea.

A veinte metros, Nate observaba la cara de Kilcannon para tratar de descubrir si estaba desanimado.

—Esta es una comunidad sitiada —comenzó.

”Existe cierta clase de político, en este Estado y en todo el país, que busca una minoría contra la cual hacer campaña y de esa manera intenta ganar las elecciones. Para algunos, ese blanco son los inmigrantes latinos, sean legales o ilegales. —Kilcannon hizo una pausa para observar al auditorio. —Porque los políticos en busca de chivos emisarios no buscan las diferencias ni reconocen los hechos.

Nate sabía que la finalidad del discurso era movilizar a los latinos, pero lo notable era que Kilcannon no temía polarizarlos. Ése era en su opinión el gran secreto de la política norteamericana. Los líderes auténticos se juegan por sus posiciones; la diferencia moral es por cuáles. Kilcannon parecía comprenderlo; Mason, no.

—Pero los hechos —prosiguió Kilcannon— son estremecedores.

”Negamos los servicios sociales a los ancianos y enfermos por el pecado de ser inmigrantes legales.

”A los hijos de los inmigrantes ilegales, los explotados en los peores trabajos, les negamos la oportunidad para elevarse por encima de su origen.

”Obligamos a los adultos a no vacunarse.

”Obligamos a las madres a no optar por la atención prenatal.

La multitud escuchaba en silencio; el rostro de Kilcannon trasuntaba una pasión tan visceral que Nate la percibía.

—Por cada persona a quien negamos la atención elemental —dijo claramente—, duplicamos el riesgo de la difusión de enfermedades y el costo del tratamiento de emergencia. Por cada niño al que le negamos educación porque creemos que es hijo de indocumentados, sumamos uno más a la población de pandilleros, criminales, analfabetos y desesperanzados. Por cada adulto al que echamos, pagaremos el precio en dólares y en sufrimiento humano, no sólo entre los inmigrantes sino entre la población en general.

Nate observó al auditorio. Kilcannon los había fascinado, pensó; casi todos escuchaban con atención, casi con avidez, la mirada fija en el candidato.

—Pregúntenle a cualquier policía —dijo—, a cualquier médico o maestro. A cualquiera que deba tratar las consecuencias de esas políticas punitivas ciegas. —Hizo una pausa y añadió con suavidad: —Pregúntense a ustedes mismos.

"Pregúntese y luego háganse *esta* otra pregunta: ¿No habrá llegado la hora de tomar el asunto en sus propias manos?

"Es verdad que les pido su apoyo. Pero ningún dirigente puede ayudar a una comunidad si ésta no siente suficiente estima por su gente y sus calles para luchar voto por voto y cuadra por cuadra por lo que cree justo.

"Díganle al gobierno estadual y a la municipalidad lo que necesitan y lo que están dispuestos a hacer para mejorar sus propias vidas. Y si eso no alcanza, hablen conmigo...

Nate se sobresaltó al sentir una mano sobre su hombro.

Era Kit Pace, que lucía una amable sonrisa para todos los colegas que los rodeaban.

—Te recibirá el domingo —murmuró—. Apenas sepa su agenda, te diré la hora.

Kerry alcanzó a ver a Kit con Cutler. Trató de concentrarse en el auditorio y en ese momento se alzó una pancarta amarilla que preguntaba cómo era posible asesinar a los niños por nacer.

Quedó mudo por un instante, hasta borrarlo de su mente.

—Por favor —imploró—, no permitan que la apatía y la desesperanza sean tan reales para sus hijos como puede parecerles a ustedes.

Hizo una pausa para encontrar la frase final, un vínculo entre su vida y la de sus oyentes:

—Ustedes, como mis padres inmigrantes y todos los hijos de inmigrantes que conocí en mi juventud ayudaron a hacer un país mejor y más fuerte. Ahora ayúdense entre ustedes, ayuden a sus familias, ayúdense a sí mismos.

—Cuando Kilcannon habla así, parece una persona de verdad —dijo Lee McAlpine.

Lara sonrió: —¿Comparado con quién?

—Con Mason, que en todo momento parece un político de verdad.

Era verdad, pensó Lara. Pero no podía decirle que esto era lo más parecido al verdadero Kerry; que el político parecía más artificial.

Buscó a su camarógrafo para preparar la transmisión.

* * *

En ese momento, sintió que el aplauso no era para Jamie sino para él.

Kerry, muy sonriente, se volvió hacia Susan Estévez, una activista comunitaria cuyo pelo había virado del negro al gris durante los años entre la muerte de su hermano y el presente. Juntos bajaron de la tribuna para hundirse en la multitud seguidos por agentes de policía y el servicio secreto.

Le tendían las manos, alzaban niños para que los tocara. Kerry tocaba a todos los que podía, los miraba a los ojos, repetía "gracias, gracias", una y otra vez, abrazó a una niña.

—Te quieren —dijo Susan Estévez.

—Me doy cuenta —murmuró Kerry.

Atravesaron lentamente la multitud hasta salir del parque; Susan hablaba rápidamente en español con sus representados.

—Tengo hambre —dijo Kerry—. ¿Y tú?

Susan sonrió: —Hay una *taquería* en la calle Guerrero. Aquí no hay restoranes finos, ¿recuerdas?

Kerry rió: —Vamos.

Bajando por la calle Diecisiete, sintió la presión de los cuerpos que lo rodeaban: agentes de seguridad, el pool de periodistas, la multitud que lo seguía. Estrechó varias manos; decidió que tenía tiempo y que estaba harto de vivir en la burbuja, de preocuparse por *Newsworld* y por un pasado que no podía alterar.

Entraron en la *taquería* de la esquina de Guerrero y Diecisiete.

Era un local pequeño y oscuro con olor a cerdo, verduras hervidas y especias. Se sentaron frente al mostrador. El dueño, un hombre de bigote grueso, pelo castaño con mechones grises y una sonrisa en los ojos, tendió la mano.

—Senador —dijo—, soy Frank Linares. El almuerzo es gratis para usted. Como era para su hermano.

Detrás del mostrador colgaba una fotografía de Jamie y Linares. Kerry la miró sorprendido. Su hermano sonreía.

—¿Cuánto hace? —preguntó.

La sonrisa de borró de los ojos de Linares: —Doce años.

Justo antes de que lo mataran, se abstuvo de agregar. Pero Kerry lo veía; al mirar a su hermano muerto había observado las arrugas en las comisuras de sus ojos, los mechones plateados en las sienes. Tal como los veía ahora en la foto.

Luego vio al pool de periodistas apretujados en la puerta; Nate Cutler estaba con ellos.

Cuando Kerry se volvió otra vez, Linares puso un vaso de cerveza vacío sobre el mostrador.

—Es demasiado temprano —dijo Kerry con una sonrisa—. Si bebo una cerveza, me dormiré.

Linares lo miró con timidez: —Su hermano bebió de ese vaso. Lo he conservado.

Kerry miró los ojos castaños del hombre y comprendió que esto significaba mucho para él.

—¿Qué bebió Jamie?

—Dos Equis.

Kerry asintió: —Bebamos una los dos.

Susan Estévez sonrió. Frank Linares le sirvió un poco de cerveza, se sirvió para él y chocó su vaso con el de Kerry:

—A su salud, señor. Y que sea presidente.

Fue innecesario que agregara, *como su hermano no pudo ser.* El brindis era al mismo tiempo una bendición.

—Gracias —dijo Kerry, y bebió. Se volvió hacia Susan Estévez. —Ha sido un día hermoso —dijo—. Antes de partir, quisiera visitar la sede.

Sean Burke cortó la comunicación y por un instante se sintió transportado a Boston.

Era la última llamada de Paul Terris, el dirigente local de Operación Vida; eran casi las diez de la noche y Sean estaba en su cuarto.

—Por favor, Sean —dijo Terris sin preámbulos—, no vengas más a las reuniones.

Sus dedos aferraron el teléfono. Y al responder sintió una presión en el pecho.

—¿Por qué?

—Tú lo sabes. Coincidimos en los fines, pero discrepamos sobre los medios.

Sean se paró. La habitación escasamente amueblada —cama, escritorio, cómoda, un crucifijo en la pared le pareció pobre— y demasiado pequeña.

—Somos cobardes —dijo Sean con furia—. Como testigos del Holocausto. Nos paramos frente a las cámaras de la muerte mientras siguen matando bebés.

—¿Y a qué llamas tú la acción combativa? ¿Quieres cometer actos de violencia? —La voz de Terris era tan sosegada y paciente que Sean pensó que lo trataba como a un niño. —Si decimos que el aborto es asesinato, no podemos hacer la apología del asesinato.

Jamás le había dicho claramente a Paul qué quería decir. Pero para él estaba claro.

—Sí podemos porque estos asesinos violan la ley de Dios. El

gobierno ejecuta a los asesinos. Salvo a los que realizan abortos.

—Sean —dijo Terris fríamente—, si decimos eso en público, las personas decentes nos volverán la espalda. Y si uno de nosotros lo lleva a cabo, podría ser el fin de Operación Vida.

Sean sintió el miedo negro al rechazo, el aislamiento, el desdén. Entonces, en su dolor, comprendió la verdad de su soledad: sólo Sean Burke era libre para actuar. Demostraría a ese club de pacifistas el coraje que les faltaba.

—¿Qué les importa eso —dijo con amargo desdén— a los niños que mueren diariamente a la vista y paciencia de ustedes?

Con mano temblorosa dejó el auricular, cortó la comunicación con el hombre que durante cuatro años había dado a su vida un propósito y una misión.

En lo profundo de la noche vio una imagen.

Era el hombre que había asesinado a Rabin, ese traidor a *su* causa. El verdugo se había apartado de la multitud, apuntado su arma a la espalda del traidor y con ese acto solitario había cambiado la historia de una región y el espíritu de un pueblo...

—John —dijo Rick Ginsberg—, ahí viene.

—*¿Quién?* —preguntó Sean, y se ruborizó al ver la sonrisa de Ginsberg.

—El senador. Llegará en quince minutos.

Sean tragó saliva. No tenía pistola. Apenas un cuchillo, y entre los dos estarían los agentes de seguridad.

—Diablos —dijo Kate Feeney a su espalda—. Tengo que salir.

¿Cuánto tiempo necesitaría, se preguntó Sean, para sacar el cuchillo del interior de la chaqueta y clavarlo en el corazón de Kilcannon? Apretó los dientes al visualizar la escena: su mano erraba el golpe y una bala penetraba en su cerebro.

—¿Te sientes bien? —preguntó Ginsberg.

Tenía *miedo*, mucho más que cuando ejecutó al médico de abortos. Miedo de la expresión de Kerry Kilcannon. Miedo de morir a sus pies.

Al borde del pánico, se volvió hacia Kate: —Quédate —dijo—. Yo iré.

Sus ojos se abrieron de par en par: su expresión era una mezcla de sorpresa, esperanza y el deseo de no ser egoísta.

—¿Estás seguro?

Sean asintió secamente.

Vaciló aún un instante como si tratara de leer su expresión:

—¿Sabes qué ómnibus debes tomar? El que va por Geary hasta Powell.

Quince minutos, tal vez menos. Sean se paró para salir.

—Llegaré bien.

Iba hacia la puerta cuando escuchó la voz de Rick: —Espera, John. Te diré qué debes hacer.

La impaciencia en la voz de Ginsberg aumentó su ansiedad. Se quedó ahí parado, incapaz de moverse, mirando sobre su hombro hacia los ventanales que daban a la calle.

—Hay panfletos en la mesa —dijo Rick—, una hoja para anotar los nombres de voluntarios y una lista para personas que piden que las llevemos a votar. No dejes de preguntar a todos si quieren ayudarnos o cómo podemos ayudarlos nosotros.

Lo asaltó el miedo de quedar atrapado y luego el de tener que hablar con la gente cara a cara, arrancado del anonimato que le daba el teléfono. Sólo pudo asentir.

Rick posó una mano sobre su hombro para detenerlo: —Te agradezco que hagas esto por Kate. Sé que querías conocer al senador. Si encuentro la manera de compensarte por esto, lo haré.

Sean quiso responder, pero no pudo. Ginsberg frunció el entrecejo como si intuyera que las palabras no bastaban.

—Tres días más, John...

Lo palmeó otra vez y Sean se fue hacia la puerta. Sus pasos reverberaban en el gran salón.

A través del ventanal, vio gente apiñada en la acera: la recepcionista, otros voluntarios, hombres de gafas oscuras que parecían agentes secretos. Entonces, como en una película muda, una limusina negra se detuvo junto a la acera.

A un metro de la puerta, Sean se quedó paralizado.

Llegó otro auto, ocupado por hombres que parecían agentes secretos. Bajaron y rodearon la limusina de Kilcannon. Un hombre abrió la portezuela y el corazón de Sean se aceleró.

Kerry Kilcannon bajó lentamente.

Sean, inmóvil, lo miró a través de la ventana.

Kilcannon agitó un brazo brevemente con una sonrisa sorprendentemente tímida, como si lo sorprendieran los aplausos. Todos se acercaron a rodearlo.

Como si lo arrastrara el vórtice, Sean salió por la puerta, los ojos clavados en la cara de Kilcannon.

A su alrededor, los agentes de gafas oscuras vigilaban la multitud. Detrás del corrillo, Sean vio a Kerry saludar a la recepcionista de piel color caoba. Puedo alcanzarlo, pensó, puedo clavarle el cuchillo en la garganta antes de que me maten los agentes.

Si pudiera ver sus ojos.

Al volverse hacia Kate Feeney, Kilcannon lo vio. Pareció vacilar...

Sean le volvió la espalda y se alejó rápidamente por la acera.

* * *

¿Quién sería?, se preguntó Kerry. Un hombre pálido, que rehuía el contacto, con una expresión distinta de los demás: ávida, obsesionada, hosca. Con un extraño destello de miedo, de reconocimiento en la mirada.

Falsa premonición, pensó: instinto que lo llevaba a estudiar los rostros en busca de los ojos del hombre que, como aquel que había matado a Jamie, quería quitarle la vida. Pero había visto diez mil caras y no tenía tiempo para estudiar ni recordarlas.

Jamie. Tal vez la visita a la sede se debía al deseo de agradecer a los que eran demasiado jóvenes para recordar, los que no militaban por un mito sino porque tenían fe en él. Intuía la importancia que tenía para ellos y aprendía a valorarlos.

Giró y miró a la muchacha rubia parada frente a él. Facciones irlandesas delicadas que se debatían entre la timidez y la fascinación por verlo de cerca. Sonrió y le tendió la mano:

—Soy Kerry Kilcannon —dijo—. Quiero agradecerte por lo que haces.

Ella la tomó con su mano suave y entonces su sonrisa le iluminó la cara: —Kate Feeney —dijo.

Kerry le dio un suave apretón: —Gracias, Kate. Te recordaré.

Sean huyó.

El corazón le martillaba en el pecho y de su estómago subía una bilis agria, al esquivar a los peatones sobresaltados por su cara de pánico.

Bruscamente se detuvo y empezó a jadear.

Se dobló, resollando, abrazándose las rodillas mientras la tos sacudía su cuerpo. Con ojos humedecidos por la angustia y la humillación, contempló la saliva manchada de sangre que caía entre sus pies.

Cobarde, pensó. El niño temeroso volvía del pasado para apoderarse de su ser.

Cuando el ómnibus de los periodistas se estremeció al frenar a tres cuadras de la sede de Kerry, Lara lo vio: un hombre solitario, acaso un borracho o un enfermo mental que echaba espuma por la boca entre los transeúntes que pasaban sin mirarlo. Un triste despojo urbano como tantos que había visto, personas con historias desgarradoras. No podía apartar la mirada.

El hombre enderezó su cuerpo tembloroso y miró el ómnibus con ojos desorbitados como si lo viera por primera vez.

Lara entrecerró los ojos y apoyó la cara contra la ventanilla.

Tenía la certeza de haberlo visto antes. Pero no recordaba cuándo ni dónde. Sólo podía haber sido aquí, en San Francisco, pensó.

El hombre giró bruscamente y huyó, desapareció de la vista de Lara y, poco después, de sus pensamientos. La caravana enfiló hacia el aeropuerto.

CUATRO

Pasadas las tres de la tarde, Kerry llegó al distrito South Central de Los Angeles.

Era un día bochornoso y el smog se adhería al cuello de la camisa. Estaba en la escalinata de la Tercera Iglesia Bautista, un edificio sencillo, de estuco, construido en los años 30 y transformado por el reverendo Carl Wills en un centro comunitario con comedor popular, guardería y, para los escolares, deportes y ayuda en los estudios. La congregación era principalmente negra, pero también asistían asiáticos, latinos, blancos progresistas y pobres de la ciudad. Wills era un caso único en la ciudad caracterizada por los conflictos raciales.

Durante meses, Kerry había tratado de obtener su apoyo; el pastor, un hombre sereno pero tenaz que no se dejaba manejar por nadie, había rechazado sus pedidos. Por eso su llamada unos días antes lo había sorprendido.

—Parece que tiene posibilidades de ganar —dijo el pastor secamente—. Yo diría que es una señal de Dios, senador. No decepcione al Señor. Ni a nosotros.

Wills estaba a su lado —un hombre de barba gris, facciones benignas y mirada astuta— y se dirigía al auditorio conformado por un grupo de fieles, el pool de periodistas y, mucho más atrás, el resto de la prensa.

—Cuando ningún diputado o senador quiso venir a este Estado a decir que poner fin a la contratación preferencial era un error, Kerry Kilcannon *lo hizo.*

"Cuando ningún candidato se atreve a defender a los peones rurales, Kerry Kilcannon *lo hace.*

"Cuando ningún político intenta salvar nuestras ciudades, Kerry Kilcannon *lo hará.*

"Y cuando casi todos los presidentes tratan de esquivar los problemas raciales, Kerry Kilcannon *se niega* a hacerlo. —Wills alzó la mano. —El país necesita un líder, no un encuestador; un reformador, no un negociador; un elevador de conciencias, no un recaudador de fondos.

Wills bajó lentamente la mano hasta posarla en el hombro de Kerry.

—Éste es el hombre —dijo—. Es él.

Los dos hombres se miraron. Kerry Kilcannon, el chico nacido en una parroquia irlandesa de una ciudad desgarrada por los conflictos raciales, jamás hubiera imaginado ese momento.

—No decepcione al Señor —repitió el pastor.

Kerry sonrió: —A Él no sé —respondió—. A ustedes, jamás.

Wills asintió, mirándolo fijamente, y Kerry se acercó al micrófono. La mayoría de los presentes eran de origen africano, algunos con trajes o vestidos, otros no, pero también había asiáticos, blancos y latinos. La diversidad de rostros le inspiró el tema de su discurso.

—Cuando conozco a un hombre como Carl Willis —dijo para comenzar—, cuando veo la obra de esta iglesia, me pregunto cómo es posible que un postulante para un cargo nos pida que votemos unos en contra de otros.

Se escuchó una sirena policial, y Kerry elevó la voz.

—Se suele decir que la política es la lucha del blanco contra el negro, del suburbio residencial contra el barrio marginal.

"Nos dicen que vivimos en la era del hombre blanco asustado, de la clase media en peligro de extinción. Es la pura verdad. Muchos norteamericanos blancos tienen derecho a sentirse amenazados: trabajan más, ganan menos, sus hijos van a escuelas mediocres. No es su culpa. —Hizo una pausa y prosiguió: —Ni es la culpa de los asiáticos, los latinos o los norteamericanos de origen africano. Muchos sufren los mismos problemas.

"Espero que llegue el día en que no exista más el prejuicio racial. Pero ese día aún está lejano. Y cada vez que en un político asegura que la única discriminación restante es la que favorece a las minorías, que los problemas de los blancos desaparecerán el día que eliminemos la contratación preferencial, la *verdadera* solución a nuestros problemas comunes se aleja un poco más.

En la periferia de su conciencia Kerry escuchó el ulular de sirenas que se encontraban sobre el damero de calles desarboladas que había atravesado en su limusina: hileras de casas de estuco con barrotes en las ventanas; playas de asfalto con manchas de aceite; edificios abandonados; tiendas sórdidas; hombres holgazaneando en las calles con sus inmensas radios portátiles. Pero también vio algunos vecindarios con aceras limpias y paredes sin *graffiti*, donde los vecinos mantenían dispensarios y guarderías. Al verlos, renacían sus esperanzas.

—Vine a contestar preguntas. Pero antes les haré una promesa: siempre abogaré por este vecindario. Y para que la esperanza venza al miedo.

La multitud aplaudió, con menos estrépito al que estaba habituado, y el ruido se disipó en el vacío entre el hormigón desnudo, los escombros, las tiendas abandonadas y, pensó Kerry, los años de retórica que se desvanecía sin dejar rastros. Miró las caras —esperanzadas, cautas, inexpresivas— y dijo en conclusión:

—Quiero saber qué piensan.

En el pool, Nate Cutler miró su reloj.

Eran las tres y media; quería llamar a Jane Booth, verificar si habían averiguado algo más sobre Kilcannon y Lara Costello. Pero trabajar en el pool significaba seguir al candidato, sacrificar el tiempo y la intimidad.

El ulular de las sirenas se volvía más fuerte y obsesivo. Los agentes que rodeaban a Kerry parecían tensos.

¿Qué pasa?, se preguntó Nate. El aire de South Central estaba cargado de tensión: demasiada delincuencia, desesperanza, desconfianza e incluso odio entre negros, asiáticos y latinos. Kilcannon diría unas palabras, tal vez sería sincero, pero después la caravana seguiría su camino.

Un joven negro con tejanos, gafas con marco dorado y la expresión apasionada del activista preguntó a Kilcannon:

—¿Qué beneficios *nos* trae la contratación preferencial?

—¿A este vecindario? —preguntó Kilcannon—. A muchos de ustedes, muy pocos. —Se aflojó el nudo de la corbata. —Usted lo sabe, si no, no hubiera hecho la pregunta. Así que *contésteme* ésta: ¿Qué haría *usted* para que los habitantes de *esta* vecindad tuvieran oportunidades y posibilidades de elegir? ¿Y qué pueden hacer los vecinos para aprovechar mejor las oportunidades que existen?

El hombre meneó la cabeza: —¿Y usted, senador? ¿Ha pensado en esto? ¿O cree que basta con repetir las palabras de Martin Luther King?

Los ojos de Kilcannon lanzaron un destello: —Prefiero a Martin Luther King que a un fanático como Louis Farrakhan —replicó—. Pero su primera pregunta es interesante, vale la pena contestarla.

Cuidado, pensó Nate, bruscamente interesado. Muchos periodistas pensaban que había en Kilcannon una furia latente que podía perjudicarlo. En cambio, nadie podía asegurar que Dick Mason fuese capaz de perder la calma.

—El gobierno no puede producir cambios en South Central

—dijo Kerry, más sereno—. Eso tampoco se consigue con carradas de dinero. Si no, la guerra a la pobreza hubiese terminado y este vecindario sería un vergel.

Se escuchó un coro de risas cínicas.

—South Central necesita más y mejores puestos de trabajo —prosiguió Kerry—. Puestos del sector privado, para trabajadores capacitados, que alienten a los empleadores a instalarse y permanecer aquí.

"Se habla mucho y mal sobre los problemas de la familia negra. Las familias, tanto blancas como negras, suelen separarse por falta de esperanza, de trabajo o de futuro. Pero las iglesias como ésta muestran como las instituciones locales pueden producir cambios. Sobre todo si Washington está dispuesto a escuchar y aprender. —Kerry echó una mirada a su alrededor, con aire de fingida ingenuidad. —Y ya que estamos, ¿dónde está Dick Mason? ¿Alguna vez llamó? ¿O envió una carta? ¿Existe o es una ilusión como el Mago de Oz?

Esta vez las risas fueron más fuertes; la gente disfrutaba del malhumor de Kilcannon, de sus ganas de polemizar.

—Por el momento —dijo al hombre que lo interrogaba—, sólo me tienen a mí. Y yo creo que todos somos responsables por el futuro de South Central. Así que les diré lo que creo que podemos hacer juntos...

Las sirenas sonaban más fuerte, pensó Nate. Y bruscamente, cesaron.

Fue el silencio lo que indicó a Lara que había algún problema. Wills también lo advertía; inclinaba la cabeza como si aguzara el oído.

En el momento que Kerry terminó de hablar, llegó un patrullero. Bajó un agente, que por los galones en su uniforme debía ser un oficial, y corrió hacia Carl Wills.

El oficial era un hombre robusto de piel roja como un ladrillo, cara alerta surcada por arrugas, ojos celestes. Ojos de policía, pensó Kerry.

Aparentemente, Wills y él se conocían. Ante los ojos del auditorio que conversaba ansiosamente en susurros, el oficial puso una mano sobre el hombro del reverendo y le habló en voz baja.

—*Diablos* —murmuró Wills—. *Diablos.*

—¿Qué pasa? —preguntó Kerry. Los rodeaban los agentes secretos.

El policía volvió hacia él su cara ceñuda: —Un tiroteo, senador. Un almacenero coreano y un chico negro. El almacenero dice que este año lo asaltaron dos veces a mano armada, siempre hombres negros. Por eso se compró una escopeta. —Se dirigió a Wills y Kerry: —Dos chicos negros van al almacén a la salida de la escuela, uno de trece años, el otro de diez. El de trece saca un revólver de juguete, dice que era para hacer una broma, y le pide al almacenero una caja de chocolatines. Entonces el otro saca la escopeta.

"El chico suelta el revólver y sale corriendo. Al salir, escucha el disparo de la escopeta. Nadie sabe dónde está el chico de diez. Puede estar herido, muerto, secuestrado, no lo sabemos. —El oficial miró a Wills: —El almacenero cerró el negocio y bajó las persianas metálicas. Ahora hay una manifestación en la calle, está la madre del chico que pide a gritos que lo saquemos. Tal vez necesitemos su ayuda.

Wills asintió: —Ante todo tenemos que conservar la calma. Todos.

Kerry recordó Newark: la fortaleza de Liam Dunn, los cascos de los edificios abandonados, la siembra de odio.

—Quisiera ir con usted, Carl.

—Senador... —Dan Biasi dejó oír su voz de protesta, pero el policía lo interrumpió: —Lo siento, senador. El servicio secreto no lo quiere, nosotros tampoco. Tenemos las manos llenas y no podemos garantizar su seguridad.

De modo que es así, pensó. *A la primera señal de peligro, me voy.*

—No hay garantías para nadie —dijo al oficial y a Dan—. No las pido para mí. —Miró a Wills: —Tal vez mi presencia sea útil. No puedo decirle a la gente que me intereso por ellos y después irme tan campante en mi limusina.

Wills miró al policía, cuyo rostro se endureció:

—Hay gente armada allá afuera, senador. Algunos han estado bebiendo. No hay suficientes formularios en el mundo para eximirme de responsabilidad. Y aunque usted los firmara todos, no le permitiría ir allá.

Wills asintió: —Si algo le pasa a usted, será un revés muy grande para el vecindario y tal vez para las relaciones entre las razas.

Kerry no respondió. Tal vez había esperado esa respuesta cuando ofreció prestar ayuda.

Wills se fue con la policía y los agentes rodearon a Kerry para llevarlo a su vehículo.

Cuando Sean llegó al Tenderloin, eran las cuatro menos veinte y el chico de la calle no había aparecido.

Se sentía enfermo de odio por sí mismo, humillado, patético. Había huido de la oportunidad; Kilcannon estaba en otra ciudad, protegido por su capullo de seguridad, y Sean era un muerto en vida.

Durante dos horas ocupó una mesa en la elegante plaza Union bajo los rayos implacables del Sol, sudoroso y afiebrado. Estaba como sumido en el delirio, apenas consciente de los que se detenían en la mesa y de lo que les decía. La mujer asiática que lo reemplazó parecía una ilusión.

Era la muerte, una especie de muerte.

En una vida anterior, otro hombre había ingresado en una clínica de abortos con una pistola. Ahora sólo quedaban fragmentos surrealistas: una mujer con un orificio rojo en la frente, el médico de abortos caído sobre un archivador, el cuerpo tendido de una enfermera. La única realidad era su cobardía al enfrentar la mirada de Kilcannon.

Estaba muerto: daba lo mismo meterle una bala en la cabeza que retirarle el respirador artificial a un hombre en coma profundo. Al otro lado de la calle, la prostituta de llagas en la cara y ojos como agujeros negros recorría lentamente la acera, como una criatura del infierno; no le sorprendió que su mirada pareciera traspasarlo.

Un muerto.

Unos dedos rígidos lo tomaron del hombro.

Giró, encaró al chico negro. Ojos como canicas: vidriosos, opacos.

—Tengo la pieza —susurró.

Las palabras lo sacudieron como una corriente eléctrica. El negro se palpó el bolsillo de la chaqueta marinera.

—Aquí —dijo—. Pero en la calle, no.

Ayer, en su vida anterior, Sean jamás hubiera confiado en él.

—Vamos —dijo el chico.

Sean lo siguió como en trance, casi pegado a él.

Entre la licorera y el hotel ruinoso había un callejón lleno de tachos de basura. El pavimento apestaba a orina y restos podridos de comida. El hombre caminaba lentamente, primero junto a Sean y luego retrasándose un poco para seguirlo a medida que se adentraban en el callejón. La húmeda oscuridad pareció alterar la química de su cerebro, que envió una corriente a sus terminaciones nerviosas.

—Date vuelta —dijo el hombre, que estaba a su espalda.

Al hacerlo, Sean sintió que el caño del arma se hundía en su estómago.

Los ojos implacables estaban clavados en él: —Tu billetera, viejo.

Muerto, pensó Sean. Aunque sus dedos temblaban, su mente estaba en calma, casi serena.

—No está en el bolsillo de atrás —siseó el chico—. Ya lo vi. Bueno, ¿dónde está?

Lentamente, introdujo la mano en el bolsillo interior de su chaqueta militar. Sus dedos palparon el mango, sus ojos se clavaron en los del otro. Sus caras estaban tan próximas que el olor del whisky invadió sus fosas nasales.

Tranquilo, se dijo Sean. *Ya estás muerto.*

Bajo la chaqueta, alzó el cuchillo hasta la altura de su cuello. Aún estaba oculto.

—Cuidado, viejo. No quiero matarte.

Bastó un giro de la muñeca para apoyar la punta del cuchillo en la garganta del chico.

—Los dos estamos muertos —susurró Sean.

El chico parpadeó. El latido de su cuello se transmitía por la hoja del cuchillo hasta la mano de Sean. El negro hizo su cálculo: si apretaba el gatillo, el puñal de Sean podía degollarlo. Si no...

Sean aferró el cuchillo con más fuerza.

—*Viejo...* —murmuró el chico.

Sean le hundió el cuchillo en la garganta. Sintió dolor en la mano cuando el metal chocó contra los dientes. Cerró los ojos a la espera de la bala que le desgarraría las tripas. Escuchó el chillido de agonía del chico, sintió el olor del whisky.

Y el estrépito de la pistola al caer sobre la acera.

Lentamente, abrió los ojos.

Atravesado por el cuchillo, el muchacho lo miró con ojos de dolor, los labios cubiertos de sangre y saliva. El cuchillo estaba clavado en su paladar; la capacidad de movimiento parecía haber caído a sus rodillas, que se doblaban convulsivamente mientras la sangre manaba de su garganta.

Sean lo tomó del mentón y arrancó el puñal de un tirón brutal.

El muchacho cayó de costado.

Sean dio un paso atrás y lo miró con asco. Los ojos seguían abiertos. La boca gorgoteaba, la respiración era superficial; Sean recordó un pescado que su padre había arrojado sobre un muelle de madera.

Dejó caer el cuchillo y echó una mirada a la entrada del callejón.

Estaba desierta. Un auto pasó tan rápidamente que no le dio tiempo para tener miedo.

Estaba vivo.

Empapado de sudor, levantó a su víctima, que aún se agitaba convulsivamente y lo arrojó de cabeza a un tacho de basura semivacío. El tacho estuvo a punto de caer cuando el cráneo chocó con el metal, pero se enderezó.

Sean apartó la mirada.

El cuchillo había caído en un charco de aceite. La pistola estaba cerca.

Sean limpió la hoja del cuchillo en la suela de su bota y lo guardó en un bolsillo. Al extender el brazo para tomar la pistola, vio las manchas de sangre en la manga de su saco.

La pistola era una pieza grasienta y de aspecto ordinario. Al poner el dedo en el disparador, Sean revivió el momento, pero con una diferencia: los ojos de Kerry Kilcannon se llenaban de miedo al ver el arma en su mano.

Del tacho de basura escapó un grito débil.

Sean alzó la vista. Las piernas se agitaban espásticas, como las de un niño al ahogarse. No sintió pena por él: el tipo había tratado de robarle, y su muerte le había devuelto la vida.

En su nueva vida, como John Kelly, había gente esperándolo.

Estaba asustado, confundido. Sólo sabía que volver a huir era hundirse en la muerte en vida.

Guardó el arma en el bolsillo y se alejó del callejón.

CINCO

En su cuarto de hotel, Nate Cutler observaba la escena filmada desde un helicóptero: un patrullero que llevaba al almacenero coreano, atravesando lentamente una multitud nerviosa.

—¿Lo viste? —dijo por teléfono—. Está en CNN. Yo estaba en el pool y escuché a Kilcannon cuando se ofreció para ir.

—Sí, lo informaron —dijo Jane Booth—. Puro alarde. Y qué irresponsable. ¿Qué pasa si le disparan?

Nate miraba la pantalla: —Lo que ha pasado hasta ahora es que nadie más salió herido. Porque Wills fue allá.

—Y Kilcannon —dijo Jane a regañadientes—, recibe elogios por haber querido ir. Tal vez lo elijan para hacer su magia una vez por mes, domar a los salvajes. Para eso existen los presidentes, ¿no? —Y añadió con acritud: —Y vicepresidentes, por si las cosas salen mal.

Nate rió sin ganas: —Tal vez estamos salvando a Kilcannon de sí mismo —dijo—. ¿Sheila tiene algo más? Faltan menos de dos días para la entrevista.

—Una cosa —dijo Jane secamente—. Pero es un buen dato, de una vecina de Lara. Vio a Kilcannon una sola vez. Pero estaba alterado y golpeaba a la puerta. Dice que evidentemente no le importaba que lo vieran, porque lo hizo durante varios minutos. —Nuevamente, adoptó un tono agrio: —Ahora sabemos por qué se mudó. Su novio era un irresponsable. Como demostró hoy.

Nate empezaba a sentirse harto de la soberbia de su jefa.

—¿Cuándo sucedió eso?

—Según Sheila, más o menos en la época en que Costello confesó todo a la terapeuta. Poco antes había aceptado el puesto en la NBC y viajado al exterior.

¿Qué hacía Kilcannon allá?, se preguntó Nate. En ese juego extraño de juzgar vidas ajenas, se debatía entre el asco y la fascinación.

—Interesante —dijo—. Supongo que todavía no tenemos la

menor idea de quién hizo llegar los apuntes de la terapeuta a nuestras amigas de la Legión de Anthony.

—La verdad es que no, aunque sabemos que la Philips tiene relaciones con los de Compromiso Cristiano. Lo que queda para la especulación, como dicen los analistas, es por qué los adversarios más enconados del aborto pasaron el dato a sus enemigos partidarios de la libertad de elección.

—O quién fue el intermediario. —Nate se volvió hacia la ventana para contemplar los edificios céntricos de Los Angeles. Era una vista surrealista, arbitraria, como si un Lego gigante hubiese caído de la Luna. —Para mí, eso es tan importante como demostrar lo que sucedió entre Lara y Kilcannon.

—¿Te parece? —preguntó Jane, dubitativa—. ¿No crees que eso depende de *quién* es ese quién? Si es que existe.

En la pantalla cambió la escena: los paramédicos llevaban una camilla cubierta por una manta blanca a la ambulancia.

—Si el quién fue Mason o la oposición, es muy importante. Porque si uno u otro nos usa para destruir el futuro político de Kilcannon, debemos decirlo. Así la gente puede decidir quién es el peor de todos.

—Eso es fácil de responder —dijo Jane—. Somos nosotros. La culpa siempre es nuestra. Por lo que hacen los políticos y por cumplir con la obligación de informarlo.

Es demasiado simplista, pensó Nate.

—Nos echan la culpa a todos, Jane. Por algo han dejado de votar.

—Puede ser. —Su voz estaba cargada de ironía. —Pero nos leen. Y nunca, jamás, se preguntan si no tienen la culpa de algo.

Sean entró en la sede de la campaña y se detuvo a mirar.

La recepcionista, que hablaba por teléfono, lo miró un instante y a continuación empezó a tomar notas en su bloc. Aturdido, Sean pasó su escritorio; frente a los teléfonos, Kate Feeney escribía algo en el papel impreso de la computadora mientras algunos colaboradores de traje y corbata, que venían de su trabajo, empezaban a ocupar sus puestos. Todo lucía tan normal que a Sean le resultaba incomprensible.

Kate Feeny dejó su lapicera, lo vio y se paró.

Sean se quedó paralizado. Al verla correr hacia él, pensó en las manchas de sangre en su manga y en el cuerpo que se agitaba en el tacho de basura.

Kate sonreía: —*Tú* —chilló—, eres *grandioso*. —Se acercó con pasitos de baile y lo abrazó con cierta torpeza.

Desconcertado, Sean sintió el cuerpo liviano como una paloma apoyado contra su pecho y temió que palpara el arma. Pero Kate se apartó y lo tomó de las mangas.

—Lo conocí —dijo—. A Kerry.

Ajá, conoció a Kilcannon, pensó.

—¿Y cómo es? —preguntó con esfuerzo.

—Ay, es amoroso. Tan amable. Y esos ojos... —Meneó la cabeza como si buscara las palabras. —Parece que te mira hasta el alma.

Sean sólo pudo asentir.

Entonces Kate bajó la vista y algo le llamó la atención en su manga: —¿Qué es eso? —preguntó.

Sean tragó saliva y utilizó la respuesta que había ensayado en el ómnibus: —Café —dijo—. Cuando repartía volantes.

Kate frunció el entrecejo: —Lamento mucho que no lo vieras. En serio. Pero nunca olvidaré lo que hiciste.

¿Cuánto tardarían, se preguntó Sean, en hallar el cadáver?

—*John*. —Era la voz de Rick, con el buen humor del que debe motivar a la tropa. —Tengo una buena noticia para ti.

Sean lo miró, suspicaz.

Rick sonreía; para Sean, ese buen humor permanente era antinatural, indigno de confianza.

—Recibí dos llamadas hoy —dijo Rick—. Nada menos que de Clayton Slade, el jefe nacional de campaña. Tal vez haya otro acto en San Francisco después del debate. Si es así, tendremos mucho que hacer.

Sean no pudo responder.

—¿Después del debate? —dijo Kate—. ¿Mañana a la noche?

—Bueno, sería al día siguiente —respondió Rick—. El domingo a la mañana. *Si* se hace.

Kate se mordió el labio: —¿Cuándo lo sabrán?

En silencio, Sean se volvió hacia Ginsberg.

—Mañana por la mañana a más tardar. —Rick sonrió. —Si se hace, habrá un trabajo de locos. Pero tendrás otra oportunidad.

En ese momento, Sean tomó conciencia de todo: el arma en su bolsillo, la alegría delirante de Ginsberg, los ojos de Kate que lo miraban, el recuerdo del cuerpo abrazado al suyo, el muerto en el callejón, su boca reseca. Embargado por tantos sentimientos, no pudo hablar.

Tendido en la bañera, exhausto y con el cuerpo dolorido, Kerry reflexionaba sobre la tragedia en South Central y su propia reacción. No había deseado ir; la mención de las armas lo había hecho callar.

Clayton bajó la tapa del inodoro y se sentó.

—Lo lamento —dijo—. No hay descanso para los cansados.

Kerry alzó la cabeza: —¿Qué pasa con Dick Mason?

Clayton se tomó las manos: —Conseguimos las órdenes de arresto de la policía en Darien. Sólo te diré que *nosotros* no violamos la ley para obtenerlas.

Kerry se apoyó en sus manos para enderezarse: —¿Qué dicen?

—Datan de 1978, dos años antes de que Dick fuera al Congreso. Jeannie Mason hizo la denuncia: dijo que Dick estaba borracho. Que no era la primera vez que le pegaba, pero que no aguantaba más.

¿Qué hubiera sucedido, se preguntó Kerry, si su madre hubiera llamado a la policía cuando él era joven? ¿O si se hubiera sentido capaz de hacerlo? ¿Cómo hubiera cambiado la vida de la familia y la suya?

—¿Qué hicieron? —preguntó—. La policía.

—Fueron al fiscal. Y resulta que era amigo de Dick. Todo se resolvió muy discretamente: se desestima la denuncia si Dick va a terapia. No hubo juicio —dijo Clayton, irónico—. Eso explica un par de cosas, ¿no? Por ejemplo, que Dick sólo bebe jugo de manzana porque "es lo más sano para la vida familiar".

—¿Tienes algo más reciente?

—Todavía no.

Se secó la cara con una toalla.

—Recuerdo cuando estábamos en la fiscalía, tú hablabas de dar ayuda al marido golpeador. Tal vez Dick tuvo esa ayuda. Si no, ¿crees que Jeannie lo hubiera soportado hasta hoy?

—No la conozco. —Clayton se paró, se cruzó de brazos. —Lo que sí sé, casi con certeza, es que Mason está detrás de este asunto con Lara. Por eso sale a la luz justamente ahora y por eso quiere un debate con esas reglas delirantes. Para confrontarte antes del martes.

—Entonces, filtremos esto y esperemos que alguien lo publique. ¿Eso quieres?

Clayton frunció el entrecejo: —Si tengo razón, ¿por qué debemos tener con Mason la consideración que él no tuvo contigo?

Una vez más pensó en Lara, en los escombros de la relación que tuvieron, en dos vidas a punto de ser destruidas. La furia, como una cosa viva en su interior, disipó su languidez.

—Si me demuestras que lo hizo, Clayton, te juro que lo joderé bien jodido. Y al diablo con Jeannie.

Clayton lo miró un momento a los ojos y luego bajó la vista.

—Hablando de esposas —dijo—, hoy hablé con Meg.

Kerry se sobresaltó: —*¿Meg?* ¿Por qué?

—Adivina qué pasó: recibió una visita de *Newsworld*. No puede contenerse.

La furia se mezcló con remordimientos y también tristeza.

—Hijos de puta —murmuró—. No quería que se enterara.

—Ella tampoco. Dile a Kerry que no quiero escuchar una palabra más sobre esto. De nadie. Eso dijo.

Kerry se frotó la nariz: —¿Qué habrá querido decir?

—Que no les va a ayudar —dijo Clayton suavemente—. Y te desea suerte.

Por un instante breve y deprimente, Kerry recordó su relación con Meg antes de hacer el amor por primera vez, cuando ignoraban la brecha que se abriría entre ambos, la destrucción de tantas esperanzas.

—Si vuelves a hablar con ella, dile que le agradezco.

—Bueno, hablemos un poco de Cutler. Nat Schlesinger irá a hablar con sus jefes en Nueva York. A ver si realmente saben lo que hacen.

—Claro que lo saben. —Alzó la vista. —¿Hicimos alguna declaración sobre la matanza en South Central?

—Sí. Kit la redactó como tú dijiste: que es una tragedia provocada por las armas y la delincuencia urbana; que recordarás a los familiares de las víctimas en tus oraciones; que te alegras de que no hubiera más víctimas; que haces llegar tu reconocimiento al reverendo Wills y los vecinos del barrio. Y que no tienes nada más que decir.

—La verdad, ¿qué más *podría* decir? Si volviera al barrio sería una maniobra electoral. Algunos dirán que lo fue... Después de todo no se trata de mí sino del asesinato de un chico de diez años. —Meneó la cabeza: —Parece que mi mensaje sobre el progreso en las relaciones raciales se perdió en el aire.

—Lo que quisiste hacer fue una estupidez —dijo Clayton con su voz más inexpresiva—. Eso lo sabes. Así que tienes razón: la única alternativa ahora es la modestia heroica. —Sonrió por primera vez: —Con un poco de suerte y un silencio elegante, mañana habrás ganado un punto.

—Heroísmo —dijo Kerry con hastío—. Hablaste de eso después del tiroteo con Musso. Cuanto menos hable el héroe, mejor. Sobre todo cuando *sabe* que no debe hablar.

Clayton se sentó: —Si esperas el día en que podrás hacer algo sin que te observen, deberás esperar mucho tiempo. O abandonar la carrera.

Kerry dejó pasar unos segundos mientras asimilaba esa verdad.

—No puedo abandonar —dijo—. Ahora no.

—Entonces piensa en lo que dije sobre Mason. Aquí no se aplica el criterio legal de culpabilidad más allá de una duda razonable. El criterio es político: qué es lo más probable. —Clayton bajó la voz—. No hemos podido descubrir nada sobre la terapeuta que nos permita desmentirla. Entonces la mejor alternativa es hacer quedar mal a Dick.

Kerry dejó que su mente se hundiera en los problemas prácticos de la política: votantes, encuestas, la ambivalencia de las partidarias del aborto hacia él. El costo de hablar sobre un tema, para él, doloroso y complejo.

—¿Qué pasa con el acto en San Francisco? —preguntó por fin—. Ellen Penn dice que puede atraer gente y no quiero que se ponga más furiosa conmigo de lo que está. Pero el alcalde apoya a Dick, así que no tendremos su ayuda.

—En tres horas tendremos las cifras de Jack —dijo, pensativo—. Lo decidiremos entonces.

SEIS

Cuando Lara llegó al Citrus con Lee McAlpine y Sara Sax, Nate Cutler las esperaba en su mesa.

Se sintió traicionada: esperaba una cena para tres, no para cuatro.

—Decidí unirme a ustedes —dijo Nate a Lee—, cuando me enteré de que Lara sería de la partida. —Se volvió hacia Lara con una sonrisa. —A ellas las veo todos los días. Pero el martes tú desaparecerás de nuestras vidas.

Cerdo, pensó. *Todo lo que yo diga aparecerá en tu nota.*

Sin embargo, logró sonreír: —Estarás siempre en mis pensamientos, Nate. No lo dudes.

Lo miró a los ojos, lanzó un mensaje de furia y disgusto, y entonces las tres mujeres se sentaron. Cuatro periodistas descansan del trajín del día en un buen restaurante de Los Angeles, pensó Lara con amargura. Para ella no habría descanso.

—Y bien —dijo Nate después de pedir los tragos—, ¿qué les parece Kilcannon persiguiendo a las autobombas? O intentándolo.

Lara decidió cerrar la boca. Si Nate estaba resuelto a que Kerry fuera el tema de conversación, ella no le haría el juego.

—Tratándose de Kilcannon —dijo Lee—, la pregunta siempre es *por qué* lo hace. Informar que quiso asistir a un tumulto callejero es escarbar apenas debajo de la superficie.

Nate sorbió su daiquiri: —Mi jefa dice que la respuesta es sencilla: votos.

—¿Estás de acuerdo?

Nate alisó el mantel: —Kilcannon no quiere ser superficial. Mason practica la política de los gestos; en cambio, para él hacer política es estar dispuesto a correr riesgos.

—¿De veras crees que hubo riesgo? —dijo Lee—. La policía no le permitió acercarse.

—Pero si le hubiera permitido... —Nate se encogió de hombros—. Dick Mason hubiera esperado que South Central se incendiara totalmente y luego hubiera aparecido con fondos para el Centro Juvenil Derek Baker. O como fuese que se llamaba el chico muerto. ¿Qué opina usted, señorita Costello? Lo conoció antes que nosotros.

Lara sonrió fríamente: —Coincido con tu jefa —dijo con su voz más inexpresiva—. Nunca hay que creerles nada. Si no, corres el riesgo de que te decepcionen.

Advirtió que Lee la miraba con curiosidad.

—Disecar estos personajes es lo más entretenido de todo —dijo Lee—. Cuanto mejor los conozco, menos me importa lo que dicen. Lo que importa es *quiénes* son. Por ejemplo, el presidente. Nadie me convence que sus problemas personales no encubren algo más profundo.

Nate asintió: —Por eso, con el debido respeto a Lara, mi jefa se equivoca. Al menos en el caso de Kilcannon. —Paseó la vista por la mesa hasta posarla en Lara. —Veamos lo del aborto, sólo por dar un ejemplo. Eso que dijo Kilcannon, que un feto es una vida, es una estupidez política, sobre todo para un demócrata. Tiene que existir otra razón.

La brusca sensación de náuseas le recordó la noche en que Nate la encaró por primera vez.

—Tal vez lo cree de veras —dijo—. Independientemente de lo que pensemos tú y yo. O creamos conveniente pensar.

Nate inclinó la cabeza con el aire del hombre que ha ganado una discusión:

—O sea, reconoces que tiene sus principios. Aunque una vez me dijiste que la clave de Kerry Kilcannon era la experiencia de vida.

—Era una teoría, Nate —dijo con voz dura—. De la época en que pertenecía a la escuela de Lee, del periodismo como psicoanálisis.

—¿Y ahora no lo crees?

Se encogió de hombros: —Resultó que en África no era tan importante. Ver a la gente morir de hambre ayuda a uno a reordenar sus prioridades. —Sorbió su cóctel—. Muy bien, sabemos qué motiva a Lee. ¿Y a *ti*, Nate?

Sin duda se daba cuenta de que ella quería desviar la discusión. Pero la miró con respeto, como si la pregunta mereciera una respuesta seria:

—No quiero parecer patriotero. Pero yo estudié periodismo con la convicción de que el ciudadano bien informado podrá tomar una decisión correcta. O al menos una decisión mejor.

—Parece que recorriste un largo camino desde entonces —dijo Lara con una sonrisa.

Nate la miró fijamente.

—El ciudadano norteamericano —terció Sara Sax— es extraordinariamente estúpido e increíblemente abúlico. Pero a mí me fascina este juego. Cuando lanzaron la ofensiva para derogar la contratación preferencial de minorías y publicaron avisos con frases de Martin Luther King, no podía dejar de reír. Sé que está mal, pero es *tan* divertido.

—Kilcannon se opuso —dijo Nate—. Estaba en contra de derogar la contratación preferencial. Siempre gravita hacia los oprimidos y las causas perdidas.

—¿Pero, *por qué*? —dijo Lee—. Nunca habla de sí mismo si no es en broma, y uno se queda con todas las dudas. ¿Cómo era de niño? ¿Quería a mamá y papá? ¿Qué pensaba de su hermano?

—Y ya que estamos —dijo Nate—, ¿qué pasó con su matrimonio?

Lara lo miró desde el otro lado de la mesa: —¿Tiene tanta importancia, Nate?

La miró largamente a los ojos: —Depende de la respuesta. Creo que como periodista tengo el derecho de saberlo. Y luego juzgar si el público necesita estar enterado.

Como si fueras Dios, pensó Lara con furia, pero entonces se dio cuenta de que cuatro años antes hubiera dicho más o menos lo mismo.

—¿Y cuál es el criterio para decidir? ¿Es un juicio práctico basado en la competencia? O, como sugieren nuestros críticos, en la tirada.

Lara advirtió que Lee la miraba con curiosidad. La hostilidad subyacente salía a la luz, y los principales antagonistas eran Nate y Lara.

—No hay una demarcatoria nítida —dijo Nate con firmeza—, pero te diré cuál es el criterio más evidente: la hipocresía. Cuando la vida privada del político se da de patadas con sus pronunciamientos públicos.

¿Cómo puedes saberlo, si soy la única que lo sabe?, pensó. Se dio cuenta de que Nate le tendía una trampa y buscó la manera de desviarlo.

—Muy bien, plantearé un caso hipotético, para todos.

"Tenemos un gobernador de Florida: defensor de los valores familiares, veinte años de matrimonio, buena esposa, dos lindos hijos. Los ciudadanos lo aman por eso.

"Pero hay un problema: acabas de descubrir que el tipo está profundamente enamorado de su asesor legislativo. Que es un hombre.

"No persigue a los *gay*; es tan benigno como lo permite la política local. Pero el setenta por ciento de los votantes de Florida piensan que el hecho de ser homosexual afecta su capacidad para gobernar. Dicho de otra manera —dijo secamente—, esa gente que Nate quiere proteger y que según Sara es tan estúpida, se muere por conocer esa vida interior que según Lee es un factor crítico. ¿Publicamos la historia?

Lee miró el mantel, hosca: —Si no es un hipócrita...

—¿Por qué habríamos de destruir su vida? —dijo Lara—. Precisamente. Pero piensen una cosa: los presentes somos solidarios con los *gay*, pero muchos votantes no lo son.

—¿O sea que somos elitistas?

—Por supuesto. E inconsecuentes.

—¿Pero *mis* criterios son los del público? —exclamó Nate—. En ese caso, *¿cuál* público? ¿Los lectores de la prensa amarilla?

Lara se volvió hacia él con una sonrisa: —Es una excelente pregunta, Nate. Y no estoy segura de conocer la respuesta.

Por primera vez, Nate pareció desconcertado: —Dices que el hombre no es un hipócrita ni un mentiroso.

—Pero puedes convertirlo en lo que quieras. —Lara hizo un esfuerzo para mantener la voz y el porte serenos. —Un día lo acorralas en una entrevista, supuestamente para preguntarle sobre la inmigración cubana. Pero tienes los apuntes de un psiquiatra en los que confiesa la verdad, su amor por el asesor, su angustia por no poder revelarlo.

“”Tiene su oportunidad” —le dices tú.

”Pero desde luego, sabes lo que pasará. La verdad echará a perder su matrimonio y su carrera. Entonces miente, tal como esperabas. —Su voz era suave. —Lo descubres con la confesión de un novio anterior y lo publicas como anticipo. Porque el gobernador de Florida te *mintió*.

Nate la miró a los ojos: —Creo que no lo haría, Lara.

Sonrió otra vez: —¿No? Quería estar segura. —Miró a las otras: —¿Quién delata al gobernador?

Se hizo silencio.

—Nadie —dijo Sara.

—Un acto de compasión —dijo Lee, y entonces se acercó el camarero, un ser vagamente epiceno.

Mientras pedían, los ojos de Lara recorrían el salón. Los brillos, la concurrencia ostentosa, todo parecía irreal. No tenía hambre; para guardar las formas, pidió ensalada y una entrada. Nate la miraba fijamente.

—Chardonnay —dijo—. ¿Todavía es tu preferido?

—Está bien —dijo, y entregó la carta al camarero.

—Una botella de Peter Michael —dijo, sonriendo—. Y guarde otra en el refrigerador.

El camarero se alejó.

—Caro —dijo Sara Sax.

—Trabajamos mucho —dijo Nate—, y padecemos grandes sufrimientos. Hablando de eso, Sara, ¿lograste seducir al agente?

—Si lo hubiera logrado, ¿crees que estaría *aquí*? —dijo con una sonrisa melancólica.

—Claro que sí —dijo Lee—. Tendrías hambre. Es lo que me sucede a mí: papas fritas a medianoche.

—¿De veras? —dijo Nate—. Yo prefiero los bombones de menta. —Una vez más se volvió hacia Lara: —Hablando de sexo, veamos otro caso hipotético. Si te interesa.

Lara vio el resplandor de sus ojos y no respondió.

—Adelante —dijo Lee.

—Muy bien. —Nate miró a las tres. —El mismo gobernador de Florida, la misma esposa e hijos. Sólo que es heterosexual y furibundo opositor del aborto.

"Su hijo menor tiene diez años y su esposa trabaja... digamos que es periodista de televisión. Y no quiere tener más hijos.

"Un día descubre horrorizada que le falló el diafragma. —Hizo una pausa y miró a Lara: —No soporta la idea de tener otro bebé. Decide abortar. Y la misma mañana que el esposo declara ante un grupo de curas que el aborto es inaceptable incluso en casos de violación o incesto, ella se lo hace. ¿Qué dices, Lara? Lo publicamos.

Sintió frío en la piel.

—Pregúntales a ellas. ¿Por qué jugamos sólo tú y yo?

Se volvió hacia Lee y alzó las cejas.

—¿Qué dice el gobernador después? —preguntó Lee, pero se contuvo—. Bueno, no importa. Si se opone al aborto, es un hipócrita. Si modifica su posición, el público tiene derecho a saber que se debe a una experiencia personal. Que han tenido muchas mujeres.

—¿Y la vida privada de ella?

Lee frunció el entrecejo: —Sí, es un factor a tener en cuenta. Pero está casada con un funcionario público que habla mucho sobre el tema. Eso es más importante que la intimidad.

Lara bebió un sorbo de agua y Nate se volvió hacia Sara Sax: —¿Y tú?

—Estoy a favor del aborto, y punto. De modo que no soy objetiva. —Se tomó las manos, varias arrugas aparecieron en su frente. —Sí, la publico. Lo más jodido de estos moralistas es la brecha entre lo que quieren imponer a los demás y lo que quieren para ellos mismos.

—Dos a cero —Nate miró a Lara—. Es tu turno.

Lara lo miró a los ojos: —Me parece que olvidamos algo.

—¿Qué?

—Quién tiene el poder de decisión.

Nate sonrió: —La mujer. Creo que todos los humanistas laicos estamos de acuerdo en eso.

—Entonces dime qué siente él, y te daré mi respuesta.

Nate no perdió la sonrisa. Pero su mirada era seria, meditabunda. En medio del silencio, el camarero trajo el vino.

Nate lo probó: —Excelente —dijo—. Vale hasta el último centavo que gasta *Newsworld*.

Todos rieron. Lara se preguntó con desesperación cuándo había dejado de sentirse parte de ese ambiente. La primera vez que Kerry la tocó... o tal vez momentos antes, con el acoso de Nate en medio de la conversación ligera. Eran buenas personas. Competitivas, por cierto; egocéntricas, sin duda; pero profesionales laboriosos que amaban su trabajo. Pero había dejado de ser uno de ellos.

—Hablando de mentiras y cuentas de gastos —dijo Lee—, ¿con cuál personaje en la noticia estoy cenando esta noche?

—Kerry Kilcannon —sugirió Sara Sax con una sonrisa alegre—. ¿Quién, si no?

La mirada de Nate se posó en Lara: —No es creíble. Kilcannon nos evita.

Lee le echó una mirada intencionada: —Kit Pace, entonces. Parece que ella sí tiene tiempo para atenderte.

Nate alzó la copa y sonrió: —Por Kit.

Lara dejó su copa sobre la mesa.

SIETE

A solas en su cuarto en el hotel, Sean Burke examinó la pistola.

El cargador estaba lleno. Lo inundó un pavor tardío, como el efecto retardado de una pesadilla: el chico de la calle hubiera podido matarlo; el cadáver en el callejón podría haber sido el suyo. Cerró los ojos y acarició la pistola; el sonido de la televisión se volvió indistinto como una oración.

Se acaba el tiempo. Una vez que lo rastrearan hasta San Francisco, sólo el nombre de "John Kelly" se interpondría entre él y la policía. Faltaban treinta y seis horas para su última oportunidad, y ésta dependía de Kerry Kilcannon.

Kilcannon, pensó con furia renovada: un hombre que defendía a los negros en lugar de los niños por nacer. Sean no podía entenderlo: en un grupo campeaban las drogas, la holgazanería, la inmoralidad; el otro era tan puro, tan inmaculado.

La voz del televisor penetró en su conciencia.

"El 12 de febrero de 1988, un joven abogado se presentó en la corte."

Los ojos de Sean se abrieron de par en par.

En la pantalla apareció la cara de Kilcannon. *"Ya había dedicado cuatro años de su vida a proteger a mujeres víctimas de la violencia* —dijo la voz en *off*—.

"Iba a proteger a otra mujer y su hijo..."

Se acercó al televisor, sin poder apartar los ojos de la pantalla.

"Pero ese día, alguien más se presentó en la corte: un hombre armado con una pistola. El esposo golpeador de la mujer."

Escuchó un estampido, el ruido de una bala al ser disparada. La pistola se agitó en su mano.

Cambió el cuadro.

Un guardia contemplaba el cadáver de un hombre. Cerca de éste, en la entrada a la sala del tribunal, estaba tendido el cuerpo de una mujer.

La imagen se amplió lentamente.

Kilcannon estaba tendido junto a la mujer; de su hombro manaba sangre. Su brazo sano protegía a un niño de cabello oscuro, en estado de shock.

"Kerry Kilcannon —dijo la voz de la mujer—. *Porque el amor vale más que las palabras."*

Con la visión borrosa a causa de las lágrimas, Sean apoyó el caño de la pistola sobre la imagen de la cabeza de Kerry Kilcannon en la pantalla.

En el baño, Kerry se echó agua en la cara. Estudió su palidez, la hinchazón debajo de los ojos. Para el debate del día siguiente debería someterse por fin a los dictados de los maquilladores, pensó resignado.

Una voz irrumpió en sus pensamientos.

"En Boston —dijo la locutora del canal local de la NBC—, *la policía difundió el primer retrato del hombre que asesinó a tres personas el martes pasado en la clínica de mujeres..."*

Movido por la curiosidad, fue a la sala a ver la cara del joven con gorra de esquí.

Sintió una vaga inquietud, no sabía si por el crimen en sí o por la cara en la pantalla. Era implacable, y los ojos feroces de mirada asesina eran levemente rasgados, como si fuera un asiático: Kerry se preguntó si era una representación precisa del hombre o de los miedos de la mujer que lo había descrito.

"Se lo describe como un hombre delgado, de veinte a veinticinco años —prosiguió la voz en *off*—. *Un metro ochenta de estatura, pelo oscuro, tez pálida. La policía advierte que este retrato se basa en la descripción realizada por la única sobreviviente..."*

Kerry se estremeció al mirar el rostro. Entonces llamaron a su puerta.

Apagó el televisor y fue a abrirla.

Clayton entró con un manojo de hojas de fax. Su mirada cayó en los libros de preparación para el debate, desparramados sobre la mesa ratona.

—Espero que los hayas memorizado —dijo.

Kerry hizo una mueca: —Estas cifras de la balanza de pagos me dan jaqueca. Si llego al gobierno, ¿podemos contratar a otro para que se ocupe de estas cosas?

—Hay gente de sobra. La joda es elegir a la mejor. —Se sentó en una silla junto al sofá y esbozó una sonrisa. —Por el momento, tus probabilidades de llegar son un *poquito* mejores que antes. Las encuestas de Jack te dan una leve ventaja por primera vez.

Un margen del uno por ciento no es como para cantar victoria, pero tal vez revele una tendencia.

Kerry lo miró, entre cauto y eufórico: —¿Dónde sacamos ventaja?

—Empiezas a movilizar tu base, como dicen en la jerga... al menos entre las minorías. Se debe a los avisos y a los últimos actos. Lo de South Central podría beneficiarte: un sector importante piensa que eres el más capacitado para resolver problemas raciales.

Kerry asintió: —¿Indecisos?

—Casi doce por ciento. —La expresión de Clayton era muy seria. —Faltando tres días para la elección, es una cifra muy alta. Jack piensa que está congelada por el debate: tomarán su decisión después de mañana a la noche.

Kerry hizo una mueca: —Si quieres tranquilizarme, mejor intenta otra cosa.

Clayton se inclinó hacia él y su expresión era grave: —Dick verá las mismas cifras y pensará que toda su vida adulta se va por la cloaca. Estará desesperado, Kerry. Debes estar preparado para cualquier cosa.

Kerry pensó en Lara, bañada en lágrimas, asimilando la mirada de shock de su amante.

—He tratado de imaginarlo. Hace horas que me pregunto qué hará Dick. Tal vez lo planteará en forma de caso hipotético... —Hizo una pausa y levantó la vista—. ¿Cómo estamos con las partidarias del aborto?

—Todavía en desventaja. Sobre entre las que piensan que es lo más importante.

Kerry entrecerró los ojos y se llevó un dedo a los labios.

—Hagamos el acto —dijo—. El domingo a la mañana, después del encuentro con Cutler. Llamaré a Ellen Penn para decirle que le doy mucha importancia.

Clayton asintió: —Yo llamaré a San Francisco.

Después de la partida de Clayton, Kerry se sentó en la sala.

Era un político con sentido práctico que encaraba un problema práctico. Y lo único que le venía a la mente era el deseo absurdo de regresar en el tiempo.

Lara cortó la comunicación y cerró los ojos.

Había consultado su contestador automático en la NBC. Eran los mensajes habituales —una reunión para discutir su nuevo programa, una invitación a disertar ante un grupo de mujeres hispanas, una propuesta de matrimonio de cierto admirador desequilibrado—, pero había uno insólito.

Era de una antigua vecina, lleno de indirectas cautelosas, como si temiera que la escucharan o acaso tuviera remordimientos. Pero su significado era transparente.

Una periodista de *Newsworld* la había visitado y la mujer, desconcertada, había descrito una escena tal vez desconocida para ella: un hombre parecido a un conocido senador estaba parado frente a su puerta; se lo veía trastornado, angustiado y no se decidía a partir. La había llamado varias veces a través de la puerta.

Efectivamente, no sabía nada, pensó Lara. Ya había partido; no había nadie al otro lado de la puerta.

Si sólo hubiera podido discernir el desenlace desde el comienzo.

Háblame de Meg.

WASHINGTON, D.C.

abril 1997 — septiembre 1998

UNO

Al despertar, Kerry contempló su rostro, maravillado. Estaban acostados en silencio; sus flancos apenas se rozaban. Ella estaba tan seria que temió que jamás volvería a verla así o conversar como la noche anterior, sin barreras.

—Acabo de descubrir lo que significa la soledad —dijo.

Su mirada era grave, inquisitiva: —¿Soy tan importante para ti?

Vaciló, y entonces comprendió que la sensación de soledad, hasta entonces tan habitual que había aprendido a aceptarla como parte de su destino, a partir de Lara se volvía insoportable.

—La noche del funeral de Liam —dijo— quería que te quedaras conmigo. No quería a Meg ni a Clayton sino a ti. No tenías que decir ni hacer nada. Y trataba de convencerme de que no eras más que una periodista que me caía bien. Tal vez tenía miedo de enfrentar justamente esta situación. —Se interrumpió, temeroso de asustarla. —Sé que no quieres relaciones con un político, como no las quería Meg. Pero ruego a Dios que haya algo en mí que sí te guste.

Le tomó una mano.

—Esto tiene tantas contras —dijo por fin—. La mayoría ya las conoces, y además el asunto de la vida personal del presidente dificulta las cosas. Pero hay algo que debes saber: no puedo tener una relación así contigo y también con otro. Y algún día tendré que elegir, porque quisiera tener una pareja estable, un hogar. —Hizo una pausa: —Eso podría hacernos mucho daño, Kerry. Mucho más que si le ponemos fin ahora mismo.

Kerry se debatía con sus propios sentimientos: una súbita posesividad; un miedo tan desgarrador de perderla que sólo podía imaginarlo; el deseo fervoroso de ser feliz.

—Me gusta que seas tan franca —dijo—. Confiaré en que cuando llegue ese día, me lo dirás.

Apartó la cara y sus largas pestañas cubrieron sus ojos.

—Eso podría suceder el día que decidas postularte para la presidencia. Porque sería imposible seguir con esto.

La mención de la política, del cálculo complejo que lo ataba al vicepresidente, le pareció deprimente.

—Acabamos de hacer el amor, Lara. Podemos hablar sobre mi carrera en cualquier otro momento... incluso querré hacerlo. Por ahora, sólo quiero hablar de cuándo volveré a verte.

Lara tomó aliento: —No lo sé. No sé qué es lo más conveniente.

La idea de perderla lo sacudió como una corriente eléctrica. La abrazó y ella apoyó la cara sobre su pecho. Durante varios minutos ninguno de los dos quiso romper el silencio.

—Se hace tarde —murmuró Lara—. Y se hace más difícil separarse. Al menos para mí.

No respondió, y ella se apartó para dejar un espacio entre ambos. Tenso, Kerry vio en sus ojos la vacilación, las barreras personales y profesionales que la hacían callar, las campanas de alarma de la ética y la autodefensa, su miedo de sufrir. Pero cuando se decidió a hablar, no fue sobre ninguna de esas cosas:

—Háblame de Meg.

Durante la hora siguiente lo escuchó con atención, trató de comprender el proceso que lo había conducido hasta ella.

Lara advirtió que era un tema penoso, y en buena medida aún incomprensible para él: Meg le había permitido vivir su vida sin protestar. Pero intuyó que no terminaba de asumir su dolor y su furia, o acaso una verdad más profunda: un esposo ausente, agobiado por la sensación de culpa y obligación, no le exigiría más de lo que Meg sabía que podía darle.

—Has estado muy solo —dijo—. Este encuentro lo debemos a Meg.

Era tan vulnerable: eso saltaba a la vista. Pero esa cualidad suya de comprender a los demás e identificarse con ellos la conmovía tanto que, a pesar de las dificultades, le exigía algo más que el deseo de estar con él.

—Es difícil para mí decirlo, pero si no quieres estar con Meg, deberías conocer a alguien que quiera compartir la vida que elegiste, compartir la vida de ambos con todos los que te requieran. Sé que esa persona existe, si sólo tuvieras libertad para buscarla.

La miró intensamente y luego le tomó la mano: —Ya la encontré —dijo—. Pero no estoy seguro de que ella me quiera.

Pero piensa a dónde iremos a parar, se dijo Lara con tristeza. *Podemos brindarnos apenas unos trozos de lo que queremos, cada uno un paso hacia el desenlace, donde el peso de todo lo que hemos tratado de ignorar caerá sobre nuestras cabezas.* Sólo que, ahora que lo había hallado, no se decidía a descartar ese tiempo que les quedaba.

—Claro que te quiere —dijo Lara—. Y sería mucho mejor que no fuera así.

Mes tras mes, pasó un año entero.

Aprendieron a necesitar su mutua compañía, a compartir sus pensamientos. A veces pasaban varios días sin que ella lo viera, incluso más de una semana cuando él debía viajar. Pero hablaban por teléfono con la impotencia de los amantes frustrados y la franqueza de los buenos amigos.

—No puedo imaginar que deje de desearte —dijo Lara una vez—. Y la sola idea de no hablar contigo...

Jamás había sentido tanto afecto por alguien.

Él sabía escucharla, fuese sobre su carrera, su familia o las dificultades de la relación.

—Cuando estás lejos —le dijo un día—, pienso que estás con Meg. Aunque dices que no te acuestas con ella.

La mirada de Kerry era tierna, inquisitiva: —¿Y tú serías Meg si pudieras serlo?

Tomó su mano.

—Me lo he preguntado —confesó—. A pesar de todo... de mi carrera, del escándalo que crearíamos. Pero todo lo que eres, la persona que quiero tanto, es inseparable de lo que no quiero. —Su voz se volvió más grave. —Estás en el Senado desde que tenías treinta años. No puedo imaginar que seas otra cosa. Salvo, quizá, presidente.

Bajó la vista: —Si eso es verdad, entonces se han cumplido mis temores. No tengo otra vida que ésta.

—Tal vez se han cumplido tus deseos. No quiero que lo pierdas, Kerry. —Lo besó—. Creo que sabes lo que siento; si no, no estaría aquí. Pero si alguna vez llego a casarme, querré continuar mi carrera, un esposo que tenga tiempo para compartir todo e hijos que nos vean a ambos. Con un senador o un presidente sería imposible. Entonces ganaría yo y perderías *esas* cosas o ellas triunfarían sobre mí. —Apartó la cara. —Y me duele tanto que a veces detesto lo que hacemos.

Por consenso tácito, vivían en el presente, y en ese tiempo compartían casi todo. En ocasiones se limitaban a alegrarse mutuamente la vida. Una noche, cuando hacían el amor, el estrépito de un camión recolector de residuos transformó la pasión en una carrera entre la consumación y la distracción total, hasta que el estremecimiento del clímax se disolvió en el abrazo de dos amantes incapaces de contener las carcajadas.

—El sentido del tiempo es lo más importante —dijo Kerry—. Dos segundos más y perdíamos.

Lara lo besó: —Ay, fue tan romántico. Como hacerlo frente a un panel de árbitros con cronómetros.

Kerry se tendió de espaldas y sonrió: —No puedo imaginar eso de hacer el amor en un pacífico ámbito pastoral. No hay peligro.

Lara se volvió hacia él: —Tal vez deberíamos intentarlo —dijo para su propia sorpresa.

Kerry se apoyó sobre un codo y le acarició el pelo.

—¿Una fuga? —preguntó—. ¿En lugar de hacer el amor en el capullo urbano, al son tierno de las radios y del tráfico en torno del Capitolio?

Sonreía. Pero en esa vida de puro presente, la idea de pasar unos días a solas le pareció hermosa a Lara.

—Si fuera posible —dijo.

Su sonrisa se desvaneció: —Lo intentaré —dijo, mirándola a los ojos.

Durante un año, Lara había evitado que la descubrieran.

Sus notas sobre Kerry Kilcannon eran más incisivas, más analíticas que nunca, atentas a la perspectiva de que el conflicto con Mason en torno de causas tales como la reforma de la campaña o seguro de salud infantil podría llevarlo a buscar la presidencia. Kerry solía bromear sobre ello. Pero tenía la astucia de no quejarse: sus críticas filosas eran algo más que una protección formal. Lara consideraba que de esa manera conservaba su integridad.

—Creo que tienes razón —le dijo un día Nate Cutler mientras almorzaban—. Se va a postular. Sus declaraciones son como un plan de campaña contra Mason.

Lara tragó un bocado de atún a la parrilla: —Tal vez cree en lo que dice. Mejor dicho, estoy segura.

Nate asintió: —Entonces es mucho más probable que lo haga y nos salve del aburrimiento. Campañas en los dos partidos, el sueño del periodista.

Lara bajó la vista; había perdido el apetito.

Nate titubeó, y ella interpretó mal su silencio; tuvo la certeza de que estaba enterado de su aventura con Kerry.

—Oye, quería preguntarte si cenarías conmigo el viernes.

Entonces comprendió: estaba tan inquieto como ella, pero por otras razones.

—¿Los dos solos? —dijo con intención ligera—. ¿Cómo gente que está saliendo?

Ensayó una sonrisa: —Algo así. Salvo que creas en el tabú sobre el incesto.

Lara sonrió a su vez: —¿No leíste las notas sobre los romances de oficina? El saldo siempre es trágico y lo paga la mujer. Como la asesora económica del presidente, que perdió su matrimonio y su puesto. —Al ver su mueca de disgusto, le palmeó el brazo y suavizó el tono. —No es la única razón, Nate. Y por cierto no es que no me gustas. Estoy saliendo con alguien.

La miró: —No habías dicho nada. ¿Es una relación secreta?

Lara logró sonreír otra vez: —Totalmente —dijo—. Incluso para mí. Algún día me vendrá bien tener un amigo como tú.

Esa noche, cuando fue al apartamento de Kerry —como siempre, con el temor de que la siguieran—, aún pensaba en esa conversación.

Kerry se había demorado. Fue a la cocina, puso la botella de vino en el refrigerador, junto a los frascos de mermelada que guardaba para los desayunos antes del amanecer, cuando partía.

El apartamento estaba casi vacío —sofá, televisor, algunas revistas y cuadros— y se sentía desolada cuando él no estaba. Tan vacío como se sentiría ella después de una eventual separación.

Se va a postular.

Nate también lo creía. Y acertaba en los motivos: a medida que sus convicciones lo separaban de Mason, Kerry se sentiría más impulsado a postularse. Entonces se cerraría el cerco a su alrededor: la necesidad de contar con Meg, el servicio secreto, la persecución de Nate y sus colegas. No quedaría lugar para ella.

Se abrió la puerta y entró Kerry. La corbata torcida, una mueca de disgusto grabada en la cara.

La besó rápidamente.

—Perdona —dijo—. Estaba en la antigua casa de gobierno, discutiendo el futuro de la nación con el más grande vicepresidente casi vivo de la historia. Un hombre digno de la función que ejerce.

Lara le sirvió una copa de chardonnay.

—¿No hay ayuda de ese sector?

Se sentó junto a ella sobre el sofá.

—Es absurdo, Lara. El tipo es tan amable que su cinismo te quita el aliento, qué joder. —Su voz trasuntaba furia contenida. —Es la encarnación de todo lo que está mal en la política de los 90: cobardía disfrazada de astucia, conducción por encuesta, gestos simbólicos, atención particular a los lobbistas. Es deprimente que Dick Mason no le importe a nadie salvo a ellos. Y a sí mismo, claro.

Está en marcha, pensó Lara. Mason se equivocaba con Kerry... tal vez porque no podía imaginar que las motivaciones de éste fueran distintas de las suyas.

—Cuéntame —dijo.

La antigua casa de gobierno, boiserie y mármol y filigrana, era una bella obra de restauración. La oficina de Mason reflejaba su necesidad de gravitar: un escritorio que había pertenecido al gran legislador Henry Clay, cortinas azul marino con bordados en oro, un delicado jarrón proveniente de un viaje reciente a China, un juego de lapiceras que había sido de John F. Kennedy. Dick Mason, pensó Kerry irónicamente, ya había pasado a la historia.

Con gesto de amable autoridad le ofreció un asiento. Pero Kerry no estaba de ánimo para preámbulos amables.

—Tenemos que aprobar la reforma de la campaña —dijo sin vueltas—. Conoces las razones morales y políticas. El sistema está tan corrompido que está al borde del colapso, y los republicanos nos van a matar con esas fotos en las que apareces con los traficantes de armas árabes.

Mason le brindó una sonrisa benévola, aunque su mirada era filosa.

—No sabía quiénes eran, Kerry, y lo lamento. Pero estas cosas se olvidan.

—Para el año 2000, tal vez sí —dijo Kerry—. O tal vez no. Pero ya estamos en 1998. Elecciones legislativas en seis meses. —Suavizó el tono: —No vine a darte un sermón...

Mason alzó las cejas: —¿Ni a amenazarme? —preguntó en tono de broma.

Kerry lo miró fijamente: —Soy una amenaza para ti, aunque no quiera. Y nos estorba.

Mason juntó los dedos, apoyó el mentón sobre ellos y sonrió otra vez: —Si el problema soy yo, dime cómo puedo resolverlo.

Kerry se inclinó hacia él: —Apoya mi proyecto en el Senado. No solamente de palabra. Te pido que te pongas al frente, que hables con los demás senadores; que tú, el partido y el gobierno se jueguen por esto —dijo en tono suplicante—. Puedes hacer mucho, Dick. Si me ayudas, esos aportes dudosos importarán un carajo. Te convertirás en un reformador, cuya experiencia inocente con la realidad de las cosas le han demostrado lo que es inaceptable. —Hizo una pausa y añadió, brutal: —El presidente está metido en un lío, Dick. La gente no va a olvidar lo que hizo al matrimonio de Beth Slater. Necesitas algo más que Jeannie y los niños para diferenciarte de él. La reforma de la campaña es moral con mayúsculas.

Mason le dedicó la sonrisa de un maestro hacia un alumno algo lerdo —benévola, paciente, algo condescendiente—, pero no sin suspicacia.

—¿No has pensado en el factor político, Kerry? Pocos republicanos te apoyarán; ellos recaudan más fondos que nosotros. Los sobornos de las empresas les ayudan a compensar las consecuencias nefastas del voto popular...

—Razón demás para aprobar una reforma que nos favorece.

—Y aunque tuviéramos todos los votos necesarios en el Senado —prosiguió Mason, impasible—, perderíamos en la cámara. Y yo sería el idiota que se dejó joder dos veces: no tuve la inteligencia para rechazar el dinero ni la fuerza para arreglar las cosas.

—No se trata solamente de ti, Dick —dijo Kerry, bajando la voz.

La sonrisa de Mason se desvaneció: —Por supuesto. Hablamos del proyecto Kilcannon—Hawkins.

—De cualquier manera pierdes tú —dijo Kerry bruscamente.

—Y eso es lo único que importa, ¿no? —Lo embargó la furia impotente. —Crees que me postularé en el 2000 y calculas que con tu dinero me aplastarás como una cucaracha. Por lo tanto, mi proyecto de reforma no es más que una jugada para cortarte los fondos y robar tu lugar en la historia.

Una máscara opaca cubrió las facciones de Mason: —Jamás se me había ocurrido, Kerry. Pero a ti, evidentemente sí.

Kerry lo miró fijamente: —¿No te sientes un pigmeo, Dick? Cada minuto que paso contigo, siento que pierdo estatura.

Mason le devolvió la mirada y se encogió de hombros: —No me importa cómo me ves, Kerry. No creo que la gente le dé tanta importancia como para justificar el riesgo. Y nunca pensé que el liderazgo significara abrazar causas perdidas e infligirse heridas. —Por un instante su mirada se volvió dura, pero enseguida recuperó la sonrisa: —Eso es propio de ti, más bien.

Kerry lo miró y una sonrisa levísima asomó a sus ojos: —Si eso crees, Dick, a mí no me importa. —Se paró: —Cariños a Jeannie.

Mason le estrechó la mano: —Igualmente a Meg. Cuando la veas.

Kerry se sirvió más vino.

Estaban sentados sobre el sofá y las sombras del atardecer

penetraban en el apartamento. No hacía falta decir nada. Los dos comprendían las consecuencias: la reforma de la campaña no entraría en discusión en el período actual de sesiones, y en la sinergia perversa entre Mason y Kerry, el vicepresidente lo obligaba a postularse.

—¿Recuerdas lo que dijiste? —preguntó—. ¿Que querías que nos fugáramos?

Primero experimentó sorpresa, pero enseguida se dio cuenta de que también él comprendía que les quedaba poco tiempo.

—Sí, me acuerdo —murmuró.

DOS

Sentada en la playa, la espalda apoyada contra el pecho de Kerry, Lara contemplaba el mar pintado de bronce por los últimos rayos del poniente.

Habían pasado un día en Martha's Vineyard.

—Aquí siento que somos una pareja de verdad —le dijo a Kerry.

Durante cuatro días vivieron sin preocupaciones: la casa frente a Dogfish Bar estaba al final de un camino de tierra cerca de Gay Head; era un lugar tan discreto que pocos lo conocían. Libres de las paredes de los apartamentos y la necesidad de ocultarse, su tiempo adquirió un carácter irresponsable: esa mañana se habían hundido en el agua hasta la cintura con la brisa en la cara y bajo el Sol tibio. Kerry parecía joven, feliz, lleno de vida.

—Acabo de descubrir una cosa —le dijo ella—. La naturaleza despierta tu sensualidad. Las ciudades te han tratado mal.

Kerry hundió las manos en su rompevientos y rió, saboreando el aroma del mar, la frescura vigorizante del Atlántico.

—Lo que despierta mi sensualidad es Lara —respondió—. Lo demás es complementario.

Ella le salpicó la cara: —Si me deseas —dijo—, tienes que servirme langosta. Acá en la playa.

Se secó los ojos: —¿Quieres decir que venden para llevar?

Durante el resto del día obedecieron solamente a sus caprichos. Treparon las colinas sobre Menemsha donde tuvieron una visión panorámica de la bahía salpicada de velas blancas y de las islas Elizabeth, manchas verdes en medio del azul. Pasearon por la aldea pesquera, donde nadie parecía reconocer a Kerry, que usaba gafas ahumadas. Finalmente compraron dos langostas.

—Quiero un anticipo —dijo Kerry tras colocarlas en el refrigerador.

Fueron al dormitorio tomados de la mano.

Nadie los veía. Se tendieron desnudos a la luz del Sol, sin

prisa, se acariciaron, mirándose a la cara. Con la yema de un dedo ella acarició la cicatriz del hombro, luego la raya delgada de vello que iba del pecho al vientre. Pero sobre todo se demoró en sus ojos, esas ventanas azul—verdosas que le permitían ver sus emociones.

Estoy enamorada de ti, pensó con tristeza. *Nunca amaré a nadie tan intensamente.*

Esa brusca certeza, negada durante tantos meses, fue como un nudo en la garganta.

—¿Qué pasa? —preguntó él.

—Nada —murmuró Lara. Las mismas palabras que había dicho él la tarde que se conocieron, dos años antes.

Dos años, y ahora eres una parte de mí que no quiero perder.

La besó en el cuello: —Yo no diría eso —murmuró.

Más tarde, cuando yacía en sus brazos, se preguntó si podrían vivir como pareja siempre que Kerry no avanzara más allá del Senado.

—¿Qué estás pensando? —preguntó él.

—Me parece que he perdido el control de mis pensamientos.

—¿Por qué? ¿Qué lo provocó?

—Dame tiempo —respondió—. Tengo que poner orden en mi cabeza.

Kerry no insistió. Tenía el don del silencio, una de las virtudes que ella valoraba. Pero esto era algo más. Él la comprendía.

—Tengo hambre —dijo Lara después de un rato—. Creo que *ése* era el problema.

Planificaron la cena y salieron en busca de leña.

Eran mil quinientos metros de arena blanca y rocas enterradas que se extendían hacia el promontorio de arcilla roja sobre el cual se alzaba el faro de Gay Head, un clavo remoto contra el cielo azul del atardecer. En un lugar sin rocas cavaron un hoyo con las manos y encendieron una fogata con fósforos y algas secas. Luego se sentaron a beber chardonnay en vasos de cartón mientras hervía el agua para las langostas.

Eran tiernas, con sabor a los limones exprimidos por él y la mantequilla derretida por ella en una sartén. Se sentaron en la arena a beber vino, encantados con su hazaña.

—No está mal —dijo Kerry—, para un par de chicos de la ciudad.

Al atardecer contemplaron unas nubes iluminadas desde atrás y el cielo que se volvía cobalto. Las cosas eran mucho más claras, pensó ella, cuando uno frenaba un poco el ritmo de su vida. Y entonces una verdad acerca de su relación con Kerry la golpeó con una fuerza tal, que no pudo contenerse:

—Algo ha cambiado para mí.

—¿Qué es?

Meneó la cabeza: —No es fácil de explicar, Kerry. Toda la vida tuve miedo de que me ocurriera lo que a mi madre con mi padre: se quedó sin vida propia. Aunque él la abandonó, lo amaba tanto que conservaba su retrato en un cajón para mirarlo.

”Nunca le dije que lo sabía. Pero juré que no sería como ella, que conservaría un yo irreductible y no lo entregaría a nadie.

”Hasta ahora he vivido así. Nadie podía hacerme olvidar quién era yo. —Hizo una pausa, comprendió que era mejor así, hablarle al agua en lugar de mirarlo a la cara, y prosiguió con esfuerzo: —Cuando empezamos, sabía que independientemente de mis sentimientos esta relación tenía ciertos límites. No estaba dispuesta a ser una esposa política ni una mujer como mi madre. En otros aspectos y en mi carrera, mi vida siguió como hasta entonces. Y traté de convencerme de que cuando termináramos, eso me permitiría aceptar los hechos.

—¿Y qué pasó?

—Ahora comprendo que me engañaba. —La sorprendió el ardor de las lágrimas. —Me gusta demasiado estar así contigo. *Tú* me gustas demasiado, y me cuesta aceptarlo.

Sus brazos la estrecharon. En silencio contemplaron el Sol que desaparecía. La brisa nocturna les refrescó la piel.

—Lara —dijo él por fin—, no pensé que querías algo más de lo que ya tenemos. Pero si alguna vez quieres...

—Te lo haré saber. Por ahora, lo que quiero estar callados.

Pasaron un largo rato así.

La noche cayó sobre ellos. Lara se acurrucó contra él y contempló el cielo cubierto de estrellas, más brillantes debido a la ausencia de ciudad, escuchó el estrépito del mar, el crepitar de las últimas brasas.

—Quiero hacerte una pregunta —dijo por fin—: ¿Serás candidato a presidente?

Sintió que Kerry se acomodaba, apoyaba suavemente el mentón sobre su coronilla.

—Todavía no llegó el momento de decidir.

—Pero *llegará* muy pronto, después de las elecciones legislativas. El presidente y Dick tendrán que reparar los daños o el partido seguirá en minoría. —Alzó la vista hacia las estrellas. —Yo creo que sucederá esto último. Tú también. Es una de las razones por las que vinimos aquí, ¿no?

Su silencio, pensó con tristeza, era una tácita admisión de que ella tenía razón.

—Cuando veo a Mason —dijo por fin—, pienso en todo lo que haría si estuviera en su lugar. Pero aunque el presidente y Dick fueran los últimos pasajeros del *Titanic*, el costo de ser candidato es tan alto. —Su voz cayó a un registro más bajo. Se volvió grave, meditabunda. —Y además está este ciclo interminable de creación y destrucción de mitos. Jamie se salvó.

—¿Porque quedó convertido en un mito?

—Así es. Por Dios, cuánto lo quieren por haber muerto joven.

En silencio, Lara escuchó una rompiente vuelta invisible y nuevamente la asaltó el miedo de perderlo; el miedo de ser un obstáculo; la sensación de que el destino y las circunstancias lo arrastraban lenta, sinuosamente a la campaña presidencial.

—¿Te da miedo? Quiero decir, la idea de morir como Jamie porque un desequilibrado quiere unir su nombre al tuyo?

Por un instante no respondió, y entonces apoyó su mejilla contra la de ella.

—Ahora más que nunca.

El viento se volvió más fresco.

En la tibieza de la casa sobre la playa, hicieron el amor. Se durmieron arrullados por el sonido del océano, acariciados por la brisa que penetraba por la ventana y el olor de la sal.

A la mañana siguiente, Kerry escuchó por la radio la primera advertencia sobre el huracán.

Mientras escuchaba, Kerry miraba por la ventana. Lara, vestida con tejanos y un buzo de la universidad de Stanford, bebía café en el porche y contemplaba el mar, deslumbrante bajo la luz matutina. Por un instante no quiso decírselo.

Cuando salió, ella aspiró profundamente el aire del mar y se estremeció de placer: —Me encanta este lugar —proclamó.

Él apoyó las manos sobre sus hombros: —Tal vez debamos irnos —dijo—. Se viene un huracán. Lo esperaban en Carolina, pero viró hacia aquí.

Lo miró unos instantes y preguntó: —¿Cuánto tiempo nos queda?

Kerry le masajeó los hombros suavemente: —Unos tres días.

—Mmm, sigue, sigue —murmuró—. ¿Tenemos que decidir ya? Si el huracán viró una vez, podría volver a hacerlo.

Kerry sonrió: —Mañana por la mañana. Veremos qué dice la radio.

—Está bien. Ay, no pares. Un poco más arriba.

Pero parecía pensativa. Cuando él le trajo una segunda taza de café, se decidió a hablar.

—Hay algo que quiero decirte.

Su tono era serio y muy suave. Se sentó a su lado en el porche, las piernas cruzadas, calentándose las manos con la taza.

—¿Qué pasa?
—Tuve una propuesta de la NBC. Créase o no, quieren que haga televisión.
—Claro que lo creo. ¿Y qué te parece?
—No estoy segura. Lo hice cuando estaba en la universidad, así que no es un medio del todo desconocido. —Sorbió su café. —No es tan profundo como el periodismo escrito. Pero lo que ofrecen...
No lo miró, y el tono reticente, desusado en ella, lo perturbó.
—¿Mucha plata?
Lara asintió, sin apartar la vista del agua: —Bastante —dijo, y se volvió para mirarlo—: Me enviarían al exterior, Kerry. Si quisiera.
Se sobresaltó: —¿Quieres?
La pena asomó a sus ojos, como si intuyera la sombra que había caído sobre su alma.
—Lo querría —dijo—, si no fuera por ti. Trato de convencerme de que es una estupidez.
Kerry bajó la vista. *Sé justo con ella*, se dijo. *Sé su amigo.*
—Sé que siempre te has preguntado si este trabajo te conviene. Lo sé desde que nos conocimos.
Sintió la mano de ella sobre su brazo.
—Y eso fue hace dos años, Kerry. ¿Hasta cuándo seguiré cubriendo las intrigas políticas? —Su tono era suave. —Lo más irónico es que si fueras candidato a presidente, el *Times* me asignaría *tu* campaña. Y yo tendría que rechazarlo.
La miró y trató de sonreír: —En ese caso, no tengo motivos para postularme.
Lara estudió su taza.
—Yo no lo busqué. Pero los dos sabíamos que algún día... —Meneó la cabeza—. No espero que hagas nada al respecto. Ni lo quiero. Pero nuestras carreras se enredan con nuestras vidas.
Kerry tomó aliento: —No puedo decirte qué debes hacer, Lara. Sólo sé que lo harás muy bien. Si de veras lo haces con ganas.
Lentamente entrelazó los dedos con los suyos.
No volvieron a hablar de ello. Pero al hacer el amor, Kerry tuvo la impresión de que lo hacían con cierta desesperación.
Al día siguiente el huracán estaba mucho más cerca, y no quedaba un solo pasaje de avión o ferry a tierra firme.

Lara llamó a su oficina. Y cuando Kerry llamó a Meg, bajó a la playa.
Los amantes clandestinos, pensó con tristeza, actúan con extraña delicadeza; jamás permitiría que Kerry mintiera en su presencia.

—Ya está —dijo él apenas volvió—. Me quedo un poco más, atrapado en mi retiro solitario.

Tomó su mano: —Entonces, debes aprovecharlo.

Hicieron sus preparativos. Lara fue a la tienda de ramos generales a comprar baterías para linterna, alimentos enlatados, velas y botellas de agua mineral; Kerry trasladó los muebles al centro de la casa. Al verlo, Lara experimentó una alegría insensata.

—Es una aventura —dijo—. Como ir de campamento.

Kerry sonrió: —Sí, claro, y yo soy un jefe de boy scouts. ¿Trajiste tu teléfono celular?

Afuera se alzaba un viento fuerte, y en ese momento empezó a llover.

La tormenta se fue acercando durante todo el día siguiente.

La playa estaba desierta, no había botes en el mar. El cielo, bajo y sombrío, parecía fundirse con el océano.

Al atardecer se apagaron las luces.

Kerry tuvo un recuerdo de infancia: el de un árbol caído sobre los cables de electricidad.

—Podría durar varios días —dijo.

—No me importa —dijo Lara. Arrodillada junto a la mesa ratona, encendía las velas. La radio, alimentada con baterías, continuaba su melancólica narración: un locutor solitario anunciaba las novedades entre disco y disco.

La lluvia era torrencial y las ráfagas de viento sacudían las ventanas. Éstas eran cuadrados negros; la naturaleza no se dejaba ver, pensó Kerry, sino sólo escuchar.

—Hay demasiado vidrio aquí —dijo—. Cuando venga la tormenta, deberíamos estar en el dormitorio.

A la luz de las velas su cara parecía tallada; sus ojos eran negros.

—Queríamos estar solos, ¿no?

Kerry sonrió: —Y se cumplió nuestro deseo.

La abrazó.

La radio dejó oír las primeras notas del tema *Una casa de verano.*

—Parece que tienen sentido del humor —murmuró Lara—. O tal vez es la noche del baile de graduación.

Kerry la besó: —¿Me concede esta pieza?

—Un momento. —Se apartó, le desabrochó la camisa. —Ya que estamos solos. —Su camisa cayó al suelo, seguida por la blusa de ella. Le echó los brazos al cuello. —Así está mejor.

El viento se volvió un lamento obsesivo. En medio de las luces y las sombras, el senador por Nueva Jersey y la corresponsal del *New York Times* en el Congreso bailaron al son latoso de la radio, rozando apenas sus cuerpos, confiados en que por el momento nadie los veía.

Cuando la tormenta estalló en toda su furia, Lara pensó que era imponente como la Creación misma.

Primero hubo un silencio sobrecogedor. A continuación, pareció que la casa caería hecha escombros entre el alarido del viento, el estrépito de vidrios rotos, el crujido de las vigas y el tableteo de la lluvia contra las paredes. Se estremeció entre los brazos de Kerry.

—Si no le haces caso —murmuró él—, tal vez se vaya.

No podía ver su cara. Sólo sentía su boca que se deslizaba lentamente sobre su mentón, su cuello. Y entonces se estremeció otra vez, suspendida entre el miedo y el calor del deseo.

Su boca siguió bajando. Chilló el viento y Lara cerró los ojos. Y durante un tiempo se sintió parte de todo lo que la rodeaba.

Kerry la abrazó hasta que pasó la tormenta.

Al amanecer, el mundo era otro. Una de las ventanas se había roto y el piso de la sala estaba empapado y cubierto de astillas de vidrio. Afuera, el aire crujía de electricidad como una sábana almidonada al viento y la playa había desaparecido, devorada por el oleaje y por las rocas y escombros que cubrían los médanos. Lara se apoyó contra él.

—Te amo —dijo—. Pase lo que pase.

TRES

La mañana después de su primer encuentro con el jefe de noticias de la NBC, Lara comprendió.

Hacía días que se sentía cansada, cosa rara para una persona de tanta energía. Aunque se había acostado temprano, esa mañana sus pezones estaban doloridos, sensibles. Tenía náuseas.

Entre aterrada e incrédula, fue a una farmacia de la avenida Connecticut y compró lo necesario. Llamó a la oficina para pedir licencia por enfermedad y se sentó a esperar que el test confirmara lo que ya sabía con misteriosa certeza.

Pensó que habría sucedido la noche del huracán.

Abrasada por emociones que aún no comprendía, volvió al baño y vio que la tira de papel había virado al rosa.

Aunque no terminaba de convencerse de su realidad, llevaba en su seno al hijo de Kerry.

Con languidez, trató de pensar en las razones para acabar con eso. Se sentó en la cama, los codos sobre las rodillas, atónita e inmóvil, tan abrumada que sus emociones parecían tener el peso de una oración.

La solución era una sola. Pero sus pensamientos se desviaban hacia donde no debían: a Kerry, risueño y despreocupado como en esos días en Martha's Vineyard, cargando al bebé sobre sus hombros. Kerry en el papel de un *yuppie*, como los esposos de algunas de sus amigas, una postal de la paternidad. Las fantasías de una mujer que sabía la verdad —la de ambos— pero su corazón la rechazaba.

No era una abstracción. Su amor por Kerry era mayor de lo que había pensado, la sola idea de dejarlo era angustiante. Abortar a su hijo era un peso excesivo para ella sola.

Pero debía hacerlo, y sin convertirlo a él en cómplice. ¿Qué podía darle él si no culpa; o ella, si no angustia?

Sonó el teléfono.

—Hola, ¿estás haciendo la rabona?

—Tengo que verte —se escuchó decir, y comprendió que estaba más débil de lo que pensaba.

Por el resto de su vida, pensó, jamás olvidaría su cara al recibir la noticia.

Mudo, la miró con tal confusión, culpa y amor que no había manera de expresarlo con palabras. *Lo sé*, pensó. *Lo sé.*

Apoyó la cabeza sobre su hombro.

Después de un rato él murmuró: —Tenemos que pensarlo bien.

La abrazó y Lara cerró los ojos. Era doloroso ver cómo ya lo golpeaban las consecuencias, saber a dónde conducían. Se apartó y le tomó la cara entre las manos. Quería abreviar la escena por el bien de ambos.

—No hay nada que decidir —dijo—. Lo sé desde hace varias horas.

Él le apartó las manos con suavidad y fue a la ventana para contemplar la escena de una fresca tarde otoñal. Pero no estaba en el Senado, donde debía, sino en un rincón triste de su vida secreta, con la amante que el mundo desconocía. El mundo nunca sabrá de esto, pensó Lara.

Él se volvió: —Sí hay algo que decidir. Quiero que te cases conmigo.

Lara se sentó, atónita. Brotaron lágrimas de estupor. Estaba atrapada entre una esperanza insensata y la amarga realidad.

—Imposible —logró articular—. Por si no lo recuerdas, estás casado.

Kerry agachó la cabeza: —Sí que lo recuerdo. Meg y yo deberíamos habernos divorciado hace años.

—Estoy de acuerdo —dijo Lara, sorprendida por su propio tono algo cortante—. Pero no lo hicieron. Y no quiero que seas mi esposo por causa de un error de control de la natalidad.

Volvió hacia ella, le aferró las muñecas: —Pero yo te quiero.

Apartó la vista: —Por favor, no lo hagas más difícil. Esto no es lo que quieres. Si no, me lo hubieras pedido.

Kerry le tomó el mentón y la obligó a mirarlo:

—Tú eras la que no quería casarse con un político. Si me hubieras dicho, aunque fuera una sola vez, "me casaría contigo", ¿crees que me hubiera bastado una aventura? —Se contuvo, suavizó el tono—. Te amo y quiero que tengamos al niño...

—¿A cualquier precio? —Lara lo miró fijamente a los ojos. —Serías candidato, pero no a presidente sino a blanco de todos los cómicos de la televisión: Kerry Kilcannon, el hombre que aprendió lo que quería decir el *Times* con eso de la entrega a domicilio. ¿Te recuerda algo el nombre de Gary Hart? —Asaltada por las náuseas, tuvo que callar por un instante. —En el 2000 perderías tu escaño en el Senado y tú eres el único que no sabe lo importante que es para ti. ¿Cómo es posible que nos casemos a costa de tu carrera? —Lara tomó aliento. —No quiero eso para ti. Ni para mí.

—¿Tan deplorable es tu impresión de mí? Si lo único que me define es mi trabajo, y no quien soy, ¿por qué te enamoraste de mí?

Le volvió la espalda: —Porque eres todo eso. No puedo separar los componentes, y tú no deberías intentarlo...

—Hay algo más. —Por primera vez, su tono era levemente acusador. —No es *mi* carrera, sino *la tuya*.

Asintió: —Para mí sería el fin. La periodista que cubría al senador en el Senado y en la cama. Tal vez me lo merezco, pero... —hizo un esfuerzo para mirarlo a los ojos— también somos lo que somos individualmente, y eso que quieres significaría el fin.

—Hay otra vida en que pensar. —Kerry la estrechó, y ella apoyó la frente contra su pecho. —No como la queríamos, lo sé. Pero ahí está, mirándome a la cara.

"Mi amor por ti es mucho más fuerte que el deseo de ser presidente. Y si el Senado es el precio a pagar por nuestro hijo, estoy dispuesto a pagarlo.

Por primera vez, Lara sintió un atisbo de furia.

—¿Crees que esto es fácil para mí? Puedes decir lo que quieras, pero *yo* debo decidir qué es lo que conviene. Y aguantarlo por el resto de mi vida.

Kerry la miró, le preguntó en voz baja: —¿Qué más quieres de mí?

—Quiero tu *apoyo*, qué joder. —Sus ojos se llenaron de lágrimas. —Si quieres que te agradezca porque ofreces arruinar nuestras vidas, de acuerdo. Pero yo sé lo que debo hacer y tú lo sabes. Por favor, no me dejes sola.

Esta vez fue Kerry quien se apartó: —¿Quieres que mienta sobre lo que siento porque tú eres la que está embarazada? ¿Yo no tengo nada que ver?

Su reproche justo disipó la ira que sentía, pero le hizo ver con dolorosa claridad el abismo que se abría entre los dos. Su cuerpo ya era distinto, su espíritu no volvería a ser el mismo.

—Por favor, Kerry. Sé bueno conmigo.

Le tomó las manos: —Tomémonos dos semanas. ¿De acuerdo? Tu decisión nos afectará por mucho tiempo.

Se sentía desgarrada, sin paz ni consuelo. Sólo le quedaba dejarse abrazar y lamentar con amargura habérselo dicho.

A las cuatro, Kerry tuvo que dejarla.

En los días siguientes debía dar discursos en Filadelfia, Chicago, Denver y San Francisco. Le recordaba la posibilidad que los rodeaba y que Kerry había alimentado hasta entonces: la postulación para la presidencia, que significaría el fin de su pareja. El mundo por fuera de su secreto giraba como de costumbre.

Kerry la besó al despedirse: —Te llamaré todas las noches —dijo.

Durante dos años había esperado esas llamadas, aun sabiendo que dejaban rastros. Ahora se estremeció de frío, como si su instinto indicara que todo estaba por finalizar.

—Te amo —dijo—. Recuérdalo siempre.

—Y yo te amo a ti —dijo Kerry, y se fue.

Tomémonos dos semanas, había dicho. Pero día tras día la vida que llevaba en su seno no cesaba de crecer, y nada cambiaba sino su apego, su imagen vívida del niño por venir.

Las tres noches siguientes, la llamó sin presionarla. Cada noche ella se preguntaba qué respondería si él dijera, "No importa lo que decidas, dejaré a Meg". Y luego se preguntaba por qué él no pronunciaba esas palabras.

Llamó a una clínica, pero no hizo nada. Vivía en un estado sonámbulo, cada día la decisión era más difícil y aterradora. Mientras no actuara, su vida estaría centrada en las llamadas de Kerry y en la otra vida que crecía en su seno.

Tu decisión nos afectará por mucho tiempo, había dicho.

Pero lo peor dc todo era la espera.

El día que él llegó a San Francisco, dejó de atender sus llamadas.

No podía dormir, la llamaba hora tras hora.

Escuchaba tres timbrazos y luego la grabación del contestador automático. "Por favor —imploraba a la cinta—, no decidas nada hasta mi regreso." Pero no decía que se casaría con ella, cualquiera que fuese su decisión. Quería decírselo en persona.

Cuando llegó la mañana, había llamado doce veces. Las esperanzas por su hijo se habían reducido a cenizas.

Fue a la sala de banquetes y con pesadumbre en el alma inició su discurso.

En la sala de espera, mientras leía los formularios, la voz de Kerry reverberaba en su mente. *Por favor, Lara, no lo hagas.*

Nombre, dirección.

Había ido sola a Maryland. La clínica prometía discreción. Era pequeña, oculta, anónima. No había otras pacientes en espera.

Escribió su nombre maquinalmente.

Por favor, te amo. No quiero que lo enfrentes a solas.

¿Deseaba terapia?, preguntaba el formulario.

Quiero a Kerry, respondió su mente al tiempo que su mano escribía "no".

Vino una enfermera: gorda, benigna, maternal.

—¿Llenó el formulario? —preguntó.

Lara lo entregó en silencio.

La enfermera lo leyó, la miró, palmeó suavemente el hombro: —Todo está dispuesto.

Lara se paró y le agradeció.

Fueron a un cuarto pequeño sin ventanas. Lara contempló la camilla del quirófano.

La enfermera le explicó el procedimiento. La miró con atención ante su falta de respuesta.

—Algunas mujeres sienten alivio —dijo—. Otras necesitan apoyo.

Lara respondió que estaría bien. Sólo quería que se acabara de una buena vez.

Debe desvestirse, dijo la enfermera. El doctor atendía a otra paciente; ya vendría.

A solas, Lara se desvistió, dobló la ropa prolijamente sobre una silla.

Te amo y quiero que tengamos al niño...

Se acarició suavemente la curva del vientre. El doctor no se demora, pensó.

Había un delantal colgado de una percha. Se lo puso con manos torpes y se tendió sobre la camilla.

Quiero que te cases conmigo.

Se abrió la puerta y entró el doctor, un joven de bigotes, tan amable como la enfermera.

—Buenos días —dijo.

Lara trató de sonreír. La enfermera empujaba un bote de acero sobre el piso de baldosas.

Recordó la voz de Kerry cuando murmuraba, *Si no le haces caso, tal vez se vaya.* La náusea le atenazaba el estómago.

Obedeció la indicación de colocar los pies en los estribos.

Así expuesta, escuchó su voz monótona. Le darían una inyección para amortiguar el dolor. Lara volvió la mirada al tubo de plástico que salía del cubo. El otro extremo estaba en la mano de la enfermera.

Hay otra vida en que pensar.

El médico le separó los labios con un espéculo. La enfermera le entregó el tubo.

Háblame de Meg.

A pesar de la anestesia, sintió cómo penetraba el tubo en su interior y cerró los ojos.

Alguien accionó un interruptor.

La máquina empezó a zumbar como una aspiradora. Lara se sobresaltó; sintió un choque, una succión en su seno.

Abrió los ojos. El tubo transparente se volvía rojo.

No.

El doctor puso una mano sobre su estómago y gradualmente incrementó la presión. Lara vio un pedazo de tejido que pasaba por el tubo.

—Lo siento —susurró—. Lo siento. —No sabía con quién se disculpaba.

La enfermera le limpió la frente con una tela húmeda.

—Está bien —mumuró, y tomó los dedos temblorosos de Lara con los suyos.

—Falta poco —dijo el médico.

El tubo estaba limpio. El zumbido se volvía un alarido en su cabeza.

—Apáguenlo —imploró—. Por favor.

Cesó el zumbido.

—Un poquito más —dijo el médico.

Terminó la tarea con un instrumento.

Lara apretó los dientes y se obligó a permanecer inmóvil. El instrumento salió de su interior. Cuando volvió la cara para vomitar, la enfermera acercó una bandeja de plástico.

A ciegas, sintió la mano consoladora de la enfermera sobre su hombro. No había otros ruidos que el resuello de Lara y el arrullo de la enfermera, como si tratara con un bebé. Lara aún creía escuchar el zumbido del aparato.

El médico había desaparecido.

Después se distendió. La enfermera permaneció con ella, paciente, sin prisa.

A pesar del mareo, se sentó y luego se paró.

Por un instante más se sintió hueca, mareada. La enfermera la sostuvo hasta que pudo vestirse.

—Llegó la terapeuta —dijo.

Habían comenzado los calambres.

—Necesito hablar con alguien —dijo Lara, aturdida—. No importa quién.

La enfermera la acompañó por un corredor estrecho.

En la última oficina, una mujer menuda, madura, de cabello teñido de castaño, esperaba detrás de un escritorio. La miró con profunda conmiseración.

—Soy Nancy Philips —dijo.

Se cerró la puerta y las dos quedaron solas.

—Esto suele ser muy duro —dijo la mujer—. Lo sé.
Lara le contó todo.

Horas después, en su apartamento, la aguardaban tres mensajes de Kerry.

Los escuchó sin prestar mucha atención.

La operación que había vaciado su cuerpo también había agotado sus mecanismos de defensa. Había violado la ética y cometido abuso de confianza, todo por una aventura sin esperanzas. Y ahora, *esto.*

Sacó fuerzas de flaqueza para llamar a la NBC y al *Times.*

Por último, llamó a Kerry.

A solas en la suite del hotel, Kerry escuchó la voz en el contestador y se sintió desfallecer.

Iba a ver a su madre y luego viajaría al exterior. Que él no sintiera culpa; se habían amado, nadie había querido que sucediera esto. Pero estaba consumado.

—No —dijo en voz alta—. *No.*

—Tengo que volver a empezar —dijo la voz de Lara—. Si me quieres, lo único que puedes hacer por mí es no dificultar...

Un sollozo quebró su voz. Se escuchó un llanto ahogado y el chasquido al cortarse la comunicación.

Kerry fue derecho al aeropuerto.

El trayecto al apartamento de ella fue semiconsciente: calles apenas recordadas; las palabras entrecortadas de su amante; la letanía desesperada en su propia cabeza.

La dejaré. Casémonos. Es lo único que importa. Podemos tener hijos. Sólo me importa que sean nuestros.

Estacionó junto a una bomba de incendio y corrió al apartamento. Cuando llegó a su puerta, le faltaba el aliento.

Golpeó suavemente.

No hubo respuesta. Apoyó la frente contra la puerta, no escuchó ruido alguno en el interior.

Con voz suave e insistente, repitió su nombre una y otra vez.

Dos semanas después, Lara abandonó el país.

Tuvo noticias de él una noche, escuchando la BBC a solas en un pequeño apartamento en Sarajevo. El senador Kerry Kilcannon, decía la voz precisa del locutor, se divorciará de su esposa.

Se le hizo un nudo en la garganta.

Kilcannon se negaba a hacer declaraciones, prosiguió. Pero se decía que el divorcio no le impediría postularse para la presidencia, tal como se anticipaba desde la derrota de su partido en las elecciones legislativas.

Por lo menos, tiene eso, pensó Lara. Si no todo está perdido para él, tampoco lo está para mí, pensó.

LA CAMPAÑA

cuarto día

UNO

—*Lara Costello, noticias* NBC *con la campaña de Kilcannon en Los Angeles...*

Kerry Kilcannon se sentó bruscamente en la cama, apartando bruscamente el velo de gasa que separaba el sueño de la vigilia.

El rostro de Lara desapareció de la pantalla.

Horas antes se había dormido con el televisor encendido y dos libros para el debate sobre la cama. Las sábanas estaban revueltas debido al pánico que le había provocado la nueva conclusión de la pesadilla recurrente.

Por primera vez, ésta no concluía con la muerte de su hermano. Tal como sucedió en la realidad, el asesino venía desde las bambalinas. Pero no era Harry Carson sino otro hombre, y las sombras ocultaban su cara. Y en lugar de su hermano estaba él.

El asesino disparó y en ese momento Kerry se despertó.

Amanecía. Al disipar los restos del sueño, trató de rearmar las piezas de su vida, los ladrillos y el cemento de la razón.

Lara era una imagen en la pantalla, fuera de su alcance. Estaba en Los Angeles, en el día de un debate del cual dependía la suerte su candidatura y en el cual, si el instinto no engañaba a Clayton, Dick Mason pensaba tenderle una trampa. Eran las seis; tenía doce horas más para prepararse.

¿Y después? Una confrontación con Nate Cutler que podía destruir sus esperanzas si Mason no lo conseguía. Y luego un acto en San Francisco para apaciguar los demonios alborotados por su declaración de que un feto era una vida.

Uno por vez, se dijo; hasta que termine el debate, Cutler no existe. La concentración era la mejor amiga del candidato; el pánico, su enemigo mortal. Y lo mismo debía de suceder con los presidentes, pensó.

Llamaron a su puerta.

Kerry se incorporó lentamente y fue a abrirla.

Era Clayton, de saco y corbata, flanqueado por los agentes que custodiaban la suite.

—¿Nunca duermes? —preguntó Kerry.

—¿Y tú? —replicó Clayton. Cerró la puerta y miró a Kerry —pelo revuelto, frente sudorosa, calzoncillos— con una mezcla de sorna y preocupación. —Parece que hubieras vuelto a boxear.

—Tuve una mala noche —dijo Kerry—. ¿Qué pasa?

Clayton se sentó con cara de pedir disculpas: —Es sobre el acto de mañana en San Francisco. Ellen Penn y la gente de preparativos lo quieren al aire libre en una plaza cerca del distrito financiero. El servicio pide que lo hagamos a puertas cerradas: treinta horas de anticipación es poco para garantizar la seguridad. Peter Lake dice que es un asunto lo bastante serio como para exigir una decisión tuya. Pocas veces lo he visto tan alterado.

Kerry hizo un esfuerzo para quedarse quieto y preguntó con toda la calma que era capaz de simular:

—¿Qué dicen unos y otros?

Ellen y el jefe de preparativos dicen que un acto al aire libre atrae gente: hay una feria callejera muy cerca y restaurantes donde los *yuppies* van a almorzar. Además, el aspecto visual es mejor: el encuentro del candidato con la gente, a la luz del Sol y con la ciudad como telón de fondo. Y hasta el puente de la bahía, si la cámara apunta bien. —Clayton adoptó un tono irónico: —No paran de recordarme que es un acto hecho para la televisión: necesitamos una buena producción para impresionar a los televidentes.

Kerry alzó las cejas: —¿Y si viene poca gente? Un acto al aire libre con cien personas es tan triste como esos picnics de empresa donde sólo van los jefes. Aquí sería el puñado de mujeres a favor del aborto que todavía me apoyan.

Clayton acomodó sus gafas: —Ellen asegura que puede atraer mucha gente, y el tal Ginsberg, el coordinador local, cree que tiene suficientes voluntarios para hacer número y además distribuir volantes por los alrededores de la plaza. Con un acto a puertas cerradas pierdes a los transeúntes y la gente que anda por la vecindad.

—¿Y qué dice Peter?

Clayton se encogió de hombros: —Evidentemente, que a puertas cerradas es más seguro.

Kerry sonrió con sorna: —Díganselo a Jamie.

La mirada de Clayton era firme, su voz severa: —El servicio ha estado navegando por el Internet. Dicen que hay cada vez más amenazas de los locos de las armas. La plaza está rodeada por mil ventanas, hay líneas de fuego desde todos los ángulos imaginables. Y al aire libre se necesitan más voluntarios, lo cual según Peter complica aún más las cosas. —Hizo una pausa. —Ellen Penn quiere hacerlo ahí. Pero si le disparan a *ella*, será un accidente.

Kerry lo miró a los ojos: —Así que vamos a lo seguro.

—Sí. Por una vez en la vida.

Kerry fue a la ventana a contemplar el borroso cielo anaranjado del amanecer sobre Los Angeles.

—Autos eléctricos —murmuró—. La única esperanza para esta ciudad.

Clayton aguardaba en silencio.

Kerry se cruzó de brazos; por un instante lo asaltó un temor supersticioso, un residuo de su sueño. Era como si le hubieran enviado un mensaje por medio de la pesadilla. Pero no podía determinar si el peligro consistía en desafiarlo o en permitir que el miedo dictara su conducta. Y cada segundo que pasaba lo alejaba de la certeza.

Entonces, sólo restaban la resolución de derrotar a Dick Mason y el anhelo desesperado de no sentir miedo. Se volvió hacia Clayton:

—Lo haremos en la plaza.

Sean Burke terminaba de recortar el último artículo del *San Francisco Chronicle* cuando vio a Rick Ginsberg, cuyos pasos reverberaban en el gran salón mientras corría de un voluntario a otro. Por una vez, pensó, había perdido el aire de benévola serenidad.

—Vendrá aquí —dijo bruscamente—. Kerry. ¿Tendrás tiempo durante las próximas treinta y seis horas?

El entusiasmo de Ginsberg lo golpeó como un choque eléctrico.

—Lo que quieras —farfulló—. Duermo poco.

Sean advirtió que hablaba con voz sorda debido a la conmoción. Pero esto aparentemente sirvió para serenar al coordinador de los voluntarios, quien le puso una mano sobre el hombro:

—Todo esto es tan jodido —dijo con voz más calma—. En las próximas veintinueve horas necesitaremos levantar tribunas, imprimir y distribuir volantes, conseguir vehículos, llevar gente al acto y además hacer llamadas para asegurar que irán. Además, tenemos que coordinar con el servicio secreto.

Entonces sufrió otro choque, esta vez de miedo, seguido por una visión que en un primer momento se resistió a creer: tendría una segunda oportunidad para realizar su misión si encontrase la manera de ocultar el arma.

—Puedo ayudar a armar las tribunas —dijo, bruscamente inspirado—. En casa hacía de todo.

Rick meneó la cabeza: —En San Francisco dominan los sindicatos, y hay empresas que hacen esos trabajos. Pero te necesitaré para todo lo demás. —Su sonrisa torcida, casi demencial, era la señal inconfundible de la falta de sueño. —Tendrás otra oportunidad, John. Y esta vez lo conocerás, estoy seguro.

DOS

Cuando llevaban tres horas de preparativos para el debate, Clayton tuvo la impresión de que Kerry estaba distraído, cansado, exasperado por los entrenadores y sus indicaciones constantes.

Ocupaban una sala del hotel utilizada habitualmente para reuniones empresarias y casamientos, pero transformada ahora en un remedo de estudio de televisión. Kerry, de traje azul, estaba sentado frente a su colega y amigo Bob Kerrey, quien había volado desde Washington para asesorarlo y personificar a Dick Mason en un "debate" moderado por Tony Lord. Clayton opinaba que Mason estaba ganando.

A juzgar por sus expresiones preocupadas, los entrenadores pensaban lo mismo. Desde sus sillas plegables en el proscenio del pseudoestudio, Frank Wells, Jack Sleeper, Kit Pace, Mick Lasker y la senadora Ellen Penn ofrecían consejos y redactaban frases prefabricadas, con la esperanza de que alguna se volvería inmortal, como aquella de, "Usted no es Jack Kennedy" con la cual Loyd Bentsen había puesto fin a las aspiraciones de Dan Quayle doce años antes.

—Cuando hablas de la economía —dijo Frank Wells—, no olvides el factor productos de primera necesidad.

Kerry agitó la mano: —Claro, claro, el precio del pan y la leche. Y el de los condones, por qué no.

Sentado a su lado en una silla giratoria, Bob Kerrey sonrió.

—Olvida los condones —dijo Sleeper rápidamente—. Tratándose de sexo entre adolescentes, la mayoría de los padres creen que sólo sirve la abstinencia.

—Entonces, les convendría ponerse a rezar —murmuró Kerry en voz tan baja que sólo lo escuchó Clayton, sentado a su lado.

—Mason está totalmente aislado —prosiguió Frank Wells—. Desde hace ocho años vive rodeado por el Servicio Secreto. En todo ese tiempo no ha conducido un auto, alquilado una película ni realizado compras en el almacén. Con un par de detalles, podemos mostrar lo alejado que está de la vida real.

Kerry miró a su alrededor con una pequeña sonrisa. Sus pensamientos eran evidentes para Clayton: *La vida real, qué es eso.* Entonces vio el gesto de Tony Lord y asintió.

El simulacro de debate estaba a punto de finalizar. Según las reglas propuestas desde el principio por Kerry, y que Mason había aceptado inesperadamente, se realizarían cuatro bloques de diez minutos sobre un tema cada uno —la economía, la política exterior, delincuencia y justicia social, protección de la familia— y un bloque final de veinte minutos con tema libre. Los candidatos podían interrogarse mutuamente y el moderador podía interrumpirlos. Tony Lord leyó de una hoja.

—Senador Kilcannon —dijo con ese tono particular del locutor de noticias de televisión, que no se escucha en ningún otro ámbito de la vida—, el gobierno ha firmado la ley de defensa del matrimonio, que prohíbe que un matrimonio *gay* celebrado en un Estado sea reconocido en los demás. Pero aunque la firmó, el presidente insinuó que la ley constituía un intento, motivado por razones políticas, de explotar los prejuicios contra los *gays* de ambos sexos. Aparentemente, el vicepresidente Mason coincide. ¿Cuál es *su* posición sobre éste y otros problemas que afectan los derechos de los homosexuales?

Kerry le dirigió una mirada arrobada: —¿Podrías repetirme la pregunta, Peter? *Adoro* tu manera de hablar.

Clayton sonrió; Tony Lord trató de conservar la compostura, pero no pudo reprimir una carcajada.

—Al candidato le gustan las frases ingeniosas —observó Bob Kerrey.

—En todo caso, soy demasiado ingenioso para ti, Dick —dijo Kerry al tiempo que giraba bruscamente hacia su amigo—. Este es otro ejemplo de tu hipocresía y falta de autoridad. Si el proyecto de ley es antihomosexual y tú estás a favor de los derechos de los homosexuales, no puedes firmarlo y después decir que te obligaron los matones del Congreso. —Bajó la voz y prosiguió en tono más serio: —Toleramos muchos errores de un dirigente que dirige, aunque no coincidamos con tal o cual opinión suya. Y si no puedes defender tus posiciones en esto, cómo lo harás frente a un contratista de la Defensa que aportó fondos al Partido Demócrata y ahora quiere algo a cambio...

—¿Pero cuál es tu posición? —replicó Bob Kerrey—. Ésa es la pregunta. ¿Qué respondes?

Kerry hizo una pausa: —Hay que tener coraje para defender ciertas posiciones, Dick. Yo lo vetaría y explicaría al pueblo por qué lo hice. Diría que es contrario a los intereses de los homosexuales *y* además innecesario...

Frank Wells se inclinó hacia adelante, tenso, incapaz de contenerse.

—Eso yo lo sé, Kerry. *Todos* los presentes lo sabemos. Pero el norteamericano medio cree que los *gay* quieren convertir al macho de su hijo en un travestido. Si ganas la primaria, los republicanos te van a reventar con esto en las elecciones. Una cosa es el liderazgo moral y otra es lanzarse de cabeza desde un precipicio...

—Conque ahora *yo soy* Dick Mason —dijo Kerry, y señaló al senador Kerrey con el pulgar—. Creía que *Bob* hacía el papel de Dick.

El senador por Nebraska, que conocía bien a su colega, no sonrió. La mirada de Kerry era fría, y Clayton reconoció ese tono que adoptaba cuando hacía esfuerzos por conservar la paciencia.

—Tomemos un descanso —dijo.

Kerry sabía que por acuerdo tácito de los presentes le daban unos minutos de gracia para evitar la exasperación. Pero no lo sorprendió que Kit se acercara con expresión dubitativa y se arrodillara junto a su silla.

—Frank tiene razón, sabes —murmuró—. Te lo digo con todo respeto. Y aprecio.

Kerry inclinó la cabeza y la miró con el afecto que sentía por ella. No era necesario que destacara el metamensaje irónico de su consejo: dos días antes de la primaria crucial de Florida, cuando volaban en el avión, ella le había pedido una licencia de setenta y dos horas.

El pedido no podía ser más inoportuno. Kerry había perdido las primarias iniciales y estaba retrasado en las encuestas. Todos sabían que una derrota más sería fatal para sus esperanzas, y el solo hecho de que se lo pidiera equivalía a una traición.

—¿Por qué? —preguntó, tratando de contenerse—. ¿Es para preparar tu currículum?

Ella miró a su alrededor y juntó coraje para mirarlo a la cara con firmeza:

—Es un asunto personal.

Kerry no respondió. Dejó que su silencio hablara por él.

Ella vaciló antes de decir en voz baja: —Mi compañera. Le diagnosticaron algo y tienen que operarla.

Le tomó un momento comprender; en medio de sus preocupaciones, jamás se había detenido a pensar en la vida personal de Kit.

—Tu compañera —dijo—. Quieres decir, tu pareja.

—Sí —dijo Kit, y se le quebró la voz—. Es una mastectomía, Kerry. Nos sorprendió tanto a mí como a Bev. Lo supimos esta mañana.

Su aire profesional no alcanzaba a disimular su tristeza, sumada a que ahora se sentía vulnerable al revelarse un secreto que podía convertirla en una paria política para candidatos que temieran los efectos adversos.

—Lo siento mucho —dijo—. Y claro que puedes irte. Vuelve cuando puedas.

—Gracias —dijo, y cerró los ojos con alivio. Los abrió y titubeó antes de preguntar: —¿No lo sabías, no?

—No. —Kerry sonrió. —En estas cosas, generalmente soy el último en enterarme. Quiero creer que es porque me importa un bledo.

Kit sonrió con una mirada de tristeza y afecto a la vez.

—Yo *siempre* lo supe —dijo—. Y siempre supe que sería un problema.

—Para mí, no lo es.

El día de la operación, Kerry averiguó dónde se encontraba Bev y le envió flores. Era el día de los comicios primarios en Florida...

Ahora, en California, estaban en vísperas de las últimas primarias y competían por la medalla de oro.

—Bueno —dijo secamente—, los puritanos llegaron a estas costas hace cuatrocientos años para que nunca tuviéramos que volver a hablar de sexo. Es una gran tradición, ¿no?

—Y está muy viva —dijo Kit con seriedad—. La discriminación laboral ha disminuido. Pero tratándose de adopciones, los *gays* en las fuerzas armadas o el seguro social, todavía hay mucho miedo. Y nada los asusta más que los casamientos entre homosexuales. Yo lo sé, independientemente de lo que quiero.

Kerry miró a su alrededor, al pseudoestudio y el grupo de entrenadores.

—Conoces a Dick Mason —dijo—. Es el símbolo de toda una generación de políticos tan manejados, tan alejados de sus orígenes, que ya no les quedan ideas propias. Para ellos, todos los problemas tienen la misma importancia y sólo los enfocan desde el punto de vista de su propia supervivencia. —Suavizó el tono. —Algunos parecen olvidar, si es que alguna vez lo supieron, que entré en política a los diez años. Todos los diputados y senadores que votaron contra la ley de defensa del matrimonio fueron reelegidos. Cinco por ciento de los votantes demócratas de California se identifican como *gays* y tienen *lobbies* fuertes, leales. Hay veces, Kit, en que decir la verdad no es un acto suicida sino de coraje. La gente respeta el coraje.

El silencio de Kit expresó toda una gama de sentimientos: alivio porque un candidato con sentido práctico como Kerry había pensado mucho en el asunto; preocupación porque, siendo tan vulnerable debido al problema de Lara, estaba dispuesto a correr demasiados riesgos. Le tocó la manga.

—Así y todo —dijo—, pisa con cuidado.

Kerry asintió y se preparó mentalmente para tres horas más de debate y de intentar calmar las angustias ajenas aparte de la propia.

—Ayer tuvimos una visita —dijo Jane Booth por larga distancia—. Nat Schlesinger.

—Qué sorpresa. —En su cuarto, Nate Cutler, atado al teléfono, anhelaba poder pasearse. —Deja que adivine: esto de meterse en la vida privada de los personajes públicos ha ido demasiado lejos. Demasiados chismes, poca responsabilidad, atacamos en manada. Estamos alterando el mapa político y si no actuamos con responsabilidad, modificaremos el mapa de esta campaña al difundir chismes malignos generados por los republicanos o por Mason. ¿Acerté?

—Sí —dijo Jane secamente—. Por el tono, casi diría que estás de acuerdo. Y parece que impresionó a nuestro distinguido director.

—¿De veras?

—Sí, quiere estemos seguros de tener las pruebas —dijo con amarga ironía—. No entiendo por qué a los tipos así les permiten ver malas películas sobre los periodistas. Bastante que sea dueño de una revista.

Nuevamente se sintió tenso, tanto por los peligros que acechaban a la nota como por su propia ambivalencia. Si no entendía mal lo que le había dicho Lara entre líneas durante la cena, Kerry Kilcannon no había deseado ese aborto.

—¿Y cómo nos afectan a *nosotros* los escrúpulos de Su Majestad? —preguntó.

—No nos afectan... si la historia se sustenta. Al fin y al cabo, nuestro jefe quiere ser de los nuestros. Siempre que su sueldo no sea de los nuestros. —Adoptó un tono práctico: —Estamos tratando de conseguir el registro de las llamadas de Kilcannon, rastrear cada cena, cada encuentro a horas *non sanctas*. Todo lo que consigamos, te lo enviaré por fax mañana a las seis. Para que lo tengas cuando te encuentres con él.

—¿Y entonces?

—Que ella mienta es una cosa, Nate. Pero que él lo haga sobre un asunto como éste tiene que ver con la integridad de un candidato a presidente.

Una vez más, sintió malestar ante el recuerdo de la cena, la velada confrontación con Lara.

—¿Y si se niega a responder?

—En determinado momento, eso es de por sí una historia. Si tenemos suficientes detalles, no dejaremos de publicar la historia porque nos acusen de remover en la mierda. —Booth hizo una pausa. —Y *ella* tampoco se salva. Qué crees que hará si le decimos que si no responde en detalle a todas nuestras preguntas, entregaremos toda la información a la NBC.

Lo estremeció un escalofrío: —Lo primero que hará es reírse en nuestra cara. Porque perdemos la exclusiva.

—Dime una cosa: ¿*crees* que Costello le advirtió?

Nate pasó revista mentalmente a los hechos: —Kit se mostró bastante circunspecta —dijo—. Y Kilcannon nos esquivó con habilidad. Pero diría que sí.

—¿Entonces tal vez *se ve* con él, Nate. No pensaste en esa posibilidad?

—Imposible —respondió sin vacilar—. El riesgo es demasiado grande, salvo que lo haga pasar por una entrevista. Y en ese caso tendría que mostrar el resultado.

—¿A la noche muy tarde?

—No —respondió sin tanta seguridad—. Aunque más no sea que por mi presencia.

Sobrevino un largo silencio.

—Quiero que la vigiles —ordenó Jane por fin—. Sobre todo durante las noches. Puedes dormir en el avión.

TRES

Una hora antes del debate, Clayton y Kerry estaban solos en la suite del hotel, aquél de traje, éste de jean y camiseta con la cara de Bruce Springsteen. Clayton percibía la angustia de su amigo.

—Noquéalo, campeón —dijo—. Recuerda que estaré en tu rincón.

Kerry estudió el cielo raso: —¿Se te ocurre algún otro consejo útil?

—Claro. Si ves que te puede ganar, le muerdes la oreja. —Clayton suavizó el tono: —¿Hablamos en serio?

—Claro que sí. —Kerry alzó la cabeza y giró: —Aquí nos jugamos el resto, compañero.

Clayton plegó las manos sobre su estómago: —Un par de cositas, nada más. Conserva la calma y no te alteres, no importa lo que diga o haga Dick. Recuerda que el aborto no tiene que ver solamente con Lara. Que los derechos de los homosexuales no sólo tienen que ver con Kit y las relaciones entre las razas no sólo tienen que ver conmigo.

Los ojos de Kerry se velaron: —¿Y las golpizas a las mujeres no sólo tienen que ver con mi madre?

Clayton lo miró fijamente: —Con eso lo matamos, Kerry. Tenemos los documentos de la corte. Y tú sabes tan bien como yo que fue Mason quien le filtró el dato a Cutler.

—*No* me consta, Clayton. —Kerry miró a su amigo. —Y Dick tuvo bastante oportunidad en los últimos veinte años para seguir pegándole a Jeannie, pero nada indica que lo hizo. Ojalá mi padre hubiera sido capaz de cambiar. —Y ante el silencio de Clayton, añadió: —¿He cambiado tanto desde que soy candidato a presidente?

—El problema es *cómo* se usa la información, Kerry. No digo que pasemos el dato a la prensa amarilla... por ahora.

Kerry se frotó las sienes, indicio de las jaquecas que lo afectaban cuando se agotaba su energía.

—Antes de salir —ordenó—, come un chocolatín.

Kerry no dio señales de haberlo escuchado.

—Llamó mi mamá —dijo por fin—. Hace tres días después de la masacre en la clínica de abortos y de que yo usé esa palabra fatal, vida. ¿Sabes qué me preguntó? Si quería que le dijera a la prensa cómo le salvé la vida al darle una paliza a mi viejo.

Detrás de sus palabras había un tono subyacente de desconcierto y dolor.

—Le dijiste que no, claro.

—Por supuesto, y con toda la ternura de que soy capaz. Pero hemos llegado a tal punto que hasta *ella* se hace una pregunta así? —Kerry se tendió de espaldas otra vez. —Ya sé que se siente culpable por mi infancia y quiere compensarlo de algún modo. Pero es demasiado tarde y esta no es la manera.

—Y Jeannie no es tu madre —dijo Clayton con dureza—. Es la esposa de un hombre que pisotea a alguien a quien amaste... mejor dicho, que todavía amas, estoy seguro. No estás en deuda con nadie salvo Lara. Y contigo mismo. —Clayton hizo una pausa: —¿Y si en la mitad del debate te das cuenta de que sí fue Dick? ¿Qué harás?

Kerry calló un instante. Luego se volvió hacia Clayton: —Está bien, te escucho.

En el ómnibus de la prensa, camino del estudio, Lara miró su reloj.

Faltaban cuarenta minutos. Dos filas más abajo y al otro lado del pasillo, Nate Cutler ocupaba un asiento con Lee McAlpine. Visto de perfil parecía preocupado, tenso, demacrado como un monje de clausura desesperado por la salvación de su alma. Rogó con fervor que estuviera pagando el precio de los padecimientos que infligía a ella y Kerry.

Rich Powell, sentado a su lado, la miró: —¿Aceptas una apuesta?

Se volvió hacia él: —En este caso no, Rich. De lo único que estoy segura es de que no nos vamos a aburrir. Mason tuvo sus razones para imponer estas reglas: va a atacar a Kilcannon con todo lo que tiene.

Rich frunció el entrecejo: —¿Y eso qué será?

Rodeados por los agentes de seguridad, Kerry y Clayton entraron en el estudio.

Como todos los estudios de televisión, pensó Clayton, era un salón vulgar, aséptico, bien iluminado y más pequeño de lo que parecía en la pantalla. El auditorio de asiáticos, latinos, blancos y negros, hombres y mujeres, jóvenes y viejos, una cuidadosa selección representativa de Los Angeles. El moderador, un locutor de noticias de larga trayectoria local, conversaba con Dick y Jeannie Mason, a quienes acompañaban, desde luego, sus hijos rubios. En verdad, eran adultos jóvenes, dos varones y una muchacha, aparentemente estables, normales, que se sentían a sus anchas con sus padres. Una razón más, pensó Clayton, para que Kerry titubeara antes de revelar lo que sabía. Al verlo estrechar las manos de los hijos, Clayton imaginó con rencor las fotografías del *Los Angeles Times* a la mañana siguiente: el candidato solitario versus la próxima Primera Familia de Estados Unidos.

Para Clayton, éste era uno más de los ritos insensatos de la política norteamericana: los candidatos que conversaban sobre bueyes perdidos mientras fingían que esto era una diversión, disimulaban la tensión que les atenazaba los miembros, que no habían venido a degollarse mutuamente... en sentido figurativo, claro. *Bueno, pues*, se dijo Clayton, y se dirigió a Bill Finnerty, el jefe de campaña de Mason, listo para cumplir su papel en la comedia.

Finnerty, un irlandés de movimientos lentos y cabellera blanca formado en la escuela bostoniana de la política a los golpes, estaba parado detrás de Jeannie. En ese momento, ella saludaba a Kerry con un abrazo y un beso en la mejilla.

Con una sonrisa tímida y los ojos elevados al techo, murmuró: —Es tan falso todo esto. Como un baile universitario.

No era casual, pensó Clayton, que Kerry la quisiera tanto.

—No es demasiado tarde para tú y yo —dijo Kerry con una sonrisa—. Si quieres, nos vamos ya y dejamos a Dick librado a sus propios medios.

Ella sonrió a su vez: —Es tentador, pero ya estoy habituada a él. Por malo que sea. —Y añadió con seriedad: —Te deseo suerte, a pesar de todo. Creo que cualquiera de los dos sería bueno para el país. Y sé que en el fondo, Dick piensa lo mismo.

¿Era una frase diplomática, se preguntó Clayton, o una insinuación de que su esposo lo elegiría para secundarlo en la fórmula electoral? Cualquiera de las dos alternativas era posible. Jeannie Mason era una mujer inteligente, socia de su esposo en la política. Pero Clayton conocía la respuesta de Kerry: la presidencia o nada.

—Hola, Bill —dijo Clayton al estrechar la mano de Finnerty—. ¿Cómo van las cosas?

Por encima de su sonrisa tibia, éste le echó una mirada rápida y calculadora.

—Diez puntos. ¿Tu hombre está preparado?

Clayton meneó la cabeza: —Es demasiado pasivo, qué joder. No me sorprendería que al final avalara a Dick.

Se borró la sonrisa de Finnerty y asomó el profesional:

—Ha sido muy duro, lo sé. Las cosas suceden y hay que aceptarlo. —Bajó la voz: —Dile a Kerry que lamentamos lo que le haremos esta noche. Aunque no lo crea, no hay nada personal en esto.

A pesar suyo, Clayton se crispó, escuchó su propio silencio al mirar los gélidos ojos azules de Finnerty. ¿Era una confirmación de sus certezas o el venerable recurso de asustar al adversario minutos antes del debate? O peor aún, ambas cosas a la vez.

Con calma, puso una mano sobre su hombro: —No te preocupes por Kerry, Bill. Él sabe lo que hace. Pero tal vez debas disculparte con Dick.

Finnerty lo miró en silencio y le tendió la mano otra vez. Antes de estrecharla Clayton ya había resuelto que no le diría nada a Kerry: para bien o para mal, debía tener la mente lo más despejada posible.

Al cruzar el estudio, escuchó que Mason decía, "Bueno, Kerry, llegó el momento".

A una señal del productor, se despejó el escenario y comenzó el debate.

CUATRO

Durante los primeros treinta minutos, pensó Lara, Mason dominó el debate.

Temerosa por Kerry, advirtió que Nate Cutler ocupaba el asiento detrás de ella en el sector de la prensa y vigilaba sus reacciones. Para dominarse, tomó apuntes de todo. En ese momento escribió "Familia norteamericana" y miró el escenario.

Sentado al lado de Mason, Kerry escuchaba al vicepresidente cuando destacaba el hecho de que él era padre de familia y su adversario no. Kerry parecía atento, frío, excesivamente calmo.

—Hablar es fácil —dijo Mason con desdén—. Pero para Jeannie y para mí, nuestros hijos han sido el centro de nuestras vidas. Por eso hemos encabezado la lucha por la licencia maternal, mejores guarderías, mejores escuelas...

—¿Escuelas *públicas*? —interrumpió por fin Kerry—. Porque como padre, en oposición al político, usted nunca visitó una escuela.

"Como la mayoría de los padres, no quiere enviar a sus hijos a escuelas atestadas, escasas de presupuesto e inseguras. El problema es qué pasa con otros chicos. —Se inclinó hacia Mason y marcó los rubros con sus dedos: —Yo apoyo los subsidios que permitan a los padres financiar la educación de sus hijos. Usted se opone.

"Yo estoy a favor de autorizar a las escuelas a despedir a los malos maestros y a los estudiantes que llevan la droga y la violencia a las aulas. Usted se opone.

A su espalda, Lara escuchó el suave silbido de Nate.

—Yo estoy a favor de ser más exigentes que los maestros —prosiguió Kerry—. Usted se opone.

"¿Por qué? No porque los padres no lo quieran y nuestros niños no lo necesiten. El motivo es que el sindicato docente, que hace aportes financieros tan grandes a su campaña, también se opone. Aunque muchos de los mejores maestros le dirán que el sindicato se equivoca y que *ellos* merecen algo mejor.

La agresividad parecía natural en Kerry. Para alivio de Lara, Mason se mostró algo desconcertado por primera vez. El riesgo era parecer un fiscal acusador más que un presidente. Como si lo intuyera, el vicepresidente se irguió con aire de dignidad ofendida.

—Me pregunto, Kerry, qué hubiera elegido para sus hijos... si alguna vez hubiera llegado ese momento. Yo no me disculpo por los nuestros. —Se volvió hacia la cámara con aire de gran sinceridad: —Mi intención es detener esta tendencia a crear dos países, uno para la elite y otro para los demás. Por eso propuse una Carta de Derechos de la Educación para que cada graduado secundario reciba mil dólares anuales para asistir a la universidad de su elección. —Y prosiguió más lentamente: —Quién sabe si un niño esta generación no descubrirá la cura para el cáncer o la manera de acercarse a la paz mundial, si ayudamos a eliminar las barreras que impiden adquirir una formación universitaria. Y si millones de personas no accederán a una vida mejor.

Como si aún fueran amigos y colegas, Nate murmuró sobre el hombro de Lara: —Tratándose de hipocresía, nadie le gana a Mason.

Ella fingió no escucharlo.

—¿Todo eso, Dick? —preguntó Kerry con una sonrisa enigmática—. ¿Con apenas mil dólares al año? ¿Por qué no *dos* mil, y compramos la paz mundial hoy mismo?

Se escucharon risitas nerviosas. *No lo presiones demasiado*, advirtió Lara en silencio.

—Mil dólares —prosiguió Kerry en tono más serio— es pura cosmética en una situación en que la enseñanza universitaria ha aumentado de precio hasta volverse inaccesible para la familia trabajadora, cuyos ingresos, a valores reales, han *bajado* en veinte centavos la hora durante este gobierno.

"Por eso yo propongo otorgar préstamos sin interés de hasta diez mil dólares para estudiantes universitarios que se comprometan a dedicar dos años al servicio público, sea civil, militar o en una institución de bien público. —Ahora fue Kerry quien miró a la cámara. —No sólo tendríamos más graduados universitarios sino que éstos ayudarían a llevar la paz, si no al mundo, al menos a las plazas públicas, las guarderías, los vecindarios....

Lara no pudo ocultar una sonrisa.

—Esta clase de propuestas —interrumpió Mason— sólo sirven para acrecentar el déficit fiscal e impedir el desarrollo de programas de capacitación, que *últimamente* hemos podido incrementar...

Kerry giró bruscamente: —Podemos *conseguir* el dinero, Dick.

El problema, como ha sucedido tantas veces, es dónde lo consigue *usted.*

"El año pasado yo presenté un proyecto para brindar atención médica integral a los niños menores de dieciocho años, a ser financiado mediante un impuesto de un dólar por atado de cigarrillos. Usted no levantó un dedo para apoyarlo. Y ahora el lobby de las tabacaleras, por intermedio de algo que se llama Ciudadanos por una Reforma Responsable, ha contribuido a su campaña...

—Es una irresponsabilidad financiar la atención médica mediante el impuesto sobre un hábito que amenaza la salud *y* la vida misma —replicó Mason, y se volvió otra vez hacia la cámara—. Si alcanzamos *nuestro* objetivo de desalentar el consumo del tabaco mediante la educación, nadie fumará en Estados Unidos.

Pero sí en el Tercer Mundo, replicó Lara en nombre de Kerry, *donde las tabacaleras tienen plena libertad para conseguir millones de consumidores nuevos. Por eso el lobby del tabaco te quiere tanto.*

—Usted dice que no le importa quién contribuye a su campaña —replicó Kerry—. Y que el déficit del presupuesto le preocupa más que la atención médica.

"Bueno, hablemos de eso. En la última asignación presupuestaria apareció una misteriosa cláusula que demora la aparición en el mercado de los medicamentos genéricos, que son más económicos. Liberarlos no afectaría el presupuesto. No implicaría impuestos de ningún tipo. Los únicos que se oponen son los laboratorios farmacéuticos. —Lo apuntó con el dedo. —*Y* usted. ¿No se deberá a que recibió tanto dinero de esas empresas? Repasemos la lista...

Kerry se estaba anotando muchos puntos, pensó Lara. Sintió una mano sobre su hombro.

Tensa, se volvió hacia Nate, quien se inclinó para hablar con tono suave y casi de disculpas:

—Debo hablar contigo, Lara. A solas.

A pesar de la sorpresa y el miedo, logró responder con tono igualmente suave y, esperó, serena.

—Por qué no te vas a la mierda —dijo, se volvió nuevamente para mirar a Kerry, llena de miedo por lo que Nate podría publicar antes del martes o Mason esa misma noche.

Sentado a la izquierda del escenario, del lado de Kerry, Clayton miró su reloj. Faltaban apenas veinte minutos para salir indemnes de la pelea.

Las réplicas de Kerry se volvían por momentos más veloces y certeras, y cada una de sus comparaciones apuntaba a la conclusión central: él era el innovador, en tanto Mason tenía demasiados compromisos con los intereses que lo apoyaban para ser un verdadero conductor. Pero cada impacto de Kerry aumentaba su desesperación: Clayton no dejaba de preguntarse si había hecho bien al ocultar la advertencia de Finnerty.

—Todos estos ejemplos —dijo Kerry en conclusión— nos llevan a la necesidad de una reforma global del sistema corrupto de financiación de las campañas. Una lucha de la cual usted ha permanecido ausente sin aviso...

—Caballeros —dijo el moderador—, en uso de mis derechos voy a desviar esta apasionada discusión sobre problemas de la familia hacia otro tema que no despierta pasiones en absoluto: los derechos de los homosexuales de ambos sexos.

La irónica observación le provocó una sonrisa a Kerry y, un poco tarde, a Mason.

—Durante los últimos años —prosiguió—, un proyecto de ley federal para prohibir la discriminación laboral de los homosexuales fue derrotada por un margen estrecho, y el Congreso aprobó la ley de defensa del matrimonio que prohíbe los casamientos entre personas del mismo sexo. Ahora en California se discute acaloradamente el Proyecto 244, que en caso de ser aprobado prohibirá los llamados derechos especiales para *gays* y lesbianas. —Se volvió hacia Mason: —Primero usted, señor vicepresidente: ¿cuál es su posición sobre los derechos de los homosexuales?

Mason se inclinó hacia adelante y puso cara de pensativo.

—Nuestro gobierno prohíbe la discriminación de todo ciudadano que paga impuestos, trabaja y hace su aporte al bienestar de la sociedad. Esto rige para todo ciudadano, cualquiera que sea su orientación sexual. Y concentraremos nuestras energías para vencer al sida.

Hizo una pausa y se inclinó hacia la cámara: —Pero los norteamericanos no están preparados para modificar la definición del matrimonio, que viene de miles de años atrás y no deriva de actos de gobierno sino del Antiguo Testamento. —Se volvió hacia Kerry: —Usted me acusa de estar ausente sin aviso. Pero cuando se votó la ley de defensa del matrimonio, usted estaba oportunamente ausente. Así que le haré una pregunta: ¿cómo *hubiera* votado?

Esquívalo, fue el ruego mudo de Clayton. *Quedan sólo quince minutos.*

Kerry sonrió: —Por supuesto, yo estaba en China, investigando violaciones a los derechos humanos. Sobre eso *usted* no ha dicho una palabra.

—No es verdad.

Kerry se encogió de hombros, aparentemente distendido a pesar de lo delicado del tema.

—Yo leo las mismas encuestas que usted, Dick. Sé que tiene razón cuando sugiere que si preguntamos a la gente si se opone al matrimonio *gay*, la mayoría dirá que sí.

"La diferencia entre nosotros es que para usted todo termina ahí, con los resultados de las encuestas.

No lo hagas, imploró Clayton. Vio el asombro dibujado en la cara de Mason, como si no se hubiera atrevido a soñar que Kerry le regalaría semejante oportunidad. La audiencia estaba muda, inmóvil, como si aguzara todos los sentidos.

—Reformulemos la pregunta —dijo Kerry—. ¿Qué sucede si preguntamos en una encuesta si trataremos *peor* a una persona por el hecho de haber nacido homosexual? El pueblo norteamericano jamás ha aceptado una cosa así.

"No lo llamemos matrimonio si no les gusta. Pero una pareja legalmente constituida adquiere una serie de derechos: de salud, de visitar a un ser querido en el hospital, de tomar decisiones sobre tratamiento médico, de heredar, de recibir el seguro social.

"Estos derechos no tienen nada de especial. Quiero decir, ¿quién le negaría a un homosexual el derecho de visitar a su pareja en el hospital? Muy pocos, diría yo. —Kerry suavizó el tono. —No olvide que los norteamericanos son un pueblo solidario, Dick. Si lo olvida, no puede ayudar a producir la clase de consuelo que se ha producido en muchas familias que han aprendido a aceptar un hijo o una hija por lo que es.

Clayton miró los rostros que lo rodeaban. Los había francos, conmovidos, escépticos, impasibles. Pero todos escuchaban con suma atención, y Mason parecía embargado por la impotencia, como si se le escapara una oportunidad vital.

—No le acuso de mala voluntad —dijo Kerry—. No sé si está de acuerdo con la ley. Pero *estuvo* a favor de promulgarla.

"Yo la hubiese vetado. Esa es la diferencia entre usted y yo.

Los aplausos sorprendieron a Clayton. Golpeado, Mason no esperó a que cesaran para responder.

—La diferencia es que yo respeto lo que el pueblo, en su sabiduría, piensa que debe ser el matrimonio. Y no necesito lecciones *de usted* para oponerme a la discriminación. Yo encabezaba esa lucha cuando su hermano ocupaba el escaño que ahora es suyo y usted era estudiante de derecho.

Clayton advirtió que Mason estaba verdaderamente furioso y que Kerry, ante esta alusión condescendiente a la deuda que tenía con su hermano, no lo estaba menos. Entrecerró los ojos y miró fríamente a su adversario:

—¿Quiere decir que hubiera promulgado la ley si fuera presidente? ¿Hubiera abogado por ella en el Senado? ¿Hubiera introducido el proyecto en el Congreso? ¿O la considera uno más de esos problemas que lamentablemente no se van? Supongamos que yo presento un proyecto para derogar la ley de defensa del matrimonio. ¿Qué *hará* usted en ese caso?

Kerry había desviado el eje del debate: ahora se discutía si Dick Mason era un líder o un simulador. Y si no lograba darlo vuelta, podía perder muchos votos de homosexuales. Clayton, nervioso, miró su reloj: restaban diez minutos.

Mason se inclinó hacia adelante. Su voz era tensa, crispada:

—Dejemos los casos hipotéticos y vayamos a un tema real, Kerry. Hablemos del derecho de la mujer a optar por el aborto. Todos nos miran, llegó la hora de la verdad.

Kerry lo miró fijamente.

Había menos de un metro de distancia entre los dos. Por primera vez, vio el miedo dibujado en su cara, escuchó un temblor en su voz que alteró sus nervios.

—Ese derecho está amenazado en la Corte Suprema —dijo Mason en tono acusador—. Si usted fuera presidente, ¿designaría a magistrados que creen como usted que un feto es una vida?

Kerry conservó la calma con esfuerzo: —Designaría jueces que comparten mis convicciones sobre el derecho a la intimidad...

—Eso no significa nada —dijo con dureza—. ¿Y si están de acuerdo con usted sobre la vida? ¿Los designaría? ¿O decidiría que un magistrado que comparte sus convicciones representa un peligro para el derecho más elemental de la mujer?

Era una pregunta muy astuta, se dijo Kerry: si ese juez era peligroso, también lo era él.

—No me interesan las convicciones personales sino los criterios del derecho —replicó.

—¿Quiere decir que seleccionaría a magistrados que disienten de sus convicciones más profundas y rechazaría a los que coinciden con usted?

—Por qué no escucha lo que digo, Dick...

—Escucho muy bien —interrumpió Mason—. Dice que apoya la libertad de elección, pero el verdadero mensaje es que la mujer que ejerce ese derecho debería sentirse avergonzada de lo que hizo. Cómo habría de confiar en que usted la protegerá.

—Porque tengo una posición conocida. Y no tengo el hábito de mentir... —Bruscamente consciente de lo que decía, se interrumpió en seco.

—No tiene el hábito de mentir —dijo Mason en voz baja—. ¿Y si la elección lo afectara a usted?

Kerry se crispó, atónito.

Mason pareció vacilar, como si contemplara un abismo. Con una certeza tensa, terrible, Kerry pensó, *así que fuiste tú*. El espacio entre ambos parecía haber desaparecido; era un momento visceral, como si el estudio, la audiencia y la prensa hubieran dejado de existir.

Por un instante, la expresión pasmada de Mason reflejó la sensación que embargaba a Kerry. Entonces prosiguió con voz crispada:

—¿Si *su* pareja quisiera hacerse un aborto, qué le diría?

En ese instante, Kerry comprendió su intención: quería sacudirlo hasta hacerle perder la compostura. *Y aunque no la pierdas,* acababa de advertirle, *sólo te queda abandonar la carrera.* Porque restaba una sola pregunta: *¿Qué haría usted si ese bebé perjudicara su carrera?*

Asqueado, Kerry tomó aliento. Los dos se miraron a los ojos. Mason optó por prolongar el momento:

—¿Le daría el derecho a elegir, Kerry? ¿O insistiría en sus propias convicciones?

Debía ponerle fin inmediatamente, pensó Kerry. Bruscamente consciente de la audiencia, percibió la atmósfera salvaje, el aliento contenido.

—¿Debemos rebajarnos tanto? —preguntó suavemente—. ¿Debo preguntarle si usted sigue golpeando a su esposa?

Sorprendido, Mason parpadeó.

Kerry miró su cara como alguna vez había mirado la de Anthony Musso en un tribunal de Newark. Vio cómo la duda se volvía miedo, después certeza, y minaba las fuerzas de Mason como un puñetazo al estómago.

—¿No responde? —preguntó Kerry—. Entonces lo haré yo. Apoyo el derecho de la mujer a elegir, sin vueltas. Pero cualquiera que tenga un gramo de compasión comprende lo difícil que es esa decisión. Eso es lo que sentiría yo: compasión. Y amor.

Lara tragó saliva. Su cara era una mueca de náuseas, exactamente lo mismo que sentía Nate Cutler.

—Mason —murmuró, tanto para sí mismo como para ella.

Lara no pudo responder, o siquiera pensar.

—Me parecería bueno que pudiera elegir —prosiguió Kerry— y que pudiera hacerlo sin riesgo. Y lamentaría profundamente la angustia que sufriría ella y tal vez yo. —Kerry dominó sus emociones y miró la cara de Mason, bañada en sudor. —Si la presidencia exige que uno sea capaz de decir perogrulladas sobre algo tan doloroso, entonces no estoy capacitado para el puesto. Pero no creo que lo exija, y dudo que lo crean las mujeres.

Mason vaciló por un instante, sin saber hacia dónde inclinar la balanza. Entonces se enderezó y volvió la cara hacia la cámara.

—No creo en frases crípticas —dijo—. Y no oculto mis convicciones detrás de frases vagas sobre la filosofía del derecho. La primera pregunta que haré a cualquier postulante a juez es si apoya el derecho a elegir...

Kerry tomó aliento. Mason había recuperado la compostura e insistía en el mensaje que él ganaba puntos. El problema entre ambos se zanjaría en otra parte.

Lara asistió a los últimos minutos del debate en estado de obnubilación.

Para entonces éste se había reducido a frases prefabricadas, dichas de cara a la cámara, evitando la confrontación. Mason centró su cierre en la "experiencia, madurez y probada capacidad de liderazgo". Lara recuperó la concentración para escuchar las frases finales de Kerry.

—Quiero ganar esta elección —dijo—. Quiero ser el presidente de los norteamericanos.

"Pero ante la alternativa de votar en mi contra o no votar, prefiero la primera. Porque es el primer paso para asegurar que su gobierno les pertenece a ustedes... no a ciertos grupos que aportan fondos a las campañas ni a menos de la mitad de los ciudadanos.

Mientras sonaban los aplausos que marcaban el final, Kerry aguardó a que se apagara el sistema de sonido.

Fue el primero en pararse y extender la mano. Mason se la estrechó y sonrió débilmente. Kerry se acercó a pocos centímetros del vicepresidente y le puso una mano sobre el hombro.

—Reza, Dick —susurró—. Reza para que el genio que liberaste vuelva a la botella. Porque si no, voy a tomar este palo tan sucio y te lo voy a meter en el culo.

Tenso, Nate Cutler siguió a Lara a la "sala de situación" donde esperaban los voceros, listos para explicar a la prensa por qué su candidato había destrozado al adversario.

Su mente volvía a funcionar. Ahora sólo restaba demostrar que era Mason quien había filtrado la historia, revelando así cómo los asuntos personales se volvían públicos y cómo el vicepresidente trataba la vida íntima del senador. Y entonces, que decidieran los votantes.

Lara parecía alterada. Nate estaba seguro de que jamás hubiera imaginado que el mismo Mason usaría su aventura con Kerry Kilcannon para amenazarlo veladamente en público. Y había una segunda amenaza que Nate no podía pasar por alto: *Si no lo publicas tú, ya encontraré quien lo haga.*

Lee McAlpine lo alcanzó: —¿Tú entiendes qué pasó?

Vaciló, pensando en la mejor manera de ocultar lo que sabía.

—Quién sabe —dijo—. No pensé que Mason sería tan arrogante. Me recordó esa pregunta que Bernie Shaw le hizo a Dukakis en los debates del 88, sobre qué pasa si alguien viola a Kitty. Kilcannon respondió bien.

Súbitamente, Lee se plantó frente a él y lo miró a los ojos: —¿Qué es esa historia en la que estás trabajando, Nate?

Nate sonrió, meditabundo, sin dejar de mirar a Lara: —Una aventura que tuvo Kerry Kilcannon —dijo—. Con Jeannie Mason.

Lee lo miraba sin sonreír ni dejarse engañar. Entraron en la sala, donde Lee fue derecho hacia Bob Kerrey y Ellen Penn. Una vez seguro de que Lee no lo miraba, Nate siguió a Lara para ver cómo hacía su trabajo.

Frente a las cámaras, Jeannie estrechó maquinalmente su mano, pero la mirada de sus ojos azules era grave y profundamente triste.

—¿Qué estás haciendo, Kerry? ¿Es lo que yo pienso?

Bruscamente agotado, al límite de sus fuerzas, Kerry miró a su alrededor y comprobó que nadie los escuchaba.

—No se trata sólo de mí —dijo—. Otra persona podría resultar profundamente herida. ¿Sabes qué está haciendo *Dick*?

Meneó brevemente la cabeza: —No —dijo con voz inexpresiva—. Pero tiene miedo. No pensó que llegarías hasta aquí.

Kerry soltó el aliento: —Y tú pensabas que yo no me rebajaría a tanto.

Cerró los ojos, luego los abrió y lo miró a los suyos:

—Nunca volvió a hacerlo, Kerry. Deberías saberlo.

Kerry asintió, apesadumbrado. La miró volver con Mason, sonriendo para las cámaras.

CINCO

Al contemplar a Kilcannon en la pantalla, Sean se sentía aislado, como si Kate Feeney y los demás participaran de una fiesta alegre que él miraba a través de la ventana.

Se puso tenso cuando Kate lo tomó de la mano.

—Kerry estuvo tan bien, ¿no? Es tan humano, y Mason parece un cadáver de tan rígido.

Sean no respondió. Rick Ginsberg apareció entre los jubilosos colaboradores, y su aire era muy serio.

—Ustedes dos —dijo a Sean y Kate—, quédense por aquí. Tenemos una reunión con los del equipo de preparación y el Servicio Secreto para preparar el acto de mañana. Ya tendremos tiempo para celebrar el martes.

—De acuerdo con una encuesta preliminar entre doscientos californianos —dijo el locutor—, el cuarenta y cinco por ciento de los televidentes piensa que el senador Kilcannon ganó el debate, el treinta y nueve por ciento se inclina por el vicepresidente y el dieciséis por ciento da empate. El sector crucial, las mujeres, se inclinó a favor de Kilcannon por cuarenta y seis a treinta y seis...

—Lo conseguiste —dijo Frank Wells—. De veras que lo golpeaste al hijo de puta.

Frank, Kit Pace y Kerry miraban televisión en la suite. Sin embargo, había más preocupación que euforia en el tono de Frank. Conocía demasiado bien la amenaza de Mason, pero no el recurso de Kerry para detenerlo.

—Bueno, veamos cómo afecta las encuestas de Jack. Si es que las afecta.

—No te preocupes por eso. —La mirada de afecto de Kit estaba teñida de una tristeza que Kerry comprendía muy bien: a punto de lograr la hazaña, tal vez tendría que abandonar la carrera. —Demostraste garra y compasión, Kerry. Mason no puede igualarte en eso.

Esto último lo dijo con amargura; el sentimiento que campeaba era el de odio hacia el vicepresidente.

—El momento más dramático —decía el locutor— quizá fue cuando el vicepresidente atacó al senador con el problema del aborto...

Apareció Mason en la pantalla, preguntando con voz engolada, *Supongamos que su pareja quisiera hacerse un aborto...*

—¿Dónde está Clayton? —preguntó Frank.

—No lo sé —dijo Kerry. Y en la pantalla le dijo a Mason: *Si la presidencia exige que uno sea capaz de decir perogrulladas sobre algo tan doloroso, entonces no estoy capacitado para el puesto. Pero no creo que lo exija, y dudo que lo crean las mujeres...*

—Estuviste tan bien —murmuró Kit. El tono le pareció nostálgico a Kerry, como si la campaña hubiera finalizado.

—Eso suena a elegía fúnebre, Kit —dijo con una sonrisa.

Ella se volvió para mirarlo, meneó la cabeza, apretó los labios: —A mí no me parece.

Se abrió la puerta y entró Clayton.

—Las cadenas te dan la victoria —dijo—. Dick pareció demasiado estridente y alterado. Alguien debería haberle dicho lo que todo abogado litigante sabe: no trates de ser lo que no eres.

—¿Un hijo de puta? —dijo Kit—. Lo es, mucho más de lo que parece.

—Nosotros también —dijo Clayton, y miró a Kit y Frank—: ¿Me dejan unos minutos a solas con Kerry?

Frank parecía un poco molesto. Ambos felicitaron a Kerry y salieron.

Kerry aflojó el nudo de su corbata. Parecía cansado. Por su mente pasaban las imágenes de Mason sobresaltado, Jeannie con los ojos cerrados, pero sobre todo Lara tal como la imaginaba mirando el debate. Pero enseguida volvió a los problemas prácticos del presente.

—¿Finnerty? —preguntó.

—Sí. —Clayton se sentó frente a él. —Se los dije con todas las letras. Y por supuesto, lo lamentan mucho.

Kerry se inclinó hacia delante y entrelazó los dedos: —¿Cuánto lo lamentan?

—Olvidarán lo de tú y Lara. Devolverán los apuntes de la terapeuta y no habrá más filtraciones.

—Es tarde para eso —dijo Kerry, nuevamente embargado por la furia—. La historia está a punto de salir, basta que *Newsworld* siga investigando para que salga a la luz. Y Mason no controla a la terapeuta.

Clayton frunció el entrecejo: —Al menos, están motivados. Le dije a Finnerty que si esto se destapa, entregamos el prontuario policial de Dick a la prensa amarilla. —Hizo una pausa y lo miró a los ojos: —Me creyó.

Kerry miró la alfombra: —Creo que yo no sería capaz de hacerlo —dijo lentamente—. No por Dick sino por Jeannie. Claro que no se lo di a entender. —Alzó la vista: —¿Cómo consiguieron los apuntes de la terapeuta? ¿Y cómo los filtraron a la prensa?

—Los obtuvieron por medio de Compromiso Cristiano. Finnerty no quería dejar sus huellas en esto, así que lo entregó a Katherine Jones, la dirigente de la Legión de Anthony —murmuró Clayton—. Ahora que me acuerdo, Jones es lesbiana. Espero que la actuación de su hombre le haya causado un poco de escozor.

Kerry sintió un nudo en el estómago: —Jones me importa un bledo —dijo—. Si gano la candidatura, ¿qué harán los grupos como la Legión de Anthony? —Miró otra vez Clayton. —Sabes a qué me refiero. Me lo dijiste anteayer.

—Irán a los republicanos. —Clayton infló las mejillas. —Ahora que lo pienso, tal vez los de Compromiso Cristiano fueron a los republicanos y ellos decidieron que era mejor enfrentar a Mason que a ti...

—O sea que pueden matarme con esto en las elecciones. Yo seré un muerto en vida a los cuarenta y dos años. Eso dijiste, ¿no? Y habré hundido a mi propio partido. —Kerry suavizó el tono: —Así que se acabó. Retiramos la publicidad de la televisión, y si de todas maneras gano la primaria, busco un pretexto para declinar la candidatura.

—Por el momento no podemos decidir nada —dijo Clayton con expresión obstinada—. Pensémoslo bien esta noche.

A pesar de su melancolía, sintió pesar y afecto por Clayton: por una vez, su amigo, siempre tan pragmático y terrenal, se negaba a aceptar la realidad.

—Seguiremos adelante —dijo Kerry—. Yo tengo el Senado y tú tienes a Carlie, dos hijas maravillosas, una cuenta bancaria bastante gorda y una carrera promisoria.

Clayton meneó la cabeza, los hombros agobiados por el cansancio y la desilusión.

—En todo caso —dijo Kerry con una sonrisa irónica—, tú y yo hemos avanzado bastante desde que trabajábamos para Vincent Flavio.

—*Vincent Flavio* —dijo Clayton, y alzó la vista bruscamente: —¿Te dije que Frank Wells todavía quiere hallar a John Musso?

Kerry sonrió sin humor: —No será fácil. Unos meses después de que fue a vivir con su tía, ella decidió que un cambio de nombre le permitiría olvidar el pasado. Como si fuera posible. Pero no se lo digas a Frank. Si algún favor puedo hacerle a Musso, dondequiera que esté, es asegurarme de que lo dejen en paz...

Sonó el teléfono.

Clayton se paró lentamente para atender. A juzgar por el breve diálogo, una serie de preguntas filosas dirigidas evidentemente a Jack Sleeper, había logrado dominarse.

—Según Jack, tienes tres puntos de ventaja —dijo sin emoción—. Y buen puntaje entre las mujeres.

Kerry se paró, hundió las manos en los bolsillos.

—Joder —dijo con rabia impotente—, Mason no merece la candidatura. Yo sí.

—Es una mierda. —Kerry advirtió la mirada de Clayton, intuyó que trataba de leer sus pensamientos. —Es el pasado que vuelve, Kerry: Lara, tu matrimonio.

Kerry se volvió rápidamente: —Tengo que verla —dijo por fin—. Si ella está dispuesta.

No era una pregunta. Clayton lo miró fijamente.

—Sabes lo que pienso sobre eso.

Kerry se cruzó de brazos: —Pero hubo cambio. —Bajó la voz—. Imagina cómo se siente esta noche. ¿Qué harías tú en mi lugar?

Clayton mencó la cabeza: —Sólo sé lo que harías tú.

Se hizo silencio.

—Dile a Peter Lake que necesito verlo —dijo Kerry por fin.

Dos horas después, tras un encuentro con Bob Kerrey y Ellen Penn, recibió a Peter Lake. Eran poco más de las once.

—Lamento haber interrumpido su sueño —dijo—. Usted y yo no tenemos demasiado tiempo para eso, ¿no?

Peter se encogió de hombros y sonrió: —Dormir es para los maricones, senador. Y tenía que hablar con usted. Sobre el acto en San Francisco.

Ah, eso, pensó. Después de los sucesos de la noche, el acto parecía tan superfluo que había dejado de pensar en él. Pero la sonrisa de Peter no alcanzaba a disimular su preocupación.

—Adelante —dijo.

—Su equipo de preparación —dijo Peter con voz inexpresiva—, quiere colocar la tribuna de oradores frente a unos edificios. Así tienen un escenario pintoresco para la cámara, con la torre del reloj frente al muelle del ferry. El problema es que así usted estaría de frente a más de mil ventanas y varias terrazas. —Peter hizo una pausa; se borró todo rastro de sonrisa. —Desde el punto de vista de la seguridad, es una pesadilla, senador.

Kerry contuvo su impaciencia: en ese momento sólo le interesaba llamar a Lara.

—¿Dónde cree que deberíamos colocar la tribuna?

—Contra el edificio más próximo. Así se eliminan casi todas las visuales.

—¿Y qué dicen los de preparativos?

—Que la gente estaría apiñada y que habría demasiado resplandor de las ventanas. Sería malo para la televisión.

Aunque trataba de parecer frío, el agente no lograba disimular que estaba un poco alterado. Kerry lo comprendía; Peter trabajaba mucho, y el servicio no había logrado evitar el asesinato de su hermano; no querían que sucediera lo mismo *con él*.

—Parece que no les facilito el trabajo —dijo.

Peter titubeó, como si se preguntara hasta dónde podía llegar: —No mucho —dijo con una sonrisa fugaz—. Pero ésa no es su tarea.

Kerry lo miró, pensativo: —Dígales a los de preparativos que un poco de resplandor no le hace daño a nadie.

Por detrás de la fatiga, el alivio asomó a los ojos del agente.

—Bien —dijo lentamente—. Muy bien.

—Ahora tengo que pedirle un favor —dijo Kerry después de una pausa.

—Cómo no.

—Necesito hablar con una periodista... esta misma noche, si es posible. Sin que se entere el resto de la jauría. —Kerry vaciló, quería restar dramatismo al asunto. —Tengo que verla en privado. Y sin que firme la planilla de seguridad.

Peter lo miró fijamente como si preguntara si era una broma.

—Eso *no* me parece una buena idea —dijo.

Kerry inclinó la cabeza: —Ustedes investigan todas las vías que podría usar un psicópata armado para llegar hasta aquí, ¿no? Una de ellas podría servirle a una mujer desarmada.

La sonrisa pasó rápidamente por los labios de Peter: —Podríamos traerla hasta aquí, senador. Si eso es lo que pide.

A solas, Kerry empezó a pasear por la habitación, los brazos cruzados, sumido en sus pensamientos.

¿Qué le diría? ¿Cómo sonaría la voz de ella en sus oídos? ¿Qué sentiría ella al escuchar *la suya*.

No se le ocurrían discursos ni palabras para infundirle confianza. Sólo tenía sus sentimientos.

Sentía un nudo en la garganta cuando alzó el teléfono.

SEIS

Resollando como un fuelle, Sean no podía dejar de mirar al agente.

Se llamaba Ted Gallagher. Canoso, simpático y atento, ocupaba la cabecera de las mesas habitualmente reservadas para los teléfonos; a su lado estaba Donna Nicoletti, del equipo de preparativos. Los demás ocupaban sillas plegables a los costados de las mesas: tres agentes de la policía de San Francisco; dos sonidistas vestidos con camisetas arrugadas; un representante de la empresa que armaría las tribunas; algunos voluntarios. Sobre un tablero estaban sujetos un croquis de la Plaza Justin Herman y un cronograma de la visita.

"11:45: Candidato arriba desde Los Angeles", decía el cronograma.

Nicoletti señaló el croquis: —Los voluntarios con carteles van aquí, detrás del pool de la prensa, para que los tome la cámara.

Allí estaría bastante cerca, pensó Sean.

Gallagher miró el croquis: —Quiero la lista de esos voluntarios para pedir los antecedentes —dijo—. Nombre, dirección y número del seguro social.

Las palmas de Sean empezaron a sudar.

—Ahora puedo darle una lista parcial —dijo Ginsberg—. Y el resto mañana.

Gallagher meneó la cabeza: —Es sábado a la noche. Las computadoras son más lentas los fines de semana y faltan trece horas para el acto.

Ginsberg se llevó un dedo a los labios: —Puedo llamar a la gente a su casa —dijo con renuencia.

—Lo lamento, pero tendrá que hacerlo. Si no podemos completar la verificación, necesitaré un par de colaboradores suyos para que me ayuden a identificar a su gente. Los que no puedan identificar, tendrán que irse.

¿Cómo podía evitar tener que revelar su número del seguro

social?, se preguntó Sean con desesperación. Mantuvo los ojos clavados en la mesa y escuchó que Ginsberg preguntaba quién más debía estar en la lista.

—Todos los que se acercarán al candidato, sea en la tribuna, entre bambalinas o con un cartel. Eso incluye a los trabajadores y sonidistas. —La mirada de Gallagher se paseó por los presentes. —A los que nunca trabajaron con nosotros les aclaro que recibirán una credencial para llevar abrochada en el pecho, con un número y un color que da acceso a los distintos perímetros de seguridad. Eso indica hasta qué punto podrá aproximarse al candidato.

"Todo esto es muy a las apuradas. Ya estamos trayendo detectores de metales, pero tal vez no logremos instalarlos a todos o calibrarlos bien. Tenemos que peinar toda la zona antes de permitir el acceso de nadie. —Miró al supervisor del acto, un hombre robusto con buzo del equipo de fútbol local. —Si quieren que esto salga bien, las tribunas y el equipo de sonido deberán estar instalados para las siete de la mañana.

—Lo haremos —dijo Donna Nicoletti, echando una mirada severa a los sonidistas—. Ya empezamos.

Sean estaba distraído. No tenía prontuario criminal; se preguntó obsesivamente si la policía de Boston lo había identificado; si el nombre de Sean Burke aparecía en algún ordenador o lista del servicio secreto; si Gallagher lo identificaría. Cuando faltaba tan poco...

—A ver —dijo Nicoletti—, repasemos todo, paso por paso.

"A las siete, la tribuna y el equipo de sonido están montados. El sonido tiene que estar conectado directamente al palco de la prensa para que les llegue sin ruido ambiental. —Se paró, señaló el diagrama y dijo con indisimulado rencor: —Por pedido de seguridad, la tribuna estará aquí, frente al edificio marcado "Embarcadero Cuatro".

—Muy bien —dijo Gallagher amablemente.

—A las nueve estarán instaladas las barreras de los perímetros y los detectores, ¿no es así?

—Eso esperamos. Entre las nueve y las diez y media peinamos la zona en busca de armas y explosivos. Durante esa hora y media no habrá nadie en la plaza. A las once menos cuarto se abren los accesos. —Miró a Ginsberg y señaló una zona cerca de la plaza, rotulada "Estacionamiento". —Quiero que todos los que vienen en los ómnibus de ustedes ya estén aquí. Así los hacemos pasar y reducimos la espera en los detectores.

Kate Feeney parecía estar impresionada: —Qué eficientes son —dijo a Sean.

Éste tomó la lata de Coca Diet con mano temblorosa. Su mano

torpe aferró el aluminio con tanta fuerza que lo abolló con un chasquido metálico que lo sobresaltó.

Aparentemente, nadie lo advirtió.

Gallagher trazó una recta sobre el croquis desde un punto rotulado "extremo de la calle Sacramento" hasta la tribuna.

—Este pasaje —dijo— mide unos treinta y cinco metros. Habrá agentes de seguridad y de policía a ambos lados. Los únicos autorizados a pasar por aquí son los voluntarios con carteles, el pool de la prensa y el senador Kilcannon, sus colaboradores y la senadora Penn. —Su dedo señaló un lugar junto a la plataforma: —Aquí colocaremos a dos agentes y dos voluntarios.

"A las once, controlamos a la gente con carteles. Después se les unen dos de ustedes. A las once y media llega el pool de la prensa. *Ellos* ya están verificados desde antes de subir al ómnibus.

Se volvió hacia Nicoletti, quien paseó su mirada por los presentes para dar mayor peso a sus palabras.

—A las once y cuarenta y cinco llega el senador Kilcannon desde el aeropuerto. Junto con la senadora Penn, entra en el pasaje desde la calle Sacramento y estrecha algunas manos. Lo rodearán mujeres prominentes que lo apoyan, lo cual da una buena imagen. —Hizo una pausa para tomar aliento: —El pool avanza hasta la tribuna. A las once y cincuenta y cinco, el senador Kilcannon llega al punto de control. A las doce, si todo procede de acuerdo con el plan, la senadora Penn presenta al senador Kilcannon. En medio de una ovación atronadora.

¿Dónde debía estar él?, se preguntó Sean, amilanado por el dispositivo de seguridad. Era difícil imaginar a partir de un croquis dónde podía ocultar un arma. Ni que hablar de asesinar a Kilcannon.

—¿Preguntas? —dijo Nicoletti.

Sean no prestaba atención, como si fueran voces en un televisor.

—Necesitamos un ensayo general —decía el agente a Ginsberg y Nicoletti.

Sean alzó la vista.

—¿Cuándo? —preguntó Ginsberg.

Gallagher miró su reloj: —Pronto.

Finalizó la reunión y los asistentes se separaron en pequeños corrillos para conversar. Sean se quedó donde estaba sin saber qué hacer.

Como si advirtiera su soledad, Kate Feeney se acercó: —¿Qué quieres hacer mañana?

Sean se encogió de hombros rápidamente: —Sólo quiero que me presenten al senador.

—Te lo *mereces*. —Entusiasmada, le tomó el brazo. —Tú y yo podríamos pedir que nos dejen verificar a los voluntarios. Así estaremos cerca.

Quería ocuparse de él, pensó Sean. Se volvió hacia ella, desconcertado, conmovido, incapaz de hablar. Algo obnubilado, miró la piel pálida, los rasgos delicados, la pelusa que le cubría la nuca.

—Hablemos con Rick —insistió ella.

Sin aguardar respuesta, le tomó la manga y lo llevó hacia Ginsberg, quien hablaba con Gallagher.

—Es un verdadero zafarrancho de combate —decía Ginsberg. Entonces vio a Kate y se volvió: —¿Me buscabas?

—Nosotros dos queremos controlar a la gente de los carteles. Así estaremos cerca y John podrá conocer a Kerry.

Ginsberg titubeó: —Tú conoces a todos, ¿no?

—Así es.

—Bueno, me parece bien. —Miró a Sean. —Podrás conocer al senador después del acto. ¿Te parece bien?

Sean asintió e hizo un esfuerzo para hablar: —¿Vas a la plaza? Podríamos ir contigo.

Su rostro expresaba lo que sentía: estaba nervioso, abrumado por la responsabilidad que llevaba sobre sus hombros. Ginsberg frunció el entrecejo, pensativo. Se volvió hacia Gallagher:

—¿Pueden venir con nosotros? Tenemos que tomar varias decisiones sobre los voluntarios, y sería útil llevar a un par de ellos.

Gallagher los miró. Kate le tendió la mano:

—Soy Kate Feeney —dijo.

Él la estrecho, su expresión se volvió más amable: —Ted Gallagher —dijo, y se volvió hacia Sean—: ¿Y usted?

Sean se lamió los labios: —John Kelly.

A Sean le pareció que el agente demoraba su mirada en él. Sin embargo, Gallagher se volvió hacia Ginsberg:

—¿Usted responde por ellos?

Ginsberg miró a Kate y Sean con una sonrisa: —Pero claro. Son nuestras superestrellas.

—De acuerdo —dijo Gallagher—. Vamos.

Fue al centro de la sala donde ya se reunían Nicoletti, los trabajadores y sonidistas y un par de agentes de policía. Sean fue al rincón donde había guardado su chaqueta en un cajón de escritorio para ocultar la pistola.

SIETE

Escuchó un golpe suave en la puerta, seguido por otro.

Kerry dejó de pasearse, hizo una pausa para darse ánimos y fue a abrir.

Lara estaba en la puerta junto a Peter Lake.

Sus ojos eran pozos oscuros, solemnes, muy abiertos. Kerry miró a Peter.

—Gracias —dijo—. Lo llamaré.

Se volvió hacia Lara. Ninguno de los dos era capaz de simular que el encuentro no tenía nada de extraordinario. Kerry se apartó para dejarla pasar.

Ella titubeó un instante más y entró. La puerta se cerró a su espalda.

Como él, vestía jeans y buzo. Habían pasado dos años desde que la había visto por última vez, cuando acababa de enterarse de su embarazo. Parecía un poco mayor: más hermosa que nunca, ahora que a la belleza se sumaba cierta madurez. Y aparentemente estaba resuelta a dejar que iniciara la conversación.

A él le resultó más fácil sonreír un poco.

Entonces ella dio dos pasos y apoyó la cabeza contra su pecho: —Lo siento —murmuró—. Por todo.

Él le tomó los hombros con manos livianas, indecisas: —Volví a Washington —murmuró—, para pedirte que te casaras conmigo, cualquiera que fuese tu decisión. Pero te habías ido.

Ella agachó la cabeza. Cuando volvió a levantarla, había lágrimas en sus ojos:

—Es tarde para esto, Kerry. ¿Para qué sufrir más?

Había fatiga y desesperanza en su voz. Retrocedió, hundió las manos en los bolsillos como para ocultar sus sentimientos.

—Hubo tanto entre nosotros —dijo.

Kerry sintió un nudo en el estómago. Estaba atenazado por sentimientos que no encontraban desahogo.

—Por favor —dijo con cierta desesperación—. Hablemos de otra cosa. Antes podíamos hablar.

Señaló el sillón. Ella se sentó en un extremo, él en el otro. Lo hacían por instinto, pensó: así solían encontrarse en su apartamento, cada uno con la copa de vino en la mano, relatándose lo que les había sucedido desde el último encuentro. Pero ella parecía aprensiva, como un pájaro listo para volar.

—Mañana veré a Cutler —dijo—. No tengo alternativa.

Por alguna razón, se sintió más segura al hablar sobre esto:

—¿Qué harás?

—¿Con Cutler? Mentiré, claro.

—No, con la campaña.

—Creo que me voy a retirar. Encontramos la manera de frenar a Mason. Pero creo que los republicanos están enterados.

La miró asimilar la información y creyó ver que se estremecía. Sin embargo, su mirada era firme y franca.

—¿Nunca se te ocurrió que podrías decir la verdad? Después de todo, no querías que yo hiciera eso.

—¿Y arrojarte a la jauría para demostrar que soy un tipo con principios? Ni por broma —replicó, enfadado. Enseguida suavizó su expresión y sonrió: —Además, Clayton dice que no serviría de nada.

Vio la chispa de risa en sus ojos.

—¿Cómo está Clayton?

—Cansado. Como yo.

Apartó la mirada, otra vez pensativa.

—¿Sabes lo que me parece terrible? Que ni siquiera recuerdo la cara de esa mujer. Sólo que la operación fue más traumática de lo que yo esperaba.

Kerry la miraba: —Tal vez lo fue porque no pensabas solamente en ti. También estaba en juego mi carrera.

Lara inclinó la cabeza como para reencauzar sus pensamientos: —¿Cómo es esto, Kerry? Quiero decir, ser candidato a presidente.

Era normal que preguntara, pensó: su candidatura era la razón última de la decisión que había tomado. Pero intuyó que también trataba de definir sus sentimientos, y el objeto de esa búsqueda, aunque llena de peligros, era menos perjudicial que todo lo que habían perdido. Por un instante, contempló la suite —colores neutros, aspecto de salón de exposiciones de una mueblería, lugar de paso de mil extraños que no dejaban rastros— y comprendió con tristeza que Lara y él siempre se habían encontrado clandestinamente.

—La palabra que se me ocurre —dijo— es *más*.

"Más presiones, porque todo lo que dices y haces afecta a mucha gente, y la vigilancia es implacable.

"Más embriagador, porque te ves en el centro del mundo. Todo y todos tienen que ver contigo, las decisiones las tomas tú, todos los elogios y las culpas son tuyos y todo sucede en escala épica. —Era un alivio poder decir lo que sentía, como no lo había hecho con nadie—. Una vez el presidente me advirtió sobre la magnitud de lo que hacía: cómo puede ser tan exigente y a veces tan degradante. Tenía razón, nadie puede imaginarlo. ¿Pero sabes qué es lo peor de todo? He llegado a creer que el país necesita a un tipo como yo y con mis ideas.

Hizo una pausa antes de concluir: —Me da vergüenza decirlo en voz alta. Incluso a ti.

—¿Vergüenza? ¿O dolor?

Tenía razón, pensó Kerry: la idea de abandonar lo destrozaba por dentro.

—Nadie pudo hacer un esfuerzo mayor, Lara. Así soy yo desde que era chico. —La miró a la cara. —Pero he hecho cosas mucho peores que mentirle a Nate Cutler y que jamás pensé que haría. Que nunca tuve que hacer, porque ya lo hizo Jamie. En estos últimos días por fin empecé a comprenderlo. Él tuvo que arreglárselas por su cuenta. Ojalá pudiera hablar con él.

Se irguió, atenta, más parecida a la mujer que recordaba: —¿Qué le dirías?

—Que por fin comprendí sus últimas palabras: ¿qué sentido tiene todo esto? Y me ayudó muchísimo. Porque la única razón para pasar por esto es que se le puede dar un *sentido*, un significado. —Bajó la voz: —Es lo que he tratado de hacer todos los días.

Esta frase parecía expresar un mundo de soledad, y Lara apartó la mirada.

—Cuéntame cómo te fue en el extranjero —dijo—. ¿Era como esperabas?

Puso los pies sobre el sofá y cruzó las piernas.

—Cuando llegué —dijo con voz firme—, esperaba muchas cosas. Entre otras, tener tanto trabajo que me olvidaría de ti.

"El trabajo me gustaba. Pero las cosas que vi en Bosnia y en África eran terribles.

"Eso no era un juego como a veces parecía ser el Congreso. Allí reinan los prejuicios antediluvianos, las psicosis, el egoísmo, la ignorancia bruta. —Endureció la voz. —Lo de Bosnia no era inevitable. Ese país fue destrozado a propósito por personas que tenían algo que ganar con eso. Karadzic y Milosevic son tan malignos como Hitler, sólo que con algunos millones de personas menos a quien masacrar. Lo de Ruanda fue bastante parecido. Y como siempre el mundo aportó torpeza, cobardía e indiferencia en grandes cantidades.

"Era increíble, pero aprendí que era cierto. Lo supe el día que entrevisté a una mujer tutsi en Ruanda, mientras identificaba los cadáveres de diez familiares suyos, casi todos niños, destrozados a machetazos por sus vecinos hutu. —Lara bajó la voz. —La entrevisté y mi camarógrafo filmó los cadáveres porque quería que el mundo lo supiera.

Kerry advirtió que le era difícil comunicar una experiencia de esa naturaleza. Aparentemente, Lara pensaba que nadie era capaz de comprender; mantenía la vista clavada en el sillón y su voz era monocorde.

—Los que no sabían eran los que no querían saber. A veces conseguía algo... por ejemplo, que el gobierno enviara alimentos. Pero nunca supe qué le pasó a la gente que vi. —Se encogió de hombros, un gesto casi imperceptible: —Yo tenía pasajes de avión, tarjetas de crédito, pasaporte... libertad de movimientos. Era como un mirón, sólo que yo elegía mirar las cosas que la mayoría de la gente no quiere ver.

Como si quisiera conmoverla, Kerry le rozó la muñeca.

—¿Tuviste alguna pareja? —preguntó.

Lo miró nuevamente a los ojos: —Tenía que elegir entre los colegas y la gente de los países que visitaba. Y tenía problemas con ambos.

"Hubo una noche en Sarajevo, después de que se reanudó la guerra. Fui a cenar en el apartamento del periodista de la AP con otros colegas y un profesor universitario que fue conmigo.

"Paul era de mi edad. Un serbio muy lúcido, bastante apuesto con sus bigotes y ojos negros y buen analista de la situación. Éramos amigos, en la medida que uno puede serlo en semejante loquero y nos sentamos juntos durante la cena. Había ruido de cañonazos, pero no le prestábamos atención: bebíamos vino ordinario, contábamos anécdotas y nos emborrachábamos mientras el ruido de las explosiones se acercaba. Paul y yo nos teníamos de la mano debajo de la mesa.

"Un obús impactó en el edificio.

"Temblaron las paredes y se apagó la luz. Entonces Paul me arrastró debajo de la mesa, me abrazó y cuando hubo otro impacto nos besamos como si fuera el fin del mundo. No se veía nada... creo que hubiera hecho el amor con él en ese momento. —Lara se acarició suavemente el cuello; a Kerry lo asaltó el recuerdo melancólico de la sorpresa, del deseo frustrado. —Entonces me acordé del huracán y de ti.

Kerry le tomó la mano.

Ella lo miró: —No fue solamente lo que estás pensando —dijo—. Paul era parte de la historia. Yo no quería que eso se volviera a repetir.

Comprendió el significado doloroso de sus palabras: al cubrir la campaña, Lara se convertía en parte de la historia, estaba tan comprometida que en lo sucesivo tal vez no podría considerarse una periodista. O serlo.

—¿Y qué le pasó? —preguntó Kerry.

—Lo asesinaron los de Karadzic.

Kerry retiró su mano: le parecía inútil y además inoportuno tratar de consolarla. Se preguntó si podría volver a conocerla.

—Imaginé mil posibilidades distintas para un reencuentro —dijo—. Pero en el fondo, era como si estos dos años no hubieran pasado. Que seguiríamos siendo...

Su mirada era tan penetrante como la recordaba. En eso no había cambiado: miraba de frente. Entonces Kerry comprendió que tenía una certeza.

Le tomó las dos manos: —¿Recuerdas lo que te dije una vez sobre la campaña presidencial? ¿Que amar una sola cosa es un acto de barbarie?

Ella sonrió: —Íbamos a Kinkead en ese auto derrengado que tenías.

—Lo que me salva, Lara, es que yo amo dos cosas. La otra eres tú.

Pasada la medianoche, Nate llamó a la puerta de Lara.

No le parecía bien. Pero tenía órdenes no sólo de vigilar a Lara sino de hacerle algunas preguntas para preparar mejor su entrevista de la mañana siguiente con Kilcannon. Tal vez estaba sensibilizada después de lo que Mason había dicho; en todo caso, era un blanco más fácil.

No hubo respuesta.

Apoyó la cabeza contra la puerta. Nada se movía en el interior del cuarto. Desconcertado, bajó del sexto piso al vestíbulo y la llamó por el teléfono interno: una dos veces, y en cada ocasión dejó que sonara largamente.

Cortó, meditabundo. Había salido; un periodista podía pasar por alto un golpe a la puerta, pero un llamado telefónico a esas horas de la noche era demasiado importante. Atravesó el vestíbulo, un dédalo de bronces y espejos, hacia el bar.

Estaban los de siempre: empresarios aburridos, un puñado de colegas, algunos partidarios de Mason o Kilcannon. Tal como había previsto, Lara no estaba ahí; esa noche era difícil que estuviera con otro.

¿Es posible que sean tan *necios?*, se preguntó.

Kilcannon se encontraba diez pisos más arriba; habría agentes en la puerta de su suite, en las escaleras y frente al ascensor. Nate sacudió la cabeza, fue al ascensor y apretó el botón del piso dieciséis.

El ascensor subió rápidamente, se detuvo y las puertas se abrieron mientras sonaba una campanilla.

Tres agentes estaban frente a la puerta. Para su sorpresa, uno era Peter Lake; como jefe de seguridad, no montaba guardia y aprovechaba los momentos de tranquilidad para dormir.

Peter lo miró, impasible: —¿En qué le puedo servir, Nate?

—¿Qué hace usted aquí? —preguntó, nervioso—. ¿Hay problemas?

—Ninguno. Pero este piso está cerrado a la prensa. Usted lo sabe.

Nate se encogió de hombros sin apartar la mirada: —Debía reunirme con Lara Costello —dijo—. ¿Ya está con Kilcannon?

Nate lo vio titubear una décima de segundo antes de responder: —Usted sabe que no contestamos preguntas. Pero cuando venga el papa, le diré a Kit que lo llame.

Peter oprimió el botón del ascensor y puso una mano campechana sobre el hombro de Nate. La puerta se abrió. El periodista se despidió y entró.

Esperó a que se cerrara la puerta y oprimió el botón del piso de Lara.

Sean se retrasó para recorrer a solas el pasaje oscuro por donde Kerry Kilcannon entraría en la plaza al día siguiente.

Las barreras ya instaladas conformaban un pasadizo estrecho entre un hotel y un edificio torre de oficinas. En lo alto, las luces de las habitaciones del hotel y de las oficinas formaban una grilla irregular. Pero a nivel de la calle las tiendas eran oscuras, con ventanas casi opacas. Aparte de un vagabundo que empujaba un carrito de supermercado cuyas ruedas metálicas dejaban rayas en la acera, la calle estaba desierta. La oscuridad imponía su propio silencio. Ted Gallagher conversaba en murmullos con Donna Nicoletti y Rick Ginsberg.

Sean trató de imaginarse en el lugar de Kerry Kilcannon en los momentos últimos, inconscientes, de su vida. Pero no había multitudes ni aplausos, y la noche era sombría y fresca. Sean pensó en su padre, vio la puerta del ropero que se cerraba, y se estremeció.

Lo precedía a pocos pasos una figura delgada: Kate Feeney.

Cuando ella demoró el paso para esperarlo, Sean instintivamente palpó la pistola oculta en su chaqueta. Viajando en el auto de Kate, había sido tan consciente de su presencia que tuvo la impresión de que ella acabaría por intuirla; por un momento desconcertante, pensó que eran camaradas en la misión.

Oyó el ruido hueco de un martillo que golpeaba sobre la madera. Al pasar los últimos edificios, el pasaje finalizaba en una plaza.

En medio de la noche, ésta era un abismo de sombras. En el fondo se alzaba una gran forma retorcida: era una escultura de hormigón de unos ocho metros de altura. Detrás pasaba una calle ancha, ahora desierta, sobre la cual se alzaba la torre del reloj. A la distancia, el puente sobre la bahía, suspendido de sus cables, era como un brazalete de luces.

Sean se volvió hacia su izquierda, atraído por los martillazos.

Contra el edificio se alzaba la estructura incompleta de una plataforma de madera. Era un esqueleto en la oscuridad; Sean pensó que los trabajadores parecían arqueólogos que hurgaban entre los escombros de una civilización desaparecida.

El grupo de preparativos formaba un corrillo frente a la plaza desierta.

—¿Dónde es el puesto de control? —Sean escuchó preguntar a Rick Ginsberg.

Gallagher giró, fue a la salida del pasaje: —Ustedes estarán aquí —dijo a Sean y Kate—, con un agente nuestro. Apenas terminemos la peinada.

La peinada le impediría ocultar la pistola, pensó Sean con desesperación. Nuevamente sintió miedo.

El grupo cruzó la plaza hacia la tribuna de oradores. Sean los siguió, desalentado.

—Aquí estarán los voluntarios con carteles —dijo Nicoletti—. Detrás del pool de la prensa.

Gallagher alzó la vista para estudiar las ventanas. Sean observaba la plataforma.

Una figura silenciosa, un trabajador, se volvió hacia ellos. En la oscuridad tenía cierta semejanza con Kilcannon.

Instintivamente, Sean se acercó. La distancia entre ambos era de unos diez metros, calculó. Tendría su única oportunidad desde ahí, y sólo si lograba pasar a través de los mecanismos de seguridad.

Kate Feeney lo tomó de la manga, en afirmación de su deber común.

OCHO

Atónita, Lara miró sus manos entre las de Kerry, luego su cara.

—Te amo —dijo—. Todavía.

Ella cerró los ojos a pesar suyo. Cuántas veces había deseado volver a vivir los últimos días de su aventura para escoger otro camino. Pero ahora se sentía rebajada, atrapada por la dura realidad de las decisiones que había tomado. Sus ojos se llenaron de lágrimas.

—Dime, Lara.

Lo miró: más viejo, más cansado, pero afectivamente presente, el mismo hombre al que había amado, tanto que el reconocimiento la abrumó. Se paró, temblorosa, y meneó la cabeza.

—*No* —articuló.

Él se paró a su vez, puso las manos en su cintura; su cara estaba centímetros de la de ella.

—¿Por qué?

Ella apartó la mirada: —¿Aparte de la culpa y los remordimientos? ¿Los tuyos y los míos?

—No te culpo de nada. Sólo te pido que me escuches.

—No, tú escúchame a mí. —Se volvió hacia él, desgarrada entre la ira y la desesperanza. —No podemos volver a actuar a escondidas. Y una vez que salgamos a la luz, los buitres nos van a pelar los huesos. ¿Cuándo empezó lo nuestro, esta noche? —Su voz se volvió una súplica por la razón. —Es todo lo que Nate Cutler necesita, Kerry. Daría lo mismo que dijeras la verdad...

—¿Y si lo hiciera?

—Cada vez que me mirarás, verías un bebé abortado y una oportunidad desperdiciada. ¿Cuántos meses duraríamos?

Kerry hundió las manos en los bolsillos. Aunque conservó la calma, había desesperación en su voz.

—Eso mismo dijiste hace dos años. Mira lo que pasó.

Lo miró con firmeza: —Pues bien, continuemos esa conversación hasta el final. Hace dos años te dije que querías ser presidente. ¿Tuve razón o no?

Bajó la vista, pero se obligó a mirarla nuevamente a los ojos: —Parece que sí.

—Nada de parece, Kerry. Es verdad que tienes dos amores. Vi tu cara esta noche: a pesar de lo que dijo Mason, todavía no te rindes. Te preguntas qué puedes hacer para ocultar lo que pasó.

Se encogió de hombros en silencio.

—Es inútil —dijo por fin.

—Lo será si revelamos todo. Y para siempre. —Para aliviar el dolor, se acercó y le tomó los brazos: —Seríamos tapa en todas las revistas y tú serías el chiste de la semana en todos los programas nocturnos, tal como te dije hace dos años. Porque yo decidí por los dos y en lugar de hablar contigo le revelé todo a una extraña.

Meneó la cabeza: —Prefiero correr el riesgo a estar contra. Cada vez que la mirara, desearía que fueras tú.

Lara ensayó una sonrisa: —Porque eres un romántico.

—No —dijo en tono cortante—. Soy demasiado práctico para seguir llevando esta vida. —Inclinó la cabeza: —¿Y tú eres práctica, Lara? ¿Qué pasa con tu carrera?

Se había sentido tan melancólica, tan desesperanzada, que hasta ese momento no había pensado en eso. Se apartó y se sentó sola en el sillón.

—No sabes cuánto daría por no sentirme como una puta. Me fui al exterior en parte por eso: como una forma de penitencia. Pero después de esta noche no sé cómo me sentiría si volviera a ser la de antes.

Lo miró, callado en el centro de esa habitación extraña, tan sumido en sus pensamientos y sentimientos que parecía haber perdido la noción del tiempo.

—Tal vez podríamos esperar un tiempo —dijo por fin—. Tú volverías a tu trabajo, te asentarías. Yo me ocuparía de estos problemas. Y más adelante...

—¿Empezaríamos a salir como novios?

—Algo así. Y nadie sabría que te he llamado todas las noches. —Suavizó el tono: —No sabes cuánto lo hecho de menos.

—Y yo, Kerry. —Se esforzó por hallar la verdad. —Pero por más que esperáramos, Nate tendría más paciencia... Él o tus enemigos. Imagina lo que sería esta historia si llegaras a la presidencia a pesar de todo.

—Tendría que casarme contigo —dijo—. Y el país tendría que aceptarte, qué joder.

Semejante ceguera acabó por enfadarla: —Y qué regalo para los fanáticos antiabortistas: la primera dama de la nación, símbolo del aborto desalmado. No haría eso a ti, ni a mí ni a las demás mujeres; eso, dejando de lado cuánto me odio por lo que hice. —Se paró otra vez. —Para esta gente la pelea es a muerte, Kerry: para los dos bandos. Me usarían para destruirte.

—Lara...

—Claro que entretanto —prosiguió, implacable—, tendríamos tiempo para un poco de placer. Mientras tus angustiados entrenadores tratarían de convertirme en una muñeca Barbie...

—¿Crees que lo permitiría? —preguntó, enfadado a su vez—. ¿Lo permitirías tú? —Cruzó la habitación y se arrodilló junto al sofá. —Podrías hacer maravillas en el país, por los niños desnutridos y por todas esas causas que te preocupan. Sería extraordinario...

—¿Con eso tratas de convencerte a ti mismo? —dijo. Y al ver cuánto lo había herido, trató de moderarse: —Escucha lo que dices, Kerry. Hablas como si ya estuvieras en la Casa Blanca, no abandonas eso. Tal vez no puedes.

No supo qué responder.

—Sabes que tengo razón —prosiguió—. No habría refugio para nosotros. Jamás.

—Bueno, entonces me retiro de la carrera. ¿Cuántas veces tengo que pedírtelo? Démonos una oportunidad.

Lara, angustiada, meneó la cabeza: —Ya no depende de mí, Kerry. *Ellos* no nos darán la oportunidad. Hagamos lo que hagamos. —Le rozó la cara con una mano: —¿Por qué siempre me obligas a mí a encarar la verdad? ¿Por qué no puedes tú, por una vez en la...?

—Encaré la verdad una vez —dijo—. Hace dos años. Pero tú no quisiste escuchar.

Apartó la vista: —A veces lamento no haberlo hecho —dijo por fin—. A veces lamento no haberte creído cuando dijiste que te bastaba seguir en el Senado. Porque entonces tal vez jamás hubieras comprendido la verdad. —Se interrumpió, su voz se volvió suplicante: —Por favor, terminemos con esto. No nos hagamos más daño.

Kerry le rozó la cara: —Te haré una sola pregunta.

—¿Cuál?

—¿Todavía me amas?

No pudo contener las lágrimas: —Ay, Kerry, es una pregunta tan triste.

Le tomó las manos otra vez: —¿Por qué?

Por un instante se sintió tentada de decir la verdad. Pero encontró otra, más fácil de expresar.

—Porque la respuesta no cambia nada.

Durante unos instantes más, dejó sus manos entre las de él. Luego las apartó y se paró.

—Es hora de llamar a Peter —dijo.

* * *

Sentado en un receso del pasillo del sexto piso, Nate leía la revista *New Yorker*. Era más cómodo que estar sentado frente a su puerta, y a la una de la mañana resultaba menos extraño y más discreto. Además, desde ahí se veía la puerta de Lara.

Hacía cuarenta minutos que estaba ahí. Por suerte, todos sus colegas estaban exhaustos, pensó; nadie lo había visto.

Inquieto, leyó la crítica feroz de una película reciente. "La señorita Draybeck —decía el crítico acerca de una estrella del momento—, utiliza con frecuencia sus dos únicas expresiones." Casi lo hizo sonreír.

Se preguntó qué hacía Lara. Trató de imaginar los estragos psíquicos que Dick Mason seguramente le había causado y por su propio bien trató de pensar en otra cosa. Pero no pudo; en su implacable lucidez, se vio a sí mismo, acosando a una mujer que había sido su amiga.

En ese momento escuchó un ruido metálico suave, pero más pesado que el de la puerta de un cuarto de hotel. Dejó la revista y fue rápidamente a la esquina del cartel de "Salida".

A tres metros, Lara Costello cerraba la puerta metálica que daba a la escalera.

Giró y lo vio.

—Hola, Lara —dijo. Sus nervios estaban de punta.

Aunque se quedó paralizada, su expresión era extrañamente serena, no revelaba la menor sorpresa. Simplemente asintió, como si acabara de confirmar algo.

—¿Dónde has estado?

—Corriendo por las escaleras de incendio —dijo fríamente—. Veinte pisos, y ni siquiera me hizo sudar. Deberías hacer un poco de ejercicio en lugar de merodear por los pasillos.

—Kilcannon —dijo, y entonces Lara avanzó hacia él. Se detuvo a menos de un metro.

—Lo viste —dijo Nate.

Fría, deliberadamente, alzó la mano y le dio una fuerte bofetada en plena cara.

Sobresaltado, Nate escuchó el entrechocar de sus dientes, sintió el dolor en la mandíbula. No apartó la vista.

Ella jadeaba tras el brusco desahogo de su tensión y sus ojos lanzaban fuego.

—No me hables de él —dijo—. No te atrevas.

No respondió. Lo miró con odio indisimulado. Y pasó junto a él hacia su habitación.

NUEVE

En silencio, Kate Feeney llevó a Sean a su motel.

Él también iba en silencio. La miró de reojo cuando doblaron de Broadway a Van Ness, la cara iluminada por los pocos autos que a pesar de la hora aún surcaban esa ancha avenida. Faltaban pocas horas para el amanecer.

Poco antes de partir, Rick Ginsberg les había pedido los números del seguro social.

Estaban solos en la plaza; todos los demás habían partido. Kate le había dado el suyo inmediatamente y Rick lo había anotado con dificultad en una tarjeta.

—¿John, el tuyo?

Sean titubeó; con el número descubrirían su verdadero nombre.

—No lo recuerdo —murmuró por fin—. Dejé el carné en casa... en Nueva York.

Rick frunció el entrecejo: —¿No puedes llamar a nadie? Lo necesitaré mañana a primera hora. Si no, el Servicio Secreto no te dejará pasar.

Sean asintió. Se sentía humillado, sospechado; tal vez sólo imaginaba que Kate lo miraba.

—¿Podrás averiguar el número? —preguntó ahora.

Sean recordó el boceto del artista y se cruzó de brazos, temeroso de mirarla a la cara.

—Mi madre lo sabe —mintió.

Se inclinó hacia delante, los brazos apretados sobre el pecho. La acidez trepaba del estómago a la garganta.

—Mi madre lo sabe —repitió—. Ella sabe todo.

—¿John?

La voz de Kate lo había alterado. ¿Qué expresaba?, se preguntó. ¿Afecto o miedo? Miró el piso y sus ojos se llenaron de lágrimas.

—Tengo náuseas —dijo.

Al doblar por la calle Lombard, Kate le echó una rápida mirada.

—Mañana todo estará bien —dijo con ternura—. Ya lo verás.

¿Estaría *con* él?, se preguntó, temeroso y maravillado. En la resaca del pánico y la esperanza, la calle le parecía un espectáculo surrealista, los carteles eléctricos —una estación de servicio, un bar, un hotel— señales hacia un mundo sórdido repleto de enemigos y extraños. No sabía si debía ocultarse de Kate o suplicarle que fuera al hotel, que lo abrazara hasta el amanecer. Como solía hacer su madre después de que dejó la bebida...

Se tapó la boca con las manos al toser y las bañó con saliva.

—¿Te sientes mal? —preguntó Kate—. ¿Quieres que pare?

Se cubrió la cara con las manos y meneó la cabeza. Kate aceleró por Lombard para llegar rápidamente al motel. Necesito mis píldoras, pensó Sean con desesperación.

La náusea aumentaba, implacable. Advirtió que Kate entraba en la playa del motel, pero no veía nada.

Cuando se detuvo el auto, el miedo y las náuseas terminaron de apoderarse de él. Estremecido de vergüenza, vomitó sobre sus manos.

Sintió que Kate tendía los brazos.

Primero le limpió la cara con un pañuelo de papel y luego tironeó de su chaqueta.

—Debes quitártela —dijo.

Sumiso, Sean se dejó deslizar el brazo izquierdo de la manga, y todo ese costado de la chaqueta se soltó.

El silencio que invadió bruscamente el auto fue como un grito contenido. Él advirtió que estaba inmóvil.

Se volvió para mirarla.

Había abierto la boca y su mirada atónita estaba clavada en el asiento. Él miró también.

Entre los dos, sobre el asiento, se veía una forma metálica borrosa: la pistola.

Los ojos pasmados de Kate pasaron del arma a su cara: —¿Qué es eso? —articuló con dificultad.

Él tragó el resto del vómito y tomó la pistola.

Tuve que impedirlo, había dicho a la mujer pelirroja. *Deberías pensar en tu bebé, en la vida que vine a salvar...*

—*John*... —La voz de Kate era ronca. —¿Qué estás haciendo?

Con mano temblorosa alzó la pistola y por un instante vio la cara del chico de la calle, la última amenaza que había afrontado.

Apoyó el caño en el cuello de Kate.

Estaban totalmente solos: la playa estaba desierta y el motel era una sombra vaga bajo un cartel intermitente de neón. En el caparazón protector de su auto, los ojos atónitos de Kate estaban llenos de lágrimas; un tic le agitaba el cuello donde la rozaba el caño.

Repitió su nombre.

¿Me quieres?, deseaba preguntarle.

—Por favor —susurró Kate—. No le diré nada a nadie.

Oiga. Sólo vine en busca de una espiral...

Esa mujer lo había descrito a la policía. Si Kate lo traicionaba, lo hallarían rápidamente y sería el fin de su misión. Su mano temblaba violentamente; el aliento de ella le rozaba la cara.

—*Por favor...*

Sus ojos eran bellos, azules. No podía mirarlos.

—Por favor... —como si rezara.

Cerró los ojos y disparó.

Se oyó un estampido que fue tragado por la oscuridad y lo que fuese que el proyectil golpeó.

Temblando, Sean la miró a los ojos.

Tenían la mirada atónita de una moribunda. Un gemido levísimo brotaba entre sus labios manchados de sangre. El techo del auto estaba cubierto de una viscosidad brillante.

Sean apartó la vista, asqueado.

El cuerpo de Kate cayó sobre el asiento; se oyó un último gemido lastimero, luego nada. Había más que olor a vómito en el auto.

Un auto pasaba por Lombard.

Sean entrecerró los ojos, apoyó la mano en la nuca de Kate y empujó su cabeza bajo el tablero. Su piel estaba húmeda, tibia.

Retiró los dedos rápidamente.

No tenías opción, no tenías opción. Las palabras giraban una y otra vez por su mente como una mantra, un ruego de absolución. El ruido del tráfico llegaba como un zumbido muy remoto.

Las llaves estaban en el encendido.

Abrió la portezuela y bajó. Se irguió, paralizado por las luces del auto, luego bordeó el auto con pasos vacilantes y abrió la portezuela contra la cual descansaba el cuerpo de Kate.

La cabeza asomó hacia fuera con el rostro hacia arriba. Tenía la nuca apoyada en el borde del asiento y la cabellera colgaba del auto.

Sean tragó saliva. Se arrodilló, la tomó de los hombros y la empujó hacia el interior hasta dejarla hecha un rollo fetal sobre el asiento que había ocupado él.

Se sentó detrás del volante, cerró la portezuela con violencia y encendió el motor.

A ciegas tomó por Lombard, con Kate a su lado.

No sabía hacia dónde iba. Pasaban las cuadras, soluciones de continuidad. Entonces lo tragó el manto de la oscuridad.

Era una arboleda que ocultaba la Luna y las estrellas.

Enfiló instintivamente hacia allá. Entonces vio los carteles indicadores de la salida: "Parque Nacional Presidio".

Entró lentamente en el parque.

Vio que éste ocupaba una antigua guarnición militar: los carteles indicaban los edificios de un hospital, un casino de oficiales, la comandancia, un cementerio, todos ocultos en las sombras. A su derecha estaba la oscuridad profunda de la Bahía de San Francisco bordeada por remotas luces intermitentes. Entre los altos eucaliptos divisó un tramo de luces: el puente Golden Gate.

Avanzó hacia allá, hacia el interior del parque, sin tener noción del tiempo. La oscuridad crecía a su alrededor.

Bajó lentamente una cuesta y subió otra, sin atreverse a parar. El puente era más cercano y visible. Intuyó que llegaba al borde del parque.

A su derecha vio otro cartel, "Fort Point", y un camino estrecho que bajaba por una pendiente abrupta.

Titubeó y dobló.

El camino sinuoso bajaba hasta la orilla de la bahía. Al pie, junto al agua, aparecía un rectángulo semejante a una prisión limitado por los colosales pilares de hormigón del puente. A la luz de los faros vio que era una playa de estacionamiento.

No había otros autos.

Sean estacionó a la sombra del puente. Sus ojos se negaban a posarse en Kate.

Cuando abrió la portezuela, un viento frío pasó entre los pilares. En su soledad, en ese lugar extraño, Sean se estremeció. No había otros ruidos que los autos en lo alto del puente y el estruendo de las olas contra las rocas.

Lo asaltó el recuerdo de una película. En medio de la bahía estaba la isla de Alcatraz: nadie podía escapar porque la corriente poderosa arrastraría al nadador más fuerte bajo el puente hacia el Pacífico.

Kate.

Bordeó el auto y abrió la portezuela del pasajero. Ahí estaba con la cara vuelta a un costado, como si durmiera.

Tomó aliento. La sacó torpemente del auto y la alzó en sus brazos. Se sintió débil, mareado. El viento contra su cara transpirada le dio frío.

No pudo evitarlo, pensó. Ella lo hubiera delatado... mejor dicho, hubiera traicionado la causa en la cual él era un soldado de Dios. A veces los transeúntes están obligados a elegir y a veces deben morir.

Se detuvo junto a las piedras, resollando.

Seis metros más abajo se arremolinaba el agua. Por un instante no quiso arrojarla.

Entonces sus brazos flaquearon y Kate se deslizó de ellos hacia la bahía, como impulsada por su propia voluntad.

Las lágrimas enturbiaron su visión. Entonces la vio allá abajo, una forma vaga que giraba y luego, sumergida a medias, flotaba inexorablemente hacia los pilares del puente.

Sean se alejó.

Aún debía cumplir su misión, pagada con la sangre de Kate.

Cerró el auto y se alejó en la oscuridad. Casi perdido, desanduvo sus pasos por instintos. Horas después, hambriento, mareado, exhausto, oyó los ruidos del tráfico y halló la entrada a la calle Lombard: un hombre solitario, con la chaqueta militar manchada de sangre y vómito pero oculta por la tenue luz de neón.

En el primer rojo del amanecer, Sean llegó al motel.

LA CAMPAÑA

quinto día

UNO

Frente a Nate Cutler, lo asaltó la idea irónica de que seis horas antes Lara había ocupado el mismo asiento.

Eran las siete de la mañana: la mejor hora para ambos, ya que ninguno de los dos quería que se enterara la prensa. Kerry no podía hacerlo más tarde, ya que cinco horas después y a doscientos cincuenta kilómetros de distancia, en San Francisco, lo esperaban en un acto. Pero eso no tenía importancia en ese momento, así como Kerry, insomne, no podía pensar en la desesperanza que lo había embargado después de la partida de Lara. La supervivencia es el instinto primordial, pensó con melancolía, por grandes que parezcan nuestras desgracias.

Dejó que se prolongara el silencio, que la pregunta de Nate flotara en el aire sin respuesta.

El malestar de Nate —el nervioso frotar de los dedos, la mirada defensiva en los lúcidos ojos oscuros detrás de las gafas con marco metálico— no dejó de provocarle cierta satisfacción. Kerry había exigido que se encontraran a solas.

—A ver si entiendo bien —dijo por fin.

—Usted obtuvo ciertos apuntes de una psicóloga que, por su propia confesión, violó la obligación legal de la discreción por motivos políticos. Robó los registros de mis llamadas telefónicas. Ha dicho a varias personas que Lara Costello y yo fuimos amantes, aunque no le consta. Y lo hizo, entre otras razones, porque le preocupa la ética profesional *de ella*.

Nate parecía tenso: —¿Responderá a mi pregunta, senador?

—¿Y usted a la mía? —dijo Kerry, y su tono se volvió irónico—. Ah, no, cómo pude olvidarlo. Usted se envuelve en el manto de la libertad de prensa como una niña en su vestido de primera comunión. Puede hacer lo que le venga en gana. Pero yo debo rendir cuentas a usted por todos los hechos de mi vida, por íntimos que...

—Ella estuvo *aquí* —interrumpió Nate—. Anoche.

Kerry lo atravesó con una mirada fría: —No me diga. Y usted está aquí esta mañana. Piense en lo que significa.

Nate se ruborizó.

—¿Tuvo una aventura con ella? —preguntó, insistente—. Necesito una declaración suya.

Con alarde de paciencia, Kerry miró su reloj y nuevamente la cara del periodista:

—No —dijo por fin—. Espero que lo trastorne demasiado.

Nate se inclinó hacia él, tenso: —¿Y cómo explica este memo que describe en detalle la angustia de Lara Costello por haber abortado a *su* hijo?

Imaginó la soledad de Lara en ese momento, su horror ante la presente traición y tuvo que hacer un esfuerzo para dominar su furia.

—No lo explico —dijo con calma—. Puesto que no lo escribí. Ni puedo explicar la actitud de alguien capaz de entregar este memo a *usted.*

Nate se tomó las manos.

—Tenemos registros de llamadas suyas a ella, de larga distancia y a altas horas de la noche. Testimonios de vecinos que lo vieron salir de la casa de ella a la mañana. O a ella de la suya.

Kerry lo miró sin parpadear: —Éramos amigos —dijo—. Yo la quería mucho. Pensaba que usted también.

Nate se enderezó: —Yo no soy candidato —dijo—. No dormí en la casa de ella, ni ella en la mía.

Kerry sonrió fríamente: —Créame que me alegro mucho. Por las tres cosas. En cuanto a mí, si esas llamadas y visitas son noticia, publíquelas. Todos estamos hartos de una campaña centrada en los grandes problemas.

Nate meneó la cabeza: se negaba a tragar la carnada.

—Senador, ¿niega usted que inició una aventura amorosa con Lara después de la cena de los corresponsales?

—¿Una aventura? Sí, lo niego. Por segunda vez y para que conste en actas.

—Lo *vieron* salir del edificio de Lara a la mañana siguiente y todavía vestía el esmoquin.

Kerry se paró: —¿Cuál es la pregunta? ¿Dónde alquilé el esmoquin? —En tono cortante añadió: —Como verá, tengo cosas que hacer. Su pregunta era si Lara y yo fuimos amantes. Ya la respondí. No me hago cargo de los OVNI que pudieran haber visto sus vecinos. —Y añadió con voz inexpresiva: —Si ese es el precio para ocupar un cargo público, me niego a pagarlo. Tal vez Mason lo hará.

"Hemos terminado, Nate. Le diré una cosa más. —Hizo una pausa para subrayar sus palabras: —En lo que a mí respecta, no esperaba nada. No espero que mis adversarios políticos sean mejores de lo que son. Pero no esperaba de *usted* esto que le hace a Lara.

A pesar suyo, Nate descubrió que las palabras, dichas con furia y desdén, lo golpeaban en lo más profundo. Miró a Kilcannon.

—Usted habla de los grandes problemas —dijo—. El aborto es uno de los más importantes gracias a usted.

"Yo no pedí esta historia, senador. Pero si todo es cierto, usted es un hipócrita que sacrificó lo que llama una vida en aras de sus ambiciones o bien no puede separar el disgusto que le causa la opción de Lara del aborto como problema general.

Kilcannon lo miró en silencio; su silueta delgada estaba absolutamente inmóvil.

—O ninguna de las dos cosas —dijo por fin—. Y usted nunca lo sabrá. De manera que se reduce a un problema de conciencia, Nate: antes la mía y ahora la suya.

"Si quiere, puede buscar la justificación para publicarlo, como hasta ahora. Pero también conoce las justificaciones que no tienen que ver con el periodismo: que las revistas pierden terreno frente a los diarios y la televisión, que la prensa amarilla ha rebajado los patrones éticos hasta el punto de que es difícil encontrarlos, que los escándalos venden más centímetros de publicidad que los artículos sobre el presupuesto. —Hizo una pausa para dar mayor peso a sus palabras. —Esta historia, si la publican, beneficiará su carrera tanto como destruirá la de Lara. Y tal vez la mía.

"Usted la conoce bien, sabe qué clase de persona es. Y sabe que yo no soy un sujeto inestable, indiferente al dolor, corrupto, un consumidor de drogas ni ninguna de esas cosas que sin duda afectarían mi tarea como presidente.

"Richard Nixon usó el poder del gobierno para subvertir la ley. Si yo hiciera algo parecido, usted tendría la obligación de publicar la verdad, y nada de lo que hiciera para descubrirla sería excesivo.

"¿Pero *esto*? —Se encogió de hombros. —No se trata de mí, Nate. Se trata de qué debería ser el periodismo, de quién y qué es *usted*.

Nate lo miraba en silencio.

Al devolverle la mirada, Kerry sintió que se desvanecía su furia y el cansancio ocupaba su lugar. La ira justiciera era desplazada por el conocimiento de sus defectos mentiras, por la imagen de Lara, tan presente en la habitación.

—¿Quiere decir que es verdad, senador? —preguntó en voz baja—. ¿Pero que no debemos publicarla por razones de conciencia?

Por un momento se sintió tentado de responder con honestidad, de un ser humano a otro. Pero había demasiado en juego y sabía que esa súplica a favor de la racionalidad aparecería en la tapa de la revista. *No son amigos*, gustaba de decir Kit Pace. *Ni siquiera son oyentes.*

—Lo que digo —respondió Kerry— es que no sucedió. Su conciencia es problema suyo.

Nate lo miró a la cara. Y asintió con gesto ambiguo.

—Discúlpeme —dijo Kerry—. Debo tomar un avión.

El reportero se paró y tuvo la elegancia de no agradecerle la entrevista.

Luego, a solas, Kerry se tomó unos minutos para concentrarse en el discurso en San Francisco. Entonces Kevin Loughery llamó a la puerta y dio comienzo así a su jornada pública.

Desorientado, Sean aguardaba el ómnibus en la calle Lombard.

Le parecía sentir una hemorragia en el estómago; su chaqueta, húmeda debido a sus esfuerzos frenéticos por lavar la sangre de Kate con un trapo húmedo, parecía atraer todo el frío de la mañana que lo calaba hasta los huesos. Recordó esos momentos en Boston cuando su aliento se condensaba en nubes de vapor y él se preguntaba si sería capaz de quitar una vida.

Cinco días, cinco muertes. Aún sentía la piel tibia de Kate bajo sus dedos.

No le había dejado opción. Él era el protector, el pastor: deseaba de todo corazón que ella pudiera entender. Tal vez, lo de hoy le daría un sentido a su muerte.

Tembló de frío y de miedo. Estaba solo, rodeado de enemigos. El Servicio Secreto. Los controles de seguridad. Los detectores de metales. Ese manto protector que sustraía a Kerry Kilcannon del juicio de Dios.

La calle aparecía en trozos inconexos de realidad: autos que apenas miraba, un viejo que entraba en el café con un diario en la mano. Sean agachó la cabeza. ¿Cuánto tardarían en advertir la ausencia de Kate y hallar su auto?

Faltaban tres horas...

En cualquier momento la policía terminaría de rastrearlo desde Boston hasta aquí. Tal vez ya lo habían hecho; una tecla de computadora, nueve dígitos comprometedores, bastarían para que el Servicio Secreto descubriera su identidad.

Un ómnibus ruidoso se detuvo junto a la acera y las puertas se abrieron con un susurro hidráulico.

Lara se sentó junto a su camarógrafo en el ómnibus reservado para el pool mientras la caravana enfilaba hacia el aeropuerto. No intentó conversar con él.

Kerry estaba un poco más adelante. Hoy sería un día infernal: en su presencia, a pocos metros de distancia, ambos tratando de fingir que no había nada entre ellos y que lo de la noche anterior no había sucedido. *Ni siquiera estoy en mi propia vida*, pensó. La única realidad era *él* y la imposibilidad de ser una *pareja*.

Apoyó la cabeza contra el respaldo y trató de darse ánimos.

Decidió que buscaría la salvación en el trabajo. No en su significado sino en los detalles: la concentración que se requería en el pool para recoger declaraciones, tomar apuntes, compartirlos con los colegas, prepararse para reaccionar ante una eventual tragedia. Una rutina que debía observar como si no tuviera un significado humano. Y así pasaría otro día.

Distraídamente acarició la cadena que llevaba al cuello con la credencial profesional y de identidad y el carné que llevaba abrochado en el blazer.

Restaban apenas dos días para poder huir... ¿a dónde? A nuevos remordimientos, más disimulo, días y semanas de angustia que sólo terminarían si Kerry perdía o se retiraba. A la certeza de ser acosada, vigilada, a la manipulación de su pasado por cualquier periodista designado para investigar su secreto. Debería encontrar la manera de soportarlo; no podía perder la cabeza como la noche anterior con Nate.

Al menos *él* no estaba en el pool, se dijo con amarga ironía.

Pude pegarle a Nate, pensó bruscamente. *¿Por qué no pude abrazar a Kerry y dejar que él me abrazara? Jamás volveremos a estar solos.*

Cerró los ojos para contener las lágrimas. Cuando recuperó el dominio de sí y miró a su alrededor, ya llegaban al aeropuerto.

En el edificio estéril reservado a los aviones chárter, el Servicio Secreto volvió a inspeccionar a los periodistas.

Solo en la pista, el *Shamrock* brillaba como plata bruñida a la luz del Sol. Nate contempló al pool de periodistas que se unía a los policías y agentes. Kerry Kilcannon parecía un imán al atraer a quienes lo rodeaban hacia el avión.

Nate fue al teléfono a llamar a Jane Booth. La encontró.

—Recibí tu mensaje —dijo rápidamente—. ¿Le crees?

Nate miró sobre su hombro. A pocos metros, Lee McAlpine conversaba distraídamente con Sara Sax y fingía no mirarlo.

—No —susurró—. No quiere o no puede responder a estas cosas raras, sólo dice que somos despreciables por hurgar en esto. Pero tiene razón cuando dice que no nos *consta*.

—Muy bien —dijo Jane—, entonces tendremos que decidir si publicamos estas cosas raras, los apuntes que tomó una terapeuta en el momento de la entrevista, sus apariciones a cualquier hora, las decenas de llamadas a altas horas, Kilcannon llamándola a través de la puerta...

Lee lo miraba indisimuladamente.

—¿Sabes lo que pienso? —dijo Nate, bajando la voz aún más—. Kilcannon no quería hacerlo y estaba dispuesto a jugar su carrera. No es un hipócrita...

—Puede ser. Pero tal vez por eso aparece una y otra vez en su campaña. —Jane hizo una breve pausa. —La presión aumenta. Tal vez decidamos publicar lo que tenemos el martes. Sheila ya escribió un borrador.

Lee y los últimos demorados ya iban hacia el avión.

—Llámame antes —dijo Nate, y cortó.

DOS

Sean encontró a Rick Ginsberg fuera de las barreras exteriores en la plaza Justin Herman.

Ya estaban instalados la tribuna de oradores, el sistema de sonido y, al otro lado de la plaza, el palco de la prensa. Arribaban los ómnibus de los voluntarios y éstos se concentraban en un lugar alejado. Pero la plaza misma mostraba un aire de desolación; dentro de las barreras, algunos agentes de seguridad con perros o detectores de metales caminaban con los ojos clavados en el suelo, como arqueólogos en una excavación. Sean, afiebrado, sentía el peso de la pistola en el bolsillo.

Ginsberg miró su reloj: —¿Dónde está Kate? —preguntó.

Sean meneó la cabeza.

Ginsberg lo miró con preocupación: —Pero anoche se fue contigo, ¿no?

Esta vez Sean asintió. No confiaba en poder hablar normalmente.

Ginsberg parecía estudiarlo, sus ojos se posaron brevemente en la chaqueta moteada.

—¿Tienes tu número de seguro social? Lo necesito ahora.

Sean hurgó en el bolsillo trasero de su pantalón y extrajo una hoja de papel en la que había escrito el número: 486-24-2119.

Ginsberg lo miró y se alejó en busca de Ted Gallagher.

Junto al palco de la prensa, el agente hablaba por su teléfono celular. Rick aguardó a que terminara de hablar y lo llamó.

Sean los miraba, impotente.

Gallagher se acercó a la barrera y tomó la hoja de papel. Ginsberg inclinó la cabeza hacia Sean; el agente lo miró a su vez, asintió y leyó los números.

Era el número del seguro social de Sean Burke.

Éste sintió que sus dedos se contraían como si acariciaran las cuentas de un rosario. Rogó con fervor que se demorara la comunicación, que no recibieran la respuesta hasta después de una hora y media. O que el nombre de Sean Burke, cualesquiera que fueran las sospechas de la policía en Boston, aún no apareciera en las computadoras del Servicio Secreto.

Con el papel frente a los ojos, Gallagher volvió a discar su celular.

Ante la mirada tensa de Sean, parecía leer los números.

Entonces apareció Ginsberg a su lado: —Joder, dónde está esa Kate —dijo con fastidio.

Era la primera vez que veía al coordinador tan inquieto, y eso aumentó su malestar: no sabía si era producto de los nervios de último momento u otra causa.

—¿Qué pasa? —dijo Sean sin poder contenerse.

Rick hizo una mueca: —Faltan algunos detectores y *tú* no puedes ayudarlos a verificar las identidades porque no conoces a todos. Así que debo responder por todos.

Sean agachó la cabeza, desconcertado por la suma de funciones: sintió vergüenza por no serle útil a Ginsberg; miedo de la computadora; conmoción ante su increíble buena suerte.

Faltan algunos detectores.

Entonces vio que Gallagher cruzaba la plaza hacia ellos.

Lo saben.

Sintió que le flaqueaban las rodillas. Incapaz de moverse, no podía mirar a Ginsberg. Éste siguió su mirada. Los pasos del agente al acercarse le parecían insoportablemente lentos.

Miró a Sean y a Ginsberg: —Ya terminamos la peinada —dijo—. Ahora, haga pasar a su gente.

Sean tragó saliva.

¿Seguían verificando? ¿Cuánto tardaría en sentir la mano de Ted Gallagher sobre su brazo? Por un momento aterrador casi lo deseó. Pero Gallagher le dio una credencial para abrochar en su chaqueta y otra para llevar colgada del cuello.

Rick Ginsberg le puso una mano en el hombro como para disculparse por su falta de cortesía.

—Vamos a verificar a esta gente —dijo—. Tú entregarás los carteles.

Durante varios minutos, siempre al borde del colapso nervioso, Sean lo siguió en torno de la plaza, del complejo laberinto de barreras destinado a detener los coches bomba y vigilar a la multitud, que debía pasar por los puestos de control. Y por segunda vez en doce horas, Sean recorrió el pasaje tal como había hecho antes en la oscuridad, con Kate.

En poco más de una hora, Kerry Kilcannon recorrería el mismo pasaje... hacia él, si Sean lograba evitar que lo atraparan.

Otros dos agentes con gafas para sol aguardaban en el extremo. También había tres cajones llenos de carteles con el nombre de Kilcannon impreso en los dos lados

Uno de los agentes entregó una lista a Ginsberg: —Los detectores estarán instalados en poco tiempo —dijo—. Por ahora, usted deberá verificar que los nombres se corresponden con los números.

Sean alzó un cartel. Algunos voluntarios —en su mayoría jóvenes, algunos mayores, un muestrario de todos los tamaños y razas, todos igualmente eufóricos— empezaron a desfilar por el pasaje.

A espaldas de Sean crecía la multitud, a medida que los que habían descendido de los ómnibus empezaban a atravesar los puestos de control. Nervioso, palpó el revólver en el bolsillo de la chaqueta.

Entonces vio a dos hombres robustos vestidos de traje que se abrían paso entre los voluntarios. El primero, alto y canoso, tenía credencial de agente del Servicio Secreto. Pero fue el negro que lo acompañaba quien asustó a Sean.

Ya vienen por mí, pensó.

Rick fue a su encuentro: —Señor Slade —dijo—, soy Rick Ginsberg, coordinador de los voluntarios.

Se estrecharon las manos. Detrás de ellos se detuvieron los voluntarios a la espera de poder pasar. Sean miraba el suelo.

—John —dijo Ginsberg—, te presento a Clayton Slade, el director nacional de la campaña del senador.

Clayton lo miró con sus inteligentes ojos negros y le ofreció la mano. Sean la tomó con desgano. El agente que venía con Slade se abrió paso para hablar con sus colegas.

—Tendremos un detector aquí en diez minutos —dijo.

Clayton Slade lo miró por un instante más. Luego miró al agente: —Estamos bloqueando el paso —dijo.

Los dos atravesaron el puesto de control. Como un autómata, Sean entregó un cartel a una negra sonriente que le agradeció.

Clayton y Peter Lake subieron a la tribuna de oradores para esperar a Kerry.

A su espalda se alzaba un edificio de oficinas de treinta pisos con no menos de quinientas ventanas. En los edificios a la derecha de Clayton había por lo menos otras mil. Pero Peter tenía razón: al situar la tribuna al pie de este edificio, eliminaban innumerables líneas de fuego.

Clayton estaba nervioso. Se había adelantado a Kerry y no había recibido noticias del encuentro con Cutler. Después del debate, llevaban la delantera y Ellen Penn lo instaba a gastar todo el dinero posible en publicidad por televisión. Clayton no tenía pretextos elegantes: perder era más difícil de lo que creía, pensó, extenuado.

A su lado, Peter estudiaba la multitud que empezaba a crecer. Una vez más, Clayton advirtió con admiración cómo habían instalado las barreras, peinado la zona, cerrado las ventanas, identificado las líneas visuales, impedido toda posibilidad de acercamiento de un coche o camión bomba.

—Lamento la escasa anticipación —dijo a Peter—. Pero era necesario.

—El senador nos ayudó —respondió sin dejar de vigilar a la multitud y los puestos de sus agentes. Había algo de ironía en su voz.

—¿Por una vez en la vida? ¿Eso quisiste decir?

Peter sonrió. Pero se limitó a responder: —Hay bastante gente.

Efectivamente. El coordinador de voluntarios había realizado bien su tarea, y aparentemente venían muchos curiosos de los restaurantes vecinos y la feria, que al atravesar los controles engrosaban lentamente la multitud. Se llenaba la plaza. Una pancarta ondeaba en la brisa con la leyenda, "Kilcannon, la elección de la mujer". Voluntarios con carteles recorrían el pasaje y se colocaban frente a la tribuna. En el fondo de la plaza, jóvenes vestidos con jeans y camisetas habían trepado a la escultura de hormigón para ver mejor.

—Mira esa escultura —dijo Clayton—. Una versión nazi de los menhires celtas.

Peter sonrió fugazmente por segunda vez. Clayton siguió su mirada hacia dos francotiradores apostados detrás de la torre del reloj en la terminal del ferry, a unos ochenta metros.

—Acabamos de recibir un informe del FBI —dijo Peter—. Parece que un sospechoso de la masacre de Boston voló hacia aquí. Enseguida después del hecho.

Clayton se volvió para mirarlo: —¿Y piensan que sigue aquí?

Peter se encogió de hombros: —No lo saben. Están buscando, pero con mucha discreción para no ponerlo sobre aviso. Pero nos avisaron a nosotros y a la gente de Mason. A un antiabortista chiflado, un acto como éste lo atrae como un pararrayos.

Clayton contempló las barreras, los puestos de control, los francotiradores, y pensó una vez más que pocos demostraban tanta contracción al deber como Peter Lake.

—Dentro de dos días —dijo— habrá una elección. ¿Qué harás después?

Peter puso una mano fraternal sobre su hombro: —Después,

amigo Clayton, me iré a bucear a las islas Vírgenes británicas. Con la mujer que, creo, sigue siendo mi esposa.

Por un instante, Clayton se permitió soñar con unos días a solas con Carlie, quien ahora cuidaba el nido solitario. Como sucedía con frecuencia, pensó con tristeza en Ethan. Entonces lo asaltó otra idea. Peter no había mencionado, ni siquiera insinuado, el nombre de Lara Costello. Y jamás lo haría.

Cuando volvió a mirar su reloj, eran casi las once y media.

Sean miró sobre su hombro.

A unos seis metros, en una esquina de la tribuna, Clayton Slade conversaba con el agente canoso. Aparentemente no lo miraban.

Sean entregó otro cartel. A su lado, Rick Ginsberg marcaba los nombres en la lista y agradecía a cada uno.

El detector de metales venía en camino y Sean estaba atrapado.

—Rick —dijo una voz.

Sean se volvió: reconoció a uno de los sonidistas, que ahora llevaba una camiseta del grupo Grateful Dead y una expresión de gran preocupación.

—Que nadie pase —dijo Rick a Sean, y fue hacia el puesto de control.

El sonidista estaba detrás de los dos agentes: —Hay un problema con el sonido —dijo—. La caja multiplicadora no funciona.

—¿Y qué mierda es una caja multiplicadora?

—Qué te importa —dijo el sonidista, igualmente impaciente—. Se necesita para darle buen sonido a la prensa y la televisión. Puedo traer una en quince minutos, pero cómo consigo que el tipo que la trae pueda pasar por aquí.

Ginsberg miró a uno de los agentes.

—Dígale que se presente en la entrada del pasaje —dijo el hombre alto de ojos entrecerrados—. Lo verificaremos ahí. —Se volvió hacia Ginsberg: —¿Puede esperarlo ahí? No queremos que entren desconocidos.

Ginsberg miró a Sean y señaló el pasaje: —Espera al tipo con la caja múltiple, ¿de acuerdo? Que cada uno recoja su propio cartel.

Sean tragó y asintió: —De acuerdo.

Empezó a navegar contra la corriente de los voluntarios. Entonces, ésta cesó. En la entrada del pasaje, el resto de los voluntarios aguardaban a que los agentes instalaran otro detector de metales.

* * *

Durante varios minutos Nate aguardó pacientemente con el resto de la manada, los acreditados de prensa que atravesaban lentamente el puesto de control del palco reservado para ellos. Lee McAlpine le aferró la manga.

—Cuéntame —murmuró—. ¿No somos amigos?

Nate sonrió.

Alguien acabaría por husmear la historia. Eso temía Jane Booth, y tras la amenaza velada de Mason las presiones de la competencia se volverían insoportables. Imaginaba las febriles conferencias telefónicas entre Jane en Washington, el director y el jefe de redacción en Nueva York, acaso algunas personas más. Nate se preguntó qué importancia le darían al hecho de que era Mason quien había filtrado el memo; para él era un elemento importante, incluso crucial de la historia, pero no había tenido tiempo para discutirlo con Jane.

Lee esperaba a su lado. Nate pasó el puesto de control y aprovechó la oportunidad para alejarse de ella.

Era difícil considerarlo un acto más —un intento de Kilcannon de reconciliarse con las partidarias del aborto—, cuando el tema rebosaba de ironías, y el metamensaje doloroso llegaba casi a la superficie. Sin embargo, lo intentaría. Anotó que era un hermoso día de primavera, una metáfora adecuada de las nuevas esperanzas de los partidarios de Kilcannon. Subió a lo más alto del palco, libreta en mano, satisfecho de tener una buena vista de la multitud, los carteles, la tribuna de oradores.

—Qué hermoso día —dijo Kerry a Ellen Penn.

Ocupaban el asiento trasero de la limusina, que en ese momento se detenía en la calle Sacramento.

—Estás en San Francisco, Kerry —dijo la senadora por California, morena, diminuta y temperamental—. No es un depósito de residuos tóxicos en Nueva Jersey. Habrá mucha gente. Sólo tienes que decirles cuál es tu verdadera posición —añadió con una sonrisa entre alegre y desafiante—. ¿Quieres que te la recuerde?

Estoy en San Francisco, pensó, meditabundo, *donde murió Jamie.* La última noche, no lo había acosado la pesadilla de su propia muerte. Ventajas del insomnio, pensó.

—Sé cuál es mi posición —dijo con una sonrisa—. Tres pasos detrás de ti, como el príncipe Felipe.

Ellen rió con satisfacción. Entonces el conductor se volvió para mirarlos:

—Dos minutos, senador.

* * *

La náusea lo detuvo a dos pasos del detector de metales.

Había pasado por un aparato similar en el aeropuerto de Boston; por su culpa, había abandonado una pistola mucho mejor que la que tenía ahora. A través del marco metálico vio la hilera de Lincoln negros estacionados en la calle, luego los reporteros y camarógrafos que bajaban de un gran ómnibus con el letrero, "Pool".

Sabía que en uno de esos Lincoln estaba Kerry Kilcannon. Y sabía con igual certeza que pasar por el detector sería fatal.

Pasaron los últimos voluntarios. Detrás de ellos apareció un asiático de aspecto preocupado con una caja metálica en la mano; un agente barría su cuerpo con un bastón. Después se realizó otro rito, que no alcanzó a ver del todo: la máquina fue inspeccionada, husmeada por un perro, radiografiada. Empapado en sudor, Sean trató de convencerse de que la credencial lo salvaría.

Dio dos pasos y se detuvo en el umbral del detector.

Un agente de bigotes y rostro curtido como el de un vaquero condujo al asiático hacia el marco. Sólo este aparato lo separaba del sonidista que traía la caja.

—¿Eres John Kelly? —preguntó el agente a Sean.

Éste asintió. El asiático pasó por el marco, y su caja provocó un zumbido.

—Rápido —dijo.

Sean giró bruscamente y recorrió el pasaje, adelantándose a la columna de voluntarios.

Rick Ginsberg aguardaba con el sonidista.

—Toma un cartel —dijo Rick.

Sean lo hizo, pasó frente al coordinador y los agentes, y entregó la caja múltiple al sonidista. Y sin saber cómo, se encontró entre los voluntarios.

A su derecha vio a Clayton Slade que aún conversaba con el agente canoso.

Sean desvió la vista y se perdió entre los voluntarios. El micrófono de los oradores estaba arriba y a su derecha, a cinco metros; la salida del pasaje estaba a su izquierda, cerca de la escalera para acceder a la tribuna donde se encontraba Clayton. Cuatro agentes del Servicio Secreto estaban apostados al pie de la plataforma, frente a Sean y los demás voluntarios.

Sean miró a su alrededor. Los demás ya aplaudían: una asiática con gafas, un latino, un abogado rubio al que había visto en la sede. En silencio, alzó su cartel para que Clayton Slade no pudiera ver su cara.

* * *

De espaldas al detector, Lara y su camarógrafo aguardaban junto al resto de los periodistas que Kerry saliera del Lincoln negro.

Era como un friso, pensó: la inmovilidad de los autos y los agentes secretos. Lo único que se movía era el pool, que trataba de hallar una buena posición. Un agente retiró el teléfono celular de su oreja y fue a la puerta trasera de una limusina.

La abrió rápidamente.

Salió una mujer diminuta: Ellen Penn. Detrás de ella, Kerry. De otros autos bajaron mujeres prominentes: Susan Estévez, una legisladora local; Dolores Huerta, vicepresidente del sindicato de peones rurales, delgada y enérgica, con su pelo muy negro mechado de gris; la alcaldesa de San José. Kerry saludó a cada una con una sonrisa y todos se dirigieron al pasaje. Los del pool ingresaron primero, de espaldas, apuntando las cámaras hacia la cara de Kerry. Lara pensó que Kerry no podría distinguirla en ese caos.

Ya no era un friso: más bien se parecía a la suelta de los toros por las calles.

—Senador —exclamó una voz—, ¿cree que ahora está en ventaja?

Rodeado por los agentes y las mujeres, Kerry sonrió: —Creía que ya lo estaba.

Bruscamente, Lara se encontró dentro de la plaza. Era parte de una columna de periodistas entre la tribuna y los partidarios de Kerry. Al ver a Dan Biasi y Joe Morton al pie de la tribuna, tomó aliento. Había terminado el caos; la presencia de los agentes la reconfortaba, como siempre.

Kerry y la senadora Penn salieron a la luz.

Los voluntarios iniciaron los aplausos, que se contagiaron al resto de la multitud. Kerry se detuvo al pie de la escalera mientras Ellen Penn subía para presentar a los oradores. A pocos metros estaba Clayton: sólido, leal, cuidándolo como hacía desde los últimos días del caso Musso. Sus ojos se encontraron y, a pesar de todo, Kerry sonrió.

TRES

Cuando Sean vio a Kerry Kilcannon, todo cambió.

Los aplausos de la multitud, los agentes secretos, Ellen Penn: todas eran imágenes remotas, fugaces como las que se ven al pasar en un auto. La plaza estaba en silencio; una oración muda penetraba en su alma.

Como si comprendiera la justicia de su destino, Kerry pareció sonreír.

Todos sus sueños, sus planes, la suerte que Dios le había concedido en sus últimos días y horas, todo lo había conducido a ese momento. No pensaba en su vida más allá de las siguientes fotografías instantáneas, impresas en su mente como una película muda: alzar la pistola, ver el shock en la cara de Kerry al reconocer finalmente a Sean, su expresión resignada cuando éste vaciara el cargador en su cabeza y cuerpo.

Cuántas veces, de cuántas maneras distintas, había imaginado el encuentro final. Se sentía leve, imbuido de un júbilo trascendente, y se preguntó si así sería la muerte, el momento en que el alma abandonaba el cuerpo para elevarse a la paz eterna.

No debía permitir que la duda impidiera la acción. Paralizados por la cobardía, los suyos —la Iglesia, Operación Vida— eran cómplices del genocidio. Ahora Sean compartiría el escenario con Kerry Kilcannon; unidos en la muerte, salvarían a los niños, humillarían a los cobardes paralizados por el miedo disfrazado de escrúpulo moral.

Lentamente, Sean dejó caer el cartel.

Clayton miró a Kerry y empezó a acercarse.

Pensó que quería decirle algo. Dan Biasi se apartó para hacerle lugar a Clayton. En la tribuna, Ellen Penn presentaba a las mujeres que venían a avalar sus credenciales de partidario del derecho de las mujeres a optar por el aborto.

Momentos antes de que Clayton se acercara, vio a Lara.

Estaba detrás de aquél, entre los voluntarios con carteles. La miró a los ojos y se permitió una sonrisa fugaz, una señal melancólica de su tristeza y dolor. Entonces Clayton se interpuso.

La cara de su amigo reflejaba la misma fatiga que sentía él, pensó Kerry. Habían recorrido juntos un camino tan lleno de peripecias, y ahora probablemente se acabaría todo. Por eso mismo la yuxtaposición de dos rostros tan queridos, el suyo y el de Lara Costello, le parecía tan triste. Pero no era el momento para decirlo.

—La gran dirigente del sindicato de peones rurales —decía Ellen Penn—, Dolores Huerta...

La multitud estalló en una ovación, los voluntarios alzaron sus carteles. Kerry puso la mano sobre el hombro de Clayton.

—Han trabajado bien aquí —murmuró.

—Así es.

Kerry contemplaba la multitud. Detrás de Lara, un voluntario de pelo oscuro había dejado caer su cartel.

—Peter acaba de contarme algo —dijo Clayton.

Kerry lo escuchaba distraídamente. La expresión del hombre era distinta, pensó; tan hosca como las activistas de Los Angeles.

—El loco ése que mató a esa gente en Boston —dijo Clayton—. Creen que puede estar aquí en San Francisco...

Había algo más, pensó súbitamente Kerry: esos ojos febriles, y entonces tuvo la terrible certeza.

El hombre dio un paso adelante.

Sean sintió que sus miradas se encontraban.

Kerry se quedó paralizado. Había una concentración en su mirada, una quietud en su cuerpo; en ese momento, Sean comprendió que Kerry lo había reconocido.

Era el momento.

Se le cerró la garganta. Mareado, casi ahogado, buscó en el bolsillo interior de su chaqueta.

Kerry advirtió el movimiento de la mano.

—Así que nada de meterte entre la gente —decía Clayton—. ¿De acuerdo? Sólo como precaución...

El hombre los apuntaba con una pistola.

Kerry sentía que su cuerpo se había convertido en plomo.

—¿Qué pasa? —murmuró Clayton.

Las palabras lo despertaron. Con un brusco esfuerzo de su voluntad, apartó a Clayton de un violento empujón.

—John —gritó—. *No...*

El estampido estremeció el aire y Kerry sintió que la bala hacía impacto en él.

Tras el dolor desgarrador sobrevino un resplandor que lo enceguecio. Sus piernas cedieron.

Cayó sentado. El shock estremeció su cuerpo, no sintió la calidez pegajosa en su cuerpo. Sólo vio una cara, enferma y espantada.

—John —susurró.

—*¡Pistola!*

La multitud retrocedió entre alaridos. John Musso vio la mancha en la camisa blanca, los ojos vacuos. Kerry movió los labios y cayó hacia atrás, protegido por los cuerpos de dos agentes.

Otros dos se abalanzaron sobre John.

Se llevó la pistola a la garganta y pensó en Kate Feeney. Pero la última imagen que vio antes de que la bala atravesara su cerebro fue la de Kerry Kilcannon en una sala para testigos, tomando la mano de un niño de ocho años.

Lara sintió que el grito se ahogaba en su garganta.

Sólo veía las piernas de Kerry, que se sacudían convulsivamente por reflejo. La multitud soltó un solo gemido de horror; los agentes se arrodillaron en torno de Kerry, gritando órdenes; los periodistas del pool estaban inmóviles, aturdidos por un instinto más primitivo que su trabajo. Entonces un fotógrafo empezó a oprimir el disparador, una periodista a hablar con su grabador.

Lara dejó caer el cuaderno y se abalanzó hacia delante.

Agitando los brazos se abrió paso hasta el grupo que rodeaba a Kerry, vio a los dos agentes que lo cubrían, a los otros que apartaban a la multitud. Entonces la asieron las manos fuertes de Peter Lake.

—No —dijo en voz baja—, no puede...

Su cara había tomado un enfermizo color gris. En su histeria, Lara trató de soltarse, se puso a gritar con voz ahogada.

Por el pasaje corrían dos paramédicos con una camilla flanqueados por otros agentes. Sin soltar a Lara, Peter se volvió hacia ellos.

—Tengo que ir con él, carajo —gritaba.

—*Suéltala* —dijo alguien a Peter.

Era Clayton, que tenía la cara bañada en lágrimas: —Que vaya con él —dijo—. Llévenselo de una vez, carajo.

Kerry ya estaba tendido sobre la camilla: inconsciente, los ojos cerrados, el pecho agitado por jadeos rápidos, arrítmicos. Tras una mirada rápida a Clayton y Lara, Peter se puso a dar órdenes.

La camilla se alzó del suelo, y los agentes y paramédicos corrieron con la camilla por el pasaje. Joe Morton tomó a Lara del brazo; echó a correr con él, el corazón latiendo con fuerza, dejando atrás el caos, el asesino muerto, su trabajo.

Desde el palco, Nate contemplaba la locura y la disciplina; el miedo pánico de la multitud; el frenesí controlado de los agentes en torno del candidato y al abrirle paso con rapidez y fuerza bruta. Gritos de dolor y pánico se alzaban de la masa retorcida de cuerpos.

—No —murmuró Nate, pensando en James Kilcannon—. Otra vez no...

Lara Costello corría detrás de la camilla junto con un agente.

—¿Pero qué hace? —preguntó Lee McAlpine, atónita.

Nate se volvió hacia ella. Lee tomaba nota sin apartar los ojos de Lara.

—Dios mío —dijo Sara Sax fríamente—. ¿Estará muerto?

Eso le recordó lo que debía hacer. Tomó su teléfono celular, llamó a Jane Booth a su casa, le dijo que enviara gente al hospital y al lugar del hecho. Después llamó a la redacción para dictar su historia. Su voz, pensó con frialdad profesional, era muy serena, y su primer párrafo resultó bastante coherente.

CUATRO

Los paramédicos colocaron la camilla dentro de la ambulancia; Joe Morton y Lara subieron detrás.

Parecía un delirio: la brusca aceleración; el alarido infernal de las sirenas; la carrera enloquecida, como una montaña rusa fuera de control. Los extraños de delantal blanco se inclinaban sobre el cuerpo de Kerry y le impedían verlo. Entonces, bajo las sirenas, Lara escuchó el ruido horrible de la succión.

Se deslizó hasta encontrar un lugar donde sentarse junto a la cabeza de Kerry.

Sus ojos estaban abiertos como los de un muerto. La sangre manaba del lado derecho del tórax; a través de la camisa rasgada y la piel asomaba el borde blanco de un hueso roto. El ruido de succión venía del orificio, como si la herida misma jadeara en busca de aire.

Uno de los paramédicos, un hombre negro lampiño, miró a su compañera, una morena.

—Colapsa el pulmón —dijo.

La ambulancia pasó sobre un pozo; el cuerpo de Kerry saltó como un muñeco de trapo. *Por favor, Dios*, rogó Lara en silencio. *Por favor.* El ruego repetido, la conciencia de que el Servicio Secreto conocía la rutina eran los únicos hilos que la ataban a la cordura.

Desde atrás, asomó su cara sobre la de Kerry.

Sus ojos parecían más grandes, como si trataran de combatir la ceguera. El sonido de succión se volvió más irregular y superficial.

¿Todavía me amas?, le había preguntado él.

Ay, Kerry, había respondido, *es una pregunta tan triste...*

—Todavía te amo —dijo.

Aparentemente los paramédicos no la escucharon. Estaban concentrados en vigilar el pulso, la presión, tenían los ojos entrecerrados y casi no respiraban.

La herida exhaló un último jadeo y calló. El pecho de Kerry dejó de alzarse.

La mujer tomó aliento: —No hay pulso.

Entre sus lágrimas, Lara presenció el comienzo de su agonía. Entonces la ambulancia redujo la velocidad y apagó sus sirenas; era como si la muerte los hubiese alcanzado.

Bruscamente se detuvo.

Las puertas traseras se abrieron violentamente. El paramédico negro bajó de un salto y tomó la camilla. La cara de Kerry se deslizó por debajo de la de Lara, la cabeza se meneó de un lado a otro, y la camilla, transportada por agentes y paramédicos, enfiló hacia una puerta doble. Instintivamente, aferró el brazo de Joe Morton.

—Por favor —suplicó.

Vio la compasión en sus ojos, recordó las palabras que seguramente la había escuchado decir. Joe la tomó del codo; bajaron de la ambulancia y corrieron con los demás. Apenas escuchó las palabras cortantes de Joe al pasar con ella entre la doble hilera de agentes hacia la puerta. Volvió a ver a Kerry cuando detuvieron la carrera.

Estaba tendido sobre una mesa de operaciones, la camisa abierta, rodeado por médicos y enfermeras. "Neumotórax de tensión", dijo un médico joven.

Alguien le puso en la mano una abrazadera metálica. Con diestra brutalidad introdujo el instrumento en la herida.

El ruido de succión fue tan fuerte y desgarrador que Lara se llevó la mano a la boca. A través de un hueco entre dos enfermeras vio que su pecho se estremecía.

El médico retiró la abrazadera e introdujo un tubo de plástico transparente en el orificio. El cuerpo de Kerry sufrió una nueva convulsión.

—Tiene pulso —dijo una voz.

Lara se apoyó en el cuerpo de Joe Morton mientras miraba cómo su pecho se alzaba al respirar. Momentos después le explicaron lo que había visto y le dijeron que aún se debatía entre la vida y la muerte. Unos minutos más tarde, comprendió qué debía hacer.

Clayton y Kit sólo podían esperar.

El hospital les había asignado un cuartucho cerca de la sala de guardia y un televisor. Hasta tanto recibieran un informe médico, Kit no tenía nada que decir a la prensa; los periodistas aguardaban fuera del hospital acompañados por un ayudante de la jefa de prensa. Sumidos en la impotencia, Clayton y Kit observaban la pantalla: una filmación de la NBC mostraba a Kerry cuando se paralizaba por un instante, luego empujaba a Clayton y abría la boca en el momento anterior al balazo. Cuando cayó hacia atrás, los ojos muy abiertos debido al shock, Clayton apartó la vista.

—Los periodistas en la escena del hecho —dijo la voz del locutor— informaron que el senador Kilcannon aparentemente vio a su atacante y apartó a su jefe de campaña. Se le escuchó gritar un nombre...

—¿Kerry lo conocía? —preguntó Kit, atónita.

Con voz suave, como la que emplearía un padre para contarle la historia a un hijo y distraerse así de su propia tristeza, Clayton explicó su terrible hipótesis.

—Diablos... —fue todo lo que Kit pudo responder.

Permanecieron en silencio en esa salita estéril, bajo la luz blanca de los tubos fluorescentes, en los primeros momentos que les tocaba vivir juntos más allá de la ambición, el cálculo, la intensa concentración que exigía la campaña de Kerry.

—Trató de salvarme —dijo Clayton por fin—. Ha estado conmigo en momentos tan...

Cuando brotaron las lágrimas, no trató de detenerlas. Ethan, tal vez, y ahora Kerry, le habían enseñado eso. Entonces Dick Mason apareció en la pantalla.

Parecía haberse encogido, la carne le colgaba en la cara, como si al desaparecer la personalidad alegre no hubiera quedado nada en su lugar. Se encontraba en un estudio de televisión. Con voz engolada y frecuentes miradas a una ayuda memoria, inició su discurso.

—Sé que California y toda la nación, como yo, están horrorizados por el trágico atentado contra un dirigente de coraje, mi amigo el senador Kerry Kilcannon. En estas horas aciagas, Jeannie, yo y nuestros hijos unimos nuestras oraciones a las de innumerables personas en todo el mundo...

Kit se paró de un salto, temblando de furia: —Hijo de *puta* —dijo a la cara electrónica—. Tú lo deseabas...

—Este crimen terrible —prosiguió Mason— *no tiene cabida en un proceso basado en la discusión franca y leal de ideas y problemas...*

—Como el aborto de una amante —dijo Clayton.

Tal como había pensado, su comentario, en lugar de excitar a Kit aún más, pareció quitarle fuerzas. Vio cómo se sentaba abrumada por el conocimiento de su propia impotencia, la insensatez de la furia irracional.

—Ella tenía que estar con él, Kit.

Era innecesario explicar quién era ella ni el significado del comentario. Kit miraba la pantalla.

—*Por consiguiente* —dijo el vicepresidente en conclusión—, *he decidido suspender las actividades de campaña hasta nuevo aviso.*

—Como si tuvieras alternativa. —El tono de sereno desdén de Kit era similar al de Clayton. Se volvió hacia él. —Necesitamos a Frank Wells. Si es que Kerry está bien...

No terminó de expresar su idea. Y Clayton, a pesar de su dolor, no se sintió ofendido. Kit Pace no era una persona religiosa; a su manera práctica, ofrecía una oración por la vida de Kerry.

—Llámalo ahora mismo —dijo Clayton, y cerró los ojos.

Lara se encerró en la cabina telefónica. Discó el número mientras miraba pasar a dos enfermeras, silenciosas como fantasmas vestidos de blanco.

Su jefe de redacción pareció sorprendido y luego furioso: —¿Dónde diablos estás? —preguntó Hal Leavitt.

Lara se crispó: —En el hospital.

Sin explicaciones ni disculpas, relató lo que había visto y dijo que Kerry Kilcannon estaba vivo.

Inmediatamente afloró el espíritu del periodista, conciso y concentrado: —¿Y sus facultades mentales?

Los ojos de Lara se nublaron: —No sé. Creo que ellos tampoco.

Leavitt hizo una pausa.

—Acordonaron el hospital —dijo—. Eres la única que pudo entrar. Te quiero en vivo por teléfono.

Lara lo había previsto: —Estoy preparada —dijo.

Atónitos, Clayton y Kit miraron la fotografía de Lara en la pantalla y la escucharon relatar con voz fría y serena, como si hablara desde África o Bosnia, lo que ellos aún no sabían.

—*Hasta hace diez minutos* —dijo Lara—, *el senador Kilcannon estaba vivo...*

Kit soltó un grito; Clayton se mordió el labio.

—*Cuando llegó a la sala de guardia* —prosiguió Lara—, *el senador estaba al borde de la muerte. Había dejado de respirar, su presión arterial era cero y no tenía pulso.*

"Padecía un traumatismo llamado neumotórax de tensión. Según entiendo, el orificio de la bala se cerró y el aire no podía salir del pulmón.

"Así se produjo una acumulación de gases que inundaron la

cavidad torácica. La presión provocó un colapso de las venas, lo cual detuvo el torrente sanguíneo y produjo de esa manera un paro cardiorrespiratorio...

—Diablos —dijo Kit, asqueada y fascinada a la vez—. ¿Cómo puede hacerlo?

Clayton meneó la cabeza: —¿No te das cuenta, Kit? Trata de salvar nuestro pellejo.

Escuchó con atención, y en ese momento un médico de cara demacrada entró en la sala.

Finalizada la transmisión, Lara pidió al productor que la comunicara con Hal. Éste tomó la comunicación sin demora.

—Muy bueno...

—Hal, envía a alguien inmediatamente.

—¿Por qué?

—Porque si muere no podré informarlo.

Pasó una hora más antes de que el servicio permitiera a la prensa ingresar en una sala fuertemente custodiada, calurosa y atestada. Se les dijo sin mayores explicaciones que Kit Pace haría una declaración. Embargado por los presentimientos, Nate entró junto con Lee McAlpine y Sara Sax.

No había nadie en el podio.

Los periodistas hablaban en voz baja al ocupar las sillas plegables o, como Nate, apoyarse de espaldas contra la pared del fondo. Buscó a Lara, pero no estaba en la sala. En ese momento entró Kit.

Nate percibió la tensión y como sus colegas trató de interpretar su expresión. Pero la única señal en su cara eran las bolsas debajo de los ojos.

Kit carraspeó y pareció tomar aliento: —Tal como informó la NBC hace instantes, el senador Kilcannon está vivo.

"Se lo ha sometido a una intervención de emergencia para restablecer las funciones respiratorias. Sus signos vitales permanecen estables, pero no ha recuperado el sentido y su estado es crítico...

—¿Vivirá? —preguntó alguien.

Kit tomó aliento: —En la próxima media hora vendrá un médico que podrá responder a las preguntas con mayor precisión. Sólo diré que el senador es joven y sano, y el pronóstico es favorable.

—¿Y las facultades mentales? —preguntó Sara Sax—. El traumatismo descrito es causa de asfixia cerebral.

Kit asintió: —Sólo puedo decir que gracias a los esfuerzos de los paramédicos, el servicio secreto y la unidad de traumatología de este hospital, el período de pérdida de la función respiratoria fue muy breve. Lo cual, evidentemente, minimiza las posibilidades de daños al cerebro.

—Si se recupera —preguntó el *Sacramento Bee*—, ¿continuará su campaña presidencial?

Kit expresó su asombro con la mirada: —No hemos tenido tiempo para pensarlo —dijo con voz inexpresiva—, y sólo el senador puede decidirlo. Es evidente que ante todo nos preocupa su vida...

—Kit. —Nate alzó la voz: —Todos vimos a Lara Costello de la NBC cuando trataba de acercarse al senador. Escuchamos su informe. ¿Podría decirnos por qué la señorita Costello acompañó al senador en la ambulancia y estuvo presente cuando se intentaba salvarle la vida?

Todos la miraban fijamente.

—Cómo no —dijo Kit con calma profesional—. La señorita Costello actuó como una periodista y nosotros la respetamos como tal.

"Aunque lo lamentemos, este hecho pasará a la historia. Como ustedes saben, las muertes violentas de figuras públicas como John y Robert Kennedy, Martin Luther King y el hermano del senador, James Kilcannon, dejaron estelas de relatos contradictorios, confusión en cuanto a los hechos y una proliferación de teorías conspirativas.

"El amigo íntimo y director de campaña del senador, Clayton Slade, decidió que si Kerry Kilcannon llegara a morir, lo que menos desearía en el mundo es dejarnos semejante confusión. La señorita Costello fue el instrumento que encontramos a mano.

Era el "váyase a la mierda" más sutil que jamás había recibido, un subterfugio tan elegante que, a pesar de la tristeza y tensión reinantes, estuvo a punto de soltar una carcajada. Pero se contuvo y con su aire más profesional preguntó:

—¿Y dónde está ahora la señorita Costello?

Kit, fatigada, se encogió de hombros: —En *algún lugar* del hospital, creo. Por el momento no puedo decir más.

Kerry sintió que se abrían sus ojos.

No veía nada. La oscuridad era aterradora, fuese por ceguera o porque se encontraba en un lugar tan extraño que no podía concebirlo. Trató de escapar.

Estaba paralizado.

—Kerry...

Una caricia tierna, unos dedos que rozaban su frente, igual que cuando era niño. Tal vez su madre...

Tomó aliento con esfuerzo, y entonces la vio.

—Todo está bien —dijo Lara.

Sus ojos se llenaron de lágrimas y perdió el sentido.

LA CAMPAÑA

sexto día

UNO

Cuando volvió a recuperar la conciencia, Kerry quedó flotando en la penumbra entre el sueño y la vigilia, sin saber si soñaba o pensaba. Por su mente flotaban imágenes de su pasado más remoto: Vailsburg, su madre y su padre, Jamie, Liam Dunn. Un niño menudo de pelo oscuro, un hombre furioso con un revólver. Al principio esto lo desconcertó; estaba de vuelta en Newark y Anthony Musso lo había herido. Bruscamente terminó de despertar.

Un tubo salía de su pecho; su garganta estaba dolorida e hinchada. Se sentía débil, alterado; al tanteo trató de desentrañar la relación entre su cerebro y su cuerpo. Alzó una mano, luego la otra, consiguió menear la cabeza. Se estremeció al tomar aliento.

Sus pies.

Con un esfuerzo enorme logró mover su pie derecho. Una punzada de dolor le atravesó el pecho y las costillas.

—¿Todo funciona bien? —preguntó una voz—. No hay razón para que no sea así.

Kerry giró un poco la cabeza. Junto a su cama estaba un hombre pelirrojo con delantal de cirujano.

—Soy el doctor Frank O'Malley —dijo.

Trató de poner orden en sus pensamientos.

—Por lo menos es irlandés —se escuchó murmurar.

El médico rió: —Y usted conserva el sentido del humor. Pero yo que usted no intentaría por ahora tocar la trompeta ni hablar demasiado. Le duele la garganta y con razón: hasta hace poco usted respiraba por medio de un tubo en la tráquea conectado a un ventilador.

Kerry tragó con dolor: —¿Qué pasó?

O'Malley cruzó los brazos: —Para ir al grano —dijo con franqueza—, usted llegó muerto y ahora está vivo. —Suavizó el tono: —Usted es un hombre fuerte, senador, y además tiene suerte. La bala no interesó la columna, las grandes arterias ni los órganos vitales aparte de un pulmón. Y lo revivieron muy rápidamente, como indica esta conversación.

Cerró los ojos. Lo embargó una gratitud insondable, que no podía expresar. La conciencia de que horas antes había cesado de vivir era abrumadora.

—Imprevistos aparte —prosiguió O'Malley—, estará bien. En un par de días podrá ponerse de pie; en un par de meses, podrá correr. Y hasta podrá participar en la carrera por la presidencia, si eso es lo que quiere, aunque nunca entendí por qué alguien querría una cosa así. Incluso antes de lo de ayer.

Kerry no respondió. Apoyó la cabeza sobre la almohada y dejó que el alma volviera al cuerpo. Estaba vivo; su vida y su futuro le pertenecían, tal vez como nunca antes. Pero había llegado demasiado lejos para desentrañarlo por su cuenta.

Los movimientos de Clayton le parecieron lentos, torpes, como los de un hombre bajo el agua. El brillo en sus ojos revelaba sus sentimientos.

Kerry estaba tan feliz de verlo que sobraban las palabras. Clayton le tomó una mano entre las suyas.

—¿Trataste de sacarme de la línea de fuego, no?

Kerry sonrió con esfuerzo: —Mi intención era escudarme detrás de Ellen Penn —susurró—. Te usé como palanca.

Al ver que Clayton no sonreía, soltó el aliento: —Fue un reflejo, Clayton. No hubo tiempo para intenciones.

—Quizás sucedió lo mismo que la otra vez —dijo su amigo—, cuando tuviste el reflejo de proteger a John Musso.

Un peso terrible cayó sobre sus hombros.

—Entonces era *él* —dijo con voz ronca.

Clayton tomó una silla del rincón, la colocó junto a la cama y se sentó como si se aprestara a iniciar una conversación difícil.

—Era el asesino de Boston —dijo—. Y creen que la noche anterior mató a una colaboradora de tu campaña. Kate Feeney.

Al escucharlo se le retorcieron las tripas: —Kate Feeney —dijo—. Una rubia casi pelirroja, creo.

—¿La conociste?

—Creo que sí. —Lo embargó una sensación de horror y de pena. —Por Dios, Clayton, ¿por qué lo haría?

—No están seguros. Tal vez porque descubrió quién era.

Se tendió nuevamente y el peso se volvió desesperanza, el recuerdo de un niño que visitaba a un hombre herido en el hospital, como ahora.

—¿Qué hice yo? —preguntó—. Dios se apiade de mí, ¿qué hice?

Clayton parecía tratar de poner orden en sus pensamientos.

—Trataste de salvarlo. Pero había sufrido tanto, lo habían golpeado tanto...

—Pero no, carajo —gruñó—. Sabes a qué me refiero.

—Eras un fiscal, viejo —dijo Clayton con firmeza—. No eras una agencia de adopciones. Estabas herido y tu esposa no quería ni siquiera hijos propios. John tenía una tía abuela en Boston. Quien por desgracia murió un par de años después de recibirlo.

Kerry giró la cabeza sobre la almohada: —Pero me buscó a mí, no es cierto —murmuró—. Porque lo rechacé cuando me necesitaba.

Clayton lo miró fijamente: —Creía que la vida era sagrada —dijo con velada ironía.

Para Kerry, el significado de esas palabras iba más allá de John Musso. Una vez más, despertaban el dolor de los últimos dos años, el mundo complejo en que había vivido durante los últimos cinco días.

Clayton parecía leer sus pensamientos.

—¿Recuerdas lo que dijo Liam después de la muerte de Jamie? La política es como el óxido, nunca duerme.

Jamie, pensó Kerry. Ésta era otra diferencia entre los dos: él había sobrevivido.

—Es la pura verdad —prosiguió con renuencia tras una pausa—. Cientos de personas están mirando esa ventana. Otros millones rezan por ti, para que sigas en la carrera o simplemente para que vivas.

"Eres nuevamente un héroe, casi un mártir por culpa del fanatismo antiabortista. Para ganar la primaria sólo tienes que demostrar que estás sano y decir que lo deseas. —Clayton dejó flotar en el aire la pregunta implícita y concluyó: —Pero también eres libre.

—¿Qué quieres decir?

—Estuviste a punto de morir, Kerry. La recuperación tomará su tiempo. Nadie puede culparte si te retiras.

"Si lo haces, se termina lo de *Newsworld*: si no eres candidato, la historia pierde valor y además disgustaría a todo el mundo. Y dentro de cuatro u ocho años... —Se encogió de hombros. —Tal vez el mundo habrá cambiado.

"Por ahora, la historia eres *tú*. Pero si decides que seguirás adelante, Lara vuelve a entrar en escena. —Bajó la voz: —Cuando te dispararon, trató de llegar hasta ti. Te acompañó en la ambulancia y en la sala de guardia...

—¿Cómo?

—Yo les dije que la llevaran. —Sonrió fugazmente. —Si hubiera sabido que sobrevivirías...

Cortó la frase. Una vez más, afloraba la bondad de su amigo, su infinita capacidad de amar.

—Bueno, así son las cosas, Kerry. Cocinamos una historia sobre una reportera y una campaña en un momento trágico de la historia. Lara llamó a la NBC, así que tal vez engañemos a los demás. Y tal vez yo pueda calmar a los republicanos: no querrán ensuciarse con esto ahora que todo el mundo se solidariza contigo, y su candidato probable es un tipo de lo más decente. El problema es *Cutler*.

Kerry lo miró a la cara: —¿Y qué dice ella? —susurró.

Clayton bajó la vista: —Dirá lo que tú quieras. Pero si queremos tener una mínima posibilidad de seguir adelante, no debes volver a verla.

Kerry cerró los ojos.

—No espero que decidas ahora —dijo Clayton—. No sería humano. Pero debías saberlo antes de verla.

Kerry estaba extenuado.

—Tengo que descansar —dijo—. Después quiero que venga.

Escuchó que su amigo se paraba y abrió los ojos: —Averigua el teléfono de los padres de Kate Feeney. Cuando me sienta mejor...

Clayton asintió lentamente y salió.

DOS

Lara se detuvo a menos de un metro de la cama.

Su expresión era descarnada como Kerry jamás la había visto. Aunque no se movía, intuyó que anhelaba tocarlo con cada fibra de su ser.

Le tendió la mano.

Con una rapidez que lo sorprendió y conmovió, se acercó a la cama y lo besó, suave y largamente. Cerro los ojos y sintió cómo la calidez de su aliento le insuflaba nueva vida.

Los abrió cuando sus bocas se separaron.

Ella le acarició la mejilla sin dejar de mirarlo. Sus ojos estaban hinchados por la falta de sueño.

—Clayton me dijo que viniste conmigo.

Asintió en silencio, cerrando los ojos. Kerry sentía el latido de su propio pulso.

Tragó con dificultad: —Y bueno —murmuró—, parece que salimos a la luz.

Ella tomó su mano y la puso contra su mejilla.

—Lara...

Se estremeció. Sus pestañas se humedecieron; Kerry vio que crispaba la mandíbula como si estuviera resuelta a pesar de todo a decir lo que pensaba,

—Si me voy —susurró—, Clayton y yo pensamos que lo sucedido puede servir para sacarte de... —Hizo una pausa y añadió—: Si me voy, todavía puedes ser presidente.

A pesar suyo, Kerry se sintió trastornado por la impaciencia, como si vivieran sus últimos momentos juntos:

—Lara, por una vez en la vida quiero saber qué sientes.

Por un instante su mirada se fijó en un punto remoto. Pero entonces enderezó los hombros y lo miró a los ojos:

—Estoy enamorada de ti —dijo—. Te amo tanto que me duele. Pase lo que pase, te amaré por el resto de mi vida.

Sintió que se le cerraba la garganta. Con mucha suavidad, ella le apartó el pelo de la frente.

—Tienes que saberlo —dijo por fin—. Desde el principio me sentí atraída por ti... más que por cualquier otra persona en mi vida, ahora lo comprendo. Confiaba en ti, me daba cuenta que podía decirte cualquier cosa, que siempre entenderías. Así que empecé a buscar pretextos para verte. —Cerró los ojos. —Eso me asustaba mucho, Kerry. No sólo por razones profesionales sino por mi manera de ser. Traté de engañarme, pero no pude.

"Y eso fue más fuerte que nunca después de que hicimos el amor. Esa sensación se volvió como un hambre, tan profundo que me daba más miedo que nunca. Sabía que terminaría, *tenía* que terminar. Pero lo demoraba, trataba de ganar horas, días, semanas. —Tomó aliento, su voz estaba a punto de quebrarse. —Y cuando terminó, me sentí vacía. Fue la decisión más dura que tomé en mi vida. Hasta ahora...

Le acarició la cara: —¿Y ahora?

Pareció cobrar ánimos: —Antes de responder, debo hacer una pregunta. Después de lo que pasó, ¿todavía quieres ser presidente?

Titubeó apenas un instante: —Si eso significa que no volveré a verte, no. Nada vale tanto para mí.

—Pero supongamos que pudieras tener las dos cosas. —Su voz era firme, insistente—. Sin escándalo, sin aborto... la presidencia y yo, libre y sin ataduras. ¿No es eso lo que quieres?

Contempló la blanca nulidad del techo. Por un instante, la tragedia de John Musso combinada con el trauma de haber estado al borde de la muerte hizo que la ambición pareciera insensata. Pero entonces Kerry descubrió una verdad inalterable, seguramente ya conocida por Lara: que lo demás podía cambiar, pero el hombre interior estaba convencido de que debía ser presidente y, para bien o para mal, no podía ser menos. Por lo tanto, debía ser absolutamente honesto con ella.

—Quiero las dos cosas —dijo, mirándola.

Una vez más, ella apartó la vista: —Entonces debo tomar otra decisión dura. Abandonarte otra vez.

No preguntó por qué ni disputó la justicia o la dignidad de su convicción.

—Esa opción no existe —dijo.

Lo miró boquiabierta, inmóvil.

—Si debo abandonar la campaña para seguir contigo, lo haré. —Hizo una pausa, el dolor de garganta era atroz. —O bien seguiré adelante y nos jugaremos. Creo que tenemos la fuerza suficiente, pero esto incluye ciertas cosas que no puedo decidir por ti. La decisión es tuya.

Sus ojos se nublaron: —¿Decido por ambos?

—Decides qué debemos hacer para seguir adelante juntos.

Le tomó las dos manos entre las suyas y lo miró fijamente a la cara. Y después dijo con serena certeza:

—En ese caso, me parece que haremos campaña.

Kerry sintió un escozor en la piel: —Estás segura...

—Sí —respondió sin vacilar—. La otra vez decidí sola, por los dos. Hice lo que me pareció mejor. Si nos descubren, puedo mantener la cabeza bien alta, como tú.

"Pero hiciste con tu vida lo que yo pensé que debías hacer. Y ahora quiero ser parte de ella. —Sonrió por primera vez. —Lo peor que podría sucederme es que seas elegido y reelegido. Al final, tendré treinta y nueve años. Creo que una primera dama usada siempre encontrará algo que hacer.

Lo inundó un torrente de emociones: incredulidad, fe en su fuerza de carácter, un amor tan profundo que no podía expresarlo.

Lara meneó la cabeza y su sonrisa se borró, como si la asombrara su propia debilidad:

—Estuve a punto de perderte, Kerry. No puedo engañarme más.

Al mirarla, sus ojos se llenaron de lágrimas. Entonces pensó en John Musso y supo que jamás podría olvidarlo; en el insondable destino que había provocado la muerte del muchacho, pero que a él le traía estas consecuencias.

—Se habrá sentido tan solo —murmuró.

La expresión de Lara le dijo que ella había comprendido sus sentimientos y cómo un pensamiento lo llevaba a otro.

—Dime —preguntó después de un rato—, si John Musso hubiera sobrevivido, ¿desearías su muerte?

—No —respondió—. En lo que respecta a mí, por Dios que no. —Le acarició la mejilla. —Pero no sé qué dirían los padres de Kate Feeney.

Lo miró otra vez a los ojos y lo besó en la frente.

—Voy a ver a Clayton —dijo.

TRES

Con palabras breves y concisas, Clayton explicó a Kit Pace y Frank Wells la decisión de Kerry.

La sucesión de expresiones reflejó el torbellino emocional que también había atrapado a Clayton: alivio porque Kerry estaba vivo; placer porque reanudarían la campaña; un temor casi supersticioso por la seguridad futura del candidato; y al conocer la decisión de Lara, angustia intensa.

—Esto último va a necesitar bastante esfuerzo —dijo Frank en tono sombrío.

—No todos los caballos regalados son gratuitos —dijo Clayton, cortante—. Al menos ya sabemos que Kerry no es *gay*.

Sumido en un silencio reflexivo, Frank parecía un académico:

—*Si* dejamos de lado el problema obvio —dijo—, hay que decir que es inteligente, hermosa, solidaria...

—Y latina —interpoló secamente Kit—. Por parte de madre.

A pesar de las dificultades, Clayton advirtió que los demás volvían a descubrir el placer de ejercer compulsivamente sus dotes para la política, una parte tan esencial de sus personalidades que no podían reprimirla. Como si leyera sus pensamientos, Frank le dedicó una sonrisa fugaz, luego se acomodó en la silla con las manos en la nuca y habló en tono meditabundo.

—¿Cuantos años tiene, Kit? ¿Treinta y uno? Desde Jackie Kennedy que no tenemos una tan joven...

—A mí me parece que Lara Costello es un poco más sustancial.

—Espero que no lo sea demasiado.

Kit sonrió: —Los tiempos cambian, Frank.

Clayton advirtió la ironía de la situación. Tal vez los demás esperaban que Lara se dejara manejar, pero Clayton ya empezaba a comprender —con cierta cautela, a pesar de que deseaba lo mejor para Kerry— que la campaña y sus relaciones con el candidato deberían ajustarse a una nueva presencia en su medio. Lara Costello tendría sus propias opiniones.

—Quiero que redacten una declaración a la prensa —dijo Clayton—, para decir que Kerry sigue en carrera. Y otras dos sobre su relación, una de él y una de ella, sujetas a su aprobación. Sean todo lo creativos que quieran.

La gravedad del riesgo asomó nuevamente a los ojos grises de Frank:

—Supongo que te darás cuenta, y él también, que le damos una nueva oportunidad a *Newsworld*. Justamente cuando teníamos un respiro.

—Ellos lo saben muy bien —dijo Clayton.

Frank se encogió de hombros, en ostentoso gesto de fatalismo:

—Nos arreglaremos con lo que tenemos.

—Y tenemos la suerte de contar con él. Cualesquiera que sean las condiciones.

Se sintió casi avergonzado al comprender el significado profundo de la observación.

—Pero sí —murmuró Frank—. Ya lo sé.

Se hizo silencio. Frank apoyó el mentón sobre sus manos y miró a Clayton:

—A pesar de todo, mañana se vota —dijo—. ¿Crees que podrás poner de pie a Kerry?

A las dos y media, con tiempo más que suficiente para llegar a los noticiarios vespertinos, Kit Pace se presentó en la sala de prensa improvisada.

Hacía más calor y estaba más atestado que nunca. Pero esta vez Nate ocupó la primera fila junto a Lee McAlpine y Sara Sax.

—Sigue en carrera —vaticinó Lee—. Ese es el anuncio.

No sigue, pensó Nate. *Sólo yo conozco el motivo.*

Kit Pace miró a los presentes, pero aparentemente lo pasó por alto a Nate.

—Tengo una declaración escrita del senador Kilcannon —dijo para empezar—. Dice así:

"“Antes de referirme a mis planes, quiero agradecer de todo corazón a las personas que me recordaron en sus oraciones y me hicieron llegar sus buenos deseos en estos días. Nunca podré expresar toda la gratitud que siento por recibirlas y por estar en condiciones de hacerlo...”

—Se despide —murmuró Sara.

—“También quiero que sepan —prosiguió Kit con toda calma— que continuaré la campaña hasta el fin. Mi intención es ganar la candidatura demócrata para la presidencia de Estados Unidos...”

—*Por Dios* —murmuró Nate.

* * *

Le angustiaba ver a Kerry tan extenuado y con ese tubo que penetraba en su pecho.

—La recepción parece un servicio fúnebre —dijo Clayton—. Ofrendas florales como para enterrar a todo Vailsburg.

Kerry no sonrió: —Sí, lo recuerdo —dijo con voz suave—. De la muerte de Jamie.

Clayton lo miró a la cara y respondió con la misma suavidad: —No estabas destinado a morir, Kerry. Tu destino es otro. —Y prosiguió con voz firme: —Recibí cientos de llamadas de personas que están encantadas porque sigues en carrera. Incluso del presidente del Comité Nacional demócrata...

Kerry soltó una carcajada ronca, cortada por un gemido de dolor: —El alcahuete de *Dick*. ¿Cuántas veces trató de degollarme?

—Pero ahora te ama —dijo Clayton con sorna—. No te conocíamos bien, Kerry... Ah, y por supuesto que también llamó Dick.

Kerry asintió: —Lo esperaba.

—Quiere hablar contigo. Cuando estés en condiciones.

Kerry volvió la cabeza y contempló largamente el retazo de cielo azul que alcanzaba a ver por la ventana.

—¿Puedes discarme el número?

La voz de Dick Mason le sonaba sorda después de la brutalidad del último encuentro y los sucesos posteriores, que amenazaban con frustrar la ambición de su vida.

—No volveré a hacer campaña hasta que tú estés en condiciones —dijo el vicepresidente.

—No se da cuartel —dijo Kerry con intención ligera—, ni se lo pide. Salvo sobre ciertos temas. Pero no te preocupes por mí, Dick, y sigue adelante con tu campaña. Me parece un error permitir que un hecho así detenga el proceso.

La respuesta fue el silencio, mientras Mason asimilaba la vacuidad de la oferta de Kerry: ambos sabían que al hacer campaña en esas condiciones perdería votos, si es que los votantes, concentrados en la convalecencia de Kerry, le prestaban la menor atención.

—En cuanto al otro asunto —dijo Mason—. El que nos concierne a ti y a mí. Respetaré nuestro acuerdo al pie de la letra. —Bajó la voz: —Lamento lo que sucedió.

Kerry miró a Clayton, sentado al otro lado de la habitación: —Comprendo.

Desde luego que comprendía. Mason conservaba su lugar en

la fila y esperaba ganarse la indulgencia de Kerry en la eventualidad de que algún medio distinto de Nate Cutler utilizara la aventura con Lara para derribarlo. Era ese egoísmo desinteresado que se suele pasar por alto en la política... por más que Kerry no tuviera, en los meses siguientes, cierta necesidad de recibir el apoyo de Dick.

—Cariños a Jeannie —dijo—. Como siempre.

Entregó el auricular a Clayton.

—O sea que lo perdonas.

—Por supuesto. Pero el perdón no es retroactivo.

Aunque lo dijo con una sonrisa, Clayton leyó la verdad en sus ojos. Si Kerry llegaba a la presidencia, Dick Mason estaba acabado: jamás perdonaría al vicepresidente por lo que le había hecho a Lara. Clayton sonrió a su vez: su amigo volvía a ser él mismo, un buen tipo, pero no un santo.

—Si de veras quieres fastidiar a Dick —dijo—, Frank Wells tiene una idea.

A las cinco y media, la hora indicada con escasa anticipación por Kit Pace, Kerry trató de ponerse de pie.

El dolor lo atravesó. Le arrancó un grito involuntario, y destellos blancos nublaron su visión. Sus piernas estaban a punto de flaquear.

Frank O'Malley lo tomó de un brazo, Clayton del otro.

—No lo haga si no se siente en condiciones —dijo el médico.

Kerry se enderezó. *La política*, decía Liam, *es como el óxido, nunca duerme.*

Deseaba que Lara estuviera allí. Pero ella permanecería fuera de la luz pública hasta el día siguiente.

—Me arreglaré —murmuró.

Los tres avanzaron centímetro por centímetro hacia la ventana. El salto de cama ocultaba del tubo de plástico. Detrás venía una enfermera empujando el soporte del cual pendía el extremo del tubo, rematado con una bolsa de plástico.

—Tienen que verte —había dicho Frank Wells—. Debes darles la seguridad de que estás en condiciones de actuar.

En cuanto a la ventana misma, Kerry no había sentido la menor curiosidad. No tenía la menor idea de en qué piso se encontraba. Aunque le conmovía saber que innumerables desconocidos se preocupaban por él y de alguna manera incluso lo amaban, la idea de que cientos mantuvieran una vigilia en el jardín le parecía abstracta, surrealista.

—¿En qué piso estamos? —preguntó a O'Malley.

—El tercero.

Llegaron a la ventana.

En verdad, eran cientos de personas en el jardín: jóvenes y viejos, hombres y mujeres, todas las razas, trajes y jeans. A su lado, Clayton le murmuró al oído:

—No vinieron por *él* sino por ti, Kerry.

A través del vidrio escuchó los gritos y aplausos. Algunos agitaban los brazos.

Kerry parpadeó. Ya no se trataba de Dick Mason, ni siquiera de los votos.

Alzó el brazo y les devolvió el saludo.

Desde abajo, Nate Cutler lo miraba: menudo, herido, pero evidentemente volvía ser él. Había que ser menos que humano para no contagiarse de la euforia que lo rodeaba, pensó. O para no sentir miedo al ver la figura perfilada en el techo: un francotirador del Servicio Secreto.

—Maravilloso —dijo Lee McAlpine con admiración y hasta cierto fervor—. Se las saben todas.

—El muerto aquí es Mason —respondió Nate, y en el momento de decirlo supo que era la verdad.

Kilcannon se retiró de la ventana.

Era el momento de llamar a Jane Booth, tal como se lo había pedido por bíper. Salió a la acera; mientras marcaba, contemplaba el tráfico urbano y la hilera de móviles policiales estacionados frente al hospital.

—Hola —dijo Jane.

—Habla Nate. Por celular.

Hubo una pausa breve.

—Tenemos reunión mañana, en Nueva York. Quiero que vengas lo antes posible. Ahora que va a seguir hasta el final, tenemos que tomar una decisión.

LA CAMPAÑA

séptimo día

UNO

El día de la elección amaneció tibio y despejado.

A las nueve, Clayton recibió la información de que la concurrencia era buena en todo el Estado.

Lara miró a Kerry y dijo: —Creo que esto te favorece.

Lo inundó la tibieza de la esperanza: —Parece que es en serio, Lara.

Clayton les entregó copias de dos declaraciones de prensa. Kerry leyó la suya, luego miró a Lara que leía una, sonreía, leía la otra cuidadosamente.

—La mía debería salir a través de la división noticias de la cadena —dijo a Clayton.

Éste alzó las cejas: —¿Les dijiste?

—Sí. —Miró a Kerry y sonrió otra vez. —Se produjo un largo silencio.

Clayton se encogió de hombros: —Será la segunda historia del día. Después de todo, esta elección decide la candidatura.

—El *timing* —dijo Lara— es lo que vale.

Mientras la miraba, Kerry se preguntó una vez más si habían tomado la decisión acertada. Lara era periodista desde sus años universitarios y ahora, bruscamente, seguía un camino totalmente distinto, jamás deseado, bajo una luz tan intensa que muchos no podrían soportarla. Pero no era el momento de decirlo; aparentemente serena, Lara había tomado un lápiz de su cartera y hacía correcciones en los márgenes de la gacetilla de prensa.

Eran las cinco de la tarde en Manhattan, tres horas después que en California, cuando las declaraciones de prensa llegaron al salón de reuniones.

Durante dos horas, los asistentes —Nate; Jane Booth; la investigadora periodística Sheila Kahn; el jefe de redacción Courtney Wynn; el dueño y director de *Newsworld* Martin Zimmer— habían revisado los hechos con minucioso detalle. La misma Jane había perdido su aire despreocupado e irónico. Tenían demasiado en juego: el prestigio de la revista; la carrera de Kerry Kilcannon; el problema de qué era y qué debía ser el periodismo. Nate aún no podía determinar cuál sería la decisión.

Sheila distribuyó las declaraciones en silencio. Nate leyó en voz alta.

"La división noticias de NBC anunció que la periodista Lara Costello ha solicitado y obtenido una licencia por tiempo indeterminado.

""Entre 1996 y 1998 fui corresponsal acreditada en el Congreso del *New York Times*. Durante ese período forjé una relación profesional y a la vez una amistad personal con el senador Kerry Kilcannon. Valoré ambas profundamente.

""Los sucesos de los últimos días y mi reacción ante ellos me han demostrado que mis sentimientos por Kerry Kilcannon trascienden la mera amistad. El senador ha tenido una revelación similar. Por consiguiente, resulta claro que no puedo seguir informando sobre esta campaña ni realizar tarea alguna que arroje dudas sobre mi objetividad o la de la división noticias de NBC.

""Es mi intención pasar las próximas semanas junto al senador Kilcannon durante su convalecencia y decidir cuál es el camino a tomar. Espero que el proceso resultará esclarecedor."

Con una sonrisa enigmática, Nate pasó a la segunda declaración, que citaba la reacción de Kerry Kilcannon. El texto íntegro decía:

"Si para lograr el esclarecimiento es necesario que le disparen a uno, me alegro de que bastara con una sola vez."

Miró a Sheila: —¿Nada *más*?

—Nada más.

Nate releyó la frase y se largó a reír: —Es bueno... por Dios, es demasiado bueno.

Courtney Wynn releía las declaraciones sin sonreír.

—Ahí va una de las patas de la historia —dijo por fin—. La periodista que viola la ética. Al menos, *in futuro*. ¿Cómo eran los reportajes de Costello hace dos años?

Kahn parecía estar aturdida: —Impecables —dijo—. Como los de la campaña. Si le hizo algún favor, no se nota.

Con el nerviosismo reprimido del que ha dejado de fumar, Jane vació su lata de Coca Diet.

—La competencia está enterada de todo —dijo, agitada—. Mañana se van a poner a investigar qué significa eso de "amistad personal".

—Y descubrirán lo mismo que nosotros —dijo Wynn—. Muchos detalles que parecen sensacionales, pero no terminan de revelar qué sucedió en el dormitorio. Y parece que la ex esposa de Kilcannon no hablará con *nadie*.

Booth lo miró fijamente: —No olvides el memo de la terapeuta.

Se hizo un silencio incómodo y Courtney Wynn clavó los ojos en la mesa. Todos sabían que su segundo matrimonio había comenzado como una aventura con una ex colega que había precipitado el fin del primero. Wynn era demasiado consciente de los hechos como para pasar por alto la ironía y demasiado buen periodista para no buscar una salida.

—Mienten sobre la aventura —dijo Nate—. Es así, aunque no podamos demostrarlo. Pero para mí el tema no es el adulterio: hay demasiado de eso hoy en día y no tenemos pruebas de que Kilcannon sea un adúltero compulsivo. El tema es si Lara Costello abortó el hijo de Kerry Kilcannon y qué papel tuvo él. Y ahora que serán la parejita de América, la historia adquiere un cierto factor "puaj". —Cutler miró a Sheila Kahn: —¿Sabes si la terapeuta está lo suficientemente loca como para inventar todo este asunto?

—¿Loca? Claro que sí. Hay que estar loca para hacer lo que hizo ella. Pero no creo que lo inventó.

Martin Zimmer se inclinó hacia delante con aire dubitativo. Era el aficionado rico que compraba el talento ajeno, y a pesar de sus éxitos en Well Street parecía algo amilanado.

—¿No es esta clase de situación la que exige que tengamos dos fuentes? Estoy bastante convencido de que hubo una aventura y creo que todos sabemos que Costello estuvo en la clínica. ¿Pero a quién le dijo, aparte de esta mujer vinculada con Compromiso Cristiano, que el bebé era de Kilcannon?

Jane Booth frunció el entrecejo: —Las circunstancias avalan la autenticidad. Es como confesarse con un cura o un abogado.

—¿Quiere que Dick Mason sea el presidente? —preguntó Zimmer a boca de jarro—. ¿O el candidato que designen los republicanos?

—Como jefa de política —replicó Jane con fastidio—, no quiero a *ninguno*.

—Pero con esto elegiría a *alguno*. Cualquiera menos Kilcannon. —Zimmer se volvió hacia Nate: —¿Nos consta que Mason lo filtró?

Nate asintió: —Eso quedó claro en el debate.

—Es lo que dice Nat Schlesinger. —Zimmer se acomodó en su asiento y bajó el tono: —Courtney y yo recibimos una segunda llamada de él. Su pregunta es: ¿torpedeamos a Kerry Kilcannon sobre la base de una sola fuente proporcionada por Dick Mason?

Nate miró a Courtney Wynn; sin moverse, el jefe de redacción parecía disociarse sutilmente del director para que nadie creyera que llevaba agua al molino de Kilcannon. Pero Nate tuvo que reconocer que la pregunta de Schlesinger era excelente.

Antes de nadie intentara responder, la secretaria de Wynn trajo un mensaje escrito.

Wynn fue al rincón, tomó el teléfono y conversó brevemente mientras los demás esperaban.

—Era un amigo mío de la ABC. Ya tienen los primeros resultados en boca de urna. Todavía no es suficiente para difundir, pero parece que Kilcannon lleva ventaja.

Martin Zimmer miró a Nate y alzó las cejas.

—Esto está en la calle —dijo Jane Booth—. Es una espada de Damocles. ¿Qué pasa si los republicanos lo usan para derribar a Kilcannon? ¿Cómo se explica que no lo publicamos?

Courtney Wynn la miró con astucia: —Depende de quién más quiera publicarlo —respondió—. Los republicanos no pueden hacerlo por su cuenta, como no pudo Mason. Aunque quieran. Entonces la pregunta es, ¿quién determina nuestros patrones? ¿Nosotros u otros? ¿Es esta la clase de historia que queremos publicar en *Newsworld*, al menos sin más confirmación de la que tenemos? ¿O nos hemos convertido en revolvedores de la mierda?

Nate estudió las declaraciones de prensa. Entre los presentes, sólo él podía intuir el sufrimiento que esas breves palabras habían causado a dos personas y el alto costo que aún podía tener el riesgo que corrían. Martin Zimmer interrumpió sus pensamientos.

—No me gusta esta historia —dijo—. ¿A alguien sí le gusta?

Jane Booth hizo una mueca: —Todo esto huele a podrido. Clayton Slade permitió que Costello viajara en la ambulancia porque sabe la verdad. Y pienso que nada de lo que pasó, ni el atentado ni esta historia falsa que han cocinado, elimina el problema ético de que una periodista advirtió a un candidato sobre una historia. Sobre todo cuando ella es parte de esa misma historia. Diablos, ¿de qué clase de patrones estamos hablando? —Miró a Nate y preguntó para terminar de convencer a Zimmer: —Te consta que habló con Kilcannon, ¿cierto?

Nate asintió: —O con sus colaboradores.

—¿Pueden demostrarlo? —preguntó Wynn a los dos.

Jane entrecerró los ojos.

—No —dijo Nate—. Pero se captan las vibraciones.

—Vibraciones —dijo Zimmer.

Jane se volvió hacia Nate: —Te dije que la siguieras. ¿Descubriste algo?

Nate titubeó. Sabía que era la última esperanza de Jane para mantener vivo el asunto.

—No —dijo por fin—. Pero nadie es tan idiota.

DOS

El proceso llegaba a su fin.

A las siete, Jack Sleeper llamó a Kerry para anunciar que sus cifras anticipaban una victoria importante.

—Falta una hora —dijo Kerry. A las ocho cerraban los comicios y la realidad ponía fin a las especulaciones.

—¿Pudiste hablar con los padres de Kate Feeney? —preguntó Lara.

Asintió: —¿Sabes qué me dijo la madre? Que fueron a votar por mí. Me imagino que es una manera de conservarla con vida.

—Tanto más importante para ellos que los llamaras —dijo. Deseaba poder consolarlo; sabía que durante el resto de su vida Kerry sufriría con la idea de que había abandonado a John Musso y de esa manera puesto en marcha la muerte de Kate.

—Necesito hablar con Peter Lake antes de que llegue mi madre —dijo después de una larga pausa.

—Iré a buscarlo.

Lo encontró en la cafetería, bebiendo una taza a solas. Vaciló, pero sólo por un instante: aunque estaba un poco a la deriva, sin saber qué le deparaba su nueva vida, sentía un alivio rayano en el júbilo por la liberación que significaba haber sacado a la luz su relación con Kerry.

Peter la miró y sonrió: —Gran día —dijo. Y añadió tras una pausa: —En todo sentido.

Lara asintió: —Kerry desea agradecerle. Y ahora yo también puedo hacerlo. —Hizo una pausa y sonrió a su vez: —Qué bueno que pueda seguir en el servicio secreto.

La sonrisa de Peter delató su alivio ante la supervivencia de Kerry.

—Muy secreto —dijo.

* * *

A las diez de la noche, tres acompañaban a Kerry: Lara, Clayton y Mary Kilcannon.

Lara sabía que hasta entonces Kerry no había querido que viniera su madre por miedo a que le afectara el recuerdo tan traumático de Jamie y de su propia bendición cuando, siguiendo el consejo de Liam, decidió dedicarse a la política. Pero su rostro aún bello sólo mostraba gratitud porque su hijo estaba vivo, y con leve desconcierto parecía aceptar a Lara como un regalo de Dios al único hijo que le quedaba.

Los dos tenemos madres católicas, pensó Lara, divertida. Tarde o temprano, Mary comprendería que su hijo era demasiado recto para pedirle a Meg la anulación del matrimonio, y por lo tanto no podría volver a casarse dentro de la Iglesia. Pero se daría el lujo de preocuparse por eso más adelante, cuando estuviera segura de la recuperación de su hijo. Esa noche sólo sentía el amor que había alimentado en su seno durante toda su vida.

—Kerry siempre fue un tesoro para mí —murmuró al oído de Lara—. Toda la vida.

Lara asintió: —Lo sé.

Kerry recibía los resultados de los otros junto con los suyos.

Llegaban lentamente; como siempre, Los Angeles demoraba la información. Entretanto, CNN mostró la escena del atentado.

Mary Kilcannon se negó a mirar; Lara aferró la mano de Kerry. Éste y Clayton miraban atentamente.

En la pantalla se veía en cámara lenta cómo Kerry apartaba a Clayton de un empujón y extendía el brazo hacia John Musso. A Kerry se le revolvió el estómago.

—Siempre lo mismo contigo —murmuró Clayton.

—*Entre los votantes californianos* —decía la voz de Bill Schneider—, *parece que el senador Kilcannon se benefició con el alivio que sienten ante su supervivencia y la admiración por su manera de proteger a quienes lo rodean...*

Era la peor manera de ganar una primaria, pensó, disgustado. Pero le quedaba un consuelo: cualquiera que fuese el impulso, esta vez no había fallado.

La cara atormentada de John Musso llenó la pantalla.

En silencio, Kerry recordó a un niño golpeado y luego a otro.

¿Qué le había permitido *a él*, se preguntó súbitamente, elevarse por encima de su padre abusivo? La respuesta le provocó sentimientos de gratitud y a la vez de culpa por sus propias deficiencias: sin duda, la diferencia estaba en el amor de su madre y la presencia discreta de Liam Dunn. Y posiblemente en el ejemplo de su hermano mayor, tan desesperado por liberarse de Michael Kilcannon que se consumió en el esfuerzo.

Cambió la imagen en la pantalla: apareció una periodista rodeada por seguidores jubilosos en la sede de la campaña en Los Angeles.

—Las proyecciones de CNN —dijo— *indican que el senador Kerry Kilcannon vencerá al vicepresidente Dick Mason en California por un margen del sesenta y dos al treinta y ocho por ciento. Esto significa que el senador Kilcannon ganaría la totalidad de los delegados de California y con ello la candidatura de su partido...*

—Eso es —dijo Clayton con júbilo—. Ganamos.

—Kit Pace, la secretaria de prensa del senador, leerá una declaración en breve...

Lara le apretó los dedos con fuerza: —Serás presidente, Kerry. Lo sé.

Embargado por sus sentimientos, no pudo responder.

—Se nos informa que el senador descansa mientras espera los resultados junto a su madre Mary Kilcannon y algunos amigos íntimos...

Si Liam Dunn estuviera aquí, pensó. Y Jamie.

No era un sentimiento hipócrita. Sabía que tendrían mucho para compartir. Había recorrido un camino muy largo, abierto por el trágico accidente que le había costado la vida a su hermano. Y al recorrerlo, realizaba su destino y se paraba con Jamie en terreno común.

—La victoria del senador Kilcannon —decía la periodista— *se produce después del reconocimiento público de su relación con Lara Costello, corresponsal de la NBC, quien hasta hace un mes se encontraba en el extranjero...*

—Justamente era mi plan —murmuró Lara—, blanquear nuestra relación viajando a Bosnia. Sólo lamento que nos tomara dos años.

Kerry la miró con una sonrisa oblicua.

—Kit Pace —prosiguió la periodista—*se ha negado a comentar el hecho, más allá de decir que hasta los candidatos y los periodistas tienen derecho a llevar una vida íntima.*

—Y eso sí que es noticia —observó Clayton.

Kerry rió suavemente y luego se sumió otra vez en sus pensamientos.

En poco tiempo más todo volvería a empezar: viajes, discursos, actos, cálculos incesantes, la lucha constante para ser, como Liam, un hombre íntegro en un mundo complejo. Por lo tanto, debía disfrutar de ese momento.

Miró a su madre, que le había dado tanto; a Clayton, su mejor amigo; a Lara, con quien tendría aún más intimidad. Ella sonrió y Kerry comprendió que, no importa lo que sucediera, tenía algo que a James Kilcannon siempre le había faltado: era un hombre afortunado, bendecido. Que sólo encontrarían refugio juntos, y más adelante con sus hijos.

Todo eso se lo diría mañana. Por ahora, era suficiente que estuviera ahí.

RECONOCIMIENTO

Mi primera deuda para con tanta gente que me ayudó es separar la investigación de la imaginación. Ésta no es una novela en clave sino una obra de ficción, cuya trama esencial desarrollé en 1995, antes de entrevistar a nadie ni seguir la reciente campaña electoral. En la medida que los sucesos de la campaña se asemejan a mi argumento preconcebido, se trata de una coincidencia. Asimismo, terminé el libro en septiembre de 1997, lo cual significa que éste no refleja sino que prefigura los sucesos políticos posteriores.

También debo señalar que si bien el relato se enmarca en problemas reales y vigentes como el aborto, el control de armamentos, las cuestiones raciales, la reforma de las campañas y la función de la prensa al informar sobre la vida privada de los funcionarios públicos, las posiciones, personalidades y acciones de los personajes centrales no son las de figuras políticas contemporáneas. Para mí, se trata no sólo de ser justo con los hombres y las mujeres que deben soportar semejante peso en la vida real, sino también de respetar mis principios de novelista; creo que la ficción más profunda es la que combina un trasfondo auténtico con personajes realistas pero inventados. Este libro tampoco pretende apoyar a tal o cual partido; su intención, la logre o no, es hacer pensar al lector.

Por último, espero que sea evidente que las actitudes expresadas por Kerry Kilcannon no reflejan —en realidad, con frecuencia contradicen— las de los líderes y asesores que me ayudaron a comprender su mundo. Ninguno "aprobó" este libro ni es responsable de su contenido. Los puntos de vista de Kerry son los que me parecen más coherentes con su origen y psicología, con los posibles componentes de una candidatura emergente y, en ocasiones, con ciertas inclinaciones mías. Asumo plena responsabilidad por las posiciones políticas y los posibles errores del libro.

Dicho lo cual, paso a agradecer los excelentes consejos que me brindaron muchas personas en medio del trajín de sus propias vidas.

Varias personas del mundo real de la política me ayudaron a elaborar mi mundo imaginario: Rich Bond, William Cohen, Peter Fenn, Marlin Fitzwater, Berry Gottehrer, Tom King, Peter Knight, Jim Lauer, Susan Levine, Christine Matthews, John McCain, Bill McInturff, Bob Squier, George Stephanopoulos, Joe Trippi, Donna Victoria, Nelson Warfield y en especial Mandy Grunwald. El senador Bob Dole y su personal de campaña, entre ellos Steve Duchesne y Jenny Ryder, tuvieron la amabilidad de permitirme acompañarlos.

Varios periodistas me instruyeron en los elementos de la cobertura de campañas y el conjunto de problemas en torno de si la vida privada de Kerry Kilcannon merecía pasar al dominio público. Agradezco especialmente a Lorraine Adams, Candy Crowley, David Finkel, Blaine Harden, Jill Zuckman y sobre todo Paul Taylor. Los aspectos periodísticos del libro mejoraron gracias a la colaboración de la difunta Susan Yoachum, directora de política del *San Francisco Chronicle*, cuya inteligencia, ingenio e intuición demostraron una vez más uno de los privilegios del novelista: el conocer gente como ella.

También me brindaron sus conocimientos el novelista Maynard Thomson; los psiquiatras Ken Gottlieb y Rodney Shapiro; la psicóloga Margaret Coggins; Carl Meyer y en especial Terry Samway del Servicio Secreto; el cirujano Bernard Alpert; Elizabeth Birch del Human Rights Campaign; Robert Walker de Handgun Control, Inc.; Robert Allen, periodista, docente, jefe de redacción de *The Black Scholar* y director del Oakland Men's Project; y Susan Breall, jefa de la unidad de violencia doméstica de la fiscalía de San Francisco. Como siempre, no hubiera podido prescindir de los lúcidos comentarios de Anna Chavez, Fred Hill y Philip Rotner, la intuición y coherencia de mi notable ayudante Alison Thomas y la participación cotidiana de mi esposa Laurie. Muchas gracias a Knopf and Ballantine —y a Sonny Mehta en particular— por su entusiasmo y aliento cuando emprendí un proyecto tan distinto de mis obras recientes.

California posee una dinámica política y social propia. Agradezco al fiscal Al Giannini, la colaboradora de campaña Lorrie Johnson, la tesorera de San Francisco Susan Leal, el especialista en preparativos de campaña Walter McGuire, el asesor político Phil Perry, la especialista en demografía Rosemary Roach por sus consejos; en especial al consultor político Clint Reilly por su ayuda y su tiempo. También Newark es un lugar singular, y Kerry Kilcannon tuvo una infancia especial. Muchas gracias a Dennis

Caufield, el padre Pat Donohue, Tom Giblin, Denis Lenihan, William Marks y Al Zach, quienes me ayudar a llenar las lagunas.

Algunos autores me inspiraron sin saberlo con sus obras. Leí el trabajo de Jack Newfield sobre Robert Kennedy hace treinta años y aún hoy me impresiona ese retrato vívido de un hombre complejo y contradictorio, así como el intento de revelar la conexión entre la psicología personal y las convicciones políticas. Si mi enfoque de Kerry Kilcannon sigue algún modelo, no es un político vivo sino el retrato de Newfield de aquél a quien perdimos cuando era demasiado joven. *The Power Game* de Hedrick Smith resultó útil para comprender la vida pública en Washington. Las reflexiones de John Leo, Ann Roiphe, Edward Tivnan, George Will y Naomi Wolff sobre el aborto me ayudaron a orientarme en este tema tan difícil... para satisfacción de casi nadie, estoy seguro.

Por último debo mencionar a George Bush y Ron Kaufman. Hace unos años recibí con sorpresa y sumo agrado una nota elogiosa del presidente Bush —un hombre a quien admiro desde hace mucho tiempo— sobre *Degree of Guilt.* Cuando concebí este proyecto, le escribí para preguntarle si me ayudaría a comprender lo que significa postularse para la presidencia. Su amable respuesta condujo a un encuentro, muchos consejos y ayuda generosa, y a una amistad con el presidente y la señora Bush que ha sido uno de los grandes placeres que disfrutamos Laurie y yo en esta época de nuestras vidas.

Acaso el mayor favor que me hizo el presidente Bush fue presentarme a Ron Kaufman, su director de política en la Casa Blanca. Ron sabe de política como el que más en Washington; sus consejos, ayuda, cordial amistad y buena compañía justifican por sí solas este esfuerzo. Y para que nadie culpe al presidente Bush y Ron por *este* libro, prometo dedicarles el *próximo.*

ROBIN COOK

Toxina

Cuando el Dr. Kim Reggis, eminente cirujano cardiovascular, lleva a su hija Becky a cenar en un local de comida rápida, no sabe que pone en marcha una tragedia. Esa noche, Becky resulta gravemente intoxicada con la bacteria e.coli. Al llevarla a la guardia del hospital, Reggis se enfrenta con las realidades de la medicina actual donde, para bajar costos, nuevas regulaciones restringen el acceso a tratamientos quc pueden salvar la vida de su hija.

Reggis no sabe qué hacer para detener el avance inexorable del mal. Enloquecido, decide investigar las causas de la intoxicación. Su búsqueda lo lleva desde las sórdidas prácticas de los mataderos hasta las maniobras políticas de la industria de la carne y de los organismos estatales encargados de controlarla.

Robin Cook nos trae un *thriller* atrapante que es, además, un inquietante testimonio sobre la indefensión del ciudadano común ante los riesgos de la contaminación de los alimentos.